Festival
WienVienna
November 14 – Dezember 13, 2006

Künstlerische LeitungArtistic Director **Peter Sellars**
Ein Festival im Rahmen von Wiener Mozartjahr 2006A festival within Wiener Mozartjahr 2006
DurchführungExecutive Producer Wiener Festwochen
www.newcrownedhope.org
Folio Verlag Wien·Bozen

InhaltsverzeichnisTable of Contents

Musiktheater und TanzMusic Theater and Dance

KonzerteConcerts

Bildende KunstVisual Arts

ArchitekturArchitecture

The Next ViennaThe Next Vienna

The Tables of New Crowned HopeThe Tables of New Crowned Hope

AnhangAppendix

Kunst ist Anders

Wir träumen die Welt ganz falsch.
Tief schlafend und Landschaften heraufbeschwörend, die mit
Fingerfarben in Blut getaucht sind, Kostüme, genäht für laute
Feste in Städten, die nach Leichen stinken.
Faule Imitationsträume, um das Bedauern und die Sehnsucht
zu stillen.
Kein Hall wird uns wecken
Kein neuartiges, kluges Schwert wird
Die Unordnung unseres Schlafes zerfetzen
Um die Furcht auszureißen, die sich nährt und uns leitet.

Kunst ist Anders.
Alles, was noch in der Lage ist, den Schmutz und das Glitzern
Aus unseren Augen zu nehmen
Und so unsere verkrüppelten,
verkrüppelnden Träume aufzuhalten.

Wahrheit ist Anders.
Sie riskiert, geboren zu werden,
unaufhaltsam, unwiderstehlich
Lebendig zu sein.
Unverführt von des Alptraums Nachtblindheit
Bleibt sie wach, besteht
Auf Erneuerung, Heilung und den gnädigen Balsam der
Erinnerung

Toni Morrison
August 2006

Art is Otherwise

We are dreaming all wrong, the world.
Fast asleep and conjuring landscapes finger-painted in blood,
Costumes stitched for loud celebrations in towns pungent
with cadavers.
Lazy, copy-cat dreams to quiet regret and yearning.
No boom will awaken us
Nor will some newly clever sword
Slash through the disorder of our sleep
To pluck the fright that feeds and leads.

Art is otherwise.
All that is left able to lift the grime and glitter
From our eyes
And halt thereby our crippled, crippling Dreams.

Truth is otherwise.
It risks all to be born,
To be unstoppably, irresistibly
Alive.
Unseduced by the mare's night blindness
It remains awake, insistent
On renewal, remedy, and the grace of memory's Balm

Toni Morrison
August 2006

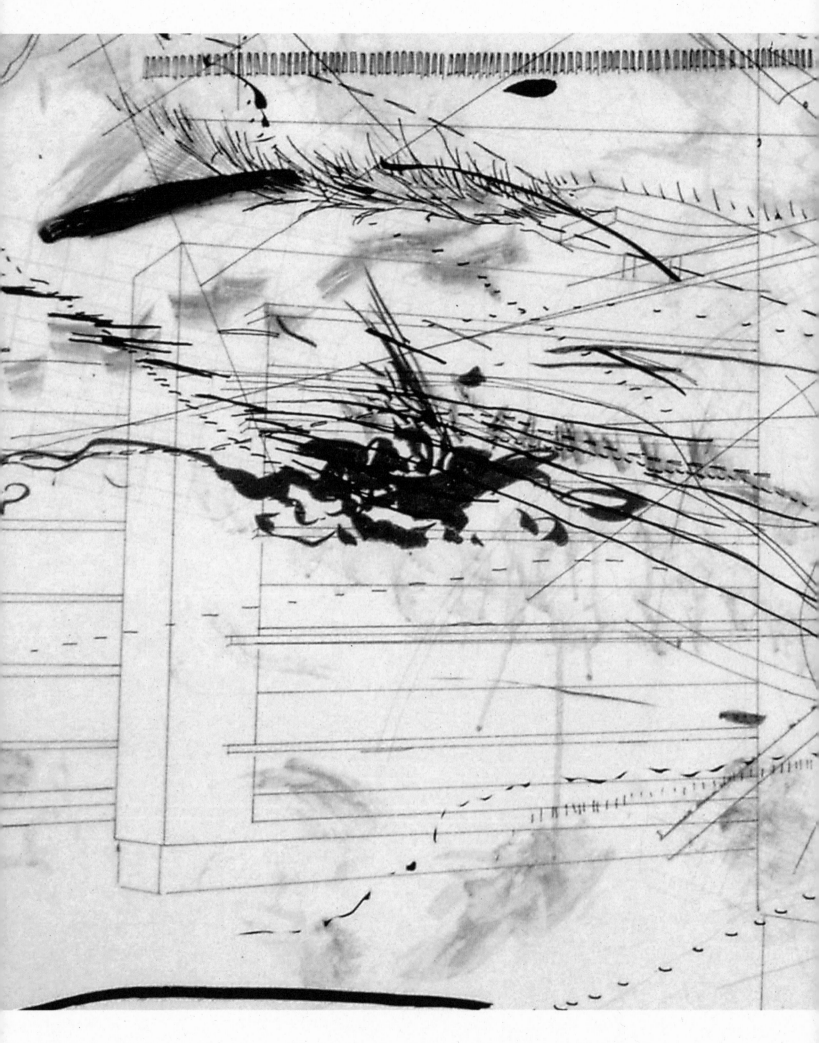

Peter Sellars
Willkommen
Welcome

Welches Geburtstagsgeschenk können wir einem Menschen machen, der von den verändernden Eigenschaften der Freude so überzeugt war, einem Menschen, dessen Verrücktheit und Närrischsein einer tiefen Ernsthaftigkeit entsprangen, einem Menschen, dessen musikalische Antriebskräfte stets widerstreitende Mächte versöhnen und ausgleichen, sowie Konflikte in Tanz übersetzen und überwinden – einem untröstlichen und doch hoffnungsvollen, großzügigen Menschen, der die Welt nicht mehr erlebte, die er und sein visionärer, philanthropischer Freundeskreis sich vorzustellen wagten?

Mozart starb so jung, im Alter von 35 Jahren. Hier in Wien müssen wir am Ende von Mozarts Leben beginnen, das in Salzburg seinen Anfang nahm. Er starb in Wien. Er starb tief verschuldet und wurde in einem anonymen Grab mit den Ärmsten der Stadt beerdigt. Die Geschichte Mozarts führt uns zu gesichtslosen Menschen in Massengräbern – nicht in ein glamouröses Wien, sondern in ein Wien realer Menschen und realer Überlebenskämpfe.

In seinem vorletzten Lebensjahr konnte Mozart keine Arbeit in Wien finden. (Er hatte seine politischen Überzeugungen in der *Hochzeit des Figaro*, *Don Giovanni* und *Così fan tutte* zu deutlich zum Ausdruck gebracht und die Gunst des neuen Kaisers Leopold II. verloren.) Er musste sich daher aufmachen und auf der Suche nach Aufträgen etliche Städte Europas bereisen, in der Hoffnung seiner Familie daheim Geld schicken zu können. Mozart wurde zu einem Wirtschaftsmigranten. Zwar gab er vor, all das mache ihm nichts aus, aber die Erfahrung war gefühlsmäßig so verstörend, dass selbst er nicht mehr komponieren konnte.

Mit leeren Händen kehrte er nach Wien zurück und begann, die lichtvolle Musik seines letzten Lebensjahrs zu schreiben. Im Jänner wurde sein Schweigen durch das letzte Klavierkonzert Nr. 27 (KV 595) gebrochen, das die Enttäuschung in einen seltsamen und zärtlichen Gleichmut verwandelt, sowie durch drei Kinderlieder, von denen zwei das Herannahen des Frühlings zum Thema haben. *Sehnsucht nach dem Frühlinge* (KV 596) beginnt mit den Worten: „Komm, lieber Mai, und mache die Bäume wieder grün". Das Lied dauert nur zwei Minuten, und seine sanft-einprägsame, beharrliche Melodie wird im letzten Satz des Klavierkonzerts wieder aufgenommen. Die Sehnsucht nach dem Frühling ist ein Bild, das wir von Prag bis Peking kennen. Es beschreibt die Hoffnung auf ein politisches Tauwetter. In China haben Maler und Dichter Jahrhunderte lang die Pflaumenblüte geehrt, die bereits im Februar als erste Pflanze aufblüht, furchtlos, selbstlos, hartnäckig, umgeben von Eis und Schnee, um allen zu sagen, dass der Winter nicht ewig dauern wird. Allen scheinbaren Beweisen zum Trotz muss jemand die Gewissheit des Frühlingswunders im Herzen tragen und dieses Versprechen der Wiedergeburt und Erneuerung den kalten, harten Tatsachen der Welt entgegensetzen.

Mit der *Zauberflöte* schrieb Mozart eine Oper für die Wiener Vororte (in der Innenstadt bekam er noch immer keine wichtigen Aufträge), ein multikulturelles, mehrere Generationen umspannendes Epos über Magie und Transformation. Wie funktioniert Magie? Was bedeutet es, zu einer Zeit und an einem Ort zu leben, wo Magie das Einzige ist, das funktioniert? Wie verstehen wir Wunder? Was bedeutet es, dass wir als menschliche Wesen uns in jedem Augenblick unserer Existenz kontinuierlich wandeln? Dass jener Mensch, den man für das Problem hält, die Lösung, die einzige Lösung ist? Kann eine ältere Generation von AnführerInnen zurücktreten und Platz für die Jugend machen? Und was sind die Feuer- und Wasserproben einer jungen Generation? Die *Zauberflöte* ist ein strahlendes Beispiel für Mozarts lebenslange Entschlossenheit, die Stimmen und Visionen von Frauen auf die höchsten Ebenen einer gerechten Gesellschaft zu stellen. Mozart setzt seinen Kampf gegen Sklaverei fort. Mozart erschafft eine

What birthday present can we offer a man who was so committed to the transformational properties of pleasure, a man who was so crazy and so silly because he was so serious, a man whose every musical impulse breathes reconciliation of opposing forces, of conflict translated and transcended in dance, a heartbroken, hopeful, generous man who did not live to see the world that he and his visionary, philanthropic circle of friends had the courage to imagine?

Mozart died so young, at the age of 35.

Here in Vienna, we have to start at the end of Mozart's life because Mozart's birth was in Salzburg. He died in Vienna. Mozart died deeply in debt, and he was buried in an anonymous grave with the poorest people of the city. So the Mozart story leads us to faceless people in mass graves; not to a glamorous Vienna, but a Vienna of real people and real struggles.

The year before his last he could not get work in Vienna (he had made his political convictions too clear in the *Marriage of Figaro*, *Don Giovanni* and *Così fan tutte*, and was out of favor with the incoming Leopold II), so he had to go on the road, travelling from city to city in Europe, looking for work, hoping to send money home to his family. He became an economic migrant. He put up a bold front, but this experience was so emotionally devastating that even Mozart stopped composing.

He returned to Vienna empty-handed and began to write the luminous music of his final year. In January his silence was broken by the last Piano Concerto, No. 27 KV 595, which transmutes disappointment into a strange and tender equanimity, and three songs for children, two of which are about the coming of spring. *Longing for Spring*, KV 596, begins "Come, dear May, and clothe the trees in green once more". It is two minutes long, and its gently haunting and insistent tune becomes the last movement of the Piano Concerto. Longing for Spring is an image known from Prague to Beijing. It is the hope for political thaw. In China, centuries of painters and poets have honored the plum blossom, the first flower that appears already in February, fearlessly, selflessly, tenaciously, surrounded by ice and snow, to announce that winter will not last forever. Against all evidence, someone has to hold and carry the certainty of the miracle of spring in their heart, and place its promise of rebirth and renewal right up against the cold hard facts of the world.

With *The Magic Flute*, Mozart wrote an opera for the Viennese suburbs (he still could not get serious work downtown), a multicultural intergenerational epic about magic and transformation. How does magic work? What does it mean to live in a time and a place where magic is the only thing that works? How do we understand miracles? What does it mean that as human beings we ourselves are changing at every moment of our lives? That the person who you think is the problem is actually the solution, the only solution? Can an older generation of leaders step down and make room for young people? And what are the trials by fire and water of a young generation? *The Magic Flute* is a resplendent example of Mozart's life-long determination to place women's voices and visions at the highest levels of a just society. Mozart continues his campaign against slavery. Mozart calls into being a world that integrates simplicity and unforced joy with political complexities and contradictions, in music that is both sacred and playful. It is a world that welcomes pop culture and secret ceremonies, refined intellectual debate and street language, and animals and humans live in delicate harmonic balance.

Welt, die Einfachheit und ungezwungene Freude mit politischer Komplexität und Widersprüchen in einer Musik verklammert, die ebenso sakral wie spielerisch ist. In dieser Welt ist Platz für Popkultur und für Geheimzeremonien, für gebildete intellektuelle Diskussionen und für Straßenslang, hier leben Tier und Mensch in sensiblem, harmonischem Einklang.

Gleichzeitig komponierte Mozart *La clemenza di Tito* für Prag. Diese Oper galt früher als reaktionär und undramatisch. Ganz unerwartet ist sie jedoch eine äußerst wichtige Oper für das 21. Jahrhundert geworden: Es geht um die Reaktion auf den Terrorismus, um das Durchbrechen des Kreislaufs der Gewalt und um die Vorherrschaft der Gnade. Im ersten Akt verüben VerschwörerInnen ein Attentat auf das Staatsoberhaupt und setzen die Hauptstadt in Brand. Im zweiten Akt erholt sich der Regent auf wundersame Weise und befiehlt, man möge die Verantwortlichen zu ihm bringen. Die bereits zum Tode verurteilten TerroristInnen werden ihm vorgeführt. Er vergibt ihnen, nimmt sich ihrer Probleme an und lädt sie ein, sich an der Regierung zu beteiligen, da Sicherheit nur dann möglich wird, wenn jeder Mensch Vertretung und Verantwortung erhält. Wir alle dachten, dass diese Oper bloß eine Träumerei sei, bis Nelson Mandela Präsident von Südafrika wurde, mit jenen Leuten eine Regierung bildete, die versucht hatten, ihn zu beseitigen, und erklärte, dass der Kreislauf des Tötens enden müsse. Seine Wahrheits- und Versöhnungskommission, in der TäterInnen ihren Opfern und deren Familien gegenübertraten, erprobte die Grenzen und Möglichkeiten des Vergebens in unserer Zeit.

Mozart diktierte sein unvollendetes *Requiem* auf dem Totenbett. Es beginnt mit einem tief empfundenen Ruf um Gnade und einer Beschreibung des Aufstiegs der Seele von der Dunkelheit zum Licht. Wie werden die Zeremonien für die Toten in unserer Generation aussehen, in einer Zeit, in der fast jede Woche neue Massengräber entdeckt und geöffnet werden? Welche Zeremonie kann den Gesichtern der Verschwundenen Namen zuordnen, den Familien endlich vom Schicksal ihrer Verwandten künden, TäterInnen zum Geständnis motivieren, damit Lebende wie Tote endlich vorangehen oder in Frieden ruhen können?

Vielleicht ist das beste Geburtstagsgeschenk für diesen erstaunlichen Menschen Mozart, eine Reihe von Künstlerinnen und Künstlern aus der ganzen Welt gemeinsam nach Wien einzuladen, damit sie dort neu anfangen können, wo er aufgehört hat. Jede Initiative unseres New Crowned Hope Projekts ist ein neuer Auftrag. Manche Kunstschaffenden kommen aus Ländern, in denen ihre Völker Genozid, Bürgerkrieg und deren Folgen durchleben müssen, wo ein neuer Anfang Not tut, und wo Gnade, Fantasie und Verhandlungsbereitschaft die einzige Hoffnung darstellen. Die Brände in den Pariser Vororten zeigen klar, dass wir uns keine Illusionen über eine Erste oder Dritte Welt machen dürfen – es gibt nur eine Erde, und wir alle teilen sie.

Auch 1789 setzten französische BürgerInnen öffentliche Gebäude außerhalb von Paris in Brand. Mozart war aktives Mitglied der Freimaurerbewegung, ebenso wie einige jener Männer, die die Revolutionen in Frankreich und Amerika ins Rollen brachten. Mozart war einer jener DenkerInnen und BürgerInnen, die sich intensive Gedanken über das „nächste" Europa machten, ein Europa ohne Autokratie und Könige. In Sorge darüber, dass die Ereignisse in Frankreich sich ausweiten könnten, ließ die Geheimpolizei alle Freimaurerlogen in Wien schließen. Eine einflussreiche Gruppe bat den Kaiser, diese Entscheidung noch einmal zu überdenken, da es wichtig sei, Wien nicht den Anstrich eines autoritären Polizeistaats zu verleihen. Der Kaiser gab nach und gestattete die Wiedereröffnung einer Loge. Mozarts letzter öffentlicher Auftritt war anlässlich der Uraufführung seiner letzten vollendeten Komposition, einer kleinen Kantate für die Wiedereröffnungsfeier der Loge, die er selbst dirigierte. Fünf Tage danach war er bereits bettlägerig; drei Wochen später war er tot.

Der Name der Loge war „Zur neugekrönten Hoffnung" / **New Crowned Hope**. Wo Mozart aufhörte, beginnen wir.

Simultaneously Mozart wrote *La clemenza di Tito* for Prague. This opera was once thought to be reactionary and undramatic. It has unexpectedly become a most important opera for the 21st century: it is about response to terrorism, breaking cycles of violence, and the rule of mercy. In Act One conspirators assassinate the President and set fire to the capital. In Act Two the President miraculously recovers and orders the responsible people to be brought before him. The terrorists, already sentenced to death, are presented. He forgives them, deals with their issues, and invites them to join the government, because until they have both representation and responsibility no one will be safe. We all thought that this opera was a daydream until Nelson Mandela became President of South Africa, formed a government with the people who had tried to kill him, and declared that the cycle of killing must stop. His Truth and Reconciliation Commission, in which perpetrators faced their victims and their victims' families, tested the limits and possibilities of forgiveness in our time.

Mozart dictated his unfinished *Requiem* from his deathbed. It opens with a full-throated cry for mercy and a description of the soul's ascending passage from darkness into light. What will the ceremonies for the dead be in our own generation, in a time when new mass graves are uncovered and opened nearly every week? What will the ceremony be like that finally puts names to the faces of the disappeared, that lets families at last learn the fates of their loved ones, in which perpetrators come clean, and both the living and the dead can finally move forward or rest in peace?

Perhaps the best birthday gift for this amazing man is to invite a gathering of artists from around the world to come together in Vienna and pick up where he left off. Every initiative in our New Crowned Hope project is a new commission. Some artists will be speaking from places where their peoples are living through genocide and civil war and their aftermaths, where the need is to somehow turn the page of history, and where acts of mercy, imagination, and negotiation are the only hope. The fires in the suburbs of Paris make it very clear that there can be no illusions about a First World and a Third World – there is one planet, and we are all sharing it.

In 1789, French citizens also set fire to public buildings outside of Paris. Mozart was an active member of the Freemasonry movement, a nucleus of whom were some of the men responsible for creating the American and French revolutions. Mozart was one of the thinkers and citizens deeply involved in imagining the "next" Europe, a Europe beyond autocracy and kings. Fearing that events in France would prove contagious, the secret police shut down all the Masonic lodges in Vienna. An influential group petitioned the Emperor to reconsider because it was important that Vienna not look like an authoritarian police state. The Emperor relented and permitted one of the lodges to reopen. Mozart's last public appearance was to conduct the last piece of music that he completed in his lifetime, a little cantata for the opening ceremony of this lodge. Five days later he was bed-ridden; three weeks later he was dead.

The name of this lodge was "New Crowned Hope". Where Mozart ended is where we begin.

14

Amin Maalouf
Sa Majesté l'Espoir

En ce calamiteux début de siècle, aucune denrée n'est plus rare, ni plus précieuse, que l'espoir.

A observer le monde autour de nous, nous avons le sentiment que d'innombrables conflits se développent, un peu partout, sans perspective de solution, sans même le désir d'en chercher une.

Au Nord de la planète comme au Sud, nous voyons se répandre des idéologies haineuses, violentes, simplistes et rétrogrades, qui se nourrissent de la diabolisation de l'autre, et se méfient de toute symbiose culturelle.

Nous entendons parler, matin et soir, du «choc des civilisations», comme si c'était une évidence universellement admise, comme si les différences culturelles devaient nécessairement conduire à l'affrontement, à la violence, à la destruction mutuelle, et comme si le monde se partageait en plusieurs humanités inconciliables par nature.

Pour faire face à ce «choc», certaines sociétés humaines, qui possèdent pourtant de solides traditions démocratiques, semblent s'installer dans un état d'urgence permanent; à raison ou à tort, elles voient partout des ennemis, des invasions, des menaces mortelles, et se laissent parfois convaincre que tous les moyens sont légitimes pour se protéger.

Pendant ce temps, la gestion erratique des ressources de la planète conduit à des bouleversements dont nous ne parvenons pas encore à mesurer les conséquences. Certaines perturbations climatiques nous paraissent monstrueuses. Sans cesse on agite devant nos yeux des spectres d'épidémies, de pénuries, de disettes, de cataclysmes, et de cent autres calamités, imaginaires ou réelles, qui égarent nos esprits comme en toutes les époques troubles.

Qu'il est facile, dans cet environnement inquiétant, de prôner le cynisme et le découragement! Qu'il est facile de se laisser porter par les haines et les frayeurs de sa propre tribu! Il est plus difficile de propager l'espoir, et d'imaginer, pour notre humanité déboussolée, un avenir différent. Mais n'est-ce pas là, justement, la vocation éternelle de l'art? Sa mission n'est-elle pas d'humaniser le monde, et même, osons le dire, de le sauver?

L'époque de Mozart a connu des bouleversements sociaux, politiques, intellectuels, qui s'accompagnaient, comme aujourd'hui, de violence et de peur; mais qui, comme aujourd'hui, s'accompagnaient également d'espoir. Et c'est à cet espoir que le compositeur s'était consacré en ses dernières années. Il rêvait d'un monde d'harmonie, où les valeurs suprêmes seraient la liberté, la vie, la dignité, la raison et l'art. Non pas un monde sans religion, mais un monde où la foi ne serait plus un instrument pour consolider un pouvoir, ou pour le renverser. Non pas un monde sans autorité, mais un monde où l'autorité serait au service des hommes, pas un instrument pour les asservir ou les manipuler.

De tout son être, Mozart désirait un avenir différent. Et il était convaincu qu'un jour cet espoir triompherait, et serait «couronné». L'enseignement de sa vie et de son œuvre, c'est qu'il faut oser aimer, oser imaginer, oser construire, et oser espérer, espérer, sans céder au découragement ni à la lassitude. Et que même quand la flamme de l'espoir paraît fragile, il faut la préserver, la contempler, et la nourrir avec ferveur.

Amin Maalouf
Im Reich der Hoffnung

An diesem unheilvollen Beginn unseres Jahrhunderts ist kein Gut seltener oder wertvoller als die Hoffnung.

Wenn wir auf die Welt um uns herum blicken, bekommen wir den Eindruck, dass überall unzählige Konflikte aufflackern – ohne langfristige Lösungsperspektiven, ja ohne dem Willen oder dem Wunsch, nach diesen zu suchen.

Im Norden, wie auch im Süden unseres Planeten, erleben wir die Verbreitung von abscheulichen, simplifizierenden, rückständigen und brutalen Ideologien, die aus der Dämonisierung „des Anderen" genährt werden und jeder Form von kultureller Symbiose zutiefst trotzen.

Man spricht Tag und Nacht vom „Konflikt der Kulturen", als ob es dafür einen allgemein akzeptierten Beweis gäbe, als ob kulturelle Unterschiede notwendigerweise zu Konfrontation, Gewalt oder gegenseitiger Zerstörung führen müssten, und als ob die Welt in mehrere Menschheiten aufgespalten wäre, die in ihrer Wesenheit unvereinbar wären.

Um diesem „Konflikt" zu trotzen, scheinen sich einige Gesellschaften, die doch auf solide demokratische Traditionen zurückgreifen können, in einem Zustand permanenten Notstands zu verbarrikadieren; zu Recht oder zu Unrecht sehen sie überall Feinde, Invasionen, tödliche Bedrohungen und haben sich nun selbst davon überzeugt, dass alle Mittel legitim sind, wenn es um den Selbstschutz geht.

Gleichzeitig führt der fehlgeleitete Umgang mit den Ressourcen der Erde zu Erschütterungen, deren Konsequenzen wir noch gar nicht abschätzen können. Gewisse Klimastörungen erscheinen uns ungeheuerlich. Ohne Unterlass geistert vor unseren Augen das Phantom von Epidemien, Verknappungen, Hungersnöten, Verheerungen und hundert anderen – echten

oder eingebildeten – Katastrophen, die unsere Köpfe verwirren, wie dies in allen unruhigen Epochen der Fall ist.

Wie leicht ist es in diesem beunruhigenden Umfeld, dem Zynismus und der Mutlosigkeit das Wort zu reden! Wie leicht ist es, sich von Hass und Angst der eigenen Sippe treiben zu lassen! Schwieriger ist es, Hoffnung anzuregen und sich für unsere orientierungslose Menschheit eine andere Zukunft vorzustellen. Aber liegt nicht gerade hierin die ewige Berufung der Kunst? Ist es nicht ihre Mission, die Welt menschlicher zu machen und sogar – wagen wir es zu sagen? – sie zu retten?

Mozarts Zeitalter war gekennzeichnet durch soziale, politische und intellektuelle Umstürze, die wie heute mit Gewalt und Angst einhergingen, aber die, ebenso wie heute, auch von Hoffnung begleitet waren. Und eben dieser Hoffnung widmete Mozart seine letzten Lebensjahre. Er träumte von einer Welt der Harmonie, deren höchste Werte Freiheit, Leben, Würde, Vernunft und Kunst sein würden. Nicht eine Welt ohne Religion, sondern eine Welt, in der der Glaube kein Instrument der Machtverfestigung oder -ergreifung mehr sein würde. Keine Welt ohne Autorität, sondern eine Welt, in der die Autorität im Dienst des Menschen stünde und nicht mehr ein Instrument seiner Unterjochung oder Manipulation wäre.

Mit seinem ganzen Sein strebte Mozart nach dieser anderen Zukunft. Er war überzeugt, dass die Hoffnung eines Tages obsiegen und so „gekrönt" würde. Sein Leben und Werk lehren uns, dass man es wagen soll zu lieben, zu träumen, aufzubauen und zu hoffen, ohne der Enttäuschung oder Ermattung zu verfallen. Und dass man die Flamme der Hoffnung, auch wenn sie nur schwach flackert, erhalten, sich ihr widmen und sie mit Leidenschaft nähren muss.

Amin Maalouf
In the Realm of Hope

In this calamity-stricken beginning of the 21st century, there exists no rarer, no more precious commodity than hope.

Looking at the world around us, we get the impression of innumerable conflicts developing everywhere, with no long-term perspectives for solutions, and without even the will or desire to search for them.

In the north of our planet as well as the south, we see the spread of hateful, simplistic, retrograde and violent ideologies that are fed by the demonization of "the other", deeply defiant of any form of cultural symbiosis.

Every morning and every night we hear talk about the "clash of civilizations", as if there existed any universally recognized evidence of this, as if cultural differences necessarily lead to confrontation, violence and mutual destruction, and as if the world were split into several human races that are by their very nature irreconcilable.

In the face of this "clash", certain societies, which still lay claim to sound democratic traditions, seem to have entrenched themselves in a state of permanent emergency; with or without reason, they see enemies, invasions, and death threats everywhere and have now convinced themselves that all means are legitimate in the cause of self-protection.

At the same historical moment, the misguided management of the Earth's resources is leading to upheavals whose consequences we cannot as yet assess. Certain climatic disturbances appear to be monstrous. The spectre of epidemics, shortages, famines, cataclysms, and a hundred other – real or imagined – catastrophies are held before our eyes, confounding our spirits: the signs which mark every troubled era.

In this disquieting environment, how simple is it to advocate cynicism and dejection! How simple it is to be carried along by the hatreds and fears of one's own tribe! It is more difficult to propose hope and to imagine a different future for a disoriented humanity. But is not this precisely the eternal vocation of art? Is it not the mission of art to humanize the world and even – dare we say it? – to save it?

Mozart's era was characterized by social, political and intellectual upheavals that were accompanied, as in our time, by violence and fear, but also, again as in our time, by hope. And it is to this hope that the composer dedicated his final years. He dreamt of a world of harmony whose supreme values would be liberty, life, dignity, reason, and art. Not a world without religion, but a world where faith would no longer be an instrument to consolidate or overthrow power. Not a world without authority, but a world where authority would be at the service of humanity, not an instrument to subjugate or manipulate men and women.

With all his being, Mozart strove for a different future. And he was convinced that one day this future would triumph and be "crowned". His life and work teach us that we must dare to love, dare to imagine, dare to build, and dare to hope, without giving in to disillusionment, discouragement or apathy. And even when the flame of hope seems fragile, it must be preserved, contemplated, and fervently nourished.

John Adams
A Flowering Tree
A Flowering Tree

Eine Oper in zwei AktenAn opera in two acts —

MusikMusic **John Adams** — Libretto vonLibretto by **John Adams** undand **Peter Sellars** —
nach Texten vonadapted from texts by **Attipat Krishnaswami Ramanujan** —

Musikalische LeitungConductor **John Adams** — InszenierungDirector **Peter Sellars** — BühneStage Design **George Tsypin** —
KostümeCostumes **Gabriel Berry** — LichtLight Design **James F. Ingalls** — TonSound Design **Mark Grey** —

SängerInnenSingers **Eric Owens** — **Jessica Rivera** — **Russell Thomas** —
TänzerInnen und ChoreografieDancers and Choreography **Rusini Sidi** — **Eko Supriyanto** — **Astri Kusama Wardani** —
OrchesterOrchestra **Joven Camerata de Venezuela** — ChorChoir **Schola Cantorum de Venezuela** —
ChorleitungConductors **María Guinand** — **Ana María Raga** —

AuftragswerkCommissioned by **New Crowned Hope, San Francisco Symphony, Barbican Centre, London,
Lincoln Center for the Performing Arts, New York, Berliner Philharmoniker** —
KoproduktionA co-production of **New Crowned Hope, Lincoln Center for the Performing Arts, New York,
English National Opera, London** —

PremierePremiere **14.11.2006, 20:00** —
AufführungenPerformances **16.,18.,19.11.2006, 20:00** —
OrtVenue **Halle E im MuseumsQuartier** —
In englischer Sprache mit deutschen ÜbertitelnIn English, with German surtitles —

UraufführungWorld Premiere —

Sarah Cahill
A Flowering Tree
A Flowering Tree

In der zweitausend Jahre alten südindischen Volkssage *A Flowering Tree (Ein blühender Baum)* ersinnt ein schönes Mädchen namens Kumudha einen Plan, um ihrer verarmten Familie zu helfen: Sie verwandelt sich in einen Baum, dessen duftende Blüten sie und ihre Schwester sammeln, zu Kränzen flechten und auf dem Markt verkaufen. Sorgfältig führen sie das Ritual durch, für das Kumudha jeweils einen Krug Wasser benötigt – einmal, um sich in den Baum zu verwandeln, und einmal, um wieder menschliche Gestalt anzunehmen. Ein Prinz bespitzelt sie und möchte sie heiraten. Nach der Hochzeit befiehlt der Prinz Kumudha, sich für ihn zu verwandeln. Sie gibt nach, aber seine Schwester sieht von einem Versteck aus zu und zwingt Kumudha aus Neid gegenüber deren Kräften, das Ritual auch für sie und ihre Freundinnen durchzuführen. Nachdem sich Kumudha in einen Baum verwandelt hat, brechen die anderen ihre Äste ab, reißen ihre Blüten aus und lassen sie zurück, ohne das Wasserritual durchzuführen, das ihr wieder menschliche Gestalt verleihen würde. In der Unterwelt gefangen, halb Baum, halb Mensch, wird Kumudha schließlich von einer Gruppe von Spielleuten gerettet, die sie in ihre umherziehende Truppe aufnehmen, da sie wundervoll singen kann. Inzwischen durchwandert der Prinz,

In the 2000 year-old South Indian folk tale *A Flowering Tree*, a beautiful girl named Kumudha devises a plan to help her impoverished family: she transforms herself into a tree, from which she and her sister gather the fragrant flowers, weave them into garlands, and sell them at the marketplace. They carefully perform the ritual, which requires one pitcher of water for Kumudha to turn into the tree, and one pitcher of water for her to turn back into human form. The local Prince spies on her and wants her for his wife. After their wedding, the Prince commands Kumudha to perform the transformation for him. She complies, but his sister watches from a hiding place and, envious of her sister-in-law's powers, forces Kumudha to perform the ritual for her and a group of her friends. After Kumudha turns into a tree, they break her branches, tear off her flowers, and abandon her, neglecting the water ritual which would revert her back into human shape. Trapped in a netherworld, not quite tree, not quite human, Kumudha is eventually rescued by a band of minstrels, who include her into their traveling act because she can sing exquisitely. Meanwhile the Prince, distraught at his wife's disappearance, wanders through the country as a beggar. After

verzweifelt über das Verschwinden seiner Gattin, als Bettler verkleidet das Land. Nach langer Zeit kommt er zum Palast seiner Schwester, die inzwischen eine Königin ist. Sie erkennt ihn kaum, nimmt ihn aber auf. Als sie von der umherziehenden Gruppe von Spielleuten und der sonderbaren Baumfrau mit der himmlischen Stimme hört, bestellt sie den unförmigen Torso zum Palast, da sie hofft, damit dem Prinzen helfen zu können. Sofort erkennt der Prinz die Stimme seiner Gattin und verleiht ihr mit einem Krug Wasser wieder ihre menschliche Gestalt.

Wie die meisten Volkssagen aus der ganzen Welt, stellt auch diese zwei Grundelemente einander gegenüber – einerseits eine unmögliche Geschichte (ein Mädchen, das sich in einen Baum verwandelt, ein Prinz, der ein Bauernmädchen heiratet) und andererseits mythische Untertöne, die auf alle Menschen jeglichen Glaubens eine starke Wirkung ausüben. Zum Beispiel hat Kumudha eine Gabe, die Glück, Eifersucht und Begehren in anderen Menschen hervorruft, aber nur für altruistische Ziele, nicht aus Eigennutz eingesetzt werden darf (man denke hier etwa an die Gans, die goldene Eier legt, oder an König Midas, der alles zu Gold verwandelt, was er berührt). Der Prinz muss einen Übergangsritus durchleben, um seinen Wert unter Beweis zu stellen: Nur als heimatloser Bettler kann er nicht nur seine Gattin verstehen, sondern überhaupt alle weniger mit Glück begünstigten BürgerInnen seines Königreichs (hier kommt uns vielleicht Siddhartha Gautama in den Sinn, der seinen Palast und Reichtum gegen das Leben eines Asketen eintauschte – und übrigens unter einem Feigenbaum die Erleuchtung erfuhr). Der Augenblick des Wiedererkennens, mit dem die Geschichte schließt – zwei SeelengefährtInnen, die sich zwar äußerlich drastisch verändert, aber ihr Wesen bewahrt haben –, ist auch ein wesentliches Kernelement des Mythos.

In der Wahl von A Flowering Tree als Grundlage ihrer neuen Oper weisen John Adams und Peter Sellars auf starke Bezüge zu Mozarts letzter Oper, der Zauberflöte, hin. Wie die Zauberflöte ist auch dies eine Liebesgeschichte über Verwandlung, Verantwortung, Feuerproben, Erlösung und Wunder. Die Hintergründe beider Opern weisen ebenfalls Ähnlichkeiten auf.

Dies ist die sechste Kooperation von Adams und Sellars und die dritte, in der sie selbst das Libretto verfasst haben.

Für A Flowering Tree schlug Sellars diese Volkssage vor und machte Adams mit Volksdichtungen in der Sprache Kannada, übersetzt von Attipat Krishnaswami Ramanujan, bekannt. Sie einigten sich auf die Form der Geschichte und die Anordnung der Gedichte. Dann schrieb Adams das Libretto, wobei Sellars Kommentare und Vorschläge beitrug. Entsprechend dieser sehr einfachen Geschichte beschränkte Adams die Anzahl der handelnden Personen auf drei SolistInnen: Kumudha, der Prinz und der Geschichtenerzähler, eine Rolle, die er erfand, um die Handlung zu ergänzen und die weiteren Personen der Geschichte zu ersetzen. Mit einem aus Blockflöten, Harfe und Celesta bestehenden Orchester erschuf Adams eine flirrende, magische Atmosphäre voll Hoffnung und Möglichkeiten.

Wie Mozarts Musik hält auch die Musik von John Adams der strengsten Analyse stand, kann aber genauso ohne weitere Kenntnisse oder Studien einfach genossen werden. Und wie Mozart findet Adams seine Inspiration in Volksliedern, im Alltagsleben, in dem, was er selbst „die Mundart" nennt. Beide Komponisten lassen Begriffe wie „Klasse" und „soziale Stellung", „E-Musik" oder „U-Musik" hinter sich, und beiden gelingt diese Bravourleistung äußerst elegant durch das Medium der Oper. Indem er eigens für die Joven Camerata de Venezuela (das außerordentliche Jugendorchester aus Caracas) und die Schola Cantorum de Venezuela komponierte, vertieft Adams die Themen jugendlicher Weisheit und Vision noch weiter, die beide sowohl A Flowering Tree als auch der Zauberflöte innewohnen.

a long time he ends up at his sister's palace (she has since become a queen). Barely recognizing him, she takes him in. When she hears about a traveling minstrel troupe and a strange tree-woman with a heavenly voice, she summons the misshapen torso to the palace, in hopes it might help the prince. At once the Prince recognizes his wife's voice, and with a pitcher of water restores her to her human self.

Like most folk tales from around the world, this one juxtaposes two basic elements: first, an impossible narrative (a girl turns into a tree; a prince marries a peasant), and second, mythic overtones which resonate deeply with all of us, no matter what our beliefs. Kumudha, for instance, has this gift which inspires happiness, jealousy, and desire in those around her, but can be used only for altruistic purposes, not selfish ones (think of the fable of the Goose and the Golden Egg, or King Midas and his Golden Touch). The Prince must undergo a rite of passage to prove himself worthy: only as a homeless beggar can he truly empathize not only with his wife but also with the less fortunate citizens of his kingdom (here we might remember Siddhartha Gautama, who renounced his palace and riches for the life of an ascetic and, by the way, achieved enlightenment beneath a fig tree). The moment of recognition which concludes the story – two soulmates drastically changed, but with their essences intact – is also a vital kernel of myth.

In choosing A Flowering Tree as the basis for their new opera, John Adams and Peter Sellars suggest its strong links to The Magic Flute, Mozart's final opera. Like The Magic Flute, this is a love story about transformation, responsibility, trial by fire, redemption, and miracles. The backgrounds behind these two operas reveal similarities as well.

This is the sixth collaboration for Adams and Sellars, and the third in which they have created the libretto themselves.

For The Flowering Tree, Sellars suggested the folktale and introduced Adams to Kannada folk poetry in translations by Attipat Krishnaswami Ramanujan. Together they decided on the shape of the story and the placement of the poems. Adams then wrote the libretto, with Sellars providing comments and suggestions. In keeping with the tale's simplicity, Adams has pared down the cast to only three soloists: Kumudha, the Prince, and the Storyteller, a role he invented to flesh out the plot and fill in for other characters. With an orchestra featuring recorders, harp, and celesta, Adams creates a shimmering, magical atmosphere, full of hope and possibility.

Like Mozart's, Adams' music stands up to rigorous analysis, but can equally be enjoyed right away without any prior experience or study. And like Mozart, he finds inspiration in folk songs, in daily life, in what he himself calls "the vernacular". Both composers transcend notions of class and social status, of "high" and "low". Both manage this feat most elegantly through the medium of opera. And by composing specifically for the Joven Camerata de Venezuela – the exceptional youth orchestra from Caracas – and the Schola Cantorum de Venezuela, Adams further embraces the themes of youthful wisdom and vision inherent in both The Flowering Tree and The Magic Flute.

Anyone who has wandered through the Wienerwald (or any enchanted forest in the world) understands why trees have always suggested human form. Arthur Rackham's illustrations of menacing oaks which stretch their limbs towards lost children; the claw-fingered trees in the dark forest of Disney's Snow White; the association is buried deep in our subconscious. In the Shinto religion of Japan, the sakaki tree is sacred, and with its fragrant, creamy-white flowers lures spirits to it; the divine spirit can adeptly transfer itself to twigs of the tree. In

Jeder, der jemals durch den Wienerwald (oder irgendeinen anderen Zauberwald der Welt) gewandert ist, weiß, warum Bäume schon immer an die menschliche Gestalt erinnert haben. Arthur Rackhams Illustrationen drohender Eichen, die ihre Arme nach verirrten Kindern ausstrecken, die klauenfingrigen Bäume im dunklen Wald von Disneys *Schneewittchen*-Film – diese Assoziationen sind tief in unser Unterbewusstsein eingegraben. Im japanischen Schintoismus gilt der Sakaki-Baum als heilig und zieht mit seinen duftenden, cremeweißen Blüten Geister an; der göttliche Geist kann geschickt in die Zweige eines Baums einfließen. In Indien saß Buddha unter dem Baum der Erkenntnis, der ihn schützte und inspirierte. In China wurde eine Frau, die die Menschen vor einer großen Flut gewarnt hatte, dafür bestraft, indem sie in einen Baum verwandelt wurde. In Griechenland gibt es den Mythos von Daphne, die – von Apollo verfolgt – ihren Vater, den Flussgott Peneus anruft, er möge die Erde öffnen, um sie aufzunehmen, oder ihre Gestalt verwandeln. „Kaum hat sie gesprochen, werden ihre Glieder steif; ihre Brust wird eingeschlossen in zarte Rinde, ihr Haar zu Blättern, ihre Arme zu Ästen ... Ihr Gesicht wird zu einer Baumkrone, die nichts mehr mit ihrer früheren Gestalt gemeinsam hat als ihre Schönheit. Apollo steht verblüfft da. Er berührt den Stamm und fühlt, wie das Fleisch unter der frischen Rinde zittert. Er umarmt die Äste und überschüttet das Holz mit Küssen. Die Äste weichen vor seinen Lippen zurück." Zwei weitere Gestalten der griechischen Mythologie sind Philemon und Baucis, ein altes Ehepaar, das einander ewige Liebe schwört und in zwei miteinander verwachsene Bäume verwandelt wird.

Eine andere ergreifende Geschichte stammt aus dem Italien des 16. Jahrhunderts und wurde von Giambattista Basile aufgeschrieben. Hier geht es um ein Mädchen, das als Myrtenzweig geboren und von einem Prinzen begehrt wird. Er pflegt und gießt den Zweig sorgfältig, und nach einer Woche verwandelt sich dieser in eine Fee, die in des Prinzen Bett schlüpft, während er schläft. Basile schreibt: „Der Prinz machte aus seinen Armen eine Ranke und umfasste ihren Hals, sie erwachte aus ihrem Schlaf und erwiderte mit sanftem Lächeln das Seufzen des verliebten Prinzen." Wie in *A Flowering Tree* wird der Myrtenzweig später von eifersüchtigen Frauen zerstört, der Prinz erkrankt über diesen Verlust, aber beide werden schließlich durch die heilende Kraft der Liebe ins Leben zurückgeholt.

Diese Geschichten weisen einen sehr sinnlichen, ja erotischen Aspekt auf. Ohne sie zu wörtlich zu nehmen (es gibt übrigens eine Subkultur, die als „Verwandlungsfetischismus" bekannt ist, und die Prinzen in diesen Geschichten scheinen gewiss davon etwas abbekommen zu haben), kann man den blühenden Baum als Metapher für eine unerschütterlich treue und fruchtbare Frau sehen. Sie nährt und muss genährt werden. Sie verwurzelt sich und blüht und bietet ständige Unterstützung, aber sie ist auch zerbrechlich und kann leicht verletzt werden, wenn man sie vernachlässigt. Ihre Blüten sind eine üppige Quelle von Freude und Trost. Diese Metaphern nehmen eine zusätzliche Dimension an, wenn Kumudha ihre Kräfte mit in das eheliche Bett nimmt und uns damit daran erinnert, dass die gestaltändernden Frauen auf der ganzen Welt – in Japan, Polen, Irland, Afrika und anderswo – stets das dunkle Schlafzimmer für ihre Metamorphose wählen. Und wer unter uns hat denn nicht in solchen Momenten eine Art physischer Verwandlung erfahren?

Manche von uns ändern ihr Aussehen (oder lassen es ändern), während andere sich vielleicht nur innerlich (aber genauso dramatisch) verändern. Als Papageno seine Seelengefährtin Papagena zum ersten Mal trifft, erscheint sie ihm als hässliche alte Frau. Damit sich Papagena wieder in ein schönes junges Mädchen verwandelt, muss Papageno selbst seine Einstellung ändern und sich ihrer als würdig erweisen. In ähnlicher Weise bringt die Verbin-

India, the Buddha sat under the Tree of Enlightenment, which protected and inspired him. In China, a woman who warned people of a great flood was punished by being turned into a tree. In Greece, there is the myth of Daphne, pursued by the god Apollo. According to Bulfinch's Mythology, she calls to her father Peneus, the river god, to "open the earth to enclose me, or change my form". "Scarcely had she spoken, when a stiffness seized all her limbs; her bosom began to be enclosed in a tender bark; her hair became leaves; her arms became branches ... her face became a tree-top, retaining nothing of its former self but its beauty. Apollo stood amazed. He touched the stem, and felt the flesh tremble under the new bark. He embraced the branches, and lavished kisses on the wood. The branches shrank from his lips." Also in Greek mythology, Baucis and Philemon, an elderly married couple who declare eternal love for each other, are transformed into a pair of intertwining trees.

Another potent story is the 16th century Italian tale, from Giambattista Basile, about a girl who is born as a sprig of myrtle, coveted by the local prince. He tends and waters it carefully, and after a week the myrtle sprig turns into a fairy and slips into his bed while he's sleeping. Writes Basile: "The prince made a vine of his arms, and clasping her neck, she awoke from her sleep and replied, with a gentle smile, to the sigh of the enamoured prince." As in *The Flowering Tree*, the myrtle sprig is later torn apart by jealous women, the prince sickens from the loss, but both are revived through the healing powers of love.

There is a deeply sensuous, even erotic aspect to each of these tales. Without taking them too literally (there is, by the way, a subculture known as "transformation fetishism", and the princes in these stories certainly seem likely candidates), we can imagine the flowering tree as a metaphor for an eternally steadfast and fertile woman. She provides nourishment, and also needs to be nourished. She will take root, and blossom, and give perennial support; she is also fragile, and easily bruised if taken for granted. Her flowers are an abundant source of both pleasure and comfort. These metaphors assume extra dimensions when Kumudha takes her powers into the marriage bed, reminding us that shape-shifting women around the world – Japan, Poland, Ireland, Africa, and elsewhere – choose the darkened bedroom for their metamorphosis. And who among us hasn't felt some kind of physical transformation in those circumstances?

Some of us alter our appearances (or they are altered for us), while for others, the change may be internal, but no less dramatic. When Papageno first meets her, his soulmate Papagena takes the form of an ugly old crone. For Papagena to turn back into a lovely young woman, Papageno himself must undergo a change of heart, and prove himself worthy of her. Similarly, the pairing of Kumudha and the Prince involves both external and internal metamorphosis.

But whatever alterations occur in *A Flowering Tree* and *The Magic Flute*, music remains the one constant, unwavering force. Kumudha's beautiful singing voice saves both her own life and the Prince's; it is her essence, and allows him to recognize her, even when she has deteriorated into a withered half-human, broken tree (another fairy tale analogy: Hans Christian Andersen's Little Mermaid, deprived of her voice, loses her very identity). And Pamina, unable to see Tamino, follows the sound of his magic flute, which charms animals and staves off danger. Music can translate across cultures and centuries, time and distance, in ways which language cannot.

Mozart places *The Magic Flute* in Egypt, just as Shakespeare framed his final masterpiece *The Tempest* on a magical distant

dung von Kumudha und dem Prinzen eine äußerliche wie innerliche Metamorphose mit sich.

Aber egal welche Veränderungen in *A Flowering Tree* und der *Zauberflöte* auftreten, die Musik bleibt die eine konstante, stabile Kraft. Kumudhas schöne Gesangsstimme rettet sowohl ihr eigenes Lebens als auch das des Prinzen; sie ist ihr inneres Wesen und ermöglicht es ihm, sie zu erkennen, obwohl sie zu einem verwelkten, halbmenschlichen, zerstörten Baum verkommen ist (eine weitere Märchenanalogie: Hans Christian Andersens kleine Meerjungfrau verliert ihre Identität gemeinsam mit ihrer Stimme). Und Pamina, die Tamino nicht sehen kann, folgt dem Klang seiner Zauberflöte, die die Tiere betört und die Gefahr bannt. Musik kann Kulturen und Jahrhunderte, Zeit und Entfernung in einer Art und Weise durchqueren, die der Sprache nicht offen steht.

Mozart lässt die *Zauberflöte* in Ägypten spielen, genauso wie Shakespeare für sein letztes Meisterwerk, den *Sturm*, eine magische, weit entfernte Insel als Schauplatz wählt. Für ihr Publikum waren dies unbekannte Welten voll Zauberer, weiser Geister und wilder Tiere. In Mozarts Zeit wäre es für ein venezolanisches Jugendorchester und einen kalifornischen Komponisten undenkbar gewesen, gemeinsam eine alte indische Volkssage in Wien aufzuführen. Nur in unserer Zeit des schnellen Reisens und der Kommunikation in Echtzeit ist dies möglich geworden. Jedes Stückchen der Welt ist erkundet, erobert, erforscht und dokumentiert worden – zumindest scheint es so. Wir können nach Mozarts Ägypten oder Adams' Indien fliegen und ihre wundersamen Widersprüche und vielschichtigen Realitäten mit eigenen Augen sehen. Wir brauchen sie uns nicht länger auf der Grundlage von Reiseberichten vorzustellen, wie dies Dürer mit seinem Rhinozeros oder Hokusai mit seinem Meeresgetier tun mussten. Haben wir also die Unschuld der *Zauberflöte* verloren? Vielleicht finden wir sie nicht in der Geografie, sondern in der Menschlichkeit wieder. Wo auch immer wir auf unserer Erde im 21. Jahrhundert hingehen, wird es überall ein Mädchen geben, das sich einen Weg erkämpft, um ihre Familie aus der Armut zu erlösen, und an die Macht der Wunder glaubt. Und wir selbst können entscheiden, ob wir den blühenden Baum vernachlässigen oder mit Wasser und Liebe pflegen wollen.

island. For their audiences, these were Great Unknowns, populated by wizards and wise spirits and wild animals. In Mozart's time, it would have been unthinkable for a Venezuelan youth orchestra and a California composer to join forces for an ancient Indian folk tale in Vienna, Austria. Only in our era of speedy travel and instant communication is such a thing possible. Every speck of the world has been explored, conquered, researched, documented, or so it seems. We can fly to Mozart's Egypt or to Adams' India and witness these miraculous contradictions and composite realities for ourselves. No longer do we have to imagine them from travelers' reports, as did Dürer with his rhinoceros, or Hokusai with his sea creatures. Have we then lost the innocence of *The Magic Flute*? Perhaps we can find it not in geography, but in humanity. Wherever we turn on our planet in the early 21st century, there is still that girl willing herself a way to lift her family out of poverty, believing in the power of miracles. And we ourselves can choose to neglect the flowering tree, or to tend it with water and love.

Daniel Salas Jiménez

Schola Cantorum de Venezuela
Schola Cantorum de Venezuela

„Nur die Kunst und die Wissenschaft erhöhen den Menschen hin zum Göttlichen. Kunst und Wissenschaft lassen uns eine höhere Existenz erahnen und erhoffen", so Beethoven. Alle Arten von Kunst gehen über ihre eigene Sprache als Kommunikationsmittel hinaus. So teilt uns auch die Musik jenseits der Noten etwas mit.

Sollte ich daran jemals Zweifel gehegt haben, so hat die Zeit als Mitglied der Schola Cantorum de Venezuela diese zerstreut. Durch die Mitgliedschaft in einem Chor entwickeln die TeilnehmerInnen ein Gefühl der Zusammengehörigkeit, lernen einander zu respektieren und es eröffnen sich ihnen neue Welten.

Auf Initiative des Komponisten und Dirigenten Alberto Grau 1967 gegründet, gewann der Chor eine Vielzahl an Wettbewerben von höchstem internationalem Renommee und trat an den verschiedensten und entferntesten Orten auf der ganzen Welt auf. Immer vermittelt er dabei den ZuhörerInnen sein feines, rhythmisch exaktes und gefühlvolles Verständnis des künstlerischen und expressiven Inhalts der interpretierten Musik.

Ich erinnere mich daran, dass ich kurz nach meiner Aufnahme in die Reihe der Bässe der Schola beim Singen sakraler und weltlicher Werke aus der Renaissance und dem Barock das Gefühl hatte, dass sich der Chor vorrangig solchen Kompositionen widmen würde. Schon bald wurde mir klar, dass meine Annahme

"Only art and science elevate humankind to the Divine. Art and science show us, and make us hope for, a higher plane of existence", in Beethoven's words. All forms of art transcend their own language as a means of communication. Music, too, tells us things that go beyond notes.

If I ever had any doubts about this, my time as a member of the Schola Cantorum de Venezuela cancelled them. Membership in a choir develops a sense of community in the singers, stimulates mutual respect, and opens new worlds.

Created in 1967 on the initiative of the dynamic composer and conductor Alberto Grau, the choir has won a variety of competitions of the highest international prestige and performed in the most diverse and distant places in the world, conveying a sophisticated, rhythmically precise and emotional understanding of the artistic and expressive content of the music it interprets.

When I was accepted into the bass section of the Schola, I remember performing sacred and secular music from the Renaissance and Baroque and being convinced that we would mainly dedicate ourselves to these works. But I soon understood that I had been wrong. Today, many years after having left the choir, I am very happy that I was so wrong.

In music the elements of phonetics and syntax are always

ein Irrtum war. Heute, viele Jahre nach meinem Austritt aus dem Chor, freue ich mich von ganzem Herzen darüber, dass ich damit so falsch gelegen bin.

In der Musik sind die Elemente Phonetik und Syntax immer gleich – egal, um welche ihrer „Ausdrucksweisen" es sich handelt: Klassik, Pop oder Volksmusik. Die Unterschiede liegen in ihrem Ursprung und Inhalt, in der Verwendung der Sprache, im Ausdruck und in der kommunikativen Absicht. Die Schola begann mit venezolanischen Volksliedern und verschiedenen Stücken aus der spanischen und italienischen Renaissance. Schon bald erweiterte sie ihr Repertoire mit romantischen Werken und durch die Zusammenarbeit mit zeitgenössischen KomponistInnen.

Die Chorvereinigung, derzeit unter der Leitung von María Guinand, wird demnächst ihr 40-jähriges Jubiläum feiern. Von den ersten SängerInnengenerationen in ihren Reihen sind nur noch wenige da: Verschiedene Gesichter, unterschiedliche Persönlichkeiten, aber immer ein und dasselbe gemeinsame Ziel – aus der Schola eine privilegierte Gruppe von KünstlerInnen im Bereich des Chorgesangs zu machen.

Perfektion ist nicht greifbar. Das Publikum, das ein Konzert der Schola erlebt, kann sich nicht vorstellen, wie viel harte Arbeit die Stücke, die in wenigen Minuten vorgetragen werden, sowohl dem Dirigenten als auch den Chormitgliedern abverlangen. Proben, die bisweilen täglich und Woche für Woche stattfinden, Üben in einzelnen Stimmlagen oder im gesamten Chor, Arbeit mit festgelegten Beginnzeiten aber offenem Ende – ohne Zugeständnisse an äußere, durch Gewerkschaften oder Essenszeiten auferlegte Umstände. Die SängerInnen gehen verschiedenen Berufen und Beschäftigungen nach, deren Pflichten oft nicht so leicht mit ihren künstlerischen Aufgaben vereinbar sind, und nehmen trotzdem bis spät in die Nacht an den Proben teil.

Ich trage wertvolle Erinnerungen an meine Zeit in der Reihe der Bässe in mir: Es war beim Internationalen Wettbewerb für polyphonen Gesang Guido d'Arezzo 1974. Die Schola war zu dieser Zeit in Italien noch unbekannt und trat gegen die besten europäischen Chöre an. Am ersten Tag des Wettbewerbs, als wir mit den anderen TeilnehmerInnen auf unseren Auftritt warteten, versuchte Maestro Grau, unsere nervös angespannten Muskeln zu lockern, indem er uns Gesichtsübungen machen ließ. Die LeiterInnen eines der als Favoriten für die höchste Auszeichnung geltenden Chores beobachteten uns neugierig mit einer Mischung aus Belustigung und Mitleid. Die Schola schnitt gut ab an jenem Tag und stieg in die nächste Runde auf. Als wir auf den nächsten Auftritt warteten, belächelten dieselben Personen unsere Possen schon nicht mehr, sondern sahen sich aufmerksam an, was wir taten. Beim Finale, in dem die Schola dann den ersten Preis in der Kategorie für polyphonen Gesang gewann, konnten wir mit Vergnügen beobachten, dass die Mitglieder des konkurrierenden Chors genau die gleichen Übungen machten, die sie bei uns von Anfang an gesehen hatten. Allerdings ist festzuhalten, dass die Schola den Preis nicht für ihre Gesichtsgymnastik, sondern für die langen Stunden des Probens und Einstudierens des Repertoires, für ihre enorme Begeisterung und die künstlerische Sensibilität des Leiters und der Chormitglieder gewann.

Madrid, 2006

the same, no matter what "dialect" we are talking about – classical, pop or folk. The differences between these "dialects" lie in their origins, content, use of language, expression and communicative intentions. The Schola started out with Venezuelan folksongs and pieces from the Spanish and Italian Renaissance but soon widened its repertoire by adding Romantic works and collaborating with contemporary composers.

The choir, now directed by María Guinand, is about to celebrate its 40th anniversary. Only a few alumni have remained from the first generations: different faces, different personalities and yet one common goal – to make the Schola a privileged group of artists in the field of choral singing.

Perfection is intangible. Audiences listening to a Schola concert cannot imagine how much hard work by the conductor and members of the choir goes into pieces that are often performed in just a few minutes. Rehearsals that sometimes take place daily, week after week, practicing in individual register sections or as the whole choir, working with a definite beginning but an open end – without concessions to outside circumstances imposed by trade unions or meal times. The singers are active in a variety of jobs and occupations whose obligations are often hard to reconcile with their artistic calling and yet participate in rehearsals that go on far into the night.

I treasure precious memories of my time in the bass section. I remember the International Polyphonic Contest Guido d'Arezzo of 1974. At the time, the Schola was still unknown in Italy; it was to compete with the best European choirs. On the first day of the contest, when we were waiting in the wings together with other participants, Maestro Grau tried to ease our nervous and muscular tension by making us do a series of facial exercises. The directors of one of the likely favorites for the first prize were standing by and watching us curiously with mingled amusement and pity. The Schola did well that day and thus was accepted for the next round. When waiting for our next performance, the same persons no longer smiled at our antics but rather watched us attentively. At the finale, which ended with the Schola winning first prize in the polyphonic category, we took great pleasure in noting that the members of the competing choir were doing the same exercises they had watched us execute in the beginning. Obviously, though, the Schola did not win that prize for its facial gymnastics but for the long hours spent in studying and rehearsing its repertoire, for its enormous enthusiasm and the artistic sensitivity of its director and members.

Madrid, 2006

Luis Parra
Schola Cantorum de Venezuela
Schola Cantorum de Venezuela

EnsembleleiterInnen in ganz Lateinamerika, und in Venezuela im Besonderen, haben die natürliche Kraft, welche Chorgesang und Orchestermusik innewohnt, entdeckt: Sie ist ein Ausdruck von Vielfältigkeit und Solidarität, erhöht durch die Hingabe an eine Kunst, die die Menschen zusammenbringt. Das ist es, was es uns ermöglicht, an einer erfüllten Hoffnung, einem erreichten Ziel teilhaben zu können.

Das durch dieses künstlerische und kulturelle Engagement geschaffene soziale Kapital umfasst einen ständigen Dialog mit KomponistInnen sowie lebensverändernde Begegnungen von unzähligen Mädchen, Jungen und Jugendlichen. Musikerziehung trägt effizient zur Transformation des Einzelnen / der Einzelnen und der Gemeinschaft durch die Entfaltung von Spiritualität und der Festigung von Werten bei. Wir befassen uns mit tiefen physischen, verbalen und mentalen Prozessen, die in der Lage sind, bestehende Muster zu ändern und neue Phänomene zu produzieren, die fernab vom Gewöhnlichen sind.

Besonders in unserer komplexen und geteilten wirtschaftlichen und sozialen Realität haben Ethik, Liebe und die gemeinsame Arbeit einen Prozess des Wandels in Gang gebracht, der in einer umfassenden Initiative von Kinder- und Jugendchören und -orchestern wurzelt, durch den die symphonische Musik und Chormusik aufhörte, der alleinige Tätigkeitsbereich einer Gruppe von begünstigten Talentierten mit realistischen Erfolgschancen zu sein. Diese Basisbewegung führte zur Schaffung einer großen Einrichtung, in der KomponistInnen, KünstlerInnen und Interpret-Innen ausgebildet und Chor- und Orchestervereinigungen gegründet werden. Dies ist ein sehr einschließender Prozess, der gleiche Teilnahmechancen mit einem speziellen Fokus auf benachteiligte Gruppen gewährt, die besonderer Aufmerksamkeit bedürfen.

Die Arbeit, die von Maestro José Antonio Abreu vor mehr als 30 Jahren begonnen wurde, führte zur Gründung des Sistema Nacional de Orquestas Infantiles y Juveniles de Venezuela, aus dem mehrere Generationen von MusikerInnen, DirigentInnen und Orchestern hervorgegangen sind. Es wird heute von Gustavo Dudamel geleitet.

María Guinand leitet über die Stiftung Schola Cantorum de Venezuela das Programm Construir Cantando (Singend Aufbauen), bei dem in einem multiplikatorischen Ansatz MusiklehrerInnen und ChordirigentInnen ausgebildet werden, um Kinder- und Jugendchöre in Schulen, alternativen Ausbildungseinrichtungen und Gemeinschaften zu unterstützen. Auf internationaler Ebene wird diese integrative Bewegung über die Federación Internacional para la Música Coral ausgeübt, ohne dass dabei der bodenständige und regionale Bezug verloren gegangen wäre.

Die Entwicklung der letzten Zeit ist das Ergebnis von Chorinitiativen, die in den Sechziger- und Siebzigerjahren des 20. Jahrhunderts mit der Vision ins Leben gerufen wurden, ein vielfaches Zusammenspiel von Stimmen, Instrumenten und Händen zu schaffen, das die tägliche Grundlage für sozialen Dialog und die Antwort auf Wissensdurst sein sollte.

Was können wir also Mozart zu seinem Geburtstag schenken? Ganz einfach: die Kraft einer Musikbewegung, die die unendliche Hoffnung Lateinamerikas auf soziale Entwicklung und Frieden verkörpert und die in den Gesichtern und im vielstimmigen Gesang seiner Kinder und Jugendlichen, vor allem aber in dem seiner Frauen, zum Ausdruck kommt.

Caracas, Juli 2006

Community leaders throughout Latin America, and in Venezuela in particular, have recognized the natural power of choral singing and symphonic music: it is the expression of plurality and solidarity elevated by dedication to an art that brings people together. This is what enables us to participate in a fulfilled hope, in an attained goal.

The social capital generated through this artistic and cultural activity involves a continuous dialogue with a composer and a life-changing encounter for many boys, girls and adolescents. Musical education efficiently contributes to individual and collective transformation by developing spirituality and reinforcing values. We are dealing with profound physical, verbal and mental processes that are capable of changing established patterns and producing new phenomena that are far from the ordinary.

Especially in our complex and divided economic and social realities, ethics, love and shared work have triggered a process of transformation rooted in a comprehensive movement of children's and youth choirs that has spelled an end to the monopoly of symphonic and choral music as the sole province of a group of gifted people comfortably privileged to realize themselves through music. This grass-roots movement has led to the establishment of a large-scale system that trains composers, artists and music interpreters and forms choral and orchestral societies. This is a very inclusive process ensuring equal opportunities for participation with a special focus on disadvantaged communities that require priority attention.

The work begun by maestro José Antonio Abreu more than 30 years ago led to the formation of the Sistema Nacional de Orquestas Infantiles y Juveniles de Venezuela, which has produced several generations of musicians, conductors and orchestras and is today headed by Gustavo Dudamel.

It is via the foundation Schola Cantorum de Venezuela that María Guinand is managing the program Construir Cantando (Building through Singing), which uses a multiplier approach to train music teachers and choirmasters to support children's and youth choirs in schools, alternative education institutions and communities; at the international level, this integrative movement acts through the Federación Internacional para la Música Coral without ever losing its autochthonous and regional flair.

This recent development is the outcome of choral movements that were initiated in the 1960s and 1970s inspired by the vision of creating a plurality of voices, instruments and hands that would, day by day, lead social dialogue and respond to a thirst for knowledge.

So what is our birthday present for Mozart? Quite simply the force of a music movement that embodies the infinite hope of Latin America for social development and peace and which finds expression in the faces and many-voiced singing of its children and adolescents and, above all, of its women.

Caracas, July 2006

Stefan Bohun
Musik für eine neue Zukunft
Music for a new future

Die Produktionsabteilung von FESNOJIV¹ drückt uns nach unserer Ankunft in Caracas einen Plan für die gesamten drei Wochen unseres Aufenthalts in die Hand. Auf diesem Plan scheinen die wichtigsten Musikschulen im Land auf. Folgende Personen haben auf unserer filmischen Reise durch Venezuela, durch ihre Musik und ihre Worte einen Eindruck hinterlassen, den wir so schnell nicht mehr loswerden können:

Wir machen uns auf den Weg in die nahe gelegene Stadt Los Teques. Wir treffen den neunzehnjährigen Camilo aus Kolumbien. Er ist vor sechs Monaten nach Caracas gekommen, um sein Posaunenstudium fortzusetzen. Außerdem erteilt er Instrumentalunterricht an Kinder aus Los Teques. Camilo meint, dass es in Kolumbien für MusikerInnen kaum Zukunftsperspektiven gibt. Derzeit spielt er im Jugendorchester von Caracas. Wie viele PosaunistInnen verdient er sein Geld, indem er samstags mit diversen Salsa-Gruppen für Stimmung sorgt.

Die Schulsekretärin in Los Teques erzählt uns von einem einzigartigen Jugendorchester in der Hafenstadt Higuerote, ein Orchester, das trotz schlechter Instrumente und fehlender Schulräumlichkeiten sehr engagiert sein soll. Higuerote wird der Schlusspunkt unserer Reise sein.

In Maracay treffen wir auf den Schulleiter Henri Crespo. Henri erzählt uns, dass unter Chavez das Budget für FESNOJIV bedeutend angestiegen sei, ohne sich dabei vom Regime vereinnahmen zu lassen. FESNOJIV war seit jeher unpolitisch und wurde von jeder Regierung unterstützt. Hanibal ist zwölf Jahre alt. Er spielt Trompete wie ein Profi. Jedes Zimmer in seinem Elternhaus wird von einer anderen Familie bewohnt. Wir lernen Hanibals Vater kennen. Das Talent seines Sohnes ist ein unerwartetes Geschenk Gottes für ihn. Hanibals Vater zeigt uns die Sammlung aller Zeitungsausschnitte und Fotos, auf denen sein Sohn zu sehen ist. Am Abend begleitet er Hanibal auf seinem Cuatro (viersaitiges Rhythmusinstrument aus Venezuela) zur Ballade *Venezuela*.

Barquisimeto, Hauptstadt des Bundesstaates Lara und „Stadt der Musik" genannt: Daniela und Victoria sind seit ihrer Geburt gehörlos. Es ist ihr Wunsch, singen zu lernen. Sie sind seit drei Jahren im Chor der Weißen Hände. Es ist der einzige Gehörlosenchor Venezuelas. In harter Arbeit werden choreografierte Stücke mit Händen und Körpern entwickelt und in einer Gruppe mit einem singenden Chor aufgeführt. Dabei tragen die Kinder weiße Handschuhe.

Der Blick auf den Einzelnen macht diesen Chor interessant. Die Fähigkeit, durch Bewegung der Arme und Hände zu „singen", sorgt für Begeisterung bei einem Beobachter wie ich einer bin. Nach der Probenvorführung des Chors werden mein Kameramann und ich von Daniela und Victoria auf einen Gebärdennamen getauft. Wir erhalten neue Namen in Gebärdensprache. Ich bin „der Langhaarige", Gerald, mein Kameramann, wird zu „dem mit der Kopfbedeckung".

Bei unserer Frage nach einer kleinen Musikschule empfiehlt man uns die Schule in Sanares, einem Dorf in der Zona Cafetera, der Kaffeezone Venezuelas.

Leonardo ist 23 und bewirtschaftet einsam eine kleine Kaffeeplantage in den Bergen südlich des Dorfes Sanares. Sein Vater schenkte ihm vor kurzem eine Arpa Llanera, die venezolanische Harfe. Leonardo war schon immer von diesem Instrument begeistert. Nach der Feldarbeit setzt sich Leonardo vors Haus und zupft die Saiten seiner Harfe mit seinen langen Fingernägeln. Für die Kaffee-Ernte im Oktober muss er seine Nägel schneiden. Er schreibt Briefe an seine Schwester, die ein staatliches Stipendium für ein Medizinstudium in Kuba bekommen hat. Ein Mal in der Woche fährt er auf Autoladeflächen ins Dorf zum Harfenunterricht. Für

At our arrival in Caracas, the production department of FESNOJIV¹ hands us a time schedule for the entire three weeks of our stay. The schedule lists the country's leading music schools. During our documentary trip through Venezuela, it was above all the following individuals who, with their music and words, left a lasting impression on us:

We are on our way to the nearby town of Los Teques. We meet 19 year-old Camilo from Colombia. He came to Caracas six months ago to continue his study of the trombone. He also teaches instrumental music to kids from Los Teques. Camilo thinks that future perspectives for musicians in Colombia are very slim. At the moment, he plays in the youth orchestra of Caracas. Like many other trombone players, he makes extra money by performing with salsa groups at Saturday night parties.

The secretary of the school of Los Teques tells us about a unique youth orchestra in the port of Higuerote, an orchestra said to be very committed to music despite low-quality instruments and a lack of training space. Higuerote will be the final stop on our journey.

In Maracay, we meet school director Henri Crespo. Henri tells us that the budget for FESNOJIV was considerably stepped up under Hugo Chavez, although FESNOJIV refuses to be owned by the government. FESNOJIV has always been apolitical and was in fact supported by all régimes. Hanibal is twelve. He plays the trumpet like a pro. Every room in his parents' house is occupied by a different family. We meet Hanibal's father. He thinks his son's talent is an unexpected gift from God. Hanibal's father shows us a collection of all newspaper clips and photos featuring his son. In the evening, he accompanies Hanibal on his cuatro (a four-string Venezuelan rhythm instrument) for the ballad *Venezuela*.

Barquisimeto, capital of Lara State, is also called "the city of music": Daniela and Victoria have been deaf since birth. They want to study singing. For the past three years, they have been members of the Choir of White Hands, the only Venezuelan choir for deaf persons. In tough rehearsals, choreographed pieces are developed with hands and bodies and performed in a group with a singing choir. During the performance, the deaf kids wear white gloves.

Looking at individual performers makes this choir interesting. Their ability to "sing" by moving their arms and hands leaves spectators like me enthusiastic. After a rehearsal by the choir, my cameraman and I are baptized by Daniela and Victoria – we are given new names in sign language, sign names. I'm "the long-haired one", and my cameraman Gerald is called "the one with the headgear".

When we ask about a little music school, they recommend the school of Sanares, a village in the coffee-growing zone of Venezuela, the zona cafetera.

23 year-old Leonardo is cultivating a small coffee plantation in the mountains south of Sanares all on his own. Recently his father gave him an arpa llanera, the traditional Venezuelan harp. Leonardo has always loved this instrument. After working on the fields, Leonardo sits down in front of his house and strums his harp with his long fingernails. He will have to cut his nails for the coffee harvest in October. He writes letters to his sister who has been granted a state scholarship to study medicine in Cuba. Once a week, he thumbs a ride on some pickup to take him to the village for a harp lesson. Thanks to FESNOJIV, Leonardo does not have to pay for the lessons. Leonardo does not want to become a professional musician, but he would like to pass on his skills to a younger generation. For him, keeping

den Unterricht muss Leonardo nichts bezahlen, dank FESNOJIV. Leonardo möchte kein professioneller Musiker werden. Er möchte aber sein Können einmal an Jüngere weitergeben. Seine Kunst für sich selbst zu behalten, wäre für ihn ein egoistischer Akt, den nur eingebildete Lehrer tun würden.

Das Orchester von San Sebastián de los Reyes hat einen guten Ruf. Am Nachmittag, wenn die Kinder aus der Schule kommen, füllt sich der Patio der Musikschule mit Klängen und Rhythmen. Violinen, Celli, Fagotte und Pauken müssen sich den Hof für Übungszwecke teilen. Nach längerer Beobachtung der musikalischen Aktivitäten der Kinder brachte der Bonbonverkäufer Miguel seinen Sohn vorbei: „Ich möchte, dass mein Sohn an dem, was in diesem Hof passiert, teilhaben kann. Während ich die Süßigkeiten verkaufe, kann ich meinem Sohn dabei noch zusehen. Das macht mich zu einem glücklichen Menschen."

Für den Abend ist eine Orchesterprobe angesetzt. Das Licht geht aus. Die Jugendlichen werden unruhig. Der Strom ist ausgefallen. Wir verlassen das Orchester in der Ungewissheit, ob die Probe noch stattfinden kann.

Wir machen Zwischenstopp in Caracas, um Dr. José Antonio Abreu, den Gründer von FESNOJIV, zu treffen. Dr. Abreu, der von den Venezolanern „el maestro" genannt wird, erzählt uns von seinen Träumen: „Eines Tages wird es ein Orchester in jedem Dorf Venezuelas geben. Erst dann ist meine Mission erfüllt."

Dr. Abreu ruft Marianne DaCosta, die österreichische Botschafterin, an. Er stellt uns seiner „Lieblingsbotschafterin" vor, die seit Jahren aktiv mit Dr. Abreu zusammenarbeitet.

Unsere letzte Station führt uns in die Küstenstadt Higuerote. Erinnerungen an Gabriel García Márquez' Macondo werden wach. Auf dem Hauptplatz werden während einer politischen Kampagne Lebensmittel wie Reis und Sonnenblumenöl an BürgerInnen verteilt. Nebenan steht ein kleines blaues Haus. Dieses Haus ist zum Zerbersten voll mit jungen MusikerInnen. Unser Lieblingsorchester probt hier unter dem Taktstock von Carmelo Sanchez.

Carmelo geht mit uns durch die Straßen von Higuerote: „Als ich hier ankam und die Kinder in die Musikschule bringen wollte, haben mich deren Eltern zum Teufel gejagt. Nach einiger Zeit hatte ich ein kleines Ensemble. Langsam haben die Kinder erkannt, dass es IHR Orchester ist. Wenn sie es wollen, müssen sie dafür kämpfen!"

Der Großteil der Bevölkerung Higuerotes ist schwarz. Afrikanische Traditionen in der Musik haben sich großteils erhalten. Carmelo weiß das zu schätzen und arrangiert klassische Etüden und Suiten um, integriert Tambores, Trommeln und Rhythmuselemente wie Maracas und Congas. Er selbst gibt mit der Kuhglocke den Rhythmus vor: „Das nächste Lied heißt *Suite Parloventeña.*"

Zugegeben, die Instrumente sind nicht hervorragend gestimmt und gewartet, aber das ist Nebensache: Wenn das Orchester spielt, füllt sich der Platz vor dem Schulhäuschen mit Higueroteños, die neugierig in den kleinen Orchestersaal schauen. Kleine Kinder tanzen und klatschen vor der Schule. Der Eisverkäufer wittert gutes Geschäft und platziert seine mobile Eisdiele direkt davor. Die Vorstellung dieser normalen Nachmittagsprobe wird zum Spektakel und zum emotionalen Höhepunkt unserer Recherchen. In Gesprächen erfahren wir von den familiären Auseinandersetzungen, die für die jungen MusikerInnen nötig waren, um Akzeptanz und Unterstützung für ihr Orchester zu erhalten.

Ich erinnere mich an die Klavierstunden, die ich bekam, als ich zwölf war. Eigentlich wusste ich gar nicht so genau, warum ich sie bekomme ...

1 FESNOJIV – Fundación del Estado para el Sistema Nacional de las Orquestas Juveniles e Infantiles de Venezuela

his art to himself would be selfish, something only arrogant teachers are capable of.

The orchestra of San Sebastián de los Reyes enjoys a good reputation. In the afternoon, when the kids come home from school, the patio of the music school spills over with sound and rhythm. Violins, cellos, bassoons and timpani have to share the courtyard when practicing. After observing the musical activities of these children, candy vendor Miguel also brought his son to join in: "I want my son to participate in what is happening here, in this courtyard. While I'm selling candy, I can watch my son playing. That makes me a happy man."

An orchestra rehearsal is planned for the evening. The lights go out. The young people are getting restless. There is a power outage. We leave the orchestra since we are not sure whether the rehearsal will take place.

We return to Caracas for a stopover to talk to Dr. José Antonio Abreu, the founder of FESNOJIV. Dr. Abreu, whom his fellow Venezuelans call "el maestro", tells us about his dreams: "One day, there will be an orchestra in every village of Venezuela. Only then will I have accomplished my mission."

Dr. Abreu calls the Austrian ambassador to Venezuela, Marianne DaCosta, on the phone. He introduces us to her, his "favorite ambassador", who has for years been cooperating actively with Dr. Abreu.

Our last stop is the port town of Higuerote. The place recalls Gabriel García Márquez' Macondo. During a political campaign, foodstuffs like rice and sunflower oil are distributed among citizens in the main square. Nearby is a small blue house. It is crammed to bursting with young musicians. Our favorite orchestra is rehearsing here, conducted by Carmelo Sanchez.

Carmelo walks with us through the streets of Higuerote: "When I arrived here and wanted kids to attend music school, their parents told me to go to hell. After some time, I did manage to form a small ensemble. Slowly the kids began to realize that this was THEIR orchestra. If they want it, they've got to fight for it!"

The majority of Higuerote's inhabitants are black. African traditions have largely survived in their music. Carmelo appreciates this and rearranges classical etudes and suites, integrates tambores, drums and rhythm elements such as maracas and congas. He himself lays down the rhythm with a cowbell: "The next song is called *Suite Parloventeña.*"

Admittedly, the instruments are not particularly well tuned or maintained, but that's beside the point: when this orchestra plays, the square in front of the small school building is soon crowded with Higueroteños peeping curiously into the tiny orchestra hall. Young children dance and clap their hands. The ice-cream vendor scents brisk business and pulls up his ice-cream wagon right in front of the school. This routine afternoon rehearsal has become both an event in itself and an emotional highpoint of our journey. We talk to people and learn about the discussions the young musicians had to have with their families to win acceptance and support for their orchestra.

And then I remember the piano lessons I had when I was twelve. Actually, I wasn't too sure why I should be learning the piano at all ...

1 FESNOJIV – Fundación del Estado para el Sistema Nacional de las Orquestas Juveniles e Infantiles de Venezuela

Was Er sagte

Wie eine kleine weiße Schlange / mit schönen Streifen auf ihrem jungen Körper / den Dschungel-Elefanten verwirrt, / so verwirrt mich / dieses zierliche Mädchen, / ihre Zähne wie junge Reisschösslinge, / ihre Handgelenke übersät mit Armreifen.

Catti Nātanār, Kur 119

Was Sie sagte

Das leise Summen der Zeit / nach Mitternacht. / Alle Worte ausgelöscht, / die Menschen versunken in der Süße / des Schlafes. Sogar die weit ausgedehnte Welt / hat ihr Wüten beiseite gelegt für den Schlaf. / Nur ich / bin wach.

Patumanār, Kur 6

775

Ein strömender Fluss / ist nur Beine. / Ein brennendes Feuer / besteht nur aus Mündern. / Eine wehende Brise / ist nur Hände. / Daher, Herr der Höhlen, / für deine Männer / ist jedes Glied ein Symbol.

Was Er sagte

Ihre Arme haben die Schönheit / des sich sanft wiegenden Bambus. / Ihre großen Augen sind voll Frieden. / Sie ist weit weg, / ihr Ort ist nicht leicht zu erreichen. / Mein Herz ist außer sich / vor Hast, / ein Pflüger mit einem einzigen Pflug / auf Boden, der nass ist / und bereit für die Saat.

Orerulavanār (Der Dichter des Pflügers mit einem einzigen Pflug), Kuruntokai 131

5

Grüne Kletterpflanzen im Haus / winden sich um das Rohr im Freien / in seinem Land der Flüsse. / Betreten / von seiner gedankenlosen, groben Art, sagen wir: / „Er ist ein guter Mensch", / aber meine runden weichen Arme / sagen:„Nein, das ist er nicht", / und werden mager.

Ōrampōkiyār Ainkurunuru 11, 13, 15, 17, 18, 20

75

Du bist der Wald / Du bist alle großen Bäume / im Wald. / Du bist Vogel und Tier, / spielst drinnen und draußen / auf allen Bäumen. / Oh Herr, weiß wie Jasmin, / erfüllend und erfüllt von allem, / warum zeigst du / mir nicht dein Antlitz?

79

Vier Teile des Tages / klage ich um dich. / Vier Teile der Nacht / bin ich verrückt nach dir. / Ich liege hier verloren / krank nach dir, Tag und Nacht, / Oh Herr, weiß wie Jasmin.

Seit deine Liebe / eingepflanzt wurde, / habe ich Hunger, / Durst und Schlaf vergessen.

Aus *A Flowering Tree and other Oral Tales from India* von Attipat Krishnaswami Ramanujan

---

What He Said

As a little white snake / with lovely stripes on its young body / troubles the jungle elephant, / this slip of a girl / her teeth like sprouts of new rice / her wrists stacked with bangles / troubles me.

Catti Nātanār, Kur 119

What She Said

The still drone of the time / past midnight. / All words put out, / men are sunk into the sweetness / of sleep. Even the far-flung world / has put aside its rages / for sleep.
Only I / am awake.

Patumanār, Kur 6

775

A running river / is all legs. / A burning fire / is mouths all over. / A blowing breeze / is all hands. / So, lord of the caves, / for your men / every limb is Symbol.

What He Said

Her arms have the beauty / of a gently moving bamboo. / Her large eyes are full of peace. / She is faraway, / her place not easy to reach. / My heart is frantic / with haste, / a plowman with a single plow / on land all wet / and ready for seed.

Orerulavanar (The Poet of the Plowman with the Single Plow) Kuruntokai 131

5

Green creepers planted inside the house / twine themselves with the cane outside / in his country of rivers. / Embarrassed / by his careless cruel ways, we say, / "He's a good man", / but my round soft arms / say, "Not so, he's not", / and grow thin.

Ōrampōkiyār, Ainkurunuru 11, 13, 15, 17, 18, 20

75

You are the forest / you are all the great trees / in the forest. / You are bird and beast, / playing in and out / of all the trees. / O lord, white as jasmine / filling and filled by all, / why don't you / show me your face?

79

Four parts of the day / I grieve for you. / Four parts of the night / I'm mad for you. / I lie lost, / sick for you, night and day, / O lord, white as jasmine.

Since your love / was planted, / I've forgotten hunger, / thirst, and sleep.

From *A Flowering Tree and other Oral Tales from India* by Attipat Krishnaswami Ramanujan

Wie Mozarts *Zauberflöte* handelt *A Flowering Tree* (*Ein blühender Baum*) von jungen Menschen und ihrer Einführung ins Leben. Das Thema ist das langsame, manchmal schmerzvolle Reifen der Psyche und Seele. Unsere Geschichte, ein Volksmärchen aus Südindien, ist über zwei Jahrtausende alt, aber die Themen von Liebe versus Hass, Armut versus Reichtum, Bescheidenheit versus Aggression sind genauso zeitgemäß wie jene, denen sich die Jugend von heute gegenüber sieht.

Für mich hat die Geschichte von *A Flowering Tree* eine besondere Bedeutung. Diese Arbeit folgt auf *Doctor Atomic*, eine Oper über die erste amerikanische Atombombe und ihren Einsatz zur Tötung von Menschen und zur Zerstörung ihrer Umwelt. *Doctor Atomic* handelt von den technologischen Fähigkeiten der Menschheit und davon, wie wir unsere Intelligenz und Erfindungsgabe einsetzen, um ein Instrument furchtbarer, gleichgültiger Zerstörung zu schaffen. Demgegenüber ist *A Flowering Tree* nicht nur eine Geschichte über Liebe und Vertrauen, sondern auch über die Suche nach ökologischem Gleichgewicht und Bewusstsein in unserem Alltagsleben. Wo also *Doctor Atomic* eine faustische Vision von Macht und Aggression vorlegt, vermittelt *A Flowering Tree* eine Botschaft der Hoffnung und Versöhnung, die mit der visionären geistigen Welt in Einklang steht, welche Mozarts letztes Lebensjahr auszeichnete.

John Adams

Like Mozart's *Zauberflöte*, *A Flowering Tree* is about young people and their initiation into life. Its theme is the slow, sometimes painful growth of the psyche and the soul. Our story, a folk tale from southern India, is over 2000 years old, yet the themes of love vs. envy, poverty vs. wealth, humility vs. aggression are every bit as modern as those that young people today confront.

For me, the story of *A Flowering Tree* has a special meaning. It comes after the opera *Doctor Atomic*, an opera about American's first atomic bomb and its use to kill people and destroy their surroundings. *Doctor Atomic* is about man's technological abilities and how he uses his intelligence and invention to create an instrument of terrible, indifferent destruction. A *Flowering Tree* is a story not only of love and trust, but also a story about finding ecological balance and awareness in our everyday lives. Where *Doctor Atomic* presented a Faustian vision of power and aggression, *A Flowering Tree* gives us a message of hope and reconciliation so much in harmony with the visionary spiritual world that was Mozart's last year.

John Adams

Lemi Ponifasio
Requiem
Requiem

Choreografie und DesignChoreography and Design **Lemi Ponifasio** — LichtLight Design **Helen Todd** —

MitWith **MAU Company** —
Peter Sa'ena-Brown — **Pita Taouma** — **Mere Boynton** — **Charles Koroneho** — **Bainrebu Tonganibeia** — **Gerard Tatireta** —
Teataki Tamango — **Taniera Tekibwebwe** — **John Raoren** — **Terri Ripeka Crawford** — **Trudi Paraha** — **Kerryn McMurdo** —
Tina Raoren — **Victoria Hunt** — **Taane Mete** — **Kasina Campbell** — **Terry Faleono** — **Peresetene Afato** — **Micah Hetrick** —
Marc Chesterman — **Thomas Clarkson** — **Frances Chan** —

AuftragswerkCommissioned by **New Crowned Hope** —
KoproduktionA co-production of **New Crowned Hope, MAU Company, Auckland** —

PremierePremiere **25.11.2006, 20:00** —
AufführungenPerformances: **26.,27.,28.11.2006, 20:00** —
OrtVenue **Halle E im MuseumsQuartier** —

UraufführungWorld Premiere —

Albert Wendt
Requiem – Von Mau und Lemi Ponifasio
Requiem – By Mau and Lemi Ponifasio

I le Amataga na'o Tagaloa'alagi lava
Na soifua i le Vanimonimo
Na'o ia lava
Leai se Lagi, leai se Lau'ele'ele
Na'o ia lava na soifua i le Vanimonimo
O ia na faia mea uma lava …

Am Anfang war da nur Tagaloa'alagi
Der im Vanimonimo lebte
Nur Er
Kein Himmel, kein Land
Nur Er im Vanimonimo
Er erschuf alles …
Aus der samoanischen Schöpfungsgeschichte Le Tupuaga

In mir die Toten
eingewoben in mein Fleisch wie die Musik
von Knochenflöten …
Aus Inside Us the Dead von Albert Wendt

I le Amataga na'o Tagaloa'alagi lava
Na soifua i le Vanimonimo
Na'o ia lava
Leai se Lagi, leai se Lau'ele'ele
Na'o ia lava na soifua i le Vanimonimo
O ia na faia mea uma lava …

In the Beginning there was only Tagaloa'alagi
Living in the Vanimonimo
Only He
No Sky, no Land
Only He in the Vanimonimo
He created Everything …
From Le Tupuaga, The Samoan Genesis

Inside me the Dead
woven into my flesh like the music
of bone flutes …
From Inside Us the Dead by Albert Wendt

Uns, die Völker des Pazifik, definiert *Gafa*, die Genealogie; sie ist es, die uns mit allem verbindet: mit unseren Toten, unserer Umwelt, unseren *Atua*, unseren Verwandten; mit unserer Vergangenheit, Gegenwart und Zukunft; und mit dem Kosmos. *Va* – der „Raum dazwischen" – ist nicht leer, sondern hält vielmehr alles

For us, Pacific peoples, *gafa* / genealogy is what defines us and binds us to all things: to our Dead, our environment, our *atua*, our kin; to our past and present and future; and to the cosmos. The *Va* – the Space-Between – is not empty space but that which holds everything together. So all things are interconnected.

zusammen. Deshalb sind alle Dinge miteinander verbunden. Wenn ein Teil der Gleichung verändert wird, verändert sich auch *Va-Atoa* (die „Einheit, die alles ist"). Daher ist in Lemi Ponifasios Theater alles – auch das Licht und die Dunkelheit – Teil der sich in ständiger Bewegung befindenden Gegenwart, die durch unsere Toten, unsere *Atua* und unsere Ahnen belebt und gesteuert wird. In dieser ständig mobilen Gegenwart streben neue Wesen, Geschöpfe, Elemente und Dinge mit Leidenschaft danach, aus *Pouliuli* (der Großen Nacht) und *Ele'ele* (Erde / Boden / Blut) geboren zu werden, und finden die ihnen gemäßen Formen, Geräusche und Plätze in der ständig strömenden *Va-Atoa*.

Als wir durch unseren allerhöchsten *Atua*, Tagaloa'alagi, erschaffen wurden, gab Er uns *Poto* (List, Scharfsinn), *Atamai* (Intelligenz), *Finagalo* (Willenskraft, Zweifel), *Loto* (Mut, Kampfgeist) und *Agaga* (Seele). Diese Geschenke ließen uns erstaunlich kreativ, liebevoll und erfinderisch werden, veranlassten uns aber auch zu unglaublicher Gewalttätigkeit, zu Hass und Zerstörungswut. Dieser Widerspruch steht im Mittelpunkt unseres Lebens und liegt all unseren Handlungen und Gedanken und unserem Werden zugrunde. Wie Mozarts profunde Kunst ist auch Ponifasios Arbeit eine unaufhörliche Auseinandersetzung mit diesem

Change one bit of the equation, and the *Va-Atoa* (the "Unity-that-is-All") is reconfigured. So in Lemi Ponifasio's theater every thing, including even the light and the dark, is part of the ever-moving present that is alive with and guided by our Dead and our *atua* and ancestors. In that ever-moving present new beings and creatures and elements and things struggle valiantly to be born out of the *Pouliuli* (the Great Night) and the *Ele'ele* (earth / soil / blood) and find their apt shapes, sounds and places in the *Va-Atoa* that is always in flux.

When our supreme *Atua*, Tagaloa'alagi, created us, He gifted us *poto* (cunning, wit), *atamai* (intelligence), *finagalo* (will, doubt), *loto* (courage, spirit), and *agaga* (soul). Such gifts have allowed us to be astoundingly creative, loving and inventive but they have also made us capable of incredible violence, hatred and destruction. That contradiction is at the centre of our lives and in whatever we do, think, and become. Like Mozart's profound art, Ponifasio's work is a perpetual contemplation of that contradiction. And *Requiem* is the latest phase in that.

Over the years, I have seen most of Mau's productions. Ponifasio spent years studying western classical dance, music,

Widerspruch. *Requiem* ist die neueste Phase dieser Entwicklung.

Im Laufe der Zeit habe ich die meisten Mau-Produktionen gesehen. Ponifasio hat die klassische Kunst des Westens – Tanz, Musik und Theater – sowie östliche Disziplinen viele Jahre lang studiert. Dieses Wissen und diese Erfahrung hat er nach Aotearoa (Neuseeland) mitgebracht und mit künstlerischen Tanz-, Theater- und Gesangstraditionen Samoas, Polynesiens und des Pazifikraums verschmolzen, um so eine neue Mischung, einen neuen Stil, eine neue Technik und Philosophie von Körper und Wesen, Bewegung, Klang und Licht sowie eine Bilderwelt zu erschaffen, die zutiefst persönlich ist. Doch obwohl es sich dabei um Ponifasios ganz individuellen Weg handelt, verkörpert er auch den Gemeinschaftssinn des Pazifikraums, das Gefühl, dass Theater ein Akt gemeinschaftlicher Schöpfung und Teilhabe ist. Dieser Weg ist kompromisslos in seiner Vision und Integrität und erforscht die fruchtbare „Große Nacht" *Pouliuli* beherzt und originell.

Als Mensch der zweiten Hälfte des 20. Jahrhunderts entstammt Ponifasio einer Ära noch nie da gewesener Neuerungen und Erfindungen in Wissenschaft und Kunst, aber auch einer Zeit unerhörter Gewalt und Qual, Verfolgung und Ungerechtigkeit. In seinen Arbeiten sind hypnotisierend beängstigende Bilder von Gewalt und Leid allgegenwärtig, die unser Streben nach Liebe, Heilung, Versöhnung, Sühne und unsere Sehnsucht, uns über das Leid zu erheben, menschlicher zu werden und die Toten in unseren Liedern der Errettung, Klage und Dankbarkeit zu feiern, zunichte zu machen drohen.

Mau ist eine *Aumalaga*, eine reisende Delegation, deren Mitglieder aus Samoa, Tonga, Aotearoa, Kiribati, Rapa Iti, Kanaky und von den Cook-Inseln stammen – einigen der kleinsten Länder unseres tragischen Planeten. In Maus *Va'a / Vaka / Waka* Schiff segeln die Toten und die Ahnen, unsere *Tohunga /* Priester und KünstlerInnen, unsere Mannschaften und Sternenkarten und Hoffnungen mit über den Ozean. Mau's *Malaga* (Reise) nach Wien ist eine Fortsetzung der mutigen Fahrten, die unsere Vorfahren vor Jahrhunderten unternahmen, um den ungeheuren Ozean Moana-nuia-Kiwa zu erforschen, zu entdecken und zu besiedeln. Auf diesen Reisen haben wir gelernt, dass Geist und Fantasie des Menschen ebenso endlos sind wie der Himmel über dem Pazifik und das Meer. Mau zeigt nun die neueste Produktion *Requiem* bei New Crowned Hope anlässlich der Feiern zu Mozarts 250. Geburtstag. Wiederum werden diese Grenzen in der neuen Arbeit erforscht, verarbeitet und in Frage gestellt, während unsere Reise einen neuen Kurs einschlägt.

Requiem beruht und nimmt Bezug auf einige zentrale Werte und Gebräuche der verschiedenen Kulturen der Tohunga und der Mannschaft von Mau. Ein Element von *Requiem* ist etwa *Powhiri*, die Begrüßungszeremonie der Maori von Fremden im *Marae* (Dorfplatz); eine Zeremonie des Zusammentreffens, des Willkommens, des Vertrauens und der Gastfreundschaft. Wenn *Powhiri* und *Hikoi* im *Haka Powhiri* verquickt werden, kommen die Menschen zusammen, um ihr Schiff ins Meer zu ziehen, und in diesem heroischen Rhythmus und Streben verschmelzen auch ihre Ahnenreihen. *Hikoi* ist die Bezeichnung für eine Pilgerfahrt als Protest gegen Ungerechtigkeit und die andauernde Aneignung von Maori-Land unter Missachtung der Grundsätze des Vertrags von Waitangi. An der Spitze eines solchen Protestmarsches stand die bemerkenswerte Whina Cooper, die – bejahrt, aber ungebeugt und unermüdlich – den ersten *Hikoi* in den Siebzigerjahren des vergangenen Jahrhunderts anführte, an der Hand ihre Enkeltochter auf einer Reise in eine mutige und stolze Zukunft. Der Kampf der Maori um Souveränität und Unabhängigkeit gewinnt immer mehr an Kraft und Gewicht. Eingeborene Völker in einigen anderen Ländern des Pazifikraums – Australien, Französisch-Polynesien und

and theater, and Eastern disciplines. That knowledge and experience he brought back to Aotearoa / New Zealand and merged with Samoan / Polynesian / Pacific art, dance, theater, and song traditions to produce a new fusion, a style, a way, a philosophy of body and being, movement, sound and light, and an imagery which is uniquely his own. Individual though that way is, it still embodies the Pacific sense of community, of theater as community creation and participation. The way is also uncompromising in its vision and integrity, and explores the fecund *Pouliuli* with daring originality.

Ponifasio grew up in the latter half of the 20th century, a period of unprecedented creation and invention in the sciences and arts, but also one of unbelievable violence and suffering, persecution and injustice. In all his works, the compellingly frightening imagery of violence and suffering is always present and threatening to defeat our struggle towards love, healing, reconciliation and redemption, our striving to rise above our grief and be more human, and to celebrate our Dead with our songs of salvation, lamentation and gratitude.

Mau is an *aumalaga*, a traveling delegation, comprising people from Samoa, Tonga, Aotearoa, Kiribati, Rapa Iti, Kanaky, and the Cook Islands – some of the smallest places on our tragic planet. In Mau's *va'a / vaka / waka /* ocean-sailing-vessel are our Dead and ancestors, our *tohunga /* priests and artists, our crew and star maps and hopes. Mau's *malaga* to Vienna is a continuation of the courageous voyages our ancestors made centuries ago to explore, discover and settle our vast Ocean, the Moana-nui-a-Kiwa. In those voyages we learned that, like the vast Pacific sky and sea, the human spirit and imagination have no limits. Mau is bringing to the New Crowned Hope and the Celebration of Mozart's 250th Birthday its latest creation, *Requiem*, which again explores, uses and challenges those limits. And sets new directions for our voyaging.

Requiem is built upon and around some of the central values and institutions of the various cultures of the tohunga and crew of Mau. *Requiem* uses the powhiri, the Maori ceremony of welcoming people onto the *marae*, a ceremony of encounter and ultimately of welcome, trust, and hospitality. And when the *powhiri* and *hikoi* merge in the *haka powhiri*, the people come together to pull their waka to the sea, and in that heroic rythmn and effort, their genealogical lines become one. The *hikoi* is a pilgrimage of protest against injustice and the continuing taking of Maori land and ignoring the principles of the Treaty of Waitangi. At the head of the *hikoi* is the remarkable Whina Cooper, who led the first *hikoi* in the 1970s, old but unstooped and indefatigable, holding her grandchild's hand and leading her into a courageous and defiant future. The Maori struggle for sovereignty and independence continues to gather strength and momentum today. Indigenous peoples in some other Pacific countries, such as Australia, French Polynesia, and New Caledonia, are doing the same thing. *Requiem* reflects, applauds and supports their struggle.

The music and songs in *Requiem* again reflect the cultures of the various Mau members, and are the blood and veins of the performance. Our classical songs, chants, *karakia /* prayers/ incantations and music come from the pit of the belly and throat and the deepest depths of our long history of mapping, naming, settling, and defining our Ocean, skies and islands. We continue to sing and dance and chant our Ocean and countries into existence. And Mau and *Requiem* are a dynamic part of that.

Requiem's stage is the *fale*, the circular Samoan house of welcome and *fono*, with it's *poutu /* central post, the spine

Requiem – Von Mau und Lemi PonifasioRequiem – By Mau and Lemi Ponifasio

Neukaledonien – tun es ihnen nach. *Requiem* reflektiert, lobt und unterstützt ihren Kampf.

Die Musik und die Lieder in *Requiem* spiegeln die Kulturen der Mau-Mitglieder wider und sind Blut und Adern der Aufführung. Unsere klassischen Lieder, Gesänge, *Karakia* (Gebete / Beschwörungen) und Musik entstammen diesem Bauch, dieser Kehle, den tiefsten Tiefen unserer langen Geschichte des Kartierens, Benennens, der Besiedlung und Definition unseres Ozeans, unseres Himmels und unserer Inselwelt. Wie in der Vergangenheit erzeugen wir die Realität unseres Ozeans und unserer Länder durch Gesänge, Tänze und Beschwörungen. Mau und *Requiem* sind ein dynamischer Teil davon.

Die Bühne von *Requiem* ist das *Fale*, das kreisförmige samoanische Haus der Begrüßung und Versammlung *Fono* mit seiner Mittelsäule *Poutu*, dem Rückgrat, welches das Gewebe der Gemeinschaft und ihre komplexen Verbindungen zum Vorhof *Malae* und zu allem anderen aufrecht und zusammen hält. Im *Fale* werden die BesucherInnen von Mau mit der heiligen *Ava*-Zeremonie begrüßt; indem sie das Getränk *Ava* aus derselben Schale trinken wie das Ensemble, werden die BesucherInnen Teil der Mau-Gemeinschaft, und ihre Ahnenreihen verschmelzen mit jenen der Mau-MitgliederInnen. Der Mau-*Fale* wird ihr Heim, die Mau ihre *Aiga /* Familie. In *Requiem* wird die Trennung zwischen Publikum und KünstlerInnen aufgehoben; der Kreis des *Fale* ist allumfassend.

Requiem feiert Mozarts Triumphe und jene Humanität, welche sich in der herrlichen Musik ausdrückt, die heute von Menschen auf der ganzen Welt gehört und geteilt wird. *Requiem* zelebriert diese Triumphe, dieses Teilen, dieses *Mana* und bestätigt die Macht der Kunstschaffenden, den Stoff unseres Lebens und unserer Geschichte in Sagen und Lieder umzuwandeln, die heilen und uns helfen können, unseren tiefsten Schmerz zu überwinden, der sich aus dem Wissen um unsere Sterblichkeit ergibt. Und wenn wir Glück haben, können einige dieser Geschichten ein transformierendes, erfreuliches und inspirierendes Erbe für zukünftige Generationen werden.

Mau's *Va'a*, *Tohunga* und Mannschaft segeln nach Wien unter dem Schutz und der Führung unserer großzügigen *Atua*; ihre Reise zu New Crowned Hope wird von unseren höchsten Hoffnungen, unserer *Alofa* (Liebe) und den besten Wünschen begleitet. In Wien werden sie Mozarts Geburtstag zusammen mit anderen begabten und bewanderten Reisenden aus der ganzen Welt feiern.

Ia, siva loa!
Siva maia ia manaia le tatou aso …

Ia manuia le faigamalaga!

which holds up and together the whole structure that is the community and it's holistic connections to the *malae* and every thing else. In that *fale*, the visitors will be welcomed by Mau with the sacred *ava* ceremony, and in drinking and sharing that *ava* from the same cup, the visitors will become part of the Mau community and their genealogies will connect to that of Mau. Mau's *Fale* becomes their home, and Mau their *aiga /* family. In *Requiem* there is no separation between audience and performers, the circle that is the *Fale* is all encompassing.

Requiem recognizes Mozart's triumphs and humanity expressed in the magnificent music he composed and which is now shared and enjoyed by people all over the world. *Requiem* celebrates those triumphs, that sharing, that *mana*. And reaffirms the power of art makers to transform the stuff of our lives and histories into stories and songs that heal and help us transcend our most profound pain that comes with the knowledge that we have to die. And if we are fortunate, some of those stories may become the transforming, enjoyable and inspiring legacy of future generations.

Mau's *va'a*, *tohunga* and crew sail for Vienna under the protection and guidance of our generous *atua*; they voyage into The New Crowned Hope with our fondest hopes, *alofa* and best wishes. In Vienna, they will celebrate Mozart's birthday with other gifted and skilled voyagers from all round the world.

Ia, siva loa!
Siva maia ia manaia le tatou aso ….

Ia manuia le faigamalaga!

Leben
Tod
Neuanfänge

Ich dachte an das Dorf, in dem ich geboren wurde. Es ist das Dorf des Sonnenuntergangs. Eine goldene Lichtkugel ruht stets auf dem Ozean. Wir sangen freche Lieder darüber, wo die Sonne wohl in der Nacht hingeht. Dann gingen wir hinein und beteten. Ich dachte an ein Dorf auf Kiribati namens Taratai, das heißt „Blick auf die Sonne". Ich dachte an meinen dreijährigen Sohn Le Manaia, der in das geheimnisvolle Jenseits aufbrechen wollte – wo angeblich die Dinosaurier hingehen, wenn sie schlimm waren. Er sagt, Steve Irwin ist nicht tot; er spaziert durch das schlammige Wasser.

Als kleiner Junge war es eine meiner wichtigsten Aufgaben, dreimal täglich für das *Angelus Domini* die Glocke zu läuten. Diese Angelus-Glocke war ein Gaszylinder, der von einem Mangobaum hing. Ich wusste nicht, dass es ein Gaszylinder war. Ich dachte immer, ich schlüge auf eine Bombe ein. Ich erinnere mich, dass ich niedrig fliegende DC-10-Flugzeuge immer auf möglicherweise herausfallende Zylinder kontrollierte. Wenn man von unten nachsah, konnte man auch feststellen, ob ein Flugzeug männlich oder weiblich war. Ein Vogelchor begleitete stets die Stille nach dem Läuten der Glocke. Ich hatte einen treuen Hund namens Jealous, der immer in der richtigen Tonart heulte. Eines Abends wurde er von einem Auto überfahren. Ich wachte bei ihm, bis er im Morgengrauen starb. Ich weinte. Bei Sonnenaufgang stand ich auf, grub ihm ein Grab und legte ihn hinein.

Meine Familie erfüllte eine besondere Rolle im Dorf. Ich erinnere mich an die Aufforderungen, an unzähligen Begräbnissen und letzten Ölungen teilzunehmen. Ich erinnere mich, wie der Tod zu den Menschen kam, meist wenn ein letztes Gebet gesprochen oder ein Lied gesungen wurde. Auch mein Vater starb so. Ich erinnere mich an die Tränen aus seinen Augen, als wir an seinem Bett im Krankenhaus ein Abschiedslied sangen. Er holte noch einmal tief Atem und verstarb. Ich erinnere mich, wie ich ihn Minuten später zum letzten Mal rasierte. Ich erinnere mich, dass es ein wunderschönes Trauern war. Mein Vater ist vor unserer Türstufe begraben. Wir begrüßen ihn immer morgens und wünschen ihm abends gute Nacht.

Ich erinnere mich an die Gesichter der Menschen Minuten vor den Bomben auf dem Bahnhof Liverpool. Ich erinnere mich an die Rolltreppen, die in Betrieb blieben, während alle schweigend dastanden. Ich erinnere mich an die Leere der Londoner Straßen. Ich erinnere mich, wie ich Tage später noch still herumging und auf allen Bahnhöfen Engel aufstellen wollte. Dann dachte ich an die Hoffnungslosigkeit des Engels der Geschichte und die Schrecklichkeit von Rilkes Engel. Ich war traurig. Ich erinnere mich, wie ich in einer unirdisch leeren Boeing 747 auf meinem Weg zurück nach Neuseeland saß. Ich fühlte mich, als wäre ich in einem Engel über den Wolken und den Göttern näher.

Life
Death
New beginnings

I thought about the village where I was born. This is the village of the sunset. A golden ball of light always sits on the ocean. We would chant naughty songs to the sun of where he is going that night. Then we go inside and pray. I thought about the Kiribati village called Taratai – meaning look to the sun. I thought about my three-year-old son, Le Manaia wanting to go to the Mysterious Beyond – supposedly where dinosaurs go to if they misbehave. He says Steve Irwin is not dead; he is walking in the muddy water.

As a little boy one of my most important tasks was to strike the bell three times a day for the *Angelus Domini*. This Angelus Bell was a gas cylinder hanging from a mango tree. I never knew it was a gas cylinder. I always imagined hitting a bomb. I remember looking underneath low flying DC 10s for falling cylinders. Looking underneath was also a way to work out whether a plane was a male or female. Anyway, a chorus of birds would always accompany the silence after the bell. I had a faithful dog, named Jealous, who always howled in tune. One evening a car hit him. I kept watch over him until he died at dawn. I wept. Then at sunrise I went out, dug a grave, and buried him.

My family had a special role in the village. I remembered the calls to attend countless burials and administration of last rites. I remembered the arrival of death to a person, usually when a final prayer is being said or a song is being sung. My father died the same way. I remembered tears falling from his eyes as we sang a goodbye song at his hospital bed. He then took a quiet breath and departed. I remembered giving him his last shave minutes later. I remembered, it was a gorgeous mourning. My father is buried in front of our doorstep. We always say hello and good night to him.

I remembered the faces of people minutes before the bombs at Liverpool station. I remembered the moving escalator while everyone stood in silence. I remembered the emptiness of London streets. I remembered walking quietly days after, wanting to place angels all over the stations. Then I thought about the hopelessness of the Angel of History and the terrifying Angel of Rilke. I felt sad. I remembered sitting in an eerily empty 747 on my way back to New Zealand. I felt I was inside an angel above the clouds and closer to the gods.

I remembered a writer who asked me why do I laugh while talking about death. Then I thought about the laughter of children that whole day. I thought about the Kahui twins. Did someone hear them laugh? I thought about children in mass graves. I thought about Whina Cooper holding her mokopuna's hand walking towards the future. Then I remembered why my parents let us children eat first.

Ich erinnere mich an einen Schriftsteller, der mich fragte, warum ich lache, wenn ich über den Tod spreche. Dann dachte ich den ganzen Tag an das Lachen von Kindern. Ich dachte an die Kahui-Zwillinge. Hat jemand sie lachen gehört? Ich dachte an Kinder in Massengräbern. Ich dachte an Whina Cooper, wie sie auf ihrem Marsch in die Zukunft die Hand ihrer Mokopuna, ihrer Enkelin, hält. Dann erinnerte ich mich, warum unsere Eltern uns Kinder zuerst essen ließen.

Als ich mein *Requiem* zu erarbeiten begann, meinte ich, dass wir ein Haus bauen sollten, in das wir hineinsehen oder in dem wir sein könnten. Ich wollte immer schon im Haus von Nacht und Tag, von Grenzenlosigkeit und Raum sein. Ich meinte, die Ahnen vom Anbeginn der Zeit zum *Requiem* einladen zu müssen. Sie sind der Grund, warum ich als Mensch existiere. Hawaiki ist kein mythisches Land, sondern ein Seinszustand.
In Albert Wendts Worten:
In mir die Toten
eingewoben in mein Fleisch wie die Musik
von Knochenflöten ...

Ich bin dankbar für die Gabe des Tanzes. Es ist ein wundersamer Geist, der unsere Verwandtschaft mit der Welt, mit den Lebenden, den Toten, dem Fluss, dem Stein, dem Himmel und allen fühlenden Wesen antreibt. Im *Requiem* werden die Gesänge von den Ahnen komponiert und von den Lebenden gesungen. Die Musik wird aus den Klängen dieses Landes mit Steinen, Knochen, Insekten, Wasser und Vögeln geschaffen. Ich hoffe, dass wir im Schattenspiel das Licht fühlen werden. Im Beben des Körpers des Tänzers segeln wir mit diesem Gedächtnisschiff, das unsere Ahnen mit sich trägt. Ich hoffe, mein *Requiem* ist mehr als Poesie. Ich hoffe auf ein Gemeinschaftserlebnis, ein *Powhiri*, eine *Kava*-Zeremonie, einen Bibelpsalm, eine Versammlung, eine Vorbereitung, eine Pilgerfahrt, Reinigung, Erinnerung und Hoffnung.

Lemi Ponifasio

When I started to create *Requiem*, I thought we should build a house so that we can see in or be in the inside. I always wanted to be in the House of Night and Day. Of Immensity and Space. I thought I must invite the ancestors for *Requiem* from the beginning of time. They are the whole reason why I have this human existence. Hawaiki is not a mythical land but a state of being.
In Albert Wendt's words:
Inside me the dead
woven into my flesh like the music
of bone flutes ...

I am thankful for the gift of dance. It is a miraculous spirit that activates our kinship with the world, the living, the dead, the river, stone, sky and all sentient beings. In *Requiem* the voices of song have been composed by ancestors and sung by the living. The music has been created from the sound of this land with stones, bones, insects, water and birds. I hope in the play of shadows we feel the light. In the quiver of the dancer's body we sail in this memorial vessel carrying our ancestors. I hope *Requiem* is more than making poetry. I hope for a community occasion, a *powhiri*, a *kava* ceremony, a Biblical psalm, a meeting, a preparation, a pilgrimage, purification, remembrance and hope.

Lemi Ponifasio

Kaija Saariaho
La Passion de Simone
La Passion de Simone

Chemin musical en quinze stations Musikalischer Weg in fünfzehn StationenMusical journey in fifteen stations —

MusikMusic **Kaija Saariaho** — TextText **Amin Maalouf** —

Musikalische LeitungConductor **Susanna Mälkki** — InszenierungDirector **Peter Sellars** —
KostümeCostumes **Martin Pakledinaz** — LichtLight Design **James F. Ingalls** — IRCAM TonIRCAM Sound Design **Gilbert Nouno** —

SolistinSoloist **Dawn Upshaw** — TänzerDancer **Michael Schumacher** —
Text gesprochen vonText spoken by **Dominique Blanc** —
EnsembleEnsemble **Klangforum Wien** — ChorChoir **Arnold Schoenberg Chor** — ChorleitungConductor **Erwin Ortner** —

AuftragswerkCommissioned by **New Crowned Hope, Lincoln Center for the Performing Arts, New York,
Barbican Centre, London, Los Angeles Philharmonic** —
KoproduktionA co-production of **New Crowned Hope, Barbican Centre, London,
Lincoln Center for the Performing Arts, New York** —

PremierePremiere **26.11.2006, 20:00** —
AufführungenPerformances: **28.,30.11.2006, 20:00** —
OrtVenue **Jugendstiltheater** —
In französischer Sprache mit deutschen und englischen ÜbertitelnIn French, with German and English surtitles —

UraufführungWorld Premiere —

Margarete Zander
Die Tiefe der Existenz
The Depths of Existence

Musik ist meine Art, mich dem Göttlichen zu nähern, meine Musik ist meine Meditation. Ich versuche, in die Tiefen unserer Existenz zu blicken – aber ich kann nicht wirklich darüber sprechen.
Kaija Saariaho

Eine leidenschaftliche Freiheitskämpferin mit hohen ethischen Maßstäben an das Menschsein steht im Mittelpunkt von Kaija Saariahos Oratorium *La Passion de Simone*: Simone Weil, geboren 1909 in Paris, gestorben 1943 in der Nähe von London. Simone Weil war überzeugt: „Gott hat seine Schöpfung aus Liebe, um der Liebe Willen erschaffen." Mit ihren Versuchen, diese Liebe in ihrem Leben zu verwirklichen, stieß Simone Weil an die Grenzen der eigenen Fähigkeiten, der Gesellschaft, des Lebens. Den einzigen Ausweg sah sie im Tod. Doch ihre Ideale waren und sind voll überbordender Energie.

Die finnische Komponistin Kaija Saariaho (geboren 1952) war schon als Jugendliche von den Schriften Simone Weils fasziniert. Als Kaija Saariaho Anfang der Achtzigerjahre nach Freiburg im Breisgau ging, um ihr Kompositionsstudium bei Brian Ferneyhough und Klaus Huber fortzusetzen, war unter den wenigen Dingen, die sie mitnahm, ein Buch der Philosophin: *La pesanteur et la grâce* (*Schwerkraft und Gnade*). Ein rätselhafter Titel, eine rätselhafte Frau. Ein Buch mit Hunderten von Aphorismen, geordnet

My music is my means of approaching the divine, and my music is my meditation. I am really looking into depths of our existence, but I cannot really speak about it.
Kaija Saariaho

A passionate fighter for freedom with high ethical standards applied to humanity is at the center of Kaija Saariaho's oratorio *La Passion de Simone*: Simone Weil, who was born in Paris in 1909 and died near London in 1943. Simone Weil was convinced that "God created the world through love and for love". With her attempts to give tangible shape to this love in her life, Simone Weil tested the limits of her own capacities, those of society, of life, ultimately finding release only in death. But her ideals were and are full of incandescent energy.

Already as a young girl, Finnish composer Kaija Saariaho (born in 1952) was fascinated by the writings of Simone Weil. When Kaija Saariaho moved to Freiburg im Breisgau in the 1980s to continue her composition studies with Brian Ferneyhough and Klaus Huber, one of the few things she packed into her suitcase was the French philosopher's book *Gravity and Grace* (*La pesanteur et la grâce*). An enigmatic title, an enigmatic woman. A book composed of hundreds of aphorisms structured into thematic sections, such as " The Self", "Idolatry", " The

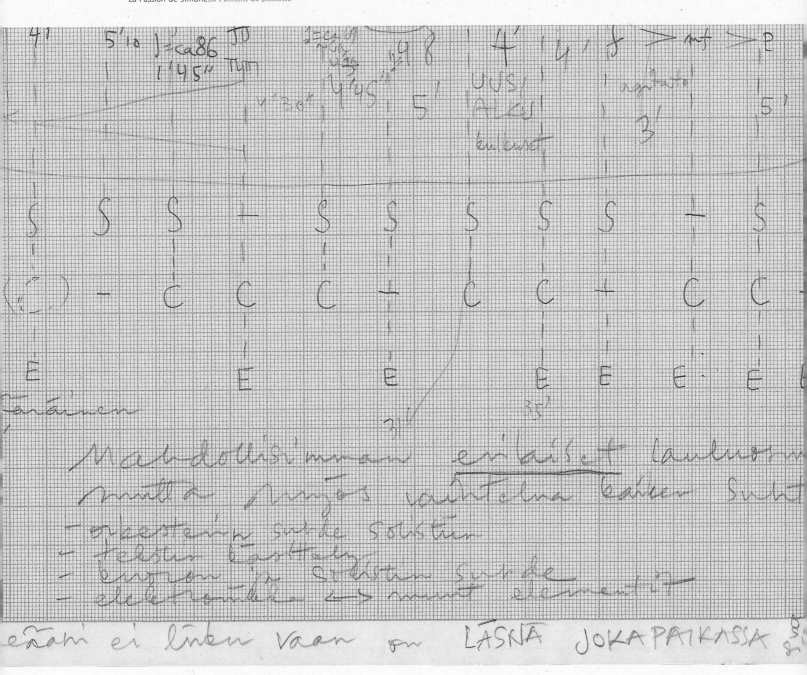

nach Themen wie „Das Ich", „Götzendienst", „Das Unmögliche", „Zufall" oder „Mystik der Arbeit".

Eine Oper wollte Kaija Saariaho nie komponieren. Erst als sie Wolfgang Amadeus Mozarts Oper *Don Giovanni* in der Inszenierung von Peter Sellars sah, in der er die Gegenwart der New Yorker Bronx als Bezugsfeld wählte, keimte in ihr der Wunsch, eine Geschichte in Musik zu erzählen. Die Idee zu *L'amour de loin* (*Die Liebe aus der Ferne*) war geboren, einer Oper nach einem Text von einem der großen Troubadoure des 12. Jahrhunderts, Jaufré Rudel. Ein Auftragswerk der Salzburger Festspiele, uraufgeführt am 15. August 2000, inszeniert von Peter Sellars. Seither erlebt die Oper in der ganzen Welt triumphale Aufführungen. Es folgte fünf Jahre später die gemeinsame Arbeit an Kaija Saariahos zweiter Oper, *Adriana Mater*. Darin geht es um eine im Krieg vergewaltigte Frau, deren Sohn Rache am Vater schwört. Doch als er ihm begegnet und den inzwischen alten erblindeten Mann vor sich sieht, vergibt er ihm aus unerklärbarem Mitleid.

Während der Arbeit an ihrer ersten Oper *L'amour de loin* stellte Kaija Saariaho mit Erstaunen fest, dass Peter Sellars Texte von Simone Weil in den Proben zitierte. Hier hatte sie zum ersten Mal jemanden getroffen, mit dem sie über die Philosophin

Impossible", "Chance", or "The Mysticism of Work".

Kaija Saariaho never wanted to compose an opera. It was only when she saw the Peter Sellars production of Mozart's *Don Giovanni* set in the present-day Bronx that she began to think about telling a story in music. Thus the idea for *L'amour de loin* (*Love from Afar*) was born, an opera based on a text by Jaufré Rudel, one of the great 12th century troubadours. This work was commissioned by the Salzburg Festival and premiered on 15 August 2000, directed by Peter Sellars. Since then, the opera has been performed to great acclaim all over the world. Five years later, it was followed by Kaija Saariaho's second opera, *Adriana Mater*, telling the story of a woman raped during a war, whose son swears to take revenge on his father. But when he meets the man, who by now is old and blind, he forgives him out of inexplicable compassion.

While working on her first opera, *L'amour de loin*, Kaija Saariaho was surprised by the fact that Peter Sellars was quoting texts by Simone Weil during the rehearsals. For the first time, she had found somebody to discuss the philosopher with. Their talks about Simone Weil became gradually more intense. The wish expressed by Peter Sellars to collaborate on a

sprechen konnte. Die Gespräche über Simone Weil wurden intensiver. Der Wunsch von Peter Sellars, gemeinsam ein Werk über Simone Weil zu erarbeiten, war verlockend, hatte doch die Zusammenarbeit an zwei Opern eine neue Dimension in das künstlerische Schaffen der Komponistin gebracht.

Kaija Saariaho nahm den Auftrag zu einem Werk über Simone Weil an, arbeitete aber noch an *Adriana Mater* und konnte sich nicht vorstellen, eine weitere größere Oper direkt im Anschluss daran zu schreiben. So bat sie um einen kargen Text, der keine Erzählung sein sollte. Es sollte auch keine biografische Oper über das Leben der fast vergessenen Kämpferin werden. Kaija Saariaho wusste: „Im Abstrakten kann ich ihren Anliegen besser begegnen."

In enger Zusammenarbeit von Peter Sellars, Amin Maalouf und Kaija Saariaho entstand der Entwurf eines Oratoriums, einer Leidensgeschichte in fünfzehn Stationen mit dem Titel *La Passion de Simone*. Die Komponistin faszinierte Weils mathematisches Interesse und die Aphorismen, ihre Gedanken zur Welt und zur Existenz allgemein, Peter Sellars bewunderte vornehmlich ihr soziales Bewusstsein, ihr politisches Engagement und ihre Metaphysik. Amin Maalouf, der in Paris lebende libanesische Schriftsteller, bewegten die schmerzhafte Diskrepanz zwischen ihren philosophischen Gedanken und ihrer weltlichen Existenz. Diese Ansätze wurden auf das Wesentliche reduziert, die Quintessenz ihres Lebens, das Warum des Selbstmordes durch Verweigerung der Nahrungsaufnahme. Und war es ein Selbstmord oder ein unerklärlicher Akt aus Mitgefühl?

Die Musiksprache, die Kaija Saariaho so einzigartig in der Welt der neuen Musik macht und zu einer der meistgespielten lebenden Komponistinnen unserer Zeit, besticht durch ihren übergroßen Farbenreichtum. Kaija Saariaho findet neue Klangfarben im Zusammenspiel der Instrumente und schafft Klangräume, die die ZuhörerInnen in ihren Bann ziehen.

„Kaija Saariaho hat eine Goldader in der Musik gefunden", schwärmen MusikerInnen voller Bewunderung.

Die Grundlagen des Komponierens hat Kaija Saariaho beim finnischen „Kompositionsvater" Paavo Heininen an der Sibelius-Akademie in Helsinki studiert. Er hat sie in die Musiktradition eingeführt und ihr Wege gezeigt, die eigenen Ansätze konsequent zu entwickeln. Besonders förderlich waren seine Strenge und seine unnachgiebige Forderung, das Kernmaterial auf das Wesentliche zu reduzieren.

Literatur
Starke Impulse fand die Komponistin auch in der Literatur. Schon als Kind konnte sie sich tagelang in Romane vertiefen. Heute erzählt sie schmunzelnd, dass ihre Eltern anfingen, sich Sorgen zu machen, als sie im Alter von zehn Jahren *Schuld und Sühne* von Dostojewski las. Prägende Gestalter dieser reichen Bilderwelten, die sie in der Literatur findet, sind der sowjetische Filmregisseur Andrei Tarkowski und der französische Dichter Saint-John Perse.

Natur und Naturwissenschaften
Einen unerschöpflichen Fundus stellt für die Komponistin die Natur in all ihren Phänomenen dar. Kaija Saariaho analysiert sie unter verschiedensten Aspekten. So ist ihr Interesse an naturwissenschaftlichen Phänomenen stark ausgeprägt. Der Essay *Zwischen Kristall und Rauch* von Henri Atlan führte mit seinen Gedanken über die Organisation des Wachstums zu einem großen zweiteiligen Orchesterwerk, *Du cristal ... à la fumée*.

Bildende Kunst
Kaija Saariaho betrachtet auch Werke der Bildenden Kunst

piece about Weil was tempting, as their cooperation on the two previous operas had added a new dimension to the composer's artistic output.

Kaija Saariaho accepted the commission to compose a work about Simone Weil but was still busy with *Adriana Mater* and could not imagine following it up with another full-length opera. Thus she asked for a sparse text that should not be a narrative. Neither should the new work become a biographical opera about this half-forgotten fighter. Kaija Saariaho knew, "In abstraction I can meet her concerns better!"

The close cooperation of Peter Sellars, Amin Maalouf and Kaija Saariaho led to the draft for an oratorio in fifteen stations with the title of *La Passion de Simone*. The composer was fascinated by Weil's interest in mathematics, her aphorisms, her thoughts on the world and human existence in general, while Peter Sellars mainly admired her social awareness, her political engagement and her metaphysics, and Paris-based Lebanese writer Amin Maalouf was moved by the painful tensions between her philosophy and her life. These approaches were reduced to their essence, the quintessence of a life, the question of why Weil committed suicide by starving herself to death. And was it a suicide or an inexplicable act of compassion?

The musical language that makes Kaija Saariaho unique in the world of new music as well as one of the most frequently performed modern-day composers impresses with its immense wealth of colors. Kaija Saariaho always finds novel tone colors in the interplay of instruments and creates sound spaces that captivate audiences.

"Kaija Saariaho has struck a gold mine of music", musicians enthusiastically – and admiringly – comment.

Kaija Saariaho began to study composition with the Finnish "father of composition" Paavo Heininen at the Helsinki Sibelius Academy. It was Heininen who introduced her to musical tradition and showed her ways to systematically develop her own, unique approach. In this, his rigorousness and uncompromising demand to always reduce the core material to its essence proved most useful to her.

Literature
Further strong impulses were provided by literature. Already as a child, Kaija Saariaho found it easy to become engrossed in novels. Amusedly, she recalls how her parents were beginning to worry about her when she took up reading Dostoyevsky's *Crime and Punishment* at age 10. For her, particularly significant figures for the rich imagery she draws from literature include Russian movie director Andrey Tarkovsky and French poet Saint-John Perse.

Nature and natural science
Nature and its immense wealth of phenomena constitute an inexhaustible inspiration for Kaija Saariaho, who tries to analyze their innumerable aspects. Thus the composer is extremely interested in natural-scientific phenomena. With its ideas concerning the organization of growth, the essay *Entre le crystal et la fumée* (*Between the Crystal and the Smoke*) by Henri Atlan inspired her important two-part orchestral work *Du cristal ... à la fumée*.

Visual art
Kaija Saariaho also views works of visual art as living organisms and finds that "every detail reveals the true, innermost nature of an artwork". In her first orchestral composition *Verblendungen*, the course of a brushstroke was chosen to

wie lebende Organismen und findet in „jeder Kleinigkeit sein wahrstes, innerstes Wesen des Kunstwerkes enthüllt". In ihrem ersten Orchesterwerk *Verblendungen* war es ein Pinselstrich, dessen Verlauf die Form ihrer Musik bestimmte. Der farbintensive Ansatz des Pinsels und der Verlauf des Striches, der sich durch ins Nichts laufende Linien und die weiß gebliebenen Flächen als Bewegung zeigt, wurde ihr zum Studienobjekt. Bei der Genese des Streichquartettes *Nymphéa* reflektierte Kaija Saariaho die Seerosen-Bilder des französischen Malers Claude Monet. Saariaho betrachtete das Bild als Ganzes und reflektierte gleichzeitig den Akt des Malens an sich, den Augenblick, der den Impressionisten motiviert hatte. Saariaho beobachtet wie durch ein Mikroskop und gleichzeitig mit dem Blick der Künstlerin kleinste Details wie die Biegungen der Blätter und legt den Blick für die Schönheit des Werkes frei, die sich im Moment des Erklingens in ihrer Musik mitteilt.

Die Neugier der Forscherin, das starke Interesse an der Arbeit der französischen Spektralisten und ihr Hang zur unbedingten Präzision führten Kaija Saariaho 1981/82 ans IRCAM. Das von Pierre Boulez gegründete Forschungsinstitut bot ihr die Chance, Computeranalysen und elektronische Möglichkeiten intensiv zu studieren und als Instrument zu nutzen. Dabei entdeckte sie neue Klangfarben und machte sich gleichzeitig frei, Elektronik und Computer – wie jedes andere Instrument – in den Dienst ihrer Ideen zu stellen.

Zentraler Mittelpunkt ihrer Werke bleibt dennoch der natürliche Klang des Instrumentes und der Mensch, der ihn erzeugt. Kaija Saariaho entdeckt immer intensivere und differenziertere Farbpaletten der Instrumente, allen voran der Flöte und des Violoncellos. Ihre Farbklangmischungen in Verbindung mit dem Denken in Harmonien sind einzigartig.

Hinzu kommt die Erweiterung des Klanges in den Hörraum hinein, Nähe und Ferne zum Zuhörer / zur Zuhörerin werden nicht dem Zufall überlassen. Die Regeln des Wachstums in der Natur werden zu konstituierenden Parametern der musikalischen / kompositorischen Strukturen. Kaija Saariaho entwickelt leidenschaftlich und gleichzeitig kühl kalkuliert mikroskopische Innenansichten von Klängen, Töne können zu Klangräumen werden, deren Ränder wie die von Wolken ins Unendliche weisen. Ihr immer stärker werdendes Bewusstsein um die Körperlichkeit von Musik gibt den Klängen ihre natürliche Erdung.

Simone Weil schreibt in ihren Aphorismen: „Die Schönheit verführt das Fleisch, um die Erlaubnis zu erhalten, in die Seele einzudringen." (aus *Schwerkraft und Gnade*)

Der Begriff des Morphing vermittelt eine Vorstellung davon, wie Kaija Saariaho ihre Übergänge vom Atem zum Instrumentalklang, vom Geräusch zum Ton gestaltet. Reizvoll erscheint ihr die Verbindung zwischen scheinbar unvereinbaren Gegensätzen.

Zum stärksten Instrument wird für Kaija Saariaho die menschliche Stimme. Die Komponistin ist eine große Bewunderin der amerikanischen Sopranistin Dawn Upshaw, die in ihrem Gesang Zartheit und Kraft, Weichheit und Stärke miteinander verbindet. Die Aura der Stimme, ihrer Farbgebung und Intensität führt in Dimensionen, die Worte nicht erreichen. Dawn Upshaw hat Kaija Saariaho ermöglicht, neue Räume zu erkunden. So entstand 1996 *Château de l'âme*. Der Titel geht auf ein Buch der spanischen christlichen Mystikerin Theresia von Avila zurück, es heißt *Seelenburg* und stammt aus dem Jahr 1577. Kaija Saariaho selbst hat die Texte aus der alten ägyptischen und hinduistischen Überlieferung ausgesucht: zwei Texte über die leidenschaftliche menschliche Liebe eines Paares, ein Lied über die Liebe zur Erde und zwei Lieder über die Mutterliebe.

„Dann fand ich den Titel und dachte die ,Seelenburg', das ist Liebe", erinnert sich Kaija Saariaho. „Das war schon wichtig

determine the form of her music. The colorful use of the brush and the dynamic stroke that becomes visible through lines trailing into empty space while highlighting the untouched, white areas as motion became her object of study. In creating her string quartet *Nymphéa*, Kaija Saariaho reflected on the water-lilies so emblematic of French painter Claude Monet. Saariaho looked at the paintings as a whole and at the same time reflected on the act of painting per se, the very moment that had motivated the impressionist. As if scrutinizing them through a microscope and yet with the eyes of an artist, Saariaho observed tiny details, such as the curving lines of leaves, and thus revealed the beauty of the work, communicated through the performance of her music.

In 1981/82, her scientific curiosity, strong interest in the work of the French spectralists and love of unconditional precision brought Kaija Saariaho to IRCAM. This institute for music / acoustic research and coordination founded by Pierre Boulez offered her an opportunity to engage in an intensive study of computer analysis and electronics and to use them as instruments. This disclosed new tone colors to Saariaho and at the same time freed her to put electronics and computers – precisely like any other instrument – at the service of her art.

Yet the natural sound of the instrument and the human being creating it remain at the core of all her works. Kaija Saariaho is discovering more and more intensive and differentiated color palettes for her instruments, above all flute and violoncello. Her tonal color mixes combined with her way of thinking in harmonies are unique.

In addition, sound is extended into the audience, i.e. the distance or proximity to the listeners are not left to chance. The rules of natural growth become constituting parameters of musical / compositional structures. Passionately and yet coolly and calculatedly, Kaija Saariaho develops microscopic interior views of sounds; tones can evolve into sound spaces whose boundaries, like those of clouds, progress towards the infinite. Her increasingly strong sense of the physicality of music endows the sounds with a natural grounding.

In her aphorisms, Simone Weil writes, "Beauty captivates the flesh in order to obtain permission to pass right to the soul." (from *Gravity and Grace*)

The concept of morphing – a cinematic term – lends itself to conveying the manner in which Kaija Saariaho designs transitions from breath to instrumental sound, from noise to tone. She is particularly attracted by the combination of apparently irreconcilable opposites.

For Kaija Saariaho, the human voice has become the strongest instrument. The composer is a great admirer of American soprano Dawn Upshaw, whose singing blends delicacy and power, gentleness and strength. The aura of the voice, its coloring and intensity disclose dimensions unattainable by words. Dawn Upshaw enabled Kaija Saariaho to explore new spaces, which resulted in the 1996 composition *Château de l'âme*. The title is inspired by a work by the Spanish Christian mystic St. Theresa of Avila (*Interior Castle* from 1577). Saariaho herself chose lyrics from the ancient Egyptian and Hindu traditions: two texts on passionate, human love between a couple, one song about the love of our earth, and two songs about a mother's love.

"Then I found that title, and I thought of the 'Interior Castle', and that's love", Kaija Saariaho remembers. "That was also important in preparing for the opera." This idea was in a way continued in the oratorio.

im Hinblick auf die Vorbereitungen zur Oper." Eine Art Fortsetzung des Gedankens fand Eingang in das Oratorium.

Wenn Kaija Saariaho mit *La Passion de Simone* in die Welt der Mystikerin Simone Weil eintaucht, dann sei auch an ihre Ballettmusik *Maa* von 1991 erinnert, zu der jetzt neue Spuren führen. In der Genese dieses Balletts dachte Kaija Saariaho gemeinsam mit der Choreografin Carolin Carlson über „Transzendenz" und „Transformation" nach.

Mit ihrer Musik begibt sich Kaija Saariaho in neue Dimensionen, und doch wirkt der Weg ins Unbekannte, auf den sie ihre HörerInnen lockt, auf den ersten Eindruck eigenartig vertraut. Kaija Saariaho vermittelt ihre Anliegen in einer Sprache jenseits von Worten. Die starke Wirkung ihrer Musik führt bisweilen zu Fehleinschätzungen. Aber Kaija Saariaho durchschaut diese Reaktion: „Oft finden Leute meine Musik zu emotional, zu romantisch, aber noch haben wir in Europa verschiedene Kulturen. Ich denke nicht, dass es billig ist, wenn Menschen ihre Emotionen in ihre Kunst einbringen wollen. Ich denke, Kunst hat immer einen emotionalen Hintergrund und wer das komplett verstecken möchte, der hat meines Erachtens ein ziemliches Problem."

Bei Simone Weil trifft die finnische Komponistin im Kern einen Grundgedanken, der ihre eigene Arbeit begleitet: „Wir müssen uns unseres Planeten, unserer Geschichte mehr und mehr bewusst werden, dessen bewusst werden, was es heißt, Mensch zu sein. Wir können Intelligenzquotienten messen, aber es geht heute immer mehr um emotionale Intelligenz und darum zu erkennen, dass hier die Quellen menschlicher Existenz liegen und es wäre verrückt, sich dessen als Künstlerin nicht bewusst zu sein." (Kaija Saariaho)

Der Maßstab für die Musik, den Simone Weil anlegt, liegt hoch: „Wenn die menschliche Musik in ihrer größten Reinheit uns durch die Seele dringt, so ist es dies [das Wort Gottes], was wir durch sie hindurch vernehmen. Wenn wir gelernt haben, das Schweigen zu hören, so ist es dies, was wir, noch vernehmlicher, durch es hindurch erfassen." (Simone Weil)

As a parallel to Kaija Saariaho's *La Passion de Simone* and its journey into the world of the French mystic, we should also consider her 1991 ballet score *Maa*, which discloses another approach to the new work. In creating the music, Kaija Saariaho and choreographer Carolyn Carlson gave a lot of thought to "transcendence" and "transformation".

With her music, Kaija Saariaho enters new dimensions, and yet the voyage to the unknown to which she lures her audience seems strangely familiar right from the first moment. Kaija Saariaho communicates her concerns in a language that goes beyond words. The strong effect of her music has sometimes inspired misconceptions, although Saariaho understands this reaction: "People often think that my music is too emotional, too romantic, but I think that we have many different cultures here in Europe. I don't think that wanting to invest your art with your emotions cheapens it. Rather, art in my opinion always has an emotional background, and if you want to hide this completely, you've got a big problem, I believe."

In Simone Weil, the Finnish composer has essentially encountered a fundamental concept informing her own work: "We must become more and more aware of our planet, of our history, of what it means to be human. We can measure intelligence quotients, but today, we're more concerned with emotional intelligence, with understanding that the sources of human existence lie here, and it would be crazy for any artist not to be aware of that." (Kaija Saariaho)

The yardstick applied by Simone Weil to music is high: "When human music in its greatest purity pierces our soul, this [the word of God] is what we hear through it. When we have learned to hear the silence, this is what we grasp, more distinctly, through it." (Simone Weil)

Ich möchte glauben, dass nach dem leichten Schock der Trennung, egal was mit mir geschehen mag, ihr hinsichtlich dieses Themas keinen Schmerz mehr verspüren werdet, und wenn ihr manchmal vielleicht an mich denkt, wird das so sein wie an ein Buch, das man in der Kindheit gelesen hat.

Ich möchte nie einen anderen Platz im Herzen jener Wesen einnehmen, die ich liebe, damit ich sicher sein kann, ihnen niemals Schmerz zuzufügen.

Zwei Kräfte regieren das Universum: Licht und Schwerkraft.

Der Kreis ist das Symbol der schönen Monotonie, der Pendelschwung jenes der furchtbaren Monotonie.

Die absteigende Doppelbewegung: aus Liebe nochmals tun, was die Schwerkraft tut. Ist nicht die absteigende Doppelbewegung der Schlüssel zu aller Kunst?

Simone Weil

Beim Schreiben von La Passion de Simone bin ich eins mit meiner Musik und – mehr noch als früher – mit der Welt um mich herum.

Die fünfzehn Stationen von Amin Maaloufs Libretto sind ein sich ständig wandelnder Spiegel, der nicht nur Aspekte des Lebens und Werks von Simone Weil, sondern auch viele Fragen der menschlichen Existenz reflektiert. Die Musik wird so zu einer Erweiterung des Lebens.

Ich schreibe dieses Stück mit den Empfindungen von Glück und Leid, mit einem Gefühl der Dringlichkeit und zeitlosen Existenz.

Kaija Saariaho

I would like to think that you, after the slight shock of separation, whatever may happen to me, will never feel any sadness with regard to this issue, and if you should think of me sometime, it will be like thinking of a book you have read in your childhood.

I would like never to take any other place in the heart of any of the beings I love, to be sure that I will never cause them any pain.

Two forces rule the universe: light and gravity.

The circle is the symbol of beautiful monotony, the swing of the pendulum, that of horrible monotony.

The double descending movement: to do again for love what is done by gravity. Isn't the double descending movement the key to all art?

Simone Weil

In writing La Passion de Simone I am one with my music, and also - more so than earlier - with the world around me.

The libretto by Amin Maalouf in its fifteen stations is an ever-changing mirror which reflects not only aspects of the life and work of Simone Weil, but also many questions of human existence. The music becomes an extension of life.

I am writing this piece with the feelings of happiness and sorrow, in urgency and timeless existence.

Kaija Saariaho

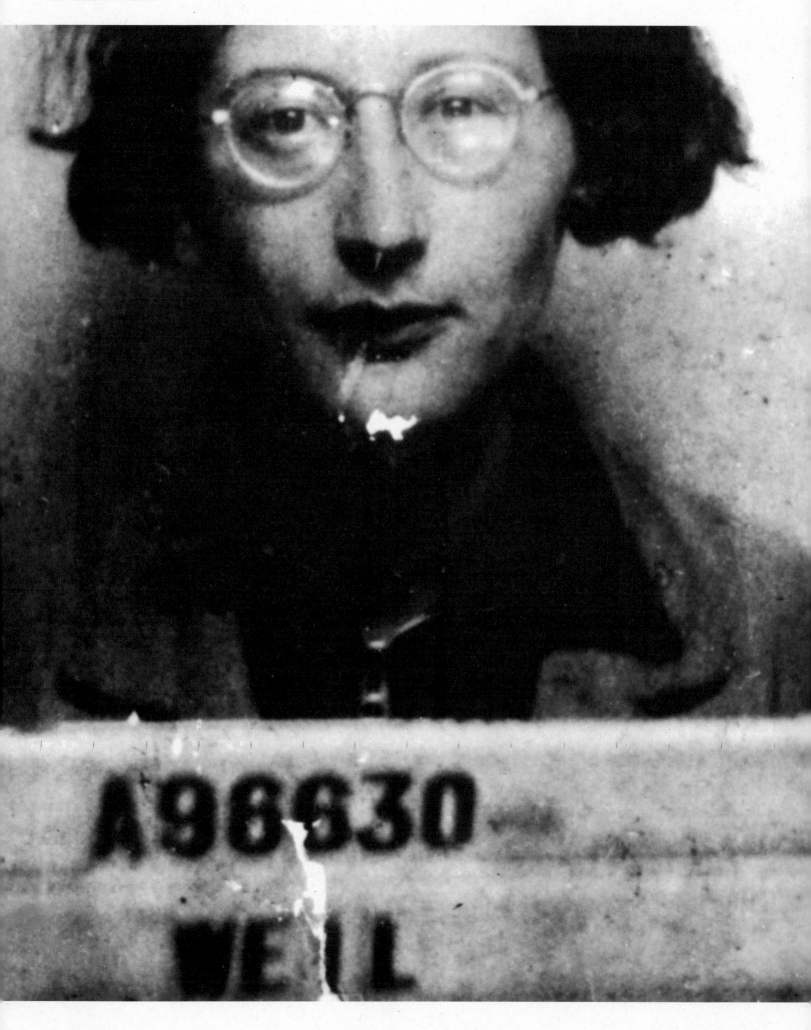

A trente-quatre ans, entre l'âge du Christ et celui de Mozart, une jeune femme a choisi de quitter le monde. C'était en août 1943, et les hommes venaient d'atteindre la culmination de la barbarie. Simone Weil s'est éteinte sans bruit, comme par une protestation silencieuse, dans l'anonymat d'un petit hôpital anglais. Ce qu'elle nous disait par sa mort consentie, c'était son refus de tous les asservissements: celui de la violence et de la haine, celui du nazisme et du stalinisme, mais également celui d'une société industrielle déshumanisante qui vide les êtres de leur substance, et qui les conduit vers le néant. Les écrits de Simone, publiés pour la plupart après sa mort, sont justement une tentative pour tracer une route hors du néant. Sa passion est une boussole, discrète mais puissante, pour notre monde égaré.

Mit vierunddreißig Jahren, zwischen dem Alter von Jesu und dem von Mozart, beschließt eine junge Frau, die Welt zu verlassen. Wir schreiben August 1943 und die Menschheit hat gerade den Gipfelpunkt der Unmenschlichkeit erreicht. Simone Weil verstarb im Stillen, wie in einem leisen Protest, in der Anonymität eines kleinen englischen Krankenhauses. Mit ihrem frei gewählten Tod verweigerte sie jede Form der Unterwerfung: der Gewalt, dem Hass, dem Nazismus und dem Stalinismus, aber auch einer entmenschlichten Industriegesellschaft, die die Menschen ihrer Substanz beraubt und sie ins Nichts führt. Simone Weils Werk, das großteils erst nach ihrem Tod veröffentlicht wurde, ist der Versuch, einen Weg aus dem Nichts zu zeigen. Ihre Passion ist ein Wegweiser, diskret aber kräftig, für unsere aus den Fugen geratene Welt.

At the age of thirty-four, between the ages of Jesus and Mozart, a young woman decided to leave this world. The time was August 1943, and humanity had just reached a summit of barbarity. Simone Weil passed away without a sound, as if by silent protest, in the anonymity of a small English hospital. Her choice to die speaks to us of her rejection of any form of submission: to violence and hate, to Nazism and Stalinism, but also to a dehumanizing industrial society that deprives individuals of their substance and leads them into nothingness. Simone's writings, most of which were published after her death, are an attempt to find a way out of this nothingness. Her passion is a discreet but powerful signpost in our misguided world.

Amin Maalouf

Faustin Linyekula
The Dialogue Series – iii. dinozord
The Dialogue Series – iii. dinozord

ChoreografieChoreography **Faustin Linyekula** — TexteTexts **Richard Kabako** — **Faustin Linyekula** — **Antoine Vumilia Muhindo** —

MusikMusic **Wolfgang Amadeus Mozart** (ausfrom *Requiem*) —

MitWith **Studios Kabako** —
Sammy Baloji — **Serge Kakudji** — **Dinozord** — **Papy Ebotan** — **Djodjo Kazadi** — **Faustin Linyekula** — **Papy Mbwiti** —

ProduktionsleiterinProduction Manager **Virginie Dupray** —

AuftragswerkCommissioned by **New Crowned Hope** —
KoproduktionA co-production of **New Crowned Hope, Studios Kabako, Kinshasa, Tanzquartier Wien,**
KVS/de bottelarij, Brüssel —

PremierePremiere **30.11.2006, 20:00** —
AufführungenPerformances: **1.,2.,3.12.2006, 20:00** —
OrtVenue **Halle G im MuseumsQuartier** —
In französischer Sprache mit deutschen und englischen ÜbertitelnIn French with German and English surtitles —

UraufführungWorld Premiere —

David Van Reybrouck
Mein einziges wahres Land ist mein Körper
My only true country is my body

---

1. Als ich ihn das erste Mal tanzen sah, trug er bloß ein Blatt Zeitungspapier auf dem Leib. Ich sah mir eine DVD seiner Choreografie *Spectacularly Empty* an. Das schwache Licht einer Glühbirne ließ die Bühne im Halbdunkel verschwinden. Faustin Linyekula (geboren 1974) bewegte sich über die Bühne. Sein Körper war so sehnig und biegsam wie der eines Schlangenmenschen, seine Bewegungen so anmutig wie die eines Vogels. Gekleidet war er bloß in eben diesen Lendenschurz aus Zeitungspapier. Diese Mischung aus körperlicher Verletzlichkeit und der kleingedruckten Sprache der Macht ergab ein verstörendes Bild, das ich nie vergessen habe.

Es erinnerte mich an einen Essay von Marianne Van Kerkhoven, einer führenden Dramaturgin und Intellektuellen der flämisch-belgischen Theaterszene. Ihr Text wurde ursprünglich als Überlegung zu den starken Spannungen in Flandern nach dem politischen Theater der Siebzigerjahre (mit seinen klaren sozialen Aussagen) und den postmodernen Experimenten der Achtzigerjahre (mit ihren weniger klaren ideologischen Dekonstruktionen und der Verherrlichung der Souveränität der Kunst) verfasst. Sie schrieb: „Die Suche nach einer organischen Verbindung von politischem Engagement und künstlerischer Unabhängigkeit scheint mir von entscheidender Bedeutung zu sein. Politik ist persönlich,

1. Clad in a sheet of newspaper, this is how I first saw him dance. I was watching a DVD of his choreography *Spectacularly empty*. A faint light bulb left the stage in a state of penumbra. Faustin Linyekula (born 1972) moved across the stage, his body as sinewy and sinuous as that of a contortionist. His movements were graceful like a bird's. He was naked, except for his loincloth of newspaper. This mixture of physical vulnerability and the fine-print language of power provided an unsettling image that has stayed with me.

It made me think of an essay written by Marianne Van Kerkhoven, a cardinal dramaturg and intellectual in the Flemish theater scene in Belgium. Her words were originally written as a reflection on the high-voltage tension in Flanders between the political theater of the 1970s (with its clear social statements) and the postmodern experiments of the 1980s (with its not-so-clear ideological deconstructions and its eulogy of art's sovereignty). She wrote: "Searching for an organic merging of political commitment and artistic autonomy seems to me of crucial importance. Politics are personal and the personal is political: a process of truly interiorizing the social options is for the 'political artist' probably the most important artistic deed."[1]

und das Persönliche ist politisch – ein Prozess der wahren Verinnerlichung sozialer Wahlmöglichkeiten ist für den ‚politischen Künstler' wahrscheinlich die wichtigste künstlerische Aktion."[1]

Ihre Überzeugung war eine wortmächtige und programmatische Erklärung, aber wir müssen ehrlicherweise zugeben, dass dieser Forderung auf den Bühnen von Gent, Brüssel und Antwerpen nur selten nachgekommen wurde. In Kinshasa ging Faustin Linyekula fast nackt, in seinem Lendenschurz aus Zeitungspapier, über die Bühne – jeder Zoll seines Körpers politisch und das Politische sichtbar ins Physische übertragen.

2. Die Körperlichkeit des Politischen muss für jeden Menschen frustrierend offensichtlich sein, der in Kisangani geboren wurde, jener Stadt im östlichen Kongo, wo in einem früheren Jahrhundert belgische Kolonialisten und arabische Sklavenhändler eine schmerzliche Koalition bildeten, um einheimische afrikanische Gruppen zu unterdrücken.[2] Sie muss frustrierend offensichtlich für jemanden wie Faustin sein, der aus seiner Heimatstadt Kisangani floh, um in Nairobi (Kenia) Zuflucht zu finden, wo er als illegaler Einwanderer lebte, bevor man ihn aus dem Land warf. Die Macht zeigte wieder ihre Muskeln in Ruanda, wo er sechs Monate nach dem Völkermord versuchte, *Hamlet* mit den amerikanischen MitarbeiterInnen

Her creed was a forceful, programmatic statement, yet honesty compels us to admit it was only rarely realized on the stages of Ghent, Brussels and Antwerp. In Kinshasa, Faustin Linyekula walked across the stage, almost naked, clad in a sheet of newspaper. The body every inch political, and the politics overtly physical.

2. The physicality of politics must have been frustratingly obvious to anyone born in Kisangani, the city in eastern Congo where in a previous century Belgian colonizers and Arab slave-traders forged a painful coalition to suppress local African groups.[2] They were also frustratingly clear to someone like Faustin who fled his native Kisangani to seek refuge in Nairobi, Kenya, where he lived as a clandestine migrant before he got kicked out of the country. Power made itself felt in Rwanda again where, six months after the genocide, he tried to set up a *Hamlet* production with the American staff of the International Court of Justice. Once again, he got kicked out of an African country.

Yet Faustin danced. He danced in Kenya and Angola, in South Africa and Slovenia, in Austria and America, in Belgium and in France. He was well on his way to become one of those international dancers, one of those people for whom the globe

des Internationalen Gerichtshofs aufzuführen, und wieder einmal eines afrikanischen Landes verwiesen wurde.

Aber dennoch tanzte er. Faustin tanzte in Kenia und Angola, in Südafrika und Slowenien, in Österreich und Amerika, in Belgien und Frankreich. Er war auf dem besten Wege, einer dieser internationalen TänzerInnen zu werden, für die die Welt ein zweites Zuhause ist, auch wenn dieses Zuhause hauptsächlich aus internationalen Festivals, Hotelzimmern und Wartehallen auf Flughäfen besteht. Aber er wollte nicht. Er ging zurück in den Kongo nach Kinshasa, und wenn es nur war, um seiner Großmutter zu sagen: „Ich war so lange unterwegs. Mein einziges wahres Land ist mein Körper. Ich habe versucht zu überleben wie ein Musikstück, das nie aufgeschrieben wurde."[3]

3. Der Körper kann tätowiert, gefoltert, rausgeworfen und geküsst werden. Aber der Körper ist auch ein Ort der Revolte, Verweigerung, Rebellion. Der Körper ist ein Land, kein geheimer Garten, er ist eine Republik der Konflikte und des Trostes. Faustin sagt: „Ich bin Tänzer. Ich bin Afrikaner. Aber ich bin kein afrikanischer Tänzer." Eben ein Schlangenmensch.

has become a second home, albeit a home mostly filled with international festivals, hotel rooms, and waiting areas at airports. He chose not to. He went back to Congo, to Kinshasa, if only to tell his grandmother: "I have been on the road for such a long time. My only true country is my body. I tried to survive like some piece of music that was never written."[3]

3. The body can be tattooed, tortured, kicked out and kissed. Yet the body is also a site of revolt, of refusal, of rebellion. The body is a country, not a secret garden, it's a republic of contest and comfort. Faustin says: "I am a dancer. I am an African. Yet I am not an African dancer." A contortionist, indeed.

4. There is something deeply urban about the work of Faustin Linyekula. The received idea that the third world is predominantly the universe of emerald rainforests and ochre savannahs, sparsely dotted with cosy mud houses, is readily surpassed by today's figures of the radical urbanization taking place in South East Asia, South-America and sub-Saharan Africa. Happening at a speed and a scale unseen in the West, in Africa it results in bustling, humongous cities like Lagos, Cairo, Gauteng (the agglomeration of Johannesburg and Pretoria) and Kinshasa.[4]

4. Faustin Linyekulas Arbeiten haben etwas zutiefst Urbanes an sich. Die fixe Vorstellung, dass die Dritte Welt vor allem ein Universum aus smaragdgrünen Regenwäldern und ockerfarbenen, spärlich mit Lehmhütten übersäten Savannen sei, wird leicht durch die neuen Zahlen über die radikale Urbanisierung entkräftet, die derzeit in Südostasien, Südamerika und Afrika, südlich der Sahara, vor sich geht. Mit einer Geschwindigkeit und in einem Ausmaß voranschreitend, die der Westen nie erlebt hat, führt dieser Trend in Afrika zu geschäftigen, riesigen, amorphen Städten wie Lagos, Kairo, Gauteng (das Ballungsgebiet Johannesburg-Pretoria) und Kinshasa.[4]

Diese Verstädterung manifestiert sich in der physischen Gestaltung von Faustins Bühne. Zu seinen Lieblingsrequisiten zählen Neonlicht und Wellblech, die an die Shantytowns der brutalen städtischen Wucherungen Afrikas erinnern. In seinem Festival des Mensonges führten drei Tänzer eine Art Umwerbe-Tanz im trüben, bläulichen Licht von zwei Straßenlaternen auf. Kinshasa ist auch der dünne und deprimierende Glanz seiner vorstädtischen Neonlampen, als ob sie nicht da wären, um die Dunkelheit zu vertreiben, sondern um die Nacht zu akzentuieren.

Und doch ist seine Vision afrikanischer Urbanisationstrends nicht mitleiderregend oder naiv. Die Verbindung zwischen Stadt und Körper ist gewiss nicht bloß zufällig. Kinshasa ist mehr eine Stadt der Körper als der Gebäude, eine Stadt der Körper, die sorgfältig gekleidet, trainiert und ausgestellt werden. Das Stadtleben ist eine Performance. „In der afrikanischen Stadt ist die wichtigste Infrastruktureinheit der menschliche Körper. [...] Für die Kinois [wie sich die Einwohner von Kinshasa selbst nennen], ist der Körper das grundlegende Instrument der kulturellen Selbstverwirklichung."[5]

Für Faustin Linyekula ist die Stadt als Lebensbedingung ein Fixum, ein Ausgangs- und Zielpunkt, ein Raum für Reflexion und Transformation. Seine Einstellung entspricht dem, was Kinshasas interessantester Romancier, Vincent Lombume, erst kürzlich geschrieben hat: „Man darf nicht auf die Stadt spucken. Die Stadt ist ein Schoß. Meine Stadt hat mich geschaffen. Aus ihren Staubwolken wurde ich geboren. Man sollte die Stadt nehmen, wie sie ist." Und er fügt hinzu: „Es gibt Städte und Städte. Es gibt Städte, die man schweigend tötet, Städte, die man liebt, und Städte, die man jeden Tag neu gebiert. Es gibt die Stadt, die man in sich trägt, es gibt die Stadt, von der man träumt, es gibt imaginäre Städte, die in der imaginären Welt aufeinanderprallen."[6]

5. Faustin wählte Kinshasa. Mit seiner privaten Tanztruppe Studios Kabako ließ er sich in Kinshasa nieder. Eines Tages nahm er mich in seinen Proberaum mit – ein langer Trip im Jeep durch staubige Vororte von Kinshasa, wo Hühner erschrocken davon flatterten als wir vorbei fuhren. Während der holprigen Fahrt erzählte uns Faustin, dass er gerade ein Tanzstück probe, das bald in Paris und Berlin aufgeführt werden solle. Vor einer Betonmauer und einem Eisentor blieb der Wagen stehen. „Wir sind da", meinte er beim Eintreten. Zwei junge Männer standen auf einer Rasenfläche ohne Gras – einer Sandkiste ohne Kinder, acht mal acht Meter groß. Sie stellten den Kassettenrekorder ab. Es gab keine Beleuchtung, keine Bühne, keine Spiegel, keine Stange, gar nichts. Nicht einmal ein bisschen Schatten, nur Staub. Und dennoch wurde mir klar, dass ein leidenschaftlicher Choreograf genau hier seine künstlerischen Ansprüche nährt, indem er genau hier Aufführungen entwickelt, die dann in den hehren Theatern der europäischen Hauptstädte gezeigt werden.

6. Wenn Kinshasa die Stadt ist, in der Faustin Linyekula seine Studios Kabako gegründet hat, dann ist Kisangani die Stadt, die er in sich trägt. Viel kleiner und weniger lebendig als Kinshasa, leckt Kisangani heute seine Wunden nach vier Jahren Bürgerkrieg und unvorstellbaren Gräueltaten. Für das New Crowned Hope Festival in Wien beschloss Faustin in seine Heimatstadt

This urban condition surfaces in the material culture of Faustin's stage. Among his favorite props are the neon light and the sheets of corrugated iron, reminiscent of the shantytowns of Africa's brutal urban sprawl. In his Festival des Mensonges, three dancers performed what looked like a courtship display over the bleak, bluish light of a pair of city street lamps. Kinshasa is, among many things, the thin and slightly depressing glow of its suburban neon lights. As if they were not there to cast the dark away, but simply to hyphenate the night.

Yet his vision of African-style urbanization is not pitiful or naïve. The link between the city and the body is certainly more than accidental. Kinshasa is more a city of bodies than of buildings, of bodies that are carefully dressed, trained, and exposed. Urban life is a performance. "In the African city the main infrastructural unit is the human body. [...] For the Kinois, [as the inhabitants of Kinshasa call themselves] the body is the basic tool in the cultural realization of the self."[5]

For Faustin Linyekula, the urban condition is a given, a point of departure and a point of arrival. A space of reflection and transformation. His attitude is in line with what Vincent Lombume, Kinshasa's most exciting novelist, has recently written: "One shouldn't spit on the city. The city is a womb. My city has produced me. From its clouds of dust I was born. One should take the city as it is." And he added: "There are cities and cities. There are cities which you kill in silence, cities that you love and cities that you give birth to every day. There is the city which you carry within, there is the city that you dream of, there are imaginary cities that clash in the imaginary world."[6]

5. Faustin opted for Kinshasa. He based his private dance company Studios Kabako in Kinshasa. One day, he took me to his rehearsal area. It was quite a ride in a jeep through the dusty neighborhoods of Kinshasa where chickens fluttered away as we passed through. During the shaky ride, Faustin told us he was rehearsing a dance piece that was soon going to be performed in Paris and Berlin. In front of a concrete wall and an iron gate, the vehicle halted. "Here we are," he said as we entered. Two young men stood on a lawn without grass. A sandpit without kids, eight meters by eight. They switched off the cassette player. There was no light, no stage, no mirror, no bar, nothing. Not even a strip of shade. Only dust. And yet, here it is, I realized, that a passionate choreographer nurtures his artistic sense of urgency developing shows that are going to be performed in the lofty theaters of the European capitals.

6. If Kinshasa is the city where Faustin Linyekula founded his Studios Kabako, Kisangani is the city which he carries within.

zurückzukehren, da ihm klar war, dass die Stadt, die er in sich trägt, eine Stadt geworden ist, von der er nur mehr träumen kann. Das einst prächtige Hotel Zaïre Palace, das seine kindliche Fantasie und die seiner Freunde beflügelt hatte, ist heute von unzähligen Obdachlosen besetzt. Im ersten Stock kann man noch immer Zimmer mieten, aber nicht pro Nacht, nur pro Monat, um den Preis von zwanzig Dollar.

Faustin kehrt in seine Heimatstadt zurück und fragt sich, wo das Gespenst nun wirklich steckt: in Kisangani oder in seinem Körper. Seine Stadt existiert nicht mehr, seine Freunde sind in alle Winde zerstreut. Was bleibt von Kisangani, wenn deine Freunde fort sind? Vielleicht ihre Worte.

Kabako, jener Freund, nach dem die Tanzgruppe benannt ist, starb nahe der Grenze zu Uganda an einer Krankheit, von der wir dachten sie sei ausgestorben – an der Beulenpest. Einige seiner Schriften werden in der neuen Produktion verwendet. Kabako starb in einem kleinen Dorf ohne einen Friedhof. Normalerweise wird man dort auf dem Familiengrundstück beerdigt. Ein Dorfbewohner, der alle Geschwister und Familienmitglieder verloren hatte, nahm sich der Leiche dieses jungen, unbekannten Mannes an: Kabako wurde unter einem Kaffeebaum begraben. Sein Körper, seine Leiche, wurde und bleibt ein verborgener Ort des Mitleids und Vergessens. Und daher denken seine Freunde mit einem unbehaglichen Gefühl an sein weit entferntes Grab.

Faustins anderer Freund Vumi (Antoine Vumilia Muhindo) ist einer der dreißig Bürger, die für ihre angebliche Beteiligung an

Much smaller and less vibrant than Kin, the place now licks its wounds after four years of civil war and human atrocities that defy the imagination. For the New Crowned Hope Festival in Vienna, Faustin decided to go back to his native Kisangani, fully realizing that the city he carries within has become a city he can only dream of. The once magnificent Hotel Zaïre Palace which he and his friends fantasized about as kids, is now the home of innumerable squatters. On the first floor rooms are still for rent, not per night, but per month. The rate is twenty dollars.

Faustin re-enters his native town and wonders what has become haunted: Kisangani or his body. His town no longer exists, his group of friends has fallen apart. What is left of Kisangani once your friends are gone? Perhaps their words.

Kabako, the friend after whom the dance company was named, died close the border of Uganda of a disease that we thought had become historical: the bubonic plague. Some of his writings appear in the new production. Kabako died in a small village without a cemetery. Normally everyone gets buried on his or her family's plot of land. A villager who had lost all his brothers and sisters and extended family took care of the young and unknown body: Kabako was buried under a coffee tree. His body, ultimately his corpse, became and remains a hidden locus of pity and oblivion. And for his friends, his far-away tomb is an uneasy thought.

Faustin's other friend, Vumi (Antoine Vumilia Muhindo), is one of the thirty citizens who have been sentenced to death

der Verschwörung zur Ermordung von Präsident Laurent-Désiré Kabila zum Tode verurteilt wurden. Das Verfahren, das mit dem Todesurteil endete, galt als Schauprozess. Er war ein Dichter. Er ist noch immer ein Dichter, aber einer, der als Spion galt. Sein Text *Le monologue du chien* (*Monolog des Hundes*) ist das literarische Rückgrat der neuen Performance von Faustin. Wenn der Dichter schon lange als Hofnarr galt, dann ist der Spion gewiss der Hund des Königs.

7. Sieben Personen sind auf der Bühne, vier Tänzer, ein Schauspieler, ein Countertenor und ein Bildender Künstler. Sie beginnen mit den Träumen der EinwohnerInnen von Kisangani und schließen mit Dinozord, dem 21-jährigen kongolesischen Breakdancer, dessen Spitzname sich im Französischen genauso ausspricht wie das Wort für „Dinosaurier". Das ist auch ein passender Künstlername, da er sich für den letzten seiner Rasse hält, für den der Körper, auch verstümmelt und krank, noch immer heilig ist. Sein abschließendes Solo ist praktisch ein Duett mit Serge Kakudji, dem erst 17-jährigen, aber schon erstaunlich reifen Opernsänger aus Lubumbashi. Faustin Linyekula meint, dass das letzte Wort den jüngsten Mitgliedern der Gruppe zustehe.

Diese Choreografie ist weder eine nostalgische Heimkehr

for their presumed part in the killing of president Laurent-Désiré Kabila. The process that condemned him was said to be a show trial. He was a poet. He still is a poet, but a poet that was seen as a spy. His text, *Le monologue du chien* (*The dog's soliloquy*), forms the literary backbone of Faustin's new performance. If the poet has long been considered as the king's jester, a spy is most certainly the king's dog.

7. Seven people are on stage, four dancers, one actor, one countertenor and a visual artist. They start from the dreams held by the inhabitants of Kisangani. And they end with Dinozord, the 21 year-old Congolese breakdancer whose nickname is French phonetic for 'dinosaure'. An appropriate nom de plume, for he considers himself to be last man of his race for whom the body, even when mutilated and fallen to disease, is still sacred. His final solo is essentially a duet with Serge Kakudji, the 17 year-old, but remarkably mature opera-singer from Lubumbashi. For the last word, says Faustin Linyekula, should be given to the youngest members of the group.

The choreography is not a nostalgic return of a now established dancer to his roots, not a predictable trip down memory lane by someone who has succeeded. It is an

eines nunmehr etablierten Tänzers zu seinen Wurzeln, noch ist sie der zu erwartende Memory-Trip eines erfolgreichen Mannes. Sie ist die Erkundung einer trauernden Stadt und eine Hoffnung, die vielleicht wieder aufflackern wird. „Für mich", meint Faustin, „geht es darum, nach Hause zu kommen, bevor ich wieder aufbreche, diese Seite umzuschlagen, während ich schon eine neue beginne. Es ist so, als ob Mozart das *Requiem* vor der *Zauberflöte* geschrieben hätte."

exploration of a city that grieves and a hope that might be rekindled. "For me," says Faustin, "it is a matter of coming home before setting off again, a matter of turning this page, while starting a new one. It is as if Mozart would have written his *Requiem* before his *Magic Flute*."

1 Van Kerkhoven, Marianne: *Van het kijken en van het schrijven: teksten over theater (Über das Zuschauen und Schreiben: Texte über das Theater)*. Van Halewyck, Löwen 2002.
2 Zinzen, Walter: *Kisangani, verloren stad (Kisangani: Die verlorene Stadt)*. Van Halewyck, Löwen 2004.
3 Mensah, Ayoko: *Faustin Linyekula, danseur-choréographe (Les carnet de la création)*. Editions de l'Œil 2002.
4 De Boeck, Filip und Plissart, Marie-Françoise: *Kinshasa, Tales of the Invisible City*. Ludion, Gent-Amsterdam 2004.
5 De Boeck, Filip und Van Synghel, Koen: *Kinshasa the Imaginary City*. Ausstellungsplakat. Bozar, Brüssel 2005.
6 De Boeck, Filip, Van Synghel, Koen und Kalimasi, Vincent Lomumbe: *De gesproken stad: gesprekken over Kinshasa (Die gesprochene Stadt: Gespräche über Kinshasa)*. Literarte, Löwen 2005.

1 Van Kerkhoven, Marianne: *Van het kijken en van het schrijven: teksten over theater (On watching and writing: essays on theater)*. Van Halewyck, Leuven 2002.
2 Zinzen, Walter: *Kisangani, verloren stad (Kisangani: the lost city)*. Van Halewyck, Leuven 2004.
3 Mensah, Ayoko: *Faustin Linyekula, danseur-choréographe (Les carnet de la création)*. Editions de l'Œil 2002.
4 De Boeck, Filip und Plissart, Marie-Françoise: *Kinshasa, Tales of the Invisible City*. Ludion, Ghent-Amsterdam 2004.
5 De Boeck, Filip und Van Synghel, Koen: *Kinshasa the Imaginary City*. Exhibition poster. Bozar, Brussels 2005.
6 De Boeck, Filip, Van Synghel, Koen und Kalimasi, Vincent Lomumbe: *De gesproken stad: gesprekken over Kinshasa (The spoken city: conversations about Kinshasa)*. Literarte, Leuven 2005.

* * *

– Et comment devient-on

– Ne pensez surtout pa
question de vocation. Non. Tuba
sonum. Devenir chien du roi,
le rêve. Mon rêve à moi éta
rateur de la Beauté qui se ta
êtres et des choses. J'ai rêvé
le fallait, mais non de l'as
souffrance, s'il le fallait, m
tion. Voilà d'où la méprise
dielles rêves du bel âge. J'igno
hommes est la fosse qui se

The Dialogue Series – iii. dinozord

Requiem aeternam dona nobis, Domine.

- Von welcher Rasse bist du?
- Von der der Hunde.
- Das ist aber blöd!
- Ich meine damit: von der Rasse der Hunde des Königs,
von der Rasse der königlichen Hofnarrenhunde, der Rasse der
Dichterhunde, jenen, die schon mit Tanz in den Beinen auf die Welt kommen, mit dem Blitz in den Augen, der Rasse der Dichtergaukler, der
Sopranskalpierer, jenen, die nackt in der Öffentlichkeit gehen, schamlos,
man weiß nicht, ob man sie unschuldig oder verkómmen nennen soll. Ich
bin von der Rasse derer, die man bis zum Ende ihres Lebens zum Tode verurteilt, vor denen man die Augen zumacht, sich die Nase zuhält und
das Gesicht abwendet. Ich bin das Speibecken der Republik.

Kyrie eleison
Christe eleison

- Und wie wird man der Hund des Königs?
- Glaub bloß nicht, dass es dabei um eine Berufung geht. Nein. *Tuba
mirum spargens sonum.* Man träumt nicht davon,
der Hund des Königs zu sein. Mein persönlicher Traum war es, ein
Entdecker der Schönheit zu sein, die sich im Herzen der Geschöpfe und
Dinge verbirgt. Ich träumte vom Martyrium, wenn das notwendig sein soll-
te, aber nicht von der Knechtschaft. Vom Leiden, wenn das notwendig
sein sollte, aber nicht von der Demütigung. Von daher kommt die
Verachtung. Von den
arglosen Träumen der Kinderzeit. Damals wusste ich noch nicht, dass der
Albtraum der Abgrund ist, der zwischen Träumen und Materialität liegt.
Das waren die Ferien an der Universität.

Ort des Gesprächs zwischen zwei Welten. Ort der Konvergenz zwischen
zwei Arten. Des Zusammentreffens von Nacht und
Tag, von Todesqual und Geburt, der Letzte seiner Rasse ist ein Keimling.
Der Letzte seiner Rasse ist eine Herausforderung.
Ich bin eine Herausforderung. Ein Kiesel im Stiefel des
Präsidentengenerals.

Aus Briefen von Antoine Vumilia Muhindo

Requiem aeternam dona nobis, Domine.

- What is your race?
- I'm from the race of dogs.
- That's a stupid one!
- I mean, from the race of the king's dogs, from the race of royal
court-jester dogs, the race of poet-dogs, the ones who are born with
dance in their legs and lightning in their eyes, the race of poet-mounte-
banks, of soprano-scalpers, the ones who walk naked in public places,
unashamed, you don't know whether to call them innocent or perverted.
I'm from the race
of those who are condemned to death for the rest of their lives, eyes
closed, nose pinched, and face averted. I'm the spittoon of the republic.

Kyrie eleison
Christe eleison

- And how do you become the king's dog?
- Don't you think it's about having a vocation? No. *Tuba mirum
spargens sonum.* You don't dream of being the king's dog. It was my
dream to be an explorer of the Beauty hidden at the heart of beings and
things. I dreamed of martyrdom, if
necessary, but not of servitude. Of suffering, if necessary, but not of
humiliation. This is where contempt comes from. From the candid
dreams of childhood. At the time, I didn't know
that the nightmare is the gap between dreams and materiality. Those
were the holidays at university.

Place of conversation between two worlds. Place of convergence
between two modes. Of the encounter of night and day, of agony and
birth, the last person of a race is an embryo. The last person of a race is a
challenge. I am a challenge. A pebble in the boot of the President-
General.

From letters by Antoine Vumilia Muhindo

Richard Kabako

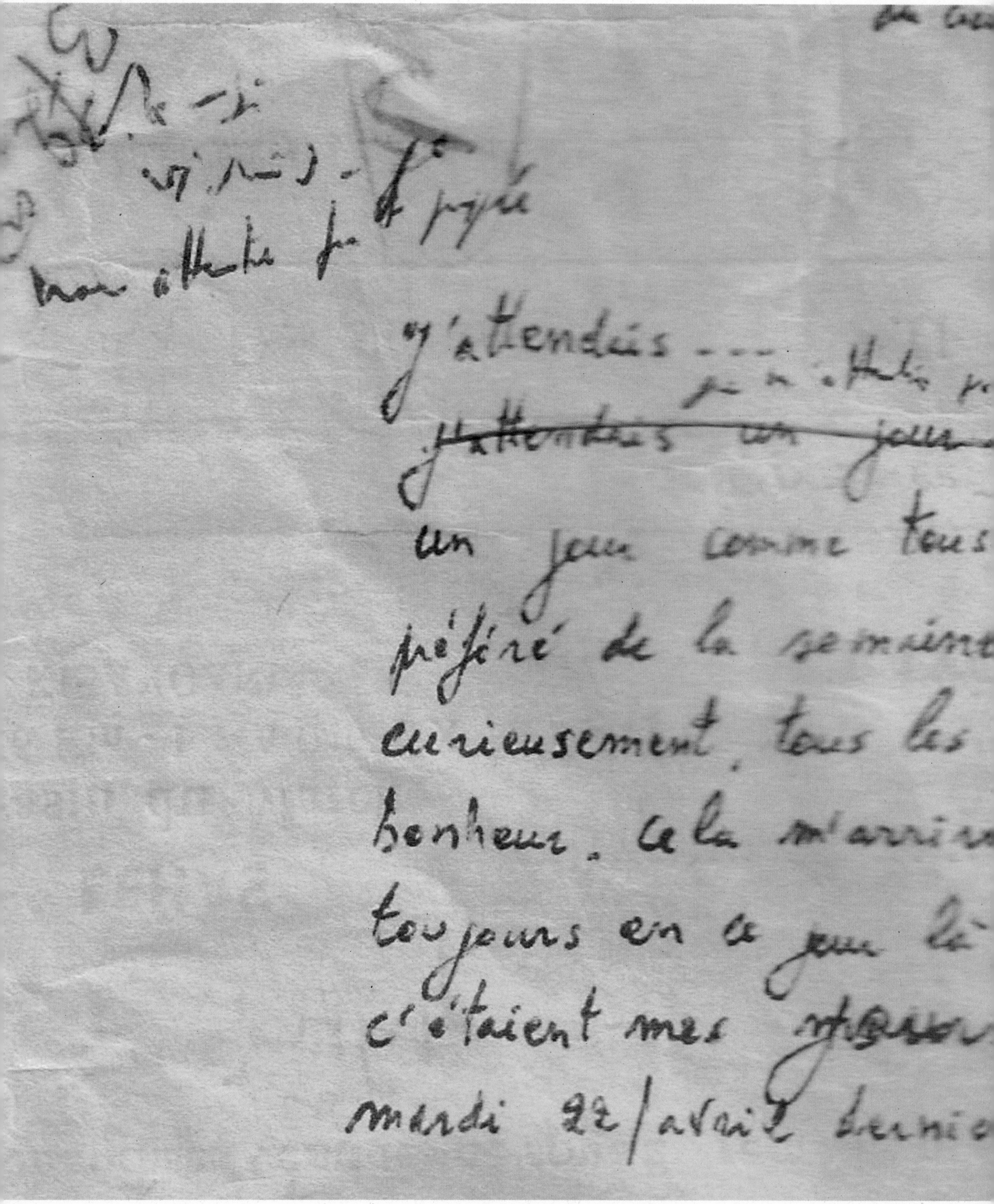

j'attendais ...

~~j'attendais un jour~~

un jour comme tous

préféré de la semaine

curieusement, tous les

bonheur. Cela m'arrive

toujours en ce jour là

c'étaient mes

mardi 22/avait dernier

The Dialogue Series – iii. dinozord

Tote und Reue

Ich wartete ... Ich wartete nicht auf etwas Besonderes. Sondern bloß auf einen Tag.
Ich erwartete einen Tag.
Worauf ich wartete, das war ein Tag.
Ein Tag wie alle anderen. Ein Tag, wie er mir gefiel. Mein Tag, mein Lieblingstag der Woche. Der Dienstag. Jeden Dienstag war ich glücklich, weil ich sonderbarerweise jeden Dienstag auf die eine oder andere Art mein kleines Glück lebte. So war das einfach. Am Ende war es mir klar. An diesem Tag gab es für mich immer entweder eine gute Überraschung oder einen
günstigen Wind ...
Das waren meine Wundertage. Ich starb sogar an einem Dienstag: letzten Dienstag, den 22. April. Tot.

Das Leben des Soldaten

Berührend! Ulkig!
Was macht einen trauriger als ein verzweifelter Mensch. Einer, der weint, alleine, ohnmächtig.

Denk ein wenig nach und sei brav, sonst ärgert sich Papa. Ich bin dein Regisseur in diesem Stück „Tüpfelchen auf dem i des Schicksals". Ein Stück, in dem du alleine deine größte Rolle spielst, die überhaupt eine der größten ursprünglichen Rollen in der Geschichte des Theaters sein wird ... Also, ich erlaube dir nicht, deine Konzentration zu verlieren, und ich bitte dich, steh fest auf deinen eigenen Beinen auf der Bühne.
Keine unnötigen Bewegungen, nicht zu viele Gesten ... Sei natürlich ... Denn es gibt keinen Souffleur, du spielst ohne Regie und deine ganze Familie ... ist im Saal. Du wirst schon davonkommen, ha! Du Schuft! Verdammter Kerl, geh nur!
Ich weiß, dass du ein Zauberer bist, ich übrigens auch.
Du bist der Sohn von Zwillingen (Bruder und Schwester) wie ich, ich bin der älteste Sohn des ältesten Sohns des ältesten Sohns des ältesten Sohns des ältesten Sohns des ältesten Sohns auf der väterlichen Seite und der einzige Sohn der einzigen Tochter der einzigen Tochter der einzigen Tochter der einzigen Tochter der einzigen Tochter auf der mütterlichen Seite. Siehst du! Da sagst du nichts mehr! Ha! Kleiner Rococo!!

Die Geschichte wäre ganz anders abgelaufen, die Sonne hätte sich ein- oder zweimal um die Erde gedreht. Frank-coco. Faux-faux wäre geboren worden, und ...
Ich meine damit, dass ich mit meinem „literarischen Gepäck" auf dem Rücken schon in die Welt der dramatischen Kunst eingetreten wäre. Erinnerst du dich, mein „Gepäck"?
Trotz dieses sonderbaren Grinsens, das du da in deinem kleinen Mundwinkel ausstellst.

Aus Briefen von Richard Kabako

The dead and remorse

I was waiting ... I didn't wait for anything special. Just for a day. I was waiting for a day.
What I was waiting for was a day.
A day like all others. A day I liked. My day, my favorite day of the week. Tuesday. Every Tuesday, I was happy because, strangely enough, I lived my little happiness every Tuesday, one way or the other. It just happened that way. In the end, I understood. On that day, I always had either a favorable surprise or a favorable wind ...
These were my wonder days. I even died on a Tuesday: last Tuesday, 22 April. Dead.

The Soldier's life

Touching! Fun!
What can make you sadder than a desperate person. Crying, alone, impotent.

Think a bit and be good, otherwise Daddy's going to be angry. I'm your director in this play called "the dot over the i of destiny". A play where you alone will act your biggest role, a role that is one of the biggest natural roles in the history of theater anyway ... So I won't have you lose your focus, and please stand firm on your own two feet on the stage.
No unnecessary movements, not too many gestures ... Be natural ... For there is no prompter, you're acting without directions, and your whole family ... are in the auditorium. You'll muddle through, ha! You scoundrel! Damn fellow, just go!
I know you're a sorcerer, I am too, by the way.
You're the son of twins (brother and sister) like me, I'm the eldest son of the eldest son of the eldest son of the eldest son of the eldest son of the eldest son on my father's side and the only son of the only daughter of the only daughter of the only daughter of the only daughter of the only daughter on my mother's side. You see, that shut you up! Ha! Little Rococo!!

History would have taken a different course, the sun would have turned around the earth a couple of times. Frank-coco. Faux-faux would have been born, and ...
What I mean is that I would have already entered the world of dramatic art with my "literary baggage" on my back. D'you remember, my "baggage"?
In spite of that odd grin you're showing off in the little corner of your mouth.

From Letters by Richard Kabako

Mark Morris
Mozart Dances
Mozart Dances

ChoreografieChoreography **Mark Morris** — Szenisches DesignScenic Design **Howard Hodgkin** —
KostümeCostumes **Martin Pakledinaz** — LichtLight Design **James F. Ingalls** —

MusikMusic **Wolfgang Amadeus Mozart** — Konzert für Klavier und OrchesterPiano Concerto Nr. 11 KV 413 — 1782–83 —
Sonate in D für zwei KlaviereSonata in D for two pianos KV 448 — 1781 —
Konzert für Klavier und OrchesterPiano Concerto Nr. 27 KV 595 — 1788–91 —

MitWith **Mark Morris Dance Group** —
Craig Biesecker — **Samuel Black** — **Joe Bowie** — **Charlton Boyd** — **Elisa Clark** — **Amber Darragh** — **Rita Donahue** —
Lorena Egan — **Lauren Grant** — **John Heginbotham** — **David Leventhal** — **Laurel Lynch** — **Bradon McDonald** —
Dallas McMurray — **Maile Okamura** — **Noah Vinson** — **Jenn Weddel** — **Julie Worden** — **Michelle Yard** —

KlavierPiano **Emanuel Ax** — **Yoko Nazaki** —
Musikalische LeitungConductor **Louis Langrée** — OrchesterOrchestra **Camerata Salzburg** —

GeschäftsführungExecutive Director **Nancy Umanoff** — **Mark Morris Dance Group, New York** —

AuftragswerkCommissioned by **New Crowned Hope, Lincoln Center for the Performing Arts, New York,
Barbican Centre, London** —
KoproduktionA co-production of **New Crowned Hope, Lincoln Center for the Performing Arts, New York,
Barbican Centre, London** —

PremierePremiere **7.12.2006, 20:00** —
AufführungenPerformances **8.,9.,10.12.2006, 20:00** —
OrtVenue **Halle E im MuseumsQuartier** —
UraufführungWorld Premiere **17.8.2006, New York State Theater, Lincoln Center** —

Europa-PremiereEuropean Premiere —

Interview vonInterview by Joan Acocella
Mark Morris über Mozart Dances
Mark Morris on Mozart Dances

Ihre *Mozart Dances* erzählen keine konkreten Inhalte. Sie sind abstrakt oder doch sehr nahe daran. Meinen Sie, dass abstrakter Tanz politisch sein kann? Tanz ist nie abstrakt. Er erinnert stets an etwas, da er durch Menschen ausgeführt wird. Wenn ein Tänzer auf etwas blickt, bedeutet das etwas; wenn er wegschaut, bedeutet das etwas anderes. Daher deutet jeder etwaige Inhalt in *Mozart Dances* – Klavier gegen Orchester, Solistin gegen die anderen Frauen, zwei Solisten gegen die anderen Männer (und überhaupt, warum sind diese Männer da? Was geschieht hier? Warum sieht es so aus, als ob dieser Mann jenes empfindet? Und tut er das?) – eine soziale Situation und eine sexuelle Situation an. Was ich gegenüber dieser Situation empfinde, ob sie utopisch oder dystopisch ist – das eben wird dargestellt, und für mich ist das politisch.

In der Vergangenheit haben Sie über Sexualpolitik gesprochen; vor einigen Jahren meinten Sie, dass Sie die Ausdruckspalette beider Geschlechter erweitern wollten. Ja, und das habe ich auch getan. Es ist kein Zufall, dass die Frauen im langsamen Abschnitt des weiblichen Tanzes *Eleven* alle voneinander getrennt auf der Bühne stehen. Sie machen diese irgendwie gequälten, schönen Dinge [gestikuliert], aber sie sind dabei immer alleine, weil ich

Your *Mozart Dances* have no explicit stories. They're abstract, or close to it. Do you think an abstract dance can ever be political? Dancing is never abstract. It's evocative, because it's being done by human beings. If a dancer looks at something, that means something, and if he looks away, it means something else. And so, to me, whatever story there is in *Mozart Dances* – the piano versus the orchestra, the female soloist versus the women, the two male soloists versus the men, and also why are those men there anyway? what's happening? why does it look like he feels like that? does he? – all of that is evocative of a social situation and a sexual situation. What I feel about that situation, whether it's utopian or dystopian: that's what's being set up, and to me it's political.

You've talked in the past about sexual politics. Years ago, you said that you wanted to expand the range of expressiveness for the two sexes. Yes, and I've done it. It's no accident that in the slow movement of the women's dance, *Eleven*, the women are all standing apart from one another on the stage. They do this sort of tortured, beautiful stuff [he gesticulates], but they're always alone, because I didn't want it to become a group hug, which can happen with women, dancing to music

keine Gruppenumarmung haben wollte, was leicht passieren kann, wenn sie zu solcher Musik tanzen. Und ihre Bewegungen sind extrem kantig und kraftvoll. In der Abschluss-Sequenz des Tanzes ist die Bewegung ausschließlich seitlich und linear – Stoß, Schub, Gerade. Für die Frauen war das schwierig. Ich musste sie geradezu zwingen, hart zu sein, ihre Attacke zu forcieren. Wenn Frauen diese hübschen Kleider anziehen und Mozart hören, werden sie normaler Weise ganz weich und pastellig, und für mich ist das tot.

Und die Männer? Die musste ich in die umgekehrte Richtung drängen. So wie die Frauen im langsamen Abschnitt alle stark und allein und isoliert sind, sind die Männer in ihrer langsamen Sequenz alle zusammen, kooperierend. Sie tanzen in Kreisen, nähren einander, bauen ein Nest, das ganze Blabla. Und für sie war es genauso schwierig wie für die Frauen. Aber nur so werden TänzerInnen groß – indem sie etwas tun, das ihnen schwer fällt, indem sie gegen ihre Neigungen antanzen.

Im langsamen Abschnitt von *Double* erzählen die *Mozart Dances* schließlich doch eine Art Geschichte. Ein magerer junger Tänzer, Noah Vinson, tritt auf, er sieht ganz verloren aus, und

like that. And their movement is extremely angular and powerful. Also, in the closing section of their dance, the action is all lateral and linear – thrust, drive, line. The women had a hard time with this. I had to push them to be stern, to sharpen their attack. The women, when they put on those pretty dresses and hear Mozart, tend to go soft and pastel, and to me that's dead.

What about the men? I've had to push them in the opposite direction. Just as the women, in their slow movement, are all strong and singular and isolated, the men, in their slow section, are all together, cooperating. They dance in circles, nourishing, nesting, blah-blah-blah. They had a hard time, too, just like the women. But that's how dancers become great, by doing what's difficult for them, by dancing against their grain.

It's in the slow movement of *Double* that *Mozart Dances* actually does tell a sort of story. A skinny young dancer, Noah Vinson, comes in looking quite forlorn, and the men enclose him in their circle. It's not exactly a hug, but it's poignant. Yes, Noah does a solo inside the circle. Then he does it alone, which to me is the most tragic thing I've ever seen. But that's also because of the context. First we saw the circle, then we saw a

die Männer nehmen ihn in ihren Kreis auf. Es ist nicht wirklich eine Umarmung, aber anrührend. Ja, Noah tanzt ein Solo in dem Kreis. Und dann tanzt er ein Solo alleine auf der Bühne, was für mich das Traurigste überhaupt ist. Aber das ergibt sich auch aus dem Kontext. Zuerst sehen wir den Kreis, dann einen vollen Kreis – gefüllt durch Noahs Solo –, und dann sehen wir Noahs Solo, wenn er alleine auf der Bühne ist. Wir lernen, es so zu sehen.

Für mich sehen Ihre Choreografien immer halb erzählerisch oder indirekt erzählerisch aus. Sie entwickeln hoch artikulierte Gesten, die etwas ganz Spezifisches zu bedeuten scheinen, aber man kann nie genau sagen, was sie bedeuten. Zum Beispiel gibt es da eine Bewegung, die die Tänzer auf dem Boden liegend ausführen, mit ihren Köpfen in einem Winkel geneigt und mit den Armen aufwärts stoßend ... Ja! Was ist das? Wer hat so etwas je gesehen? Es sieht aus, als ob sie sich den Hals gebrochen hätten. Mich erschreckt das.

Und dann gibt es einen Augenblick am Ende des langsamen Abschnittes in *Double*, wo die Männer ihren Kreistanz ausführen, und plötzlich treten acht Frauen in langen gazeartigen Gewändern wie in *Giselle* dazu und fügen sich in den Kreis der Männer ein.

filled circle – filled with Noah's solo – and then we see Noah's solo alone. We've learned how to see it.

Your dances always look to me half-narrative, or obliquely narrative. You come up with highly articulated gestures that seem to mean something quite specific, but one can never really say what they mean. For example, there's a movement that the dancers do while lying on the floor, with their heads angled and their arms jabbing upward . . . Yes! What's that? Who's ever seen that? It looks like their necks are broken. It's terrifying to me.

And there's a moment late in the slow movement of *Double* where the men are doing their circle dances and all of a sudden eight women come in, in long tarlatans, like something out of *Giselle*, and insert themselves into the men's circle. It's like a visitation from the supernatural. What did that mean? I don't know what it means. To me it means what the music means. I don't even know what it means when the men in the circle take each other's hands and when they don't. I know that those two different actions evoke different feelings, but whatever I choose, it's not what I set out to do. It never is. I know what

Es ist wie ein Besuch aus der Geisterwelt. Was bedeutet das? Ich weiß es nicht. Für mich bedeutet es dasselbe wie die Musik. Ich weiß nicht einmal, was es bedeutet, wenn die Männer im Kreis einander an den Händen fassen oder loslassen. Ich weiß, dass diese beiden unterschiedlichen Aktionen unterschiedliche Gefühle auslösen, aber welche Lösung ich auch wähle, es ist nie, was ich ursprünglich tun wollte, niemals. Ich weiß, welche Situation das ist, aber es ist nicht etwas, das mit Sprache zu tun hat. Es ist kein Theaterstück, sondern Musik. Bei der Premierenfeier trat ein Musiker auf mich zu und sagte mir, wie gut ihm ein bestimmter Abschnitt der Choreografie gefiele. Er meinte, es erinnere ihn an das Kontrapunktspielen. Und ich sagte: „Wissen Sie warum? Weil es Kontrapunkt ist."

Für mich ist jede dieser drei Mozart-Kompositionen wie eine Oper. Das Ende des letzten Stücks *Twenty-Seven* ist das Ende von *Così fan tutte*.

Wie kommen Sie darauf? Das Ende von Così fan tutte ist verstörend, es macht die Menschen ganz verrückt. Und der letzte Abschnitt von Twenty-Seven scheint mir der fröhlichste und klarste Moment der Mozart Dances überhaupt zu sein. Die TänzerInnen formen gemischtgeschlechtliche Paare und führen Gesellschaftstänze aus. Dann gehen die Männer auf eine Seite der Bühne und die Frauen auf die andere, und die beiden Gruppen wenden sich einander zu, mit den Händen auf dem Herzen. Dieses Bild spricht von Freundschaft und Liebe. Sie haben es nur einmal gesehen. Sehen Sie sich die Choreografie nochmals an. Am Ende heben einige TänzerInnen die Hand zum Herzen, ja, aber die anderen strecken ihre Arme aus, als ob sie eine Frage stellten, als ob sie sagen wollten: „Wie bitte?". Oder: „Einen Moment, ich bin noch nicht mir dir fertig." Oder: „Ich liebe dich." Oder: „Wo ist das Problem?" Für mich ist das *Così fan tutte*. Das Ende der Oper ist so verwirrend und traurig, weil die vertauschten Liebespaare einander zu nahe gekommen sind. Es ist zuviel gelogen und betrogen worden, als dass das Problem einfach durch eine Amnestie gelöst werden könnte. Deshalb endet die Oper im Chaos. Und das Ende der *Mozart Dances* hat meiner Ansicht nach eben auch dieses Merkmal des Unaufgelösten.

Aber geht das Finale in diesem Fall nicht gegen den Geist der Musik, die in diesem Augenblick ja ein süßes, heiteres Lied über den kommenden Frühling ist? Peter Sellars meint, dass Mozart mit diesem Lied den Frühling der Menschheit, den Frühling der Revolution, der Aufklärung, der freimaurerischen Ideale – den Frühling des Benjamin Franklin – meint. Ich stimme ihm zu. Eben das sagt die Musik aus und auch meine Choreografie. Ich finde das schrecklich traurig.

Weil sich diese Hoffnungen nicht erfüllt haben? Nein, es geht nicht um die Erfüllung. Die Sehnsucht ist das wirklich Wunderbare. Es geht um Hoffnung, die Hoffnung auf einen Frühling, wobei der Frühling für eine neue Öffnung steht, für das Neue, Frische.

Aber was ist daran traurig? Ich habe mich sehr lange und intensiv mit diesem Konzert beschäftigt – zwei Jahre – und beim Zuhören festgestellt, dass der Frühling immer trauriger wurde. Es gibt keine Wiederholungen. Die Partitur sagt nie: „Komm zurück und fang von vorne an." Es geht einfach weiter, und obwohl es scheint, als ob es Wiederholungen gäbe, ist da immer etwas, etwas Kleines, ein Akkord oder so, das abweicht. Es gibt da diese subtile, ständige Veränderung. Ich kann das nur durch diese, meine Choreografie ausdrücken. Das Lied wird verwandelt, es wird – nicht trostlos, sondern tief, meine ich.

Und eben traurig? Ja. Alle schönen Dinge sind traurig. Wenn etwas nicht traurig ist, dann ist es auch nicht schön, bloß hübsch.

the situation is, but it's not a word situation. It's not a play; it's music. At the party after the premiere, one of the musicians came up to me and said how much he liked a certain part of the dance. He said it reminded him of how he felt when he was playing counterpoint. And I said, "You know why? Because it is counterpoint."

I think that every one of those three Mozart pieces that I used is like an opera. The ending of the last piece, *Twenty-Seven* that's the end of *Così fan tutte*.

How can you say that? The ending of Così is bewildering. It drives people crazy. And the last movement of Twenty-Seven seems to me the happiest and clearest thing in all of Mozart Dances. The dancers are paired off in male-female couples, and they do social dances. Then the men go to one side of the stage, and the women to the other side, and the two groups turn toward each other, with their hands on their hearts. It's a show of friendship, love. You've seen it only once. Look at it again. At the end, some of the dancers place their hands on their hearts, but the others put their arms out as if they were asking a question. So it's like, "Huh?" Or, "Just a minute, I'm not finished with you." Or, "I love you." Or, "What's wrong?" That, to me, is *Così*. The reason the end of *Così* is so confusing and distressing is that the switched lovers got too close. There was too much duplicity for the problem just to be solved by an amnesty. So the opera ends in chaos. And the end of *Mozart Dances*, I think, has that same irresolution.

But if that's the case, doesn't the finale violate the spirit of its music, which is a sweet, frisky song about the coming of spring? Peter Sellars says that in that song Mozart was writing about the spring of humankind, the spring of the Revolution, of the Enlightenment, of the Masonic ideals – the spring of Benjamin Franklin. I agree with this. That's what the music is saying, and the dance, too. It's terribly sad, I think.

Because those hopes haven't been fulfilled? No, it's not a question of fulfillment. It's the desire that's wonderful. It's about hope, hope of spring, spring meaning a new opening: newness, freshness.

So what's sad about that? I studied that concerto very hard, for a long time – two years – and as I listened to it, the spring song got sadder and sadder. There are no repeats. The score never says, "Go back here and start over". It goes straight through, and though it seems to repeat, there's always some small thing, a chord or whatever, that's different. It changes subtly and constantly. I don't know how to explain this except by the dance I made. The song is transmuted. It becomes – not bleak, but all I can say is deep.

And sad? Yes. Everything beautiful is sad. If it's not sad, it's not beautiful. It's pretty.

Sophiline Cheam Shapiro
Pamina Devi
Pamina Devi

Eine kambodschanische ZauberflöteA Cambodian Magic Flute —

ChoreografieChoreography **Sophiline Cheam Shapiro** —
Texte und MusikLyrics and traditional music arrangement **Sophiline Cheam Shapiro** —
Szenisches Design und LichtScenic and Light Design **Clifton Taylor** —

MitWith **Khmer Arts Academy Ensemble** —
TänzerinnenDancers **Sam Savin** — **Chamroeun Samphors** — **Sam Sathya** — **Pen Sok Houn** — **Saov Phirum** — **Sok Sokhan** —
Chouv Socheta — **Hang Sopheap** — **Chap Chamreountola** — **Khut Sothavy** — **Keo Sokraksmey** — **Praseth Vichheka** —
Pum Molyta — **Pum Thearachenda** — **Sin Sotheary** — **Tek Bunnavy** — **Keo Phirum** — **Kong Bonich** — **Lim Chanboramy** —
Nong Sophanmay — **Nuon Kaza** — **Sao Somaly** — **Sot Sovanndy** — MusikerMusicians **Chum Kung** — **Nil Van Noeurn** —
Nol Kol — **Meas Sambo** — **Proeung Pruon** — **Ros Sokun** — **Sak Sothea** — **Saum Vanna** — SängerInnenVocalists **Duong Marey** —
Hun Sarath — **Sim Chanmoly** — **Yan Borin** —

GeschäftsführungExecutive Director **John Shapiro** — ProduktionsleiterProduction Manager **Fred Frumberg** —

AuftragswerkCommissioned by **New Crowned Hope** —
KoproduktionA co-production of **New Crowned Hope, Khmer Arts Academy, USA/Cambodia** —
In Zusammenarbeit mitIn collaboration with **Amrita Performing Arts, Cambodia** —

PremierePremiere **8.12.2006, 20:00** —
AufführungenPerformances **9.,10.,11.,12.,13.12.2006, 20:00** —
OrtVenue **Schlosstheater Schönbrunn** —
In Khmer mit deutschen und englischen ÜbertitelnIn Khmer with German and English surtitles —

UraufführungWorld Premiere —

Toni Shapiro-Phim
Ein klassischer Kanon, zeitgenössische Leben
A Classical Canon, Contemporary Lives

Auch ein Mensch mit schlechtem Charakter kann Mitgefühl empfinden, wenn er diese Musik hört. Feinde und Feindinnen werden zu Freunden und Freundinnen.

Noreak, der Vogelfänger, in *Pamina Devi*

Even a person with an evil nature can become compassionate when he hears this music. Enemies turn to friends.

Noreak, the Bird Catcher, in *Pamina Devi*

Der klassische Tanz

In dem Moment, wenn Pamina Devi, die Hauptfigur des gleichnamigen kambodschanischen Tanzdramas, sich an ihren Vater wendet, singt der Chor davon, wie die Geschlechter einander ergänzen, und von Pamina Devis Liebe zu ihrer Mutter und ihrem Vater. Kniend, um ihren Respekt vor dem Vater auszudrücken, bewegt sie den rechten Arm nach vorne und öffnet ihre Hand, die zuvor symbolisch eine Blüte formte – Daumen und Zeigefinger gerade und einander leicht berührend, alle anderen Finger gestreckt und nach außen gebogen. Gleichzeitig bewegt sie die linke Hand vom Handgelenk aufwärts. Die beiden Hände treffen auf Höhe der Brustmitte aufeinander, wobei die Ellenbogen leicht angewinkelt sind und die rechte Hand sanft auf der linken ruht, alle Finger in weichem Schwung gehalten. Inzwischen haben sich Kopf und Oberkörper ganz leicht verschoben, so dass sie eine Acht zu beschreiben scheinen. Niemals in einer Position verharrend, strahlt Pamina Devi in jedem Augenblick dieser nahtlosen

The Classical Dance

When Pamina Devi, the central character in the Cambodian dance-drama of the same name, addresses her father, the chorus sings of the complementarity of the sexes, and of Pamina Devi's regard for both her mother and her father. She, on her knees in deference to her father's status, brings her right arm forward, opening her fingers which had been in a position often symbolic of a flower in bloom – thumb and forefinger straight, touching slightly, all other fingers arched and fanned outward. At the same time, she moves her left hand upward from the wrist. The two hands meet at mid-chest level, elbows slightly bent, the right hand resting gently atop the left, with all fingers energized in a soft curve. Meanwhile, her head and torso have shifted in the faintest figure-eight-like pattern. Never settling into a position, Pamina Devi exudes, at all times, both, a sense of solidity – there is energy through her every move – and ethereal lightness in her seamless transitions.

Übergänge eine Aura der Stabilität – in jeder ihrer Bewegungen liegt Energie – und ätherischer Leichtigkeit aus.

Im klassischen kambodschanischen Tanz fußt die Bedeutung auf der Gesamtheit von Bewegung und Haltung jedes Körperteils in Verbindung mit Musik, Liedtexten und subtiler Mimik. Manche Gesten und Bewegungen sind symbolisch, andere dienen bloß dem Übergang von einer Stellung zur nächsten. Andere sind realistischer und sollen menschliche Gefühle zum Ausdruck bringen, die der Tänzer oder die Tänzerin aus sich heraus entwickelt. Wenn Pamina Devi eine Hand über die andere legt, spielt sie damit auf das Gleichgewicht von gegensätzlichen Kräften an. Wenn das Elend ihrer Lage sie überkommt, hebt sie die Hand zum Gesicht und wischt mit einem spitzen und gebogenen Finger imaginäre Tränen zuerst aus einem und dann aus dem anderen Auge, in einer Kultiviertheit des leicht erkennbaren Ausdrucks der Traurigkeit.

Pamina Devi, eine Adaptierung der *Zauberflöte* durch die Choreografin Sophiline Cheam Shapiro, ist das Beispiel eines Tanzdramas, das zwar kein Gebet ist, uns aber dennoch an das Göttliche erinnern soll. In Kambodscha repräsentieren die klassischen TänzerInnen in ihren Auftritten die Welt des Himmels und der Geister: Durch ihre Kostüme (spitze Diademe, mit Pailletten

Meaning in Cambodian classical dance emerges from the totality of the movement and positioning of every part of the body, in combination with the music and sung lyrics, and subtle facial expressions. Some gestures and movements are symbolic, others merely connective, leading the transition from one ephemeral pose to another. Still others are more realistic, meant to evoke human emotions that the dancer generates from within. Pamina Devi's placement of one hand over the other alludes to a balance of opposing forces. When she is anguished by her predicament, she lifts her hand to her face, wiping away imaginary tears with one pointed and flexed finger, first from one eye, and then from the other, in a refinement of an easily recognizable expression of sadness.

Pamina Devi, choreographer Sophiline Cheam Shapiro's reworking of *The Magic Flute*, is an example of a dance drama that, while not a form of prayer, is, nonetheless evocative of the divine. In Cambodia, classical dancers visually represent the celestial and the spirit worlds: through costuming (pointed tiaras, sequined velvet sashes or epaulets, golden bangles) they resemble sculpted and painted images of various kinds of heavenly beings; in the curves of their bodies (fingers curled back into a crescent, toes flexed upward, the lower back arched),

bestickte Samtschärpen oder Epauletten, Goldarmbänder) ähneln sie Bildern oder Statuen himmlischer Wesen; die Drehungen ihrer Körper (die Finger im Halbkreis gebogen, die Zehen aufgestellt, das Gesäß auswärts gedreht) spiegeln die kreis- und wellenförmigen Muster der verehrten Schlange *Naga* wider, die Land und Meer bewohnt. Jahrhundertelang war man außerdem überzeugt, TänzerInnen hätten die Macht, direkt mit den Gottheiten in Verbindung zu treten. Bis heute führen sie heilige Geschichten bei rituellen Anlässen auf und agieren so als Boten zwischen Himmel und Erde. Wenn die Gottheiten mit dem Opfer von sakraler Musik und Tanz zufrieden sind, werden sie – dies ist der Volksglaube – dem Land Regen und den Menschen Wohlstand und Frieden senden, vor allem in unruhigen Zeiten.

Dennoch sind die TänzerInnen selbst entschieden menschlich. Anfang des 20. Jahrhunderts waren die DarstellerInnen hinter den Palastmauern eingeschlossen und mussten untereinander um die Gunst des Königs konkurrieren. In den Fünfziger-, Sechziger- und Siebzigerjahren bereisten sie die Welt als VertreterInnen des kambodschanischen Volks. Sie begleiteten Mitglieder der Königsfamilie auf Staatsbesuchen. Als der Adel nach einem Staatsstreich im Jahr 1970 ins Exil geschickt wurde, begleiteten sie die Beamten der Republik.

Nach der Machtergreifung der kommunistischen Khmer Rouge 1975 mussten professionelle TänzerInnen gemeinsam mit allen anderen StadtbewohnerInnen die Hauptstadt räumen und wurden in landwirtschaftliche Kommunen und andere Arbeitslager geschickt. Als die KünstlerInnen weniger als vier Jahre später von diesem unmenschlichen Regime befreit wurden, fanden sie sich wieder zusammen, mussten aber feststellen, dass etwa 80 bis 90% ihrer KollegInnen (TänzerInnen, MusikerInnen, DichterInnen, TheaterautorInnen, SchauspielerInnen, MalerInnen) umgekommen waren, als Teil *eines Viertels oder vielleicht sogar eines Drittels der gesamten Bevölkerung des Landes*, das gestorben war an Unterernährung und Hunger, Krankheit, durch Folter und Hinrichtungen. Die Überlebenden mussten wieder aufbauen, was unter dem Regime der Khmer Rouge verboten gewesen war – das, was sie am besten beherrschten – die mythologisch-historischen Tanzdramen und einzelne Tanzstücke, die die KambodschanerInnen mit ihren gemeinsamen Gebräuchen und ihrer Geschichte verbinden, soziale Ideale lehren und manchmal Himmel und Erde verschmelzen.

Die Khmer Rouge und der Tanz

In der Zeit der Khmer Rouge in den späten Siebzigerjahren waren Kambodschas TänzerInnen ebenso wie Millionen ihrer Landsleute oft krank und am Verhungern und sehnten sich nach ihrem Zuhause. Die Choreografin Sophiline Cheam Shapiro und die Tänzerin Sam Sathya, die in dieser Produktion Sayon Reachny, die Königin der Nacht, interpretiert, waren zum Zeitpunkt der Machtergreifung der Khmer Rouge noch nicht einmal zehn Jahre alt. In verschiedene Teile des Landes geschickt (zuerst mit den Eltern und dann von ihnen getrennt in Arbeitskolonnen für Kinder) erinnern sich Sophiline und Sathya neben der ständigen Angst, niemals zu wissen, was als Nächstes geschehen würde, vor allem an den unerträglichen, quälenden Hunger. Eines Abends, als sie zu einer Kommunenversammlung gebracht wurde, war Sophiline gezwungen, einer Aufführung revolutionärer Tänze beizuwohnen. (Der traditionelle kambodschanische Tanz wurde von den Khmer Rouge kategorisch verboten. Es wurden ausschließlich neue Tänze und Lieder, in denen die Revolution gefeiert wurde, erarbeitet, gelehrt und aufgeführt.) Während schwarz gekleidete Jugendliche ihre revolutionäre Choreografie aufführten, blickte Sophiline hinauf zum Vollmond über ihr und stellte sich vor, man könnte ihn essen. Den Abend brachte sie hinter sich, indem sie sich einredete, hart gekochte Eier zu verspeisen.

Auf der anderen Seite des Landes befand sich Sathya in einem Dorf, wo die Körper vieler Menschen von Hunger und Salzmangel

they reflect the circular and undulating patterns of the revered *naga* serpent who inhabits the earth and seas. For centuries, they have also been thought to possess the power to communicate directly with the deities. To this day, they perform sacred stories on ritual occasions, serving as messengers to the heavens. If the deities are pleased with this offering of hallowed dance and music, it is said, they will bless the country with rain and her people with well being and peace, especially during times of unrest.

Yet the dancers themselves are most decidedly human. In the early 20th century, these performers were cloistered behind palace walls and made to vie for the favors of the king. In the 1950s, '60s and '70s, they toured the globe as representatives of the nation of Cambodia. They accompanied royalty on state visits and then traveled with officials of the Republic after the royalty was sent into exile following a 1970 coup d'état.

When the country finally fell to the communist Khmer Rouge in 1975, professional dancers, along with all other city dwellers, were evacuated from the capital and sent to agricultural communes and other sites of hard labor. Liberated from that inhumane regime less than four years later, artists regrouped only to find that an estimated 80–90% of their professional colleagues (dancers, musicians, poets, playwrights, actors, painters) had perished, part of the *one quarter to one third of the nation's entire population* that had died from malnutrition, starvation, disease, torture and execution. It was up to the survivors to re-create that which had been forbidden under Khmer Rouge rule – and that which they knew best – the mytho-historical dance dramas and discrete dance pieces that connect Cambodians to a shared lore and history, teach about social ideals, and, at times, join heaven and earth.

The Khmer Rouge and the Dance

During the Khmer Rouge years in the late 1970s, Cambodia's dancers, along with millions of their compatriots, were often sick and near starvation, and longing for home. Choreographer Sophiline Cheam Shapiro and dancer Sam Sathya, who plays Sayon Reachny, the Queen of the Night, in this production, were both under ten years old when the Khmer Rouge came to power. Sent to different parts of the country, each at first with her family, and then separated from them into children's labor groups, Sophiline and Sathya recall, along with the terror of not knowing what would ever come next, the unbearable pangs of hunger. Marched to a communal meeting one night, Sophiline was forced to watch a performance of revolutionary dances. (All dance, as Cambodians had known it, was banned under the Khmer Rouge. They created, taught, and performed only new dances and songs extolling the revolution.) As young people dressed in black went through their revolutionary choreography, Sophiline glanced up at the full moon, imagining it to be food. She got through the evening's event by pretending she was feasting on hard-boiled eggs.

Sathya, across the country, was in a village where many people's bodies were swelling up as a result of malnutrition, and a lack of salt. A Khmer Rouge official offered her a pinch of salt if she would light the small kindling fires surrounding the performance area for a show of the same kind of revolutionary song and dance Sophiline had been made to watch. She agreed, and was able to add salt to her watery rice porridge, the usual meal for everyone, the next day.

A few years later, both would become part of that first generation of artists trained following the ouster of the Khmer Rouge in 1979. They and their colleagues were entrusted with carrying on a tradition that had nearly been wiped out. In the 1980s, Cambodia, still poverty-stricken, was struggling to emerge from the Khmer Rouge nightmare while engaged in civil war with Khmer Rouge, royalist, and Republican armies,

aufgequollen waren. Ein Vertreter der Khmer Rouge bot ihr eine Prise Salz an, wenn sie die kleinen Holzfeuer um eine provisorische Bühne herum anzündete, auf der eben die Art von revolutionären Liedern und Tänzen aufgeführt werden sollte, die Sophiline hatte über sich ergehen lassen müssen. Sie zündete die Feuer an und konnte am nächsten Tag etwas Salz in den wässrigen Reisbrei streuen, der die normale Tagesmahlzeit aller war.

Einige Jahre später wurden beide jungen Frauen Teil der ersten Generation von Kunstschaffenden, die nach dem Sturz der Khmer Rouge 1979 ausgebildet wurden. Ihnen und ihren Kolleg-Innen wurde die Aufgabe anvertraut, eine Tradition weiterzuführen, die fast ausgelöscht worden wäre. In den Achtzigerjahren bemühte sich das immer noch völlig verarmte Kambodscha verzweifelt, dem Alptraum der Khmer Rouge zu entkommen, während ein Bürger-krieg zwischen Khmer Rouge, Königstreuen und Republikaner-Innen tobte, die alle wieder an die Macht wollten. Unter diesen Bedingungen tourten junge MusikerInnen, SchauspielerInnen und TänzerInnen wie Sophiline und Sathya durch das vom Krieg zer-rissene Land und versuchten, ein alternatives Bild von Kambodscha zu präsentieren – eines von Verbindungen und Beständigkeit durch Geschichten, nicht eines von Parteihader und Unruhen. Für Sophiline und Sathya war dies ein Vorbote ihrer vielfältigen Lehr- und Darstellungstätigkeit in den kommenden Jahren. Sophiline unterrichtete später an der Königlichen Universität der Bildenden Künste und emigrierte dann in die Vereinigten Staaten, wo sie den Studiengang „World Arts and Cultures" an der Universität von Kalifornien in Los Angeles abschloss. Sathya wurde nicht nur die Primaballerina für weibliche Rollen im klassischen kambo-dschanischen Tanz an der Königlichen Universität der Bildenden Künste, sondern später auch eine führende Lehrerin dieser Rolle. Sie beide haben mit ihrer Kunst die ganze Welt bereist.

Pamina Devi

Pamina Devi ist Sophilines vierte große Choreografie. Sie arbeitet mit den besten Tänzerinnen Kambodschas zusammen, wobei jede Arbeit klassische Ausbildung und Haltung mit zeit-genössischen Fragen verknüpft. In *Samritechak* (2000), einer Bearbeitung von Shakespeares *Othello*, setzt sie sich mit Problemen wie Treue, Verrat und Übernahme der Verantwortung für Ver-brechen wie etwa die Ermordung Desdemonas auseinander. Genau diese Art von Reue ist den einstigen Führern des Khmer-Rouge-Regimes fremd, obwohl ihr Verfahren für Verbrechen gegen die Menschheit etwa gleichzeitig mit der Eröffnung dieses Festivals beginnt. Sophilines Solo-Choreografie *The Glass Box* (2002) be-schäftigt sich mit dem Leid der kambodschanischen Frauen seit der Ära der Khmer Rouge und zeigt, wie sie in einem Netz häus-licher und anderer Gewalt gefangen sind, das sie manchmal auch zu Feindinnen werden lässt. Tatsächlich war *The Glass Box* Sophilines Kommentar zur Ermordung ihrer Freundin und Tanz-kollegin Piseth Pilika, die vermutlich auf den Befehl einer anderen Frau hin getötet wurde. Während kurze klassische Konzerttänze meist Freude oder gute Wünsche vermitteln, stellt sie sich in dieser Arbeit viel härteren Emotionen. *Seasons of Migration* (2005) befasst sich mit der persönlichen Erfahrung der Choreografin in der Bewältigung großer Veränderungen. Diese Choreografie ist eine Spiegelung ihres eigenen Lebens als eine Frau, die von ihrer Heimat Kambodscha in die Vereinigten Staaten emigrierte und dann (als Insider und Outsider) wieder heimkehrte, um Neues zu schaffen. Indem sie die Geschichte von Himmelswesen, die sich auf der Erde niederlassen, als Metapher verwendet, greift sie die widerstreitenden Gefühle auf, die entstehen, wenn ein Mensch vertraute Erinnerungen, Gebräuche und Gewohnheiten mit einer neuen Umgebung vereinen muss. Auch hier betrat sie Neuland, indem sie eine persönliche – wenn auch eine für viele Landsleute nachvollziehbare – Verwandlung mit Hilfe eines klassischen Tanz-stücks vollzog. Alle diese Arbeiten wurden von Sathya in der Haupt- oder Solorolle interpretiert.

all wanting to regain power. In these circumstances, young musicians, actors, and dancers like Sophiline and Sathya toured the war-ravaged countryside, presenting an alternative vision of Cambodia – one of connections and continuity through stories, rather than one of factions and disruptions. For Sophiline, and Sathya, this presaged their teaching and performing in a variety of settings in years to come. Sophiline went on to teach at the Royal University of Fine Arts and then to immigrate to the United States where she studied in the World Arts and Cultures program at the University of California, Los Angeles. Sathya became not only the principal dancer of the female role in Cambodian classical dance at the Royal University of Fine Arts, but also, lately, a senior teacher of that role. Each has toured the world.

Pamina Devi

Pamina Devi is Sophiline's fourth major choreographic work. She sets her dances on Cambodia's finest artists, each work bringing classical training and deportment in line with contemporary issues. In her *Samritechak* (2000), an adaptation of Shakespeare's *Othello*, she examines issues of loyalty, betrayal, and acceptance of responsibility for such heinous acts as, for example, the murder of Desdemona. It is precisely this kind of contrition that eludes members of the Khmer Rouge leadership, even as their trial for crimes against humanity begins alongside the opening of this Festival. Sophiline's *The Glass Box* (2002), a solo, portrays the anguish of women in Cambodia since the Khmer Rouge years, trapped in a web of violence, domestic and otherwise, that sometimes pits woman against woman. In fact, *Box* was Sophiline's statement about the murder of her friend and fellow classical dancer, Piseth Pilika, who was reputedly killed upon the orders of a woman. While short classical concert dances usually express bliss or good wishes, this piece explores a darker realm of emotions. *Seasons of Migration* (2005) looks at the choreographer's personal experience of adjusting to drastic change. This piece is a reflection of her own life as a woman who moved from her homeland of Cambodia to the United States, and who returned home, as both insider and outsider, to create anew. Using a story of celestial beings settling on earth as metaphor, she evokes conflicting emotions that arise when one must balance the memories, customs, and assumptions one brings along with one's new surrounding reality. Again, she broke new ground in addressing a personal transformation, though one with resonance for many, through a classical dance piece. Sathya has performed as the principal (or solo) dancer in each of these works.

Pamina Devi is traditionally Khmer[1] in its bejeweled cos-tuming, refined gestural vocabulary, musical accompaniment (the percussive *pin peat* ensemble), structure (alternating between instrumental passages and those with a chorus), and setting (in a mytho-poetic time and space). However, through use of novel spatial formations, imaginative costuming and sets, and unusual instrumentation, Sophiline breaks with convention.

Both the *khloy* (bamboo flute) and large free-standing gong, traditionally not part of the classical *pin peat* ensemble, are played here. The gong, with its deep resonance, marks the cessation of battle between the forces of Pamina Devi's powerful estranged parents. The *roneat dek* (steel-keyed xylophone), a staple in *pin peat* orchestras before the war and revolution, and scarce ever since, has a featured role. The bird costumes are unique to this production, yet follow in the tradition of special dress for mythic creatures in other classical dance-dramas. In addition, Sophiline has choreographed asymmetrical floor patterns in a form that typically relies exclusively on symmetry. The asymmetry appears during moments of tension in the story, upsetting the visual balance momentarily as a way of heightening the drama.

Mit seinen juwelenbesetzten Kostümen, der ausgefeilten Gestik und musikalischen Begleitung (dem *Pin-Peat*-Perkussionsensemble), mit seiner Struktur (Abwechslung zwischen Instrumentalmusik und Chorgesang) und seinen Schauplätzen (einer mythisch-poetischen Raumzeit) ist das Werk *Pamina Devi* traditionelle Khmer-Kunst[1]. Dennoch bricht Sophiline mit den Konventionen durch den Einsatz neuartiger Raumgestaltung, fantasievoller Kostüme und Bühnenbilder sowie durch ungewöhnliche Instrumentierung.

Sowohl die Bambusflöte *Khloy* als auch der große frei stehende Gong – üblicherweise nicht Bestandteil des klassischen *Pin-Peat*-Ensembles – erklingen hier. Mit seinem tiefen Widerhall steht der Gong für das Ende des Kampfes zwischen Pamina Devis mächtigen und verfeindeten Eltern. Das Metallofon *Roneat Dek* mit seinen Stahlplättchen, ein Standardinstrument von *Pin-Peat*-Orchestern vor dem Krieg und der Revolution und seitdem eine Seltenheit, spielt hier ebenfalls eine Rolle. Die Vogelkostüme sind zwar ein einzigartiges Merkmal dieser Produktion, entsprechen aber der Tradition besonderer Kostüme für mythische Wesen in anderen klassischen Tanzdramen. Außerdem choreografierte Sophiline asymmetrische Bodenmuster, obwohl an dieser Stelle üblicherweise Symmetrie vorgesehen ist. Diese Asymmetrie wird in Momenten großer Spannung sichtbar und stört plötzlich

Pamina Devi incorporates *The Magic Flute's* juxtaposition of dark and light, and of pettiness and wisdom. Sophiline has the central character, Pamina Devi, reject extremes and look for compromises that respect a person's right to self-determination. The princess is at once the Pamina of Mozart's opera, and a Cambodian woman (perhaps Sophiline or Sathya) struggling against all odds to create a path for herself through a demanding, confusing, and violent world. In contemporary Cambodia this world involves arbitrary justice, aspects of tradition that hold people back from realizing their full potential, and the extreme poverty that contributes to pervasive and random violence throughout society. For dancers and musicians in *Pamina Devi* it also involves practicing an art suggestive of the divine in a roofless shack behind the burnt-out shell of Cambodia's once grand Bassac Theater, their rehearsal hall.

As a choreographer, Sophiline acknowledges these forms of terror, and continues to keep moving forward. By representing belligerence and positing a possible counterbalance (as Pamina Devi says, we need diversity, and opposites, "left balanced with right will lead to happiness"), she opens dialogue about choice and responsibility. In Cambodia, the side of violence and greed has been in ascendancy for too long.

das visuelle Gleichgewicht, wodurch die dramatische Wirkung gesteigert wird.

Pamina Devi übernimmt die für die *Zauberflöte* so kennzeichnende Gegenüberstellung von Hell und Dunkel, Weisheit und Engherzigkeit. Sophilines Hauptfigur Pamina Devi lehnt Extremismen ab und sucht nach Kompromissen, die das menschliche Recht auf Selbstbestimmung respektieren. Die Prinzessin ist gleichzeitig die Pamina aus Mozarts Oper und eine Kambodschanerin (vielleicht Sophiline oder Sathya), die allen Widrigkeiten zum Trotz darum kämpft, ihren eigenen Weg durch eine anspruchsvolle, verwirrende und gewalttätige Welt zu gehen. Im modernen Kambodscha besteht diese Welt aus willkürlicher Rechtssprechung, Aspekten der Tradition, die Menschen daran hindern, ihr Potenzial voll auszuschöpfen, und jener äußersten Armut, die zu weit reichender und zielloser Gewalt in der Gesellschaft beiträgt. Für die Tänzerinnen und Musiker in *Pamina Devi* bedeutet dies auch, eine an das Göttliche erinnernde Kunstform in einem dachlosen Schuppen hinter der ausgebrannten Hülle des einstmals großen Bassac-Theaters auszuüben, der heute ihr Proberaum ist.

Als Choreografin ist sich Sophiline dieser Formen des Schreckens bewusst und entwickelt sich ständig weiter. Indem Streitsucht dargestellt und ein potenzieller Ausgleich angeboten wird (wie Pamina Devi sagt, brauchen wir Vielfalt und Gegensätze, „Links und Rechts in Harmonie führen zu Glück"), eröffnet sie einen Dialog über Wahlmöglichkeiten und Verantwortung. In Kambodscha war die Partei der Gewalt und Habgier viel zu lange an der Macht.

Transformation

Sophilines Arbeit beschäftigt sich stetig mit der Frage, wie Böses in Mitleid und Großzügigkeit umgewandelt werden könnte, wie Vergebung und Eingeständnis der eigenen Taten darzustellen und zu fördern seien. Ihre Haltung ist nicht idealistisch. Sie hat klar zum Ausdruck gebracht, dass sie genug von utopischen Erklärungen habe, da sie seit den späten Sechzigerjahren zahlreiche dramatische Regierungswechsel erleben musste – Königtum, Republik, zwei kommunistische Regimes, ein von den Vereinten Nationen verwalteter Übergangsstaat und schließlich wieder das Königtum, wobei jede Regierungsform von der eigenen Legitimität überzeugt war. Durch ihre Arbeit nimmt sie vielmehr eine Zeit vorweg, in der die KambodschanerInnen von Menschen in Machtpositionen Vertrauen und Verantwortungsgefühl erwarten dürfen (oder darauf hinarbeiten können). Dies tut sie, indem sie kontinuierlich Choreografien entwickelt, die allgemein Akzeptiertes in Frage stellen, dabei aber den klassischen Kanon respektieren. Auch ermutigt sie KollegInnen und Studierende in Kambodscha, es ihr gleichzutun und demokratisiert so eine sonst hierarchische Profession. „Ich brenne darauf, ihre Stimmen zu hören", sagt sie.

1 Das Wort „Khmer" bezeichnet offiziell die Mehrheitsethnie Kambodschas. Üblicherweise werden die Bezeichnungen „Khmer" und „kambodschanisch" als gleichbedeutend verwendet.

Transformation

Sophiline's work continues to investigate how to transform evil into compassion and generosity, and how to represent and encourage forgiveness and an owning up to one's deeds. Hers is not an idealistic approach. As she has explained, she's had enough of utopian declarations, having lived through many drastic shifts in government since the late 1960s – royalist, Republican, two communist regimes, a transitional state under the United Nations, and royalist again, each alleging righteousness. Rather, through her work she is actively anticipating the time when Cambodians can expect (or work toward creating) trust and responsibility on the part of people in positions of authority. She does this by continually developing dances that challenge assumptions while respecting a classical canon. She does this as well by encouraging colleagues and students in Cambodia to do the same, democratizing an otherwise hierarchical field. "I am eager to hear their voices," she says.

1 "Khmer" officially refers to the majority ethnic group of Cambodia. However, in common English usage, the terms "Khmer" and "Cambodian" are interchangeable.

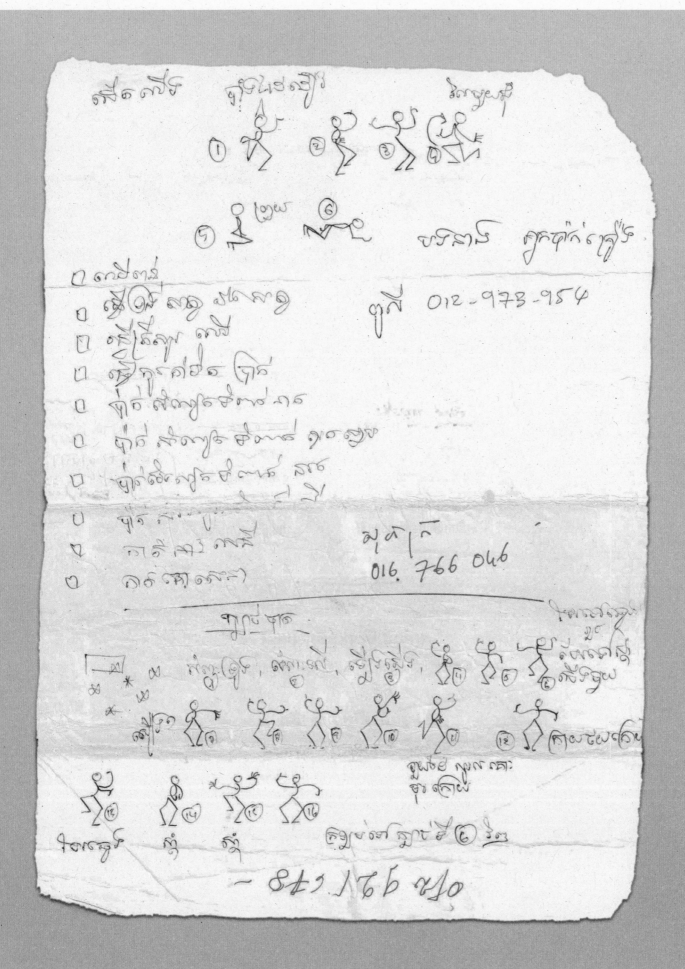

Lieder, die mich meine Feinde lehrten

Im April 1975 überrollte die Revolutionsarmee des Demokratischen Kampuchea, allgemein als Khmer Rouge bekannt, die Hauptstadt Phnom Penh. Binnen weniger Wochen hatten sie die Stadtbevölkerung in landwirtschaftliche Kollektive verbannt und die Geschichte für tot erklärt.

Die Khmer Rouge besangen die wunderbare Landschaft, den Wert harter Arbeit und die Wertlosigkeit der Leidenschaft. Alles war für die Organisation „Angka" und die glorreiche Revolution. Es waren hübsche Lieder mit schönen Melodien und poetischen Texten. Ihr Ziel war, dass wir hart arbeiteten und die Schlangen vergaßen, die in den Reisfeldern lauerten, die gefährlichen Strömungen der Fluss-Schnellen, die Leere in unseren Bäuchen. Die Felder waren voller Bomben, die explodierten, wenn man zufällig mit einer Hacke dagegen schlug, und ich erinnere mich an ArbeiterInnen, die ohne ihre Glieder von den Feldern getragen wurden, auf denen wir gearbeitet hatten.

Eines der ersten Kinderlieder, das ich unter den Khmer Rouge lernte, hieß *Angka Dar Quotdam (Die große Angka)*.

Wir Kinder lieben Angka grenzenlos. / Deinetwegen ist unser Leben besser, und wir leben ganz glücklich. / Vor der Revolution waren die Kinder arm und lebten wie Tiere, / Wir froren und litten. / Aber dem Feind waren wir gleichgültig. / Wir waren nur Haut und Knochen, so dünn, dass es uns Angst machte. / Jede Nacht schliefen wir auf dem Boden. / Wir bettelten und suchten tagsüber in Mülltonnen nach Essen. / Nun bringt uns Angka Gesundheit und Stärke. / Und nun leben wir in der Kommune. / Wir haben Kleider, wir frieren nicht mehr, uns geht es nicht mehr schlecht. / Das Licht der Revolution, Gleichheit und Freiheit leuchtet ruhmreich. / Oh Angka, wir lieben dich so sehr. / Wir sind entschlossen, deinem roten Pfad zu folgen. / Wir lernen brav Mathematik und das Alphabet, / Damit wir gute Arbeiter mit einem guten Verstand sein werden, / Um die Revolution weiter zu tragen.

Alle für das neue Demokratische Kampuchea geschriebenen Lieder waren voller politischer Bezüge. Es gab keine Lieder über Liebe und Herzensleid mehr; Blut und Opfer waren die Tagesthemen. Die Nationalhymne der Khmer Rouge hieß *Phleng Cheate*:

Rubinrotes Blut spritzt über die Städte und Ebenen / Von Kampuchea, unserem Heimatland, / Herrliches Blut der Arbeiter und Bauern, / Herrliches Blut von Revolutionären und Soldatinnen.

Die Hymne endete mit einem glanzvollen Versprechen für die Zukunft:

Lebe, lebe, neues Kampuchea, / Demokratisch und wohlhabend. / Entschlossen hissen wir / Die rote Fahne der Revolution. / Wir bauen unser Heimatland. / Wir bringen den sprunghaften Fortschritt, / Damit es noch ruhmvoller und prächtiger sein wird als je zuvor.

Als Neunjährige hielt ich das für die Wahrheit. Es würde eine Zukunft geben, und wenn schon keine demokratische (ich glaube nicht, dass mir die Bedeutung des Wortes klar war), dann zumindest eine in enormem Wohlstand. Wir arbeiteten den ganzen Tag, jeden Tag. Wir arbeiteten von Sonnenaufgang bis Sonnenuntergang und pausierten nur, um zu essen. Unsere zwei täglichen Mahlzeiten bestanden hauptsächlich aus einer Schale wässrigen Reisbreis.

Songs My Enemies Taught Me

In April 1975 the revolutionary army of Democratic Kampuchea, commonly known as the Khmer Rouge, swept into Phnom Penh. Within weeks they had dispersed the city's population into agricultural collectives and declared history dead.

The Khmer Rouge sang about the wonderful countryside, about the value of hard labor and the worthlessness of passion. All was for Angka and the glorious revolution. They were pretty songs, with beautiful melodies and poetic lyrics. Their intention was to make us work hard and forget about the snakes that lurked in the rice paddies, the dangerous currents of river rapids, and the emptiness in our bellies. The fields were littered with bombs that exploded when struck accidentally by a hoe, and I remember watching laborers being carried off without their limbs from fields we were forced to dig.

One of the first children's songs I remember learning under the Khmer Rouge was called *Angka Dar Qotdam (The Great Angka)*.

We children love Angka limitlessly. / Because of you we have better lives and live quite happily. / Before the revolution, children were poor and lived like animals, / We were cold and suffered. / But the enemy didn't care about us. / Only skin covered our bones, so thin we were worried. / All night we slept on the ground. / We begged and looked for food in trash cans during the day. / Now Angka brings us good health, strength. / And now we live in the commune. / We have clothes, we are not cold and miserable anymore. / The light of revolution, equality, and freedom shines gloriously. / Oh, Angka, we deeply love you. / We resolve to follow your red way. / We study hard both numbers and alphabet / To be good workers with good minds / In order to extend the revolution.

All the songs created for the new Democratic Kampuchea were filled with political references. Gone were the songs of love and heartbreak. Blood and sacrifice were the themes of the day. The Khmer Rouge's national anthem was called *Phleng Cheate*:

Ruby blood that sprinkles the towns and plains / Of Kampuchea, our homeland, / Splendid blood of workers and peasants, / Splendid blood of revolutionary men and women soldiers.

The anthem ended with a glorious promise for the future:

Live, live, new Kampuchea, / Democratic and prosperous. / We resolutely lift high / The red flag of the revolution. / We build our homeland. / We cause her to progress in great leaps / In order to render her more glorious and more marvelous than ever.

As a nine-year-old, I believed this was the truth. There was going to be a future, if not democratic (I don't think I knew the meaning of that word), then one of tremendous prosperity. Our labors continued all day, every day. We worked from sunrise until sunset, breaking only to eat. Our two daily meals consisted mostly of one watery cup of rice porridge.

The lands, the forests, the villages after liberation become lively landscapes / With laughter everywhere. / People are enjoying their work in the villages and cooperatives. / They sing beautifully while they work. / Look, look at the open rice paddies, / Look further at the mature rice,

Sophiline Cheam Shapiro

Das Land, die Wälder, die Dörfer werden nach der Befreiung belebte Landschaften. / Überall wird gelacht. / Die Menschen lieben ihre Arbeit in den Dörfern und Genossenschaften / Sie singen schön bei der Arbeit. / Seht seht, seht die offenen Reisfelder, / Seht weiter den reifen Reis, wie ein goldener Teppich. / Blickt nach links, der junge Reis wächst gesund heran, / Blickt nach rechts, der neu gepflanzte Reis eifert ihm nach, / Blickt hinter euch: Bananen eifern um die Wette mit Jackfrucht, Papayas mit Mangos. / Der Duft der jungen und reifen Früchte breitet sich überall aus. / Zitronengras, Kohl, Kräuter, Frühlingszwiebeln und Chilis vor den Häusern sind tief grün. / Wir sind glücklich, auf dem Lande zu leben. / Wir sind sehr stolz und glücklich. / Wir arbeiten hart, um viel mehr Reis als früher zu produzieren, / Um die Wirtschaft des neuen Kampuchea zu verbessern. / Es ist Kampuchea, unabhängig, neutral, friedlich, fortschrittlich, demokratisch, ruhmvoll. / Männer und Frauen leben glücklich.

Wir waren produktiv, aber wohin ging der Reis? Es gab keine Demokratie. Es gab keinen Ruhm. Es gab kein Lachen. Es gab kein Glück. 1977 gab es keinen Gesang mehr und gewiss auch keinen Frieden.

Manchmal frage ich mich, ob Bilder gesunder Reisfelder, grüner Chilischoten und des wunderbaren neuen Kampuchea meinem Bruder Pavonn durch den Kopf gingen, als er – benommen von der Ruhr, weit weg von seiner Familie bei der Arbeitsbrigade – oben auf der Treppe eines Klosters das Bewusstsein verlor, fiel und sich das Genick brach. Ich habe meinen Vater, zwei Brüder, meine Großmutter, viele Cousins und Onkel verloren. Darin bin ich nicht anders als die meisten Menschen meiner Generation. Ich kenne praktisch keine Familie, die niemanden verloren hat. Es war eine Zeit des schrecklichen Verrats. Liedertexte, die uns himmlische Reichtümer versprachen, wurden von den Schöpfern unserer eigenen öffentlichen Hölle verfasst.

Die Vietnamesen „befreiten" Kambodscha am 7. Januar 1979 und verjagten die Khmer Rouge in den Untergrund. Die Stimmung im Land war vergleichsweise glücklich. Fremde waren hilfsbereit und großzügig mit dem Wenigen, das sie hatten. Familien durchstreiften das Land und versuchten, Orte zu finden, die ihnen vertraut waren. Manche entschieden sich, über die Grenze nach Thailand zu gehen, aber meine Familie kehrte schließlich nach Phnom Penh zurück.

Heute lebe ich in den Vereinigten Staaten[1]. Kürzlich fiel mir bei einer Busfahrt ein, dass alle politischen Gruppierungen, unter denen ich lebte, mich etwas gelehrt hatten – und das darauf folgende Regime stets etwas vollkommen anderes. Diese ständigen ideologischen Wechsel haben mich – und wahrscheinlich meine ganze Generation – zutiefst verwirrt zurückgelassen. Wir müssen nun selbst die Ruinen durchsuchen und unser Stück Wahrheit finden. Die Lieder der Khmer Rouge höre ich selten. Ich frage mich wieso. Zwar kenne ich nur allzu gut die Schrecken, an die mich ihre Melodien erinnern, aber ich weiß auch, dass diese Lieder in meinem Leben ebenso wichtig waren wie jeglicher andere Teil. Sie spiegeln eine Erfahrung wider, die nur meine Generation von KambodschanerInnen gemacht hat, egal wohin sie die Winde verstreut haben. Die Khmer Rouge hofften, die Geschichte auszulöschen, und dabei haben ihre Lieder einen bedeutsamen Platz in ihr gefunden. Aus diesem Grund werde ich die Lieder nie vergessen, die mich meine Feinde lehrten.

Sophiline Cheam Shapiro

1 2006 übersiedelte Sophiline Cheam Shapiro wieder nach Kambodscha.

like a golden carpet. / Look to the left, the young rice grows up so healthy, / Look to the right, replanted rice is growing in competition, / Look behind us, bananas compete with jackfruit, papayas with mangoes. / The fragrance of young and ripe fruit spreads everywhere. / In front of the houses the lemon grass, cabbage, herbs, scallions, and chilies are very green. / We are very happy living in the countryside. / We are very proud and happy. / We work hard to produce a lot more rice than before, / To improve the economy of New Kampuchea. / It is Kampuchea, independent, neutral, peaceful. advanced, democratic, glorious. / Men and women live in happiness.

We were productive, but where was the rice going? There was no democracy. There was no glory. There was no laughter. There was no happiness. By 1977 there was no more singing, and there certainly was no peace.

I sometimes wonder if images of healthy rice paddies, green chili peppers, and the wonderful new Kampuchea were whirling through the mind of my brother, Pavonn, when, dizzy from dysentery, far away from his family with a work brigade, he fainted at the top of a monastery stairwell and broke his neck. I lost my father, two brothers, my grandmother, and many cousins and uncles. I am no different from most of my generation. I know of almost no family that survived without losses. It was a time of the gravest betrayals. Lyrics that promised us the riches of heaven were written by the engineers of our own public hell.

The Vietnamese "liberated" Cambodia an January 7, 1979, sending the Khmer Rouge into hiding. The mood of the country was relatively happy. Strangers were helpful and generous with what little they had. Families wandered around the country trying to find any place that looked familiar. Some chose to cross the border into Thailand, but my family eventually returned to Phnom Penh.

I now live in the United States.[1] One day recently I found myself on a bus contemplating the way that each of the political factions under which I have lived has taught me one thing, only to have the next regime tell me something completely different. This constant change in ideology has left me, and I think my whole generation, confused. We are left to search through the rubble and find some truth for ourselves. I rarely hear the songs of the Khmer Rouge. I wonder why that is. I know all too well the horror their melodies recall, but I also know that these songs played as important a part in my life as any. They reflect an experience unique to my generation of Cambodians, no matter to what corner of the world fate has brought them. The Khmer Rouge hoped to obliterate our history, and in doing so, their songs have forged a significant place in it. It is for this reason that I will never forget the songs my enemies taught me.

Sophiline Cheam Shapiro

1 2006 Sophiline Cheam Shapiro moved back to Cambodia.

(ព្រះឥទ្ធនូ និង នាងផាមីណាទេវី) បទ គាណោរ

 នរក្សរ

- ពីស្ដេចឥតជាក់ទាក់នេត្រា ឈោរឈោងហត្ថាព្រាប្រតិពន្ធ៍។
- ឆ្ងិរាសោមនស្សគេមានភក្ព ខ្ញុំចាំគួរគាប់នៅឯណារ។

ភ្លេង ១ ជើត

(ព្រះអរុណធិរាជ) រាយ

- ស្ត្រីប្រពៃគ្រប់ៗអង្គ ខ្លង់ខ្លួស់ផ្លូវផង់ដោយបុរស។
- បង្វែរបង្វៀងនាងពីខុស បញ្ជាញ់ជាណោះជាសុខៈ។
- ងយើងបុរសៗពិត ត្រូវយកបណ្ឌិតជាអម្ដៈ ៣ំនាក់
- ~~មួយក្រ~~ រាំងចិត្តអោយមេស្សៈ ~~មាមជាប់ជិពាក់និងនារី~~។
- ពីរចិត្តមោះមុតក្បៀវក្ខាហាន លែក់អោយបានភ្លឺងអគ្គី។
- បិតុណាភិនិតជាមុនី ឆ្លងភពផលធិដោយឈ្លៀសវៃ។
- បើអ្នកប្រាថ្នារាជបុត្រី ត្រូវឆ្លងទៃបចិក្ខុងពិធិ។
- ទេបយើងព្រមអោយនាងទេវី មហោស៊ីគ្មានពីរទៅអ្នកបាន។

- ភ្លេង ។

(នាងផាមីណាទេវី) រាយពី

- លុះបានយល់ច្បាស់ព្រះរាជធី ទៅវិគ្រសោបអោបមាតា (ធូន) ។

អូតធំ ជើតចាប់ ជើត
បទ ប្រាំងវែង រ៉ រ ខែតមន

-5-

Garin Nugroho
Opera Jawa
Opera Jawa

RegisseurDirector **Garin Nugroho** — Indonesien/ÖsterreichIndonesia/Austria —
2006 — 120 min — FarbeColor — 35mm — JavanischJavanese —

ProduktionsfirmenProduction Companies **SET Film Workshop, New Crowned Hope** — Ausführende Produzenten für
New Crowned HopeExecutive Producers for New Crowned Hope **Simon Field, Keith Griffiths, Illuminations Films** —
ProduzentProducer **Garin Nugroho** —
WeltvertriebForeign Sales Agent **Pyramide International** — Österreich VertriebAustrian Distribution **Stadtkino Filmverleih** —

DrehbuchScreenplay **Garin Nugroho, Armantono** — KameraCinematographer **Teoh Gay Hian** —
SchnittEditor **Andhy Pulung** — AusstattungProduction Designer **Nanang Rakhmat Hidayat** —
TonSound **Pahlevi Indra C. Santoso** — MusikMusic **Rahayu Supanggah** —
DarstellerInnenCast **Artika Sari Devi** — **Martinus Miroto** — **Eko Supriyanto** — **I Nyoman Sura** — **Retno Maruti** —

PremierePremiere **17.11.2006, 20:00** — OmeUeng.st. — OrtVenue **Gartenbaukino** —
Im Anschluss Publikumsgespräch mitFollowed by Q&A with **Garin Nugroho** —
VorstellungScreening **30.11.2006, 20:30** — OmdUger.st. — OrtVenue **Österreichisches Filmmuseum** —

Tony Rayns
Das Phantom der Opera Jawa
Phantom of the Opera Jawa

Wenn man die Scharlatane und diejenigen beiseite lässt, deren ausschließlicher Antrieb Eitelkeit oder Geldgier ist, gibt es eigentlich nur zwei Arten von FilmregisseurInnen. Der erste Typ hat einen ganz persönlichen Stil (ist also ein „Auteur") und macht oft ein Leben lang subtile Variationen eines „Urfilms". Bergman, Bresson und Ozu wären gute Beispiele für diesen Typ, obwohl alle drei mit Filmen begannen, die ganz anders waren als jene, die ihren Ruhm begründeten.

Der andere Typ macht Filme, die untereinander ganz verschieden sind; jeder Film wird auf seine eigene Art ersonnen, geplant und ausgeführt, entsprechend den Problemen, die er aufwirft, den Themen, die darin behandelt werden, und den Synapsen, die er anregt. Diese RegisseurInnen haben kein Bedürfnis, ihr Werk zu rechtfertigen, indem sie ihm einen erkennbar „persönlichen" Stil verleihen. Für diesen zweiten Typ gibt es nicht so viele Beispiele. In Japan gab es Nagisa Oshima, der durch einen Schlaganfall arbeitsunfähig geworden ist. In Korea gibt es Jang Sun-Woo, dessen Regiekarriere derzeit auf Eis liegt. Und in Indonesien gibt es Garin Nugroho.

Leaving aside the charlatans and those driven exclusively by vanity or cupidity, there are really only two types of director making films. One type has an unmistakeable authorial style, and often spends a lifetime making subtle variations on an ur-film. Bergman, Bresson and Ozu would be fine examples, although all three started out making films that are quite different from the ones that made their names.

The other type produces films that are utterly unalike; each film is conceived, planned and executed in its own way, in sync with the issues it raises, the themes it proposes and the synapses it stimulates. These are directors who feel no need to validate their work by giving it a recognisable "personal" style. There are not so many examples of this second type. In Japan, there was Oshima Nagisa, now debilitated by a stroke. In Korea, there's Jang Sun-Woo, whose directorial career is currently in a hiatus. And in Indonesia there's Garin Nugroho.

To aspire to become a film director when Garin did, in the late 1980s, was a hardship posting. He graduated in 1985 from the Institut Kesenian Jakarta, during Suharto's fourth corrupt

In den späten Achtzigerjahren ein Filmregisseur werden zu wollen, wie dies in Garins Absicht lag, war eine harte Angelegenheit. 1985, in Suhartos vierter fünfjähriger Amtsperiode als Staatspräsident der Korruption und Diktatur, ging Garin vom Institut Kesenian Jakarta ab. Die indonesische Filmindustrie existierte noch (erst in den frühen Neunzigerjahren war es damit aus), war aber wirtschaftlich sehr schwach, produzierte bloß oberflächliche Unterhaltung und wurde durch eine zutiefst paranoide Zensur behindert. Äußerste Gewalttätigkeit und Horror waren kein Problem, aber Sex und Politik waren tabu. Doch Garins Interesse galt nun einmal Sex und Politik, und es zeigte sich später, dass er es vorzog, Gewalt und Horror nur (oft mit den einfachsten Mitteln) anzudeuten. Also sah Garin keinen Platz für sich in der kommerziellen Filmindustrie und verlegte sich daher auf Kurzfilme (zwei, als „avantgardistisch" beschrieben) und Dokumentarfilme (15), bevor es ihm 1991 gelang, sein Spielfilmdebüt zu finanzieren.

Ironischerweise war es Garin, der die indonesische Filmkultur in ihren magersten Jahren am Leben erhielt. Während die Industrie auf einen kleinen Rumpf zusammengestutzt war, der so genannte „Sex-und-Gewalt-Filme" produzierte (in Wirklichkeit waren es pseudo-gewagte Melodramen), drehte Garin alle zwei Jahre

and dictatorial five-year term as president. The Indonesian film industry still existed (it didn't flat-line until the early 1990s), but it stood on shaky economic foundations, produced only pop-genre movies and was constrained by deeply paranoid censorship. Extreme violence and horror were no problem, but sex and politics were out. As it happened, Garin was chiefly interested in sex and politics, and it turned out later that he preferred to suggest violence and horror obliquely, often through the most minimal means. Anyhow, Garin saw no place for himself in the commercial film industry and so he made shorts (two of them, described as "avant-garde") and documentaries (15 of them) before he raised the finance for his debut feature in 1991.

Ironically, it was Garin who kept Indonesian film culture alive through its leanest years. While the industry was reduced to a small rump producing what were thought of as "sexploitation" movies (actually, would-be racy melodramas), Garin made a feature every two years or so, alike only in that the cartels running distribution and exhibition in Indonesia didn't want to screen any of them. It took the overthrow of Suharto and the sudden relaxation of censorship to give Garin a domestic

einen Spielfilm, und diese Filme gleichen sich untereinander nur darin, dass die Vertriebs- und Kinokartelle in Indonesien keinen davon zeigen wollten. Erst musste Suharto abgesetzt und die Zensur plötzlich gelockert werden, damit Garin mit seinem vierten Spielfilm, dem neorealistischen Drama über Straßenkinder in Yogyakarta *Leaf on a Pillow* (1998/1999), zumindest im Inland einen Hit landen konnte. Aber Garin hat es nie als seine Aufgabe betrachtet, die indonesische Filmindustrie zu retten (die sich im Übrigen dank Filmen von z.B. Riri Riza, Nia diNata und Joko Anwar derzeit als wirtschaftlich sinnvolles Business selbst neu erfindet), und seine Arbeit war nie durch kommerzielle Zwänge gekennzeichnet. Ganz im Gegenteil, sein Projekt war stets kultureller Art. Er hat sich vorgenommen, ein neues indonesisches Kino zu erschaffen – um Pasolini zu zitieren: ein Kino der Poesie, nicht der Prosa.

Es scheint wahrscheinlich, dass der Zusammenbruch der Filmindustrie in den Neunzigerjahren Garin vielleicht mehr genützt als geschadet hat. In einer Hinsicht schuf das Verschwinden der alten Genres, Formen und ästhetischen Unarten ein Palimpsest, auf dem Garin seine Poesie „einschreiben" konnte. Er nannte seine unabhängige Produktionsfirma „SET Film Workshop", ein Akronym für die Wörter für „Sinne", „Ästhetik" und „Technologie" auf Bahasa. Diese drei Signale entsprachen den drei Fronten, an denen er seine kreativen Schlachten für ein neues Kino focht – neue Geschichten, neue Formen, neue Produktionsweisen. Das Logo des Unternehmens ist eine kleine Vignette des Bedoyo-Pasupati-Tanzes und zeigt eine elegante Frau, die mit einer Pistole posiert.

Seine ersten beiden Spielfilme waren eindeutig von westlichen Modellen abgeleitet: *Love on a Slice of Bread* (1991) erforscht eine Dreiecksbeziehung mit Hilfe eines Schwalls entlehnter Tricks und Erzählmuster der „Neuen Welle", während *Letter to an Angel* (1993/1994) gewichtige Themen angeht – Bildung, die Bedeutung der Fotografie, Stammesidentitäten auf den Sumba-Inseln zwischen Bali und Timor – und zwar durch das Prisma des „magischen Realismus" mit offensichtlichen Wurzeln in der europäischen Philosophie und lateinamerikanischen Literatur. Beide Filme präsentieren Themen und Motive, die in Garins späteren Arbeiten große Bedeutung erlangen sollten, aber keiner der beiden lässt die besondere indonesische Note und die Schönheit seiner späteren Produktionen erahnen.

Der „wahre" Garin trat dann in seinem dritten Spielfilm voll entwickelt hervor ... *And the Moon Dances* (1995/1996), der auch den Beginn seiner Beschäftigung mit der traditionellen javanischen Kultur darstellte. Der Film ist ein Stück Kammerkino (das exquisite Tondesign, das raffinierteste seiner Art im ostasiatischen Kino seit Chen Kaiges *König der Kinder*, ist der Schlüssel dazu), in dem zwei unsichere junge Menschen sich während ihrer Ausbildung bei einem Meister der javanischen Kunst lebensbestimmenden Entscheidungen gegenübersehen. Der Junge (dargestellt durch einen Fotojournalisten der Zeitschrift Tempo, die kurz vorher von Suharto eingestellt worden war) ist ein etwas weltfremder Kompositionsstudent, der durch Erinnerungen an seinen Macho-Vater verstört ist, der ihn als „Muttersöhnchen" beschimpft hatte. Das Mädchen (gespielt von einer in den USA ausgebildeten Sängerin, die sich in AIDS-Aufklärungskampagnen engagierte) möchte bloß etwas Unabhängigkeit und Selbstständigkeit in ihrem Leben. Diese beiden sind nicht typische Beispiele für junge IndonesierInnen in den letzten Jahren des Suharto-Regimes, und das Haus ihres Lehrers, eine traditionelle Villa in Surakarta, die sexuelle und andere Geheimnisse in sich birgt und schließlich abbrennt, ist ein überraschend gewählter Mikrokosmos der indonesischen Gesellschaft. Aber die Metaphern funktionieren in diesem, gegen die Zensur immunen Film, in dem beide Hauptfiguren schließlich unerwartete Entscheidungen treffen.

hit with his fourth feature, the neo-realist drama about Yogyakarta street-kids, *Leaf on a Pillow* (1998/1999). But Garin has never seen it as his rôle to 'save' the Indonesian film industry (which is anyway now making a good fist of reinventing itself as an economically viable proposition, thanks to films by Riri Riza, Nia diNata and Joko Anwar amongst others) and his work has never been driven by commercial imperatives. On the contrary, his project has always been cultural. He has set out to create a new Indonesian cinema – a cinema, to use Pasolini's phrase, of poetry rather than prose.

It seems likely that the collapse of the film industry in the 1990s actually helped Garin rather than hindering him. In a sense, the disappearance of the old genres, forms and bad aesthetic habits created a palimpsest on which Garin could "write" his poetry. He called his independent production company "SET Film Workshop," an acronym for the Bahasi words for Senses, Aesthetics and Technology. Those three banners matched the three fronts on which he fought his creative battles for a new cinema: new narratives, new forms and new modes of production. The company's current logo is a short vignette from the Bedoyo Pasupati dance, in which an elegant woman strikes poses with a gun.

Garin's first two features were frankly derivative from western models: *Love on a Slice of Bread* (1991) explores a romantic triangle through a barrage of second-hand "new wave" tics and tropes, while *Letter to an Angel* (1993/1994) tackles weighty themes – education, the meaning of photography, tribal identity in the Sumba islands, between Bali and Timor – through a prism of "magic realism" with obvious roots in European philosophy and Latin American literature. Both films propose themes and motifs that will prove important in Garin's later work, but neither foreshadows the Indonesian specificity and beauty of his subsequent films.

The "real" Garin emerged fully formed in his third feature ... *And the Moon Dances* (1995/1996), which also marks the start of his engagement with traditional Javanese culture. This is a piece of chamber cinema (the exquisite sound design, the most sophisticated in East Asian cinema since Chen Kaige's *King of the Children*, is the key) in which two insecure young people face life-defining decisions while studying under a master of Javanese arts. The boy (played by a photo-journalist from the magazine Tempo, recently closed down by Suharto) is a slightly fey student of composition, scarred by memories of his macho father denouncing him as a "mother's boy". The girl (played by a US-trained singer who was active in AIDS-awareness campaigns) is more simply looking for some independence and autonomy in her life. These are not the most obvious characters to represent young Indonesians in the waning years of Suharto's regime, and their teacher's house – a traditional mansion in Surakarta which conceals sexual and other secrets and eventually burns down – is a surprising choice to stand as a microcosm of Indonesian society. But the metaphors hold firm in a censor-proof film in which both characters finally make unexpected decisions.

... *And the Moon Dances* was widely admired on the festival circuit for its remarkable aesthetic qualities – the nuanced tone, the form poised between rigour and sensuousness – but many viewers who were even less familiar with Indonesian history, culture and politics than I am were baffled by Garin's intentions and conclusions. Three years before Suharto's overthrow, it was necessary for a forward-looking Indonesian artist to be to some degree oblique, and some of the film's seeming obscurities are certainly a matter of political discretion. Even at

... *And the Moon Dances* wurde wegen seiner bemerkenswerten ästhetischen Qualitäten – der nuancierte Ton, die formale
Gestaltung zwischen Härte und Sinnlichkeit – auf zahlreichen
Festivals sehr bewundert, aber viele Zuschauer, die noch weniger
über indonesische Geschichte, Kultur und Politik wissen als ich,
kamen mit Garins Intentionen und Schlussfolgerungen nicht so
recht zu Rande. Drei Jahre vor Suhartos Sturz musste ein zukunfts-
orientierter indonesischer Künstler etwas indirekt vorgehen, und
einige der scheinbaren Unklarheiten des Films sind sicherlich Folge
politischer Vorsicht. Aber auch schon damals interpretierten manche
indonesische Kritiker den Film als Reaktion und Kommentar auf
die wachsende Gewalttätigkeit in der indonesischen Gesellschaft,
und es ist klar, dass die Gegenüberstellung traditioneller Künste
und moderner Traumen, alter Heucheleien und neuer Unsicher-
heiten eine verdeckte politische Botschaft vermittelt. Dennoch hat
der Film eine heimliche, mysteriöse Qualität, die nicht ganz durch
die Notwendigkeit politischer Zurückhaltung erklärbar ist. Sie liegt
in der Wahl der Hauptpersonen, d.h. des nicht aggressiven, nicht
„männlichen" Mannes und der von Selbstzweifeln geplagten
Frau, in der zwiespältigen Einstellung zu traditioneller Musik und
Tanzkunst und im Umstand, dass niemand in der Lage ist, seinen
Gefühlen Ausdruck zu verleihen – außer vielleicht durch Musik.
Dies ist ein Film, in dem die Poesie etwas verbirgt.

Natürlich müssen alle frühen Arbeiten Garins im Zusammenhang mit Suhartos, das Volk unterdrückenden „Neuen Ordnung"
gesehen werden. Genauso gilt, dass seine Arbeit seit dem Sturz
Suhartos im Mai 1998 teilweise im Kontext des zeitgenössischen
Indonesien zu sehen ist – d.h. eines Landes, das mit „Entwick-
lungsfragen" zu kämpfen hat, durch ethnische und religiöse
Klüfte zerrissen und ein sekularer moslemischer Staat ist, der sich
zunehmendem islamistischem Fundamentalismus gegenübersieht
und außerdem von Naturkatastrophen gebeutelt wird. Der pro-
blematische Elefant in diesem speziellen Porzellanladen ist die oft
attackierte Beschwörung einer definierten nationalen Identität,
und es ist klar, dass ein Land, das aus über 14.000 Inseln besteht
(und wo mehr als 100 voneinander großteils ganz verschiedene
Sprachen gesprochen werden), es immer schwieriger finden wird,
seine Identität zu definieren als homogenere Länder wie etwa
Österreich. Dazu kommen dann noch die abscheulichen terroristi-
schen Anschläge auf Bali, die von Indonesien angezettelten
Massaker in Ost-Timor, der Tsunami an der Küste von Aceh und
die Guerillakriege zur Erlangung der Unabhängigkeit in einigen
Regionen, ganz abgesehen von jenen IndonesierInnen, die für
einen moslemischen Gottesstaat agitieren.

Garins nach Suhartos Sturz entstandene Arbeiten sprechen
alle diese Themen an, jedoch stets in poetischer Form. *Leaf on a
Pillow* (1998/1999) ist *sowohl* ein toughes neorealistisches Doku-
drama (das sich aus Garins Fernsehdokumentationen über die
unzähligen verwaisten, analphabetischen Straßenkinder in Indonesien entwickelte) *als auch* eine elegische Klage für mutterlose
Kinder, deren Drogenkonsum und sexuelle Abenteuer Ausdruck
ihrer Sehnsucht nach Elternliebe sind. *Unconcealed Poetry*
(2000/2001, auch bekannt unter dem Titel *The Poet*) stellt den
erzählenden *Didong-Gedichten* von Ibrahim Kadir (eines Dichters
aus der Provinz Aceh, der unter dem Verdacht, ein Kommunist zu
sein, 1965 verhaftet und zehn Tage lang eingekerkert wurde) eine
stilisierte, symbolische Nachstellung der Massaker an Dissidenten
gegenüber, die Kadir wie durch ein Wunder überlebte: eine naht-
lose Verschmelzung von Videokunst, Volkstheater und Agitprop.

Birdman Tale (2002) ist eine weitere Depesche von einer
Separatistenfront: Garin besucht Waris, um Theys Eluay, den
charismatischen, die Gewalt ablehnenden Führer der Unabhängig-
keitsbewegung von Irian Jaya (Papua; es handelt sich um Indone-
siens östlichste Provinz, die an Papua-Neuguinea grenzt), zu
interviewen, und rahmt das dokumentarische Material mit

the time, though, some Indonesian critics read the film as a
response to and comment on the growing violence in Indonesian society, and it isn't hard to see that the juxtapositions of
traditional arts and modern traumas, old hypocrisies and new
insecurities have a covert political thrust. None the less, the
film has a secretive and mysterious quality which can't be fully
explained by the need for political reticence. It's there in the
choice of the singular protagonists, the less-than-macho man
and the self-doubting woman, in the ambivalent attitude to
traditional music and dance, and in the fact that no-one feels
able to articulate their feelings except, perhaps, through music.
It's a film in which the poetry conceals.

Obviously all of Garin's early work has to be seen in the
context of Suharto's oppressive "New Order". It's equally true
that his work since Suharto's overthrow in May 1998 has to be
seen in the context of present-day Indonesia – which means a
country struggling with "development" issues, a country riven
with ethnic and religious divisions, a secular-Muslim state
witnessing a rise in fundamentalist Islam, and a nation buffeted
by catastrophic natural disasters. The troublesome elephant in
this particular room is the highly contested notion of a defined
national identity, and it's clear that a country which comprises
more than 14,000 islands (and speaks more than 100 different
languages, most of them mutually unintelligible) will always
have more trouble defining its identity than do more homo-
genous countries like, say, Austria. This would be true even
without the terrorist atrocities in Bali, the Indonesian-led
massacres in East Timor, the tsunami along the coastline of
Aceh and the guerrilla wars for independence in some regions,
not to mention those Indonesians who agitate for a theocratic
Muslim state.

Garin's post-Suharto work speaks to all these issues, but
always poetically. *Leaf on a Pillow* (1998/1999) is *both* hard-
headed neo-realist docu-drama (it grew out of Garin's TV documentaries on Indonesia's countless orphaned, illiterate street-
kids) *and* a bluesy lament for motherless children whose drug
highs and sexual kicks bespeak their longing for parental love.
Unconcealed Poetry (2000/2001, aka *The Poet*) frames *didong*
narrative poems by Ibrahim Kadir (an Aceh poet who was
arrested as a suspected communist in 1965 and imprisoned for
ten days) with a stylised, symbolic recreation of the massacres
of dissidents which Kadir miraculously survived: a seamless
blend of video art, folk theatre and agit-prop.

Birdman Tale (2002) is another despatch from a separatist
front: Garin visits Waris to interview Theys Eluay, the charis-
matic, non-violent leader of the independence movement in
Irian Jaya (aka Papua; it's Indonesia's easternmost province and
adjoins Papua New Guinea), and frames the documentary footage with eccentric and allusive fictions celebrating the province's
predominantly Christian culture. (Eluay was arrested by the
Indonesian army in 2001 and was murdered in prison the same
year; in April 2003 three thugs from the army's elite Kompas-
sus unit were convicted of his manslaughter and given short
sentences. *Birdman Tale* thus contains uniquely valuable records
of Eluay and his Free Papua Organisation.)

Of Love and Eggs (2004/2005) is set in a studio recreation
of an old Jakarta neighbourhood, and is designed to evoke
memories of generic, pre-television comedies from the heyday
of the Indonesian studio system. Various interwoven story-
lines take place during the post-fasting Lebaran holiday; the
film was released during Lebaran too, following another old
movie-biz tradition. The film is framed as a children's ballad;
its narrative strands include the struggle to buy a cupola for
the local mosque, a missing prayer-mat, the vicissitudes of first

exzentrischen fiktiven Anspielungen ein, die die vor allem christliche Kultur der Provinz feiern. (Eluay wurde von der indonesischen Armee 2001 verhaftet und im selben Jahr im Gefängnis ermordet; im April 2003 wurden drei Gewalttäter der Kompassus-Einheit, einer Eliteeinheit der Armee, wegen Totschlags verurteilt und erhielten kurze Gefängnisstrafen. *Birdman Tale* enthält daher äußerst wertvolle Erinnerungen an Eluay und seine Free-Papua-Organisation.)

Of Love and Eggs (2004/2005) wurde zur Gänze im Studio aufgenommen, wo Garin die Nachbildung eines Viertels von Alt-Jakarta aufbauen ließ, und soll Erinnerungen an die formelhaften Komödien aus der Hochblüte des indonesischen Studiosystems vor dem TV-Zeitalter wecken. Mehrere miteinander verknüpfte Handlungsstränge entwickeln sich während des Lebaran-Festes, das auf die Fastenzeit folgt; der Film kam auch während dieses Festes heraus, was ebenfalls einer alten Kinotradition entspricht. Gestaltet ist der Streifen wie eine Kinderballade; die Handlungsstränge befassen sich etwa mit den Mühen, die nötig sind, um eine neue Kuppel für die lokale Moschee zu kaufen, mit einem verschwundenen Gebetsteppich, dem Leid erster Liebe und verschiedenen Ränken, die alle irgendwie mit Eiern zu tun haben.

love and various intrigues involving eggs. The whole has a Michael Powell-like "pure cinema" aspect, but its impact goes beyond the skilful pastiche of a retro movie style. Garin made it in direct response to a Muslim cleric's call for the banning of an innocuous movie already in release, on the grounds that its poster displayed a male navel. The poetic film is actually a polemic against fundamentalist rhetoric, a committedly "moderate" account of the place of Islam in the lives and minds of believers. And, despite its overt artifice, it's also a protest against the authorities' eagerness to demolish slums without tackling the causes of poverty.

Of course, Garin's new "gamelan musical" in no way resembles these earlier features – except in its originality, its multi-tasking richness of "speech", and its commitment to defining Indonesian society and culture in new ways. *Opera Jawa* (2006) re-reads an episode – the most famous episode – from the Sanskrit epic Ramayana as a modern parable of female desire and male inadequacy and paranoia. Traditional and contemporary elements are merged from start to finish: in the music, in the choreography, in the settings and costumes – and in the lyrics, which range from *wayang* folk storytelling to the

Das Ganze hat einen an Michael Powell erinnernden Aspekt des „reinen Kinos", geht aber in seiner Wirkung über die geschickte Imitation eines Filmstils vergangener Tage hinaus. Der Film ist vielmehr Garins direkte Reaktion auf den Aufruf eines moslemischen Religionsführers, einen ganz unschuldigen Film zu boykottieren, der bereits in den Kinos lief, weil auf den Werbeplakaten ein männlicher Nabel zu sehen war. Dieser poetische Film ist tatsächlich eine Polemik gegen fundamentalistische Rhetorik, eine erklärt „gemäßigte" Beschäftigung mit dem Platz des Islams in den Leben und Köpfen der Gläubigen. Und trotz seiner offen dargebotenen Künstlichkeit ist er auch ein Protest gegen den Eifer der Behörden, Slums niederzureißen, ohne die Ursachen der Armut zu bekämpfen.

Natürlich ist Garins neues „Gamelan-Musical" ganz anders als die früheren Spielfilme – mit Ausnahme seiner Originalität, seines vielfältigen Reichtums der „Sprache" und seines engagierten Versuchs, die indonesische Gesellschaft und Kultur neu zu definieren. *Opera Jawa* (2006) ist eine Neuinterpretation der berühmtesten Episode des Sanskrit-Epos Ramayana als moderne Parabel weiblichen Begehrens und männlicher Unzulänglichkeit und Paranoia. Traditionelle und zeitgenössische Elemente sind vom Anfang bis zum Ende miteinander verquickt – in Musik, Choreografie, Ausstattung, Kostümen und in den Gesangstexten, die von volkstümlichen *Wayang*-Erzählmustern zur Literatursprache der Elite des alten Yogyakarta reichen. Garin siedelt seine Version der Geschichte in einer Zeit von Naturkatastrophen und Missernten an, die auch eine Zeit der Gier, Gewalt und politischen Unruhe ist. Klänge und Bilder verweisen auf eine vorkoloniale Epoche, ihr Widerhall ist jedoch stets postkolonial.

Setio, der Besitzer einer ländlichen Töpferwerkstatt, vergleicht sich und seine Gattin Siti mit Rama und Sinta im Ramayana. „Seit unser Land unfruchtbar wurde, ... haben wir nur mehr unsere Treue, Liebe und Hoffnung." Aber Setio ist durch dieses „unfruchtbare" Land schlimmer beschädigt worden, als er selbst weiß, und seine Vorstellung von „Treue, Liebe und Hoffnung" besteht darin, sich eine ideale, gehorsame Frau zu formen, genauso wie er seine Töpfe formt. Inzwischen hat Siti einen (schreckenserfüllten) Tagtraum von einer Vergewaltigung und einen anderen (freudigen), in dem sie eine Sinnlichkeit findet, die ihrer Ehe abgeht. Der dezidiert maskuline Fleischer Ludiro (der Ravana im Ramayana entspricht) begehrt Siti und erweckt auch ihr Begehren, aber seine sexuellen Wünsche sind bloß eine Funktion seiner Machtgier, die ihn dazu veranlasst, Sabotage-Akte an seinen geschäftlichen Konkurrenten zu organisieren und schließlich eine Bauernrevolte für seine Zwecke zu nützen. Im Morast von Blut und Lehm werden „Treue, Liebe und Hoffnung" zerquetscht. Das Streben nach Dominanz und Herrschaft führt zur Katastrophe, und *Opera Jawa* ist letztlich ein Requiem.

Und wo ist hier Garin zu finden? Er ist ein Phantom, der „unsichtbare" Schöpfer. Vielleicht hat er Teile seiner Persönlichkeit auf einige Figuren übertragen – die neugierigen Jungen, die Fragen stellenden Teenager, die liebeskranken Männer –, aber seine Arbeit ist nie autobiografisch. In seinen Filmen geht es nicht um ihn. Sie alle beruhen auf Reaktionen auf jenes Indonesien, das er um sich herum Form annehmen sieht. Die Erzählungen und formalen Lösungen, die er wählt, sollen transformieren. Er reproduziert die Welt nicht so, wie sie ist, sondern bietet uns Imitationen des Lebens, in denen die Probleme akut und die Möglichkeiten wahrhaft endlos sind.

literary language of the ancient Yogyakarta elite. Garin sets his version of the story in a time of natural disasters and crop failures, which is also a time of greed, violence and political turmoil. The sounds and images suggest pre-colonial, while the resonances are all post-colonial.

Village potter Setio compares himself and his wife Siti to Rama and Sinta in the Ramayana. "Since our land became barren ... all we have left are faithfulness, love and hope." But Setio has been scarred by the "barren" land in ways he does not know, and his version of "faithfulness, love and hope" is to mould an ideal, obedient wife in the same way that he moulds his pots. Meanwhile Siti daydreams (with horror) about being raped, and (with delight) about finding a sensuality missing from her marriage. The macho butcher Ludiro (who corresponds with Ravana in the Ramayana) lusts after Siti and succeeds in awakening her desire, but his sexual lusts are merely a function of his lust for power, which leads him to sabotage his business rivals and, eventually, to hijack a peasant uprising. In a mortar of blood and clay, "faithfulness, love and hope" are ground down to nothing. The urge to dominate and control wreaks havoc, and *Opera Jawa* is finally a requiem.

Where is Garin in all this? He is a phantom, an "invisible" auteur. It may well be that he has invested aspects of himself in some of his characters – the curious young boys, the questioning adolescents, the lovelorn men – but the work has never been autobiographical. His films are not about himself. All of them are rooted in his responses to the Indonesia he sees taking shape around him. The narratives and forms he constructs are designed to be transformative. He does not reproduce the world as it is, but offers imitations of life in which problems are acute and possibilities are truly endless.

Opera Jawa ist ein Musical, ein Opernfilm für Gamelan, geschaffen von indonesischen MeisterInnen des Gamelan, ChoreografInnen, TänzerInnen und InstallationskünstlerInnen. Die Geschichte wird als eine Verbindung von Gamelan, javanischem Lied (*Tembang*), Tanz, Kostümen, Schauspiel, Bildender Kunst und Installationen erzählt und beruht auf der reichen javanischen Kultur, die sich aus einer Vielzahl multikultureller Einflüsse entwickelt und daraus erwächst. Dieser Gemeinschaftsfilm erzählt die Geschichte eines Kampfes um den Besitz der Wahrheit, der solche extremen Ausprägungen erreicht, dass verschiedene Formen der „Killing Fields" die Konsequenz sind.

Opera Jawa wurde mit seiner Ästhetik, Bilder- und Tonwelt sowie durch die Wahl einer heterogenen Gruppe von DarstellerInnen und Crewmitgliedern als Schaufenster des indonesischen – und insbesondere des javanischen – Multikulturalismus entwickelt.

Die Arbeiten an dem Film dauerten vom Juni bis September 2006, wobei die Dreharbeiten selbst 14 Tage umfassten, an denen im Zuge dieser außerordentlichen Kooperation mehr als 60 Choreografien mit 45 TänzerInnen in größeren Rollen, 25 MusikerInnen, 400 StatistInnen und 70 javanischen Liedern (*Tembang*) aufgenommen wurden. Darauf folgten zwei weitere Monate Neuaufnahmen und die Komposition neuer Lieder sowie sechs Monate Schnitt- und Mischarbeit, wobei in allen Bereichen ein gemeinschaftlicher Ansatz gewählt wurde.

Es handelte sich dabei um die Zusammenarbeit multikultureller Kunstschaffender im Hinblick auf Figuren, Stoff, Ausdruck und kreative Methoden, eine Zusammenarbeit zwischen FilmemacherInnen, bildenden KünstlerInnen, TänzerInnen, Gamelan-MusikerInnen, SängerInnen, TheaterkünstlerInnen, FotografInnen und KunstmanagerInnen aus verschiedenen Disziplinen, die Kunstschaffende der STSI (Indonesia School of Art), des IKJ (Institute of Art Jakarta), des ISI (Art Institute Indonesia) und verschiedene andere Theater-, Film- und Bühnengruppen sowie KunstmanagerInnen vereinte.

Das Ramayana ist eine der bekanntesten klassischen Geschichten der Welt. Dieser Film ist eine Fassung der Episode *Sinta Obong* (*Sintas Entführung*), die einer der beliebtesten Geschichten des gesamten Ramayana in der traditionellen *Wayang-Orang*-Form darstellt. Diese Beliebtheit hängt mit der Einfachheit zusammen, mit der die Geschichte präsentiert wird, wobei der verwendete Stil verschiedene Arten der Widersprüchlichkeit und des Konflikts zwischen menschlichen Eigenschaften hervorhebt – etwa zwischen Verrat und Treue, zwischen dem Wunsch nach Hingabe und der Sehnsucht nach Macht, zwischen der Beherrschung des Körpers und dem Opfer der Seele, zwischen Wutgefühlen und der Fähigkeit zur Selbstbeherrschung.

Die Geschichte *Sinta Obong* konzentriert sich auf Sinta und ihre Beziehung zu Rama und Rahwana; sie beschreibt die Welt einer Frau, die in einer von Männern dominierten Welt zwischen zwei Polen hin- und hergezerrt wird. Es ist, als ob Sinta ein Grundstück wäre, das gleichzeitig bewacht und kontrolliert, gepflegt und hinterfragt wird.

Es gibt viele verschiedene Interpretationen des Ramayana. Zum Beispiel ist Rahwana in Sri Lanka ein Symbol des Guten,

Opera Jawa is a musical, an opera film for gamelan, created by Indonesian gamelan maestros, choreographers, dancers, and installation artists. It is presented through a combination of gamelan, Javanese song (*tembang*), dance, costume, acting, visual art, and installation, drawing on a rich Javanese culture which develops and grows in the midst of multi-cultural influences. A collaborative film it tells the story of a battle for ownership of the truth that reaches such extremes that it gives rise to various forms of "killing field".

Opera Jawa was designed as a showcase of Indonesian multi-culturalism, in particular Javanese multi-culturalism, through its aesthetics, its visualization and sound, and also through the choice of a heterogeneous group of actors and crew members.

Work began in June and continued until September 2006, with preparations for 14 days of shooting with over 60 choreographies, 45 central dancers, 25 musicians, 400 extras, and 70 Javanese songs (*tembang*) in what was an extraordinary collaboration. This was followed by re-takes and the composition of new songs over a period of two months, editing and mixing for six months, with elements of collaboration in all aspects of the work.

It was a collaboration of multicultural artists, in terms of character, material, expressions, and creative methods; a collaboration between film makers, visual artists, dancers, gamelan musicians, singers, theatre artists, photographers, and managers from various fields of the arts; a collaboration which brought together artists from STSI (Indonesia School of Art), IKJ (Institute of Art Jakarta), ISI (Art Institute Indonesia) and various other theatre, film, and performing art groups, and art managers.

The Ramayana is one of the most widely read classical stories in the world. This film is an adaptation of the episode *Sinta Obong* (*The Abduction of Sinta*), one of the most popular stories from the entire Ramayana in its traditional *wayang orang* form. Its popularity is due to the simplicity with which the story is performed, using a style which presents various forms of contradiction and conflict between human characteristics. That is between betrayal and loyalty, between the desire to give and the urge to control, between the domination of the body and the sacrifice of the soul, between feelings of anger and the ability to demonstrate self control.

The story *Sinta Obong* centres on Sinta and her relationship with Rama and Rahwana; it describes the world of a woman being pulled between two opposite poles of a paternalistic world. It is as if Sinta were a plot of land which is guarded and controlled, nurtured, yet at the same time the object of doubt.

There have been many different interpretations of the Ramayana. In Sri Lanka for example, Rahwana, rather than being evil is a symbol of goodness. Opera Jawa is a film which presents a story of everyday life based upon one interpretation of an episode from the Ramayana story as presented in *wayang orang*.

nicht des Bösen. Der Film **Opera Jawa** präsentiert eine alltäg-liche Geschichte, die auf einer Interpretation einer Episode des Ramayana, als *Wayang Orang* dargeboten, beruht.

Ich erinnere mich gut an den Beginn eines Stammeskonflikts in der Nähe des Tanjung Priuk Harbour, wo ich einen Mann sah, der das abgeschnittene Ohr eines anderen in der Hand trug. Ich erinnere mich an die Menschen, die in den hintersten Winkeln Javas gehenkt und verbrannt wurden, und ich sehe noch immer das Verhalten der Massen vor mir, wenn der Mob das Gesetz selbst in die Hand nimmt und andere Menschen mit Schwertern und Stöcken von öffentlichen Plätzen vertreibt. Ich habe auch die „Killing Fields" auf verschiedenen Inseln und an anderen Orten der Erde gesehen, und alle wurden im Namen der „Wahrheit" geschaffen. Mir ist klar geworden, dass ich in einem Konflikt extremer Positionen lebe, in dem es keinen Platz für das Teilen gibt.

Opera Jawa ist ein Requiem, ein Requiem der Trauer wegen der „Killing Fields", die aus dem Konflikt zwischen Extremismen auf der Welt entstanden sind, aus dem Konflikt in einer angster-füllten Gesellschaft. Der Film ist ein Requiem für verschiedene Arten der Trauer – aufgrund von Katastrophen, Konflikten, all des Blutvergießens auf der ganzen Welt.

Garin Nugroho

I still remember when I first witnessed the start of tribal conflict near Tanjung Priuk Harbour when a man was carrying somebody's ear that had been cut off. I remember the people that were hanged and burnt in the remote corners of Java, and I still see the kind of crowd behaviour where people take the law into their own hands on the streets, driving other people from public spaces with swords and sticks. I have also seen the "killing fields" on various islands and in other parts of the world, all created in the name of "truth". I have come to realize that I live in the midst of a conflict of extreme positions in which there is no room left for sharing.

Opera Jawa is a requiem, a requiem of grief for the killing fields which have been born out of the conflict of extremes across the world; conflict in a society filled with anxiety. It is a requiem for various kinds of grief – caused by disasters, caused by conflict, grief for all the bloodshed throughout the world.

Garin Nugroho

Bahman Ghobadi
Niwemang
Half Moon

RegisseurDirector **Bahman Ghobadi** — Iran/Irak/Österreich/FrankreichIran/Iraq/Austria/France —
2006 — 113 min — FarbeColor — 35mm — Kurdisch/FarsiKurdish/Persian —

ProduktionsfirmenProduction Companies **MIJ Film, New Crowned Hope, Silkroad Production** —
Ausführende Produzenten für New Crowned HopeExecutive Producers for New Crowned Hope **Simon Field, Keith Griffiths,**
Illuminations Films — KoproduzentCo-producer **Behrooz Hashemian** —
WeltvertriebForeign Sales Agent·**The Match Factory** — Österreich VertriebAustrian Distribution **Stadtkino Filmverleih** —

DrehbuchScreenplay **Bahman Ghobadi** — KameraCinematographer **Nigel Bluck** —
Zweite KameraAdditional Cinematographer **Crighton Bone** — SchnittEditor **Hayedeh Safiyari** —
AusstattungProduction Designer **Mansooreh Yazdanjoo** — **Bahman Ghobadi** — TonSound **Bahman Ardalan** —
MusikMusic **Hossein Alizadeh** —
DarstellerInnenCast **Ismail Ghaffari** — **Allah Morad Rashtiani** — **Hedieh Tehrani** — **Golshifteh Farahani** — **Hassan Poorshirazi** —

PremierePremiere **18.11.2006, 20:30** — OmeUeng.st. — OrtVenue **Gartenbaukino** —
Im Anschluss Publikumsgespräch mitFollowed by Q&A with **Bahman Ghobadi** —
VorstellungScreening **29.11.2006, 20:30** — OmdUger.st. — OrtVenue **Österreichisches Filmmuseum** —

Dominik Kamalzadeh
Bahman Ghobadis Niwemang
Bahman Ghobadi's Half Moon

Auf verschneiten Bergen kommen die Filme des kurdisch-iranischen Regisseurs Bahman Ghobadi ins Stocken. Ob ein Junge und sein Muli, ein Sänger mit seinen beiden Söhnen oder ein ganzer Bus voll mit Musikern – seine Protagonisten treffen dort auf die Schikanen einer Grenze, auf Landminen und Hinterhalte, die sie in ihrer Freiheit einschränken, sie in Gefahr und Not bringen. Sie davon abbringen, mit Hingabe und Opfermut immer wieder den Anstieg zu versuchen, können sie jedoch nicht. Die Grenze, die den Nordwesten des Iran zum Irak trennt, ist für das kurdische Volk, dessen Land sich über den Iran, den Irak, die Türkei und Syrien erstreckt, ein willkürlich gesetztes Symbol der territorialen Einschränkung. Die Filme erzählen davon, wie sie sich überschreiten lässt.

Ghobadi wurde 1969 in Baneh geboren, einer Stadt in Kurdistan, in jenem Teil des Iran, in dem die meisten KurdInnen leben. Alle seine Filme befassen sich mit dem Geschick seines Volkes, sie hinterfragen politische Realitäten und entfernen sich dabei nie allzu weit von seiner Heimat. *A Time for Drunken Horses* (1999/2000), sein Spielfilmdebüt, drehte er beinahe zur Gänze in jenem Dorf, in dem er einen Teil seiner Kindheit verbrachte. Es erzählt von dem Jungen Ayoub, der sich, ohne zu klagen, um seine Geschwister sorgt, indem er sich als Schmuggler betätigt.

The films of Kurdish-Iranian director Bahman Ghobadi tend to get stuck on snow-covered mountains. Whether it's a boy and his mule, a singer and his two sons or a busload of musicians – this is where his protagonists encounter border chicanery, land mines and ambushes that restrict their freedom and subject them to danger and hardship. Yet these obstacles are not enough to dissuade them from trying another ascent, dedicated and in the true spirit of sacrifice. For the Kurdish people, whose land extends across parts of Iran, Iraq, Turkey and Syria, the border separating north-western Iran from Iraq is an arbitrary symbol of territorial restriction. Ghobadi's films speak of ways to overcome it.

Ghobadi was born in 1969 in Baneh, a town in Kurdistan, that part of Iran with the highest Kurdish population share. All his films address the destiny of his people, question political realities and never stray too far away from his homeland. His feature debut *A Time for Drunken Horses* (1999) was almost entirely shot in a village where he had spent part of his childhood. It tells the story of young Ayoub who, without complaining, takes care of his siblings by becoming a smuggler. Like many of his fellow directors from Iran, Ghobadi works exclusively with non-professional actors. After shooting

Wie viele seiner iranischen Regiekollegen arbeitete er nur mit LaiendarstellerInnen. Ghobadi, der davor Kurzfilme drehte und Assistent von Abbas Kiarostami war, gewann mit dem Film in Cannes auf Anhieb die Caméra d'Or. *A Time for Drunken Horses* war einer der ersten Filme in kurdischer Sprache.

Eine andere Ausdrucksform der KurdInnen ist die Musik. „Die KurdInnen lieben die Musik: Jeder, den du triffst, kann entweder Saz spielen oder ein Liedchen singen, Frauen wie Männer (…). Die Musik ist ihre einfache Sprache, lebhaft, rhythmisch, voll jener Energie, die sie auch für ihr Leben brauchen", das meinte Ghobadi bereits in einem Interview zu seinem Film *Marooned in Iraq* (2002). Ein Sänger unternimmt darin gemeinsam mit seinen Söhnen eine Reise gen Irak, während gerade der Golfkrieg tobt. *Niwemang* (*Halbmond*, 2006), Ghobadis neuer Film, greift diese Bewegung unter veränderten Bedingungen wieder auf. Mamo, ein älterer Musiker von hohem Ansehen, will mit seinen Söhnen im kurdischen Teil des nunmehr von Saddam Hussein befreiten Irak ein Konzert geben. Der Moment der Utopie für seine „Musik der Freiheit" scheint gekommen, nachdem er sieben Monate auf die behördliche Genehmigung für die Grenzüberquerung warten musste. Die Nachricht trifft die Söhne allerdings unvorbereitet.

several shorts and acting as assistant director to Abbas Kiarostami, Ghobadi was awarded the Caméra d'Or in Cannes for his debut movie. *A Time for Drunken Horses* was also one of the first films made in the Kurdish language.

Music is another form of artistic expression for Kurds. "Kurds love music: everybody you meet either plays the saz or sings a song, women and men (…). Music has its simple language, vivid, rhythmic, full of the energy they need for their lives", Ghobadi said in an interview about his *Marooned in Iraq* (2002). In this movie, a singer and his sons travel to Iraq during the time of the Gulf War. His new film *Niwemang* (*Half Moon*, 2006) reprises this journey under different conditions. Together with his sons, Mamo, an older musician of high repute, wants to give a concert in the Kurdish part of Iraq following the fall of Saddam's régime. After waiting seven months for the official border-crossing permit to come through, the moment of utopia for his "music of freedom" seems close enough to touch. Yet the sons are not really prepared for this piece of news. Some of them have other priorities. One is just refereeing a fierce cockfight when he receives Mamo's call. Ghobadi mines a rich vein of added comic value from the

Manche haben andere Prioritäten. Einer von ihnen leitet gerade einen hektischen Hahnenkampf, als ihn Mamos Anruf ereilt. Aus dem Kontrast zwischen moderner Kommunikation und (scheinbar) archaischen Lebensweisen schöpft Ghobadi komischen Mehrwert. Bevor der Sohn dann die verdutzten Wettspieler verlässt, ruft er ihnen noch schnell etwas zu: „Kein Sieg und keine Niederlage sind wichtiger als der Tod!" Er verweist damit bereits ironisch auf ein Motiv des Films, das die Reise wie ein Schatten verfolgen wird: der Tod. Der alte Mamo nämlich wird von Visionen heimgesucht, ungünstigen Zeichen, die sich verdächtig häufen. Er sieht sich in einem Grab liegen, mit offenen Augen. Ein Sarg steht auch schon bereit. Der letzte Sohn, der in den Bus steigt, versucht ihn nochmals von der Reise abzubringen. Er hätte von einem Weissager gehört, dass am 14. Tag, bei Vollmond, ein Unglück auf sie zukommen würde. Doch Mamo lässt sich nicht beirren. Er drängt höchstens zu noch mehr Eile.

Niwemang ist ein Road-Movie, das verschiedene Räume zugleich durchmisst. Eines der Grundthemen gibt Mamo vor, der auf die Tradition des Musizierens besteht und damit zu einer Art Botschafter der Kultur seines Volkes wird. Wie nah er damit an einen Mythos reicht, dafür mögen die Szenen bürgen, in denen der Film in einen magisch-realistischen Tonfall hinüberwechselt. Gleich einer musikalische Allegorie inszeniert ist jene Episode, in

contrast between modern-day communication and (seemingly) archaic lifestyles. Before the son leaves the dumbfounded betters, he quickly admonishes them, "No victory and no defeat are more important than death!", thus ironically referring to a motif of the film that will dog the journey like a shadow: death. For old Mamo is plagued by visions, unlucky signs that occur with alarming frequency. He sees himself lying in a grave, open-eyed. A coffin is at hand, too. The last son boarding the bus tries again to dissuade him from undertaking the trip, claiming to have heard from a fortune-teller that they will be struck by catastrophe on the 14th day, at full moon. But Mamo will not be swayed; rather, he urges them to hurry up.

Niwemang is a road movie that roams several spaces simultaneously. A fundamental theme is provided by Mamo, who insists on the tradition of music-making and hence becomes a kind of ambassador of his people's culture. His closeness to myth is evident in those scenes when the film opts for a magical-realist tone. The episode where Mamo is searching for his daughter, the singer of the band, is directed as a musical allegory. Together with more than a thousand others, she is held prisoner in a mountain village, a preventive measure introduced by the mullah régime to silence her bewitching voice which – like that of the legendary sirens – must not be

der Mamo nach seiner Tochter, der Sängerin der Truppe, sucht. Gemeinsam mit über tausend anderen wird sie in einem felsigen Dorf gefangen gehalten, eine Prävention des Mullahregimes gegen ihren betörenden Gesang, der – gleich jenem der sagenumwobenen Sirenen – von Männern nicht gehört werden darf. Als rhythmisch montierter Fiebertraum erscheint dagegen an einer anderen Stelle Mamos Besuch einer Stadt, in der er sich nochmals Klarheit über die ungünstigen Vorzeichen verschaffen will – und in der dann Männer mit langen Haaren zu Trommelschlägen in Ekstase ihre Köpfe auf und nieder schwenken.

Ghobadi setzt solche stilistischen Überhöhungen der Realität sehr behutsam ein. Der Symbolismus ist nur eine Vertiefung der Realität, ein weiterer Schleier, der sich nicht allen gleichermaßen zu erkennen gibt: Als Mamo später am Grab eines Freundes steht und meint, dieser habe nochmals zum Gesang einer Frauenstimme mit dem Körper gezuckt, erklärt er dem anwesenden Arzt, dass es Erscheinungen gebe, die man nicht wissenschaftlich erklären könne. Schon in *Turtles Can Fly* (2004), Ghobadis vorherigem Film, gab es unter den Kindern eines irakischen Flüchtlingscamps einen armlosen Jungen, dessen Visionen sich als verlässlicher als ein Nachrichtensender wie CNN erwiesen. Inmitten einer praktischer orientierten Schar von Kindern wies er gemeinsam mit seiner Schwester und ihrem Kind archetypische Züge auf: eine heimatlose Patchworkfamilie, die in ihrer Tragik außerhalb der politischen Gegenwart stand. Reale und mythische Figuren bevölkern bei Ghobadi oft eine gemeinsame Welt.

In *Marooned in Iraq* trägt die Suche des Sängers Mirza nach seiner Frau Hanareh, die ihn vor Jahren verlassen hat, die Züge einer karnevalesken Posse. Musikeinlagen, Raufereien, Raubüberfälle oder Gezanke innerhalb des Familienverbands konterkarieren die Reise durch das Grenzgebiet zwischen dem Iran und dem Irak. Der Krieg gerät nur indirekt in den Film: über die Tonspur, auf der man Flugzeuge über den Himmel donnern hört, über das Leid der Zivilbevölkerung, die in Flüchtlingskolonnen an den drei Schelmen vorbeizieht oder sich immer noch in den Ruinen ihrer Dörfer verschanzt hält. Mit Humor lässt sich auch diese Misere meistern, scheint der Film zu suggerieren. Erst am Ende wechselt er den Tonfall: Da werden Massengräber entdeckt und die Folgen des Krieges an persönlichen Verlusten schmerzhaft spürbar gemacht.

In *Niwemang* wird die Balance zwischen komischen und dramatischen Episoden gewahrt. Für humoreske Brechungen sorgt die männliche Gemeinschaft im Bus. Die Söhne fügen sich nur unwillig der Autorität ihres Vaters. Sie sind feige und fürchten die vielen Unwägbarkeiten der Reise. Nur mit einer Pistole kann einer von ihnen von der Flucht abgehalten werden. Die typisierteste Rolle hat der Fahrer des Busses inne, der einzige ohne ausgeprägtes musikalisches Talent, der von Faegh Mohamadi, dem Darsteller eines der beiden Söhne aus *Marooned in Iraq* verkörpert wird. Etwas vorschnell in seinen Entscheidungen, sorgt er wiederholt für unliebsame Zwischenfälle. Als Dokumentarist der Reise erweist er sich als Niete, da er vergisst, eine Kassette in seine Videokamera einzulegen. Die Komik wird aber nie zum Selbstzweck. Ghobadi verhilft sie zu einer satirischen Sicht auf die zahlreichen Engpässe des Trips. Das kurdische Nomadentum, eigentlich der Effekt zahlreicher Verfolgungen, denen das Volk stets ausgesetzt war, wird damit umgewertet, ins Positive verkehrt. In konstanter Fluchtbewegung begriffen, hat man gelernt, auf die eigene Erfindungskraft zu vertrauen. Hinzu kommt die weit reichende Solidarität unter KurdInnen, die einem bei brenzligen Situationen aus der Patsche hilft: Bei einer Polizeikontrolle entpuppt sich etwa einer der Uniformierten als Volksangehöriger und durchbricht mit seinem geflüsterten Angebot, die Angelegenheit zu regeln, auch den Suspense der Szene.

Es ist nicht der einzige Moment, an dem *Niwemang* die politische Realität streift und deutlich macht, dass in dem Grenzland

heard by males. Conversely, another scene of Mamo visiting a town where he wants to sort out his unlucky premonitions once and for all seems like a rhythmically edited fever dream, in which long-haired men ecstatically shake their heads up and down to an insistent drumbeat.

Ghobadi makes very cautious use of such stylistic transformations of reality. For him, symbolism is only another deepening of reality, another veil that cannot be discerned equally by all: later on, when Mamo is standing by a friend's grave and claims to have seen his body twitch one last time on hearing a woman sing, he says to the attending physician that some phenomena cannot be explained scientifically. Already in his previous film *Turtles Can Fly* (2004), the children living in an Iraqi refugee camp included an armless boy whose visions prove more reliable than CNN and other news channels. Amid a practically-minded group of kids, he, his sister and her child present archetypal traits: a homeless patchwork family whose tragedy is outside contemporary politics. In Ghobadi's cinema, real and mythical characters often occupy the same world.

In *Marooned in Iraq*, the search of singer Mirza for his wife Hanareh, who had left him years before, takes on the traits of a carnival-style farce. Musical numbers, brawls, holdups and bickering within the family clan counterpoint the journey through the borderland between Iran and Iraq. The war is only indirectly palpable in the film: on the soundtrack with its airplanes hurtling through the skies; through the suffering of the civil population who pass our three rogues as groups of refugees or still hide amidst their ruined villages. Humor will get us through even this calamity, the film seems to suggest. It is only at the end that the mood changes when mass graves are discovered and the consequences of war are painfully rendered through personal loss.

Niwemang maintains a balance between comedic and dramatic episodes. Humorous interludes are provided by the all-male group in the bus. The sons are unwilling to bow to their father's authority. They are cowardly and scared of the many imponderables of the trip. One of them can only be kept from decamping by pointing a gun at him. The most typified role is assigned to the bus driver, the only character without an outstanding talent for music, who is played by Faegh Mohamadi, one of the two sons in *Marooned in Iraq*. Somewhat hasty in his decisions, he triggers several unpleasant incidents.

He proves a total failure in documenting the trip, since he forgets to insert a tape into his video camera. Yet the comedic elements are never used as an end in themselves. Rather, they help Ghobadi to arrive at a satirical picture of the many troubles that beset the journey. Thus Kurdish nomadism, actually the consequence of the numerous persecutions the people has

auch nach Saddams Sturz keineswegs alle Hindernisse beseitigt
sind. So weit und unbelebt das Land in den Panoramen des Films
auch wirkt, ergeben sich immer neue Kalamitäten. Der Musiker-
trupp wird erneut aufgehalten. Diesmal wird der gesamte Bus von
unten bis oben gefilzt. Die Polizei entdeckt dabei hinter einem
Bretterverschlag Hesho, die versteckte Tochter Mamos, auf deren
Gesangsstimme dieser so dringend angewiesen ist. Ein weiteres
Echo aus *Marooned in Iraq*: Symbolisierte dort Hanareh, die Exfrau
des Sängers, mit ihrer durch einen Giftgaseinsatz versehrten
Stimme auch das Verstummen des kurdischen Volkes, so ist es
nun Hesho, ohne die das Konzert nun scheitern wird.

Die Zukunft legt Ghobadi in weibliche Hände. Darin liegt die
Utopie des Films. Wie ein *Deus ex Machina* taucht eine junge Frau
auf, die die Initiative über das schon sicher gescheiterte Projekt
ergreift. Ihr Name ist jener des Films: Niwemang, Halbmond.
Durch Niwemangs Wirken kommt wieder Schwung in die Fahrt.
Verebbte die Bewegung davor an immer neuen Schikanen, löst
sich nun alles in einem organisierten Plan auf. Wie in *A Time for
Drunken Horses* und *Marooned in Iraq* kulminiert das Geschehen
in der Überquerung einer Grenze (hier nunmehr jener der Türkei
zum Irak). Kunstvoll führt Ghobadi die einzelnen erzählerischen
Fäden zusammen und löst nebenbei auch die Prophezeiung des
Todes ein. Auf weiß verschneiten Hügeln steht ein Sarg, daneben
ein alter Mann, der nicht mehr weiter kann. Die räumliche Grenze
wird zu jener zwischen Leben und Tod. Gut, dass man aus einer
anderen Szene bereits weiß: Musik kann auch jenseits des Lebens
noch gehört werden.

been subjected to, is revalued, made a positive asset. Constantly
on the move, the Kurds have learned to trust in their inventive-
ness. This is enhanced by their highly evolved sense of solidarity,
which can be useful for getting out of many a tight spot: for
example, one of the uniformed policemen stopping the group
to check their papers proves to be a fellow Kurd; his whispered
offer to straighten out the problem also defuses the suspense
of this scene.

This is not the only moment when *Niwemang* touches on
political realities and emphasizes that by far not all obstacles
have been eliminated in the border region even after the fall of
Saddam. As open and deserted as the landscape may seem in
the wide-angle shots of the film, it still harbors a sea of troubles.
The group of musicians is again stopped; this time, the whole
bus is searched from top to bottom. As a result, the police discover Hesho, Mamo's daughter, whose voice he so urgently
needs for his music, hidden behind a wooden partition.
Another echo of *Marooned in Iraq*: while in that film Hanareh,
the singer's ex-wife, had symbolized the enforced silence of
the Kurdish people through her voice, damaged in a poison gas
attack, it is now Hesho without whose contribution the concert is doomed to fail.

Ghobadi entrusts women with the future – this is the
utopia embodied by the film. Like a *Deus ex machina*, a young
woman appears whose initiative will save the seemingly aborted
project. Her name is the title of the movie: Niwemang (Half
Moon). Niwemang's actions endow the stalled trip with
renewed momentum. While the forward thrust had formerly
been dissipated by a myriad of obstacles, everything now comes
together in an organized plan. As in *A Time for Drunken Horses*
and *Marooned in Iraq*, events culminate in the crossing of the
border (this time, between Turkey and Iraq). Ghobadi deftly
blends the different narrative strands and, almost casually, also
makes good on the prophecy of death. A coffin stands on a
snow-covered hill and beside it, an old man, unable to continue. The spatial boundary becomes the boundary between life
and death. It's a good thing we already know from another
scene that music can still be heard in the world beyond life.

Niwemang bedeutet Halbmond

Im Kurdischen bedeutet Niwemang Halbmond. Der Titel bezieht sich auf die Handlung des Films insofern, dass Kurdistan halb sichtbar und halb verborgen ist. Ich hoffe, dass mein Film im Publikum den Wunsch auslösen wird, den verborgenen Teil Kurdistans zu entdecken ... Niwemang ist auch ein seltener kurdischer Name und der Name einer überraschend auftretenden Figur im Film *Niwemang*.

Iranisch-Kurdistan

Niwemang wurde im iranischen Kurdistan nahe der Grenze zum Irak gedreht. Einige kurze Szenen entstanden tatsächlich im Irak. „Kurdistan" gilt im Allgemeinen als ein Gebiet, das Teile der Osttürkei, des nordöstlichen Irak, des nordwestlichen Iran und Syriens umfasst. Aber das kurdische Volk akzeptiert keine Grenzen an. Die KurdInnen sind eine eigene Nation, egal wie die Grenzen gezogen sind. Es gibt auf der Welt etwa 40 Millionen KurdInnen, vor allem im Iran, im Irak, in der Türkei und in Syrien. Sie sind eine der größten Ethnien ohne anerkannten eigenen Staat oder eine eigene geografische Region.

Komödie & Tragödie

In meinem Leben habe ich viele Tragödien miterlebt. Die Tragödie ist tief in mir verankert. Aber ich mache nicht gerne Filme, die nur traurige Geschichten erzählen, und daher füge ich auch ein bisschen Komik dazu. Ich vermische Komödie und Tragödie sehr gerne und nutze diese Mischung als Vorbild für meine Filme. Diese Kombination des Komischen und Tragischen ist die Essenz des kurdischen Lebens. Die KurdInnen haben im Laufe der Jahrhunderte so viel Tragisches erlebt. Um sich zu schützen, suchen sie Zuflucht in Humor und Musik. Dies hält sie aufrecht und gibt ihnen Hoffnung auf ein Ziel, das anders als bitter ist.

Mamo, der alte Musiker

Ich kenne viele Menschen wie Mamo. Er und seine Söhne sind sehr typische kurdische Figuren. In ganz Kurdistan findet man Musiker wie sie. Seit Jahrzehnten hat Mamo in der Unterdrückung gelebt. In *Niwemang* will Mamo die Freiheit genießen und seine Lieblingsmusik spielen. Für ihn ist das praktisch eine unmögliche Mission. Aber die Reise mit seinen Söhnen wird aus Liebe zur Heimat und zur Musik unternommen.

Hesho, die himmlische Stimme

Die Sängerin Hesho in *Niwemang* steht für die unzähligen unterdrückten Frauen, die nicht singen dürfen. Im Iran ist es Frauen nicht gestattet, in der Gegenwart von Männern als Gesangssolistinnen aufzutreten. Es gibt nur wenige Orte, wo Frauen singen dürfen, und nur für ein rein weibliches Publikum. Heshos „himmlische" Stimme soll alle kurdischen Sängerinnen ehren ...
In *Niwemang* wird Hesho gemeinsam mit 1334 anderen Sängerinnen in einer magischen Bergfestung eingekerkert. Dieser Ort ist nicht real, er entstammt meiner Fantasie. Ich ehre damit auch alle iranischen Sängerinnen, die nicht öffentlich auftreten dürfen und in ihre Wohnungen verbannt sind ... Die weibliche Singstimme, die man in *Niwemang* hört, gehört einer Studentin des Komponisten Hossein Alizadeh, der einer der berühmtesten Musiker des Iran ist.

Niwemang means half moon

Niwemang means half moon in Kurdish. The title refers to the film's story as being about Kurdistan being half visible and half hidden. I hope the audience becomes tempted to reach the hidden part of Kurdistan while watching the film ... Niwemang is also a rare Kurdish name, and the name of a surprise character in *Niwemang*.

Iranian Kurdistan

Niwemang was shot in Iranian Kurdistan, near the Iraqi border. A few short scenes were actually shot in Iraq. "Kurdistan" is generally held to include areas in eastern Turkey, northeastern Iraq, northwestern Iran and Syria. But the Kurdish people don't recognize borders. They are their own nation regardless of borders. There are around 40 million Kurdish people worldwide, mainly in Iran, Iraq, Turkey and Syria. They make up one of the largest ethnicities without a recognized state nor an official geographical region.

Comedy & Tragedy

I have seen lots of tragedy in my life. Tragedy is deeply rooted in me. But I don't like making films only with sad stories, so I add in comedy. I like to mix comedy and tragedy and I use this as a model for my films. This combination of comedy and tragedy is the essence of Kurdish life. The Kurds have undergone so much tragedy through the ages. To combat this, they seek refuge in humor and music. This will get them through, this gives them hope for a destination that is other than bitter.

Mamo, The Old Musician

I know lots of people like Mamo. He and his sons are very common Kurdish characters. All over Kurdistan, you can meet musicians like them. For decades, Mamo has led an oppressed existence. In Niwemang, Mamo wants to experience the savoring of freedom and playing his favorite music. This is basically an impossible mission for him. But his journey with his sons is one of love for homeland and music.

Hesho, The Celestial Voice

The female singer Hesho in *Niwemang* represents the countless oppressed women who do not have the right to sing. In Iran, women are forbidden to sing solo in the presence of men. There are only a few places where women are authorized to sing for a female-only audience. Hesho's "celestial" voice is an homage to all Kurdish female singers ... In *Niwemang*, Hesho is exiled along with 1334 female singers in a magical mountain retreat. This place is not real, it comes from my imagination. It's also in honor of all the Iranian female singers who do not have the right to sing in public and are exiled to their own homes ... The actual female singing voice heard in *Niwemang* belongs to a student of composer Hossein Alizadeh, who is one of Iran's most acclaimed musicians.

Kurdish Music

Although it differs among the geographical regions, music plays an important part in the solidarity among Kurdish people.

Die kurdische Musik

Obwohl sie je nach geografischer Region unterschiedlich geprägt ist, spielt die Musik eine wichtige Rolle für die Solidarität unter den KurdInnen. Es gibt keine KurdInnen, die nicht singen können oder ein Musikinstrument spielen, genauso wie es keine KurdInnen gibt, die nicht einen nahe stehenden Menschen durch Krieg oder Unterdrückung verloren haben. Das kurdische Volk ist fast wie berauscht von seinem Schicksal. Für sie ist die Musik ein Ausweg … Ich liebe Musik, insbesondere kurdische Musik. Ich kann nicht leben, essen, ausruhen, denken oder schreiben ohne Musik. Zu Hause singe ich andauernd. Die Ideen für meine Filme fallen mir meist ein, während ich Musik höre.

Mozarts Requiem

Mozarts *Requiem* war der Pfad, der mich zu diesem Film geleitet hat. Während ich das Drehbuch verfasste und den Film drehte, dachte ich an Mozart und Mamo zu Ende ihrer beider Leben. Für mich hat das *Requiem* eine sehr enge Beziehung zur unvergesslichen Landschaft Kurdistans. Während der Dreharbeiten hörte ich in ruhigen Momenten oft Mozarts Musik. Mit gefiel die Idee, aus Mamo eine Art kurdischen Mozart zu machen. Ich hoffe, dass sich dieser Traum erfüllt hat und ich Mamos Wesen an jenes Mozarts annähern konnte … Nur noch ein letzter Gedanke: Während wir 2006 Mozarts 250. Geburtstag feiern, dürfen die Frauen in meinem Land noch immer nicht singen.

Bahman Ghobadi

There is not a single Kurd who doesn't know how to sing or play a musical instrument. Just as there is no way to find a single Kurd who has not lost someone close due to war or oppression. The Kurdish people are almost intoxicated by their fate. Music is a way for them to transcend that … I love music, especially Kurdish music. I cannot live, eat, rest, think nor write without music. I'm always singing at home. The ideas for my films usually come to me while I'm listening to music.

Mozart's Requiem

Mozart's *Requiem* was the path that led me to do this film. During writing and production, I kept thinking about both Mozart and Mamo at the end of their lives. For me, the *Requiem* shares a very close feeling to Kurdistan's haunting landscape. During shooting, I often listened to Mozart's music in my private moments. I loved the idea of making the character of Mamo a sort of Kurdish Mozart. I hope I have fulfilled that dream and brought Mamo's spirit close to Mozart … Just a little something to think about: While we're celebrating Mozart's 250th birthday in 2006, in my country, women are still banned from singing.

Bahman Ghobadi

Paz Encina
Hamaca Paraguaya
Paraguayan Hammock

RegisseurinDirector **Paz Encina** — Frankreich/Argentinien/Niederlande/Paraguay/Österreich/Spanien/DeutschlandFrance/Argentina/ Netherlands/Paraguay/Austria/Spain/Germany —
2006 — 76 min — FarbeColor — 35mm — GuaraníGuaraní —

ProduktionProduction **Slot Machine, Lita Stantic Productions, Fortuna Films, Silencio Cine, Arte France Cinema, New Crowned Hope, Wanda Vision, CMW Film Company** — Ausführende Produzenten für New Crowned HopeExecutive Producers for New Crowned Hope **Simon Field, Keith Griffiths, Illuminations Films** —
ProduzentenProducers **Marianne Slot, Lita Stantic, Ilse Hughan** —
WeltvertriebForeign Sales Agent **Scalpel Films** — Österreich VertriebAustrian Distribution **Stadtkino Filmverleih** —

DrehbuchScreenplay **Paz Encina** — KameraCinematographer **Willi Behnisch** —
SchnittEditor **Miguel Schverdfinger** — AusstattungProduction Designer **Carlo Spatuzza** —
TonSound **Guido Berenblum** — **Victor Tendler** —
DarstellerInnenCast **Georgina Genes** — **Ramón del Río** —

PremierePremiere **19.11.2006, 20:30** — OmeUeng.st. — OrtVenue **Gartenbaukino** —
Im Anschluss Publikumsgespräch mitFollowed by Q&A with **Paz Encina** —
VorstellungScreening **29.11.2006, 18:30** — OmdUger.st. — OrtVenue **Österreichisches Filmmuseum** —

Jorge La Ferla
Mozarts Requiem und Paz Encinas Film Hamaca Paraguaya
Mozart's Requiem and Paz Encina's film Hamaca Paraguaya

Hi'aguïpa ohasa ndehegui la muerte.
Der Tod ...
Falls sich der Tod dir näherte.

Quid sum miser tum dicturus?
Quem patronum rogaturus,
cum vix iustus sit securus?
Weh, was werd' ich Armer sagen?
Welchen Anwalt mir erfragen,
wenn Gerechte selbst verzagen?

Hi'aguïpa ohasa ndehegui la muerte.
Death ...
If death came near you.

Quid sum miser tum dicturus?
Quem pratonum rogaturus,
cum vix iustus sit securus?
What shall a wretch like me say?
Who shall intercede for me,
when the just ones need mercy?

35.250.35

Mozart verstarb in Wien bereits im 35. Lebensjahr und hinterließ ein umfangreiches und äußerst bedeutendes kompositorisches Werk. Er war aber nicht in der Lage, eines seiner größten und grandiosesten Werke, das *Requiem*, zu beenden, da schon am 5. Dezember 1791 seine eigene Totenmesse erklang. Gewiss eine seltsame Anrufung seiner selbst, umso mehr, als niemand bei seinem Begräbnis erschien, wie es heißt – Mozart wurde in einem Massengrab beigesetzt.

Österreich und der Rest der Welt begehen Mozarts 250. Geburtstag mit Pomp und Paukenschlag.

Gleichzeitig hat *Hamaca Paraguaya* [*Die paraguayische Hängematte*], das Spielfilmdebüt der 35-jährigen paraguayischen

35.250.35

Mozart died in Vienna at the early age of 35, leaving an immense and transcendent body of work, but he was unable to finish one of his greatest and most magnificent works, the *Requiem*, since the day for his own requiem aeternam had come on 5 December 1791 – certainly a strange self-invocation, especially since it has been maintained that nobody took part in his funeral, and he was buried in a mass grave.

Austria and the whole world are celebrating Mozart's 250th birthday with pomp and circumstance.

At the same time, *Hamaca Paraguaya* [*Paraguayan Hammock*], the feature film debut by 35 year-old Paraguayan filmmaker María Paz Encina, will have its Viennese premiere.

Filmemacherin María Paz Encina, seine Wien-Premiere. Diese kausalen Zufälle werfen natürlich einige Fragen auf, die mit dem audiovisuellen künstlerischen Schaffen, seiner Beziehung zur Macht und den Formen einer unabhängigen Kunst zu tun haben, welche sich mit dem uniformen Diskurs der dramatischen Medien konfrontiert sehen.

Bekanntermaßen wurde das Werk Mozarts von anderen Komponisten beendet, wobei die Version von F. X. Süssmayr als jene gilt, die dem Original[1] am nächsten kommt. Auf jeden Fall zeigt uns diese Rekonstruktion den Geist Mozarts in seiner höchsten und reinsten Form. Das Requiem ist ein wenig variantenreiches Musikgenre, da es sich an die Form des symphonischen Oratoriums hält und sich immer auf die gleiche liturgische Basis bezieht – als Kombination aus orchestraler Musik mit Gesang, jedoch ohne Satzaufbau oder Inszenierung der SängerInnen / AkteurInnen. Kurz vorher hatte Mozart eine Oper mit sehr komplexen und aufwendigen szenischen Anforderungen komponiert (*Die Zauberflöte*), deren visueller Reiz auch nach zwei Jahrhunderten noch großes Interesse hervorruft und deren Struktur ein phantastisches Schauspiel bietet. Das Auskommen ohne Bühne, wie dies die Form des Requiems verlangt, setzt jedoch eine vielfältige und vielleicht intensivere Gliederung voraus. Diese Abstraktheit setzt eine

These causal coincidences raise a number of questions relating to audiovisual artistic production, its relationship with power and the forms of an independent art up against the uniformed discourse of the dramatic media.

It is well-known that Mozart's work was completed by other composers, with F. X. Süssmayr's version considered the one closest to the original.[1] In any case, this reconstruction reveals Mozart's touch in its purest and highest form. The requiem is a musical genre with few variations, since it follows the form of a symphonic oratorio and always refers to the same liturgical basis as a combination of instrumental music and singing, but without any movements or staging of the singers / actors. Shortly before, Mozart had terminated work on an opera with highly complex and striking stage effects (*The Magic Flute*), whose visual appeal commands great interest even after more than two hundred years, and whose structure continues to offer us an exquisite spectacle. Yet the elimination of the theatrical, as required by the form of the requiem, implies a different and intense structure. The abstraction imposes an economy of means and derives its effect from the impact of the music and lyrics, which are in Latin. The lack of a set stage for the performance of this work in a church or theater makes it

Ökonomie der Mittel voraus und erlangt ihre Wirkung durch die Bedeutung von Musik und Texten, wobei letztere in lateinischer Sprache gehalten sind. Durch das Fehlen einer Bühne für die Aufführung dieses Werkes in einer Kirche oder einem Theater ist es notwendig, auf andere Möglichkeiten zurückzugreifen, um ein Ritual mit lateinischem Text in der Erinnerung zu verankern, das vielleicht vielen unverständlich ist, und ohne Bühne vergleichbar mit einer klassischen Opernproduktion. Eine der intensiven Emotionen, die dieses Werk Mozarts hervorzurufen vermag, liegt in jenem eigenartigen Element, eine seltsame und tote Sprache zu hören, in Musik und Texte gefasst und projiziert nach innen, auf eine nicht existierende Bühne.

Es gab sehr viele Versuche, Mozarts Opernwerk auf Film zu bannen. Die Debatte um die Verwendung der Synchronisation für die Verfilmung von Werken war ursprünglich für Live-Aufführungen gedacht. Beeindruckende Aufführungen von Musik und Belcanto ziehen sich von Ingmar Bergman bis Joseph Losey. Wir sollten nicht vergessen, dass das Kino bei der Aufnahme des Filmmaterials zunächst „stumm" ist, was ein zusätzliches Aufnahmegerät für die Direktaufnahme von Tonspuren notwendig macht. Filme wie *Parsifal* von Hans-Jürgen Syberberg und *Moses und Aron* von Jean-Marie Straub / Danièle Huillet bieten der banalen Illusion die Stirn, die eine verfilmte Oper darstellt (die SängerInnen singen während des Filmens ja nicht, weil die Oper schon davor aufgezeichnet wurde, es gibt also keine Live-Szenen). Diese Filme schaffen es, das Publikum zu bewegen, indem bei Wagner keine SängerInnen eingesetzt wurden, die Playback für die Kamera mimen; im Falle von Schönbergs Oper wurde die Inszenierung tatsächlich live mitgeschnitten.

Ramón
Nerehendúi piko nde.
Hörst du ihnen denn nicht zu?

Cándida
Ndaikuaái voi ahendu kuaavépa.
Ich weiß nicht einmal, ob ich ihnen zuhöre.

Schweigen.

Ramón
Che ahendu porä gueteri.
Ich höre ihnen schon zu.

Hamaca Paraguaya basiert auf Inszenierungsmöglichkeiten, die auf diese Darstellungsgeschichte reagieren, und mit dem posthumen Werk Mozarts in Verbindung gebracht werden können. Die Texte aller Dialoge von *Hamaca Paraguaya* sind in der Sprache Guaraní gehalten, ohne jedoch einen direkten Hörbezug anzubieten: Es gibt keine Übereinstimmung mit den Lippenbewegungen der beiden Darsteller. Sie sprechen nicht dynamisch direkt vor der Filmkamera, und tatsächlich bewegen sie nicht einmal den Mund. Diese Entscheidung beeinflusst die gesamte Inszenierung des Films grundlegend und erinnert an emblematische Filme wie *Moi, un noir* von Jean Rouch, der seine Ästhetik durch die Verweigerung des Synchrontons erreicht, was auch für die weiterhin bestehenden Unterschiede zwischen gefilmter Oper und Film, der auf einer Oper basiert, gilt. Dieser Faktor fordert vom / von der ZuseherIn eine andere Art des Zuhörens, die nicht an die Illusion der Synchronisation gebunden ist: Stimmen, die weder mit den Bildern noch mit dem Spanischen übereinstimmen. Also fordern die Untertitel vom / von der ZuschauerIn, über das Lesen eines Textes – der eine Übersetzung ist – „zuzuhören". Es sei denn, der / die ZuschauerIn ist des Guaraní mächtig, einer sehr markanten Sprache, die – abgesehen von einer phonetischen Transkription – keine Schriftzeichen kennt und für das Drehbuch verwendet wurde. Die einzigen Orte, an dem der Film ohne Untertitel gezeigt werden kann, sind Paraguay und einige Regionen Argentiniens und Brasiliens, die einmal zu Paraguay gehörten, in denen noch Guaraní gesprochen wird.

necessary to draw on other resources to render memorable a ritual with a text in Latin that may be unintelligible to many, and with no stage compared to a standard opera production. One of the intense emotions evoked by this work are due to this strange element of listening to an odd and dead language embodied in the music and lyrics and projected in the inner space on a nonexistent stage.

There have been numerous attempts to bring Mozart's operatic œuvre to the screen. The debate concerning the use of dubbing in filmed versions of works is originally destined for live. Impressive performances of music and belcanto extend from Ingmar Bergman to Joseph Losey. We should not forget that the cinema records "silent" film, which necessitates an additional recording device for the soundtrack. Films like Hans-Jürgen Syberberg's *Parsifal* and *Moses und Aron* by Jean-Marie Straub / Danièle Huillet challenge the banal illusion of the filmed opera in which the singers lip-synch but do not sing during filming because the music has been pre-recorded. These two films move audiences by refusing to make singers mime singing in the Wagner opera there is no playback, while in the case of Schoenberg's work the production was recorded live.

Ramón
Nerehendúi piko nde.
But you don't listen to them?

Cándida
Ndaikuaái voi ahendu kuaavépa.
I don't even know whether I'm listening to them.

Silence.

Ramón
Che ahendu porä gueteri.
Well, I'm listening to them.

Hamaca Paraguaya is based on staging options considering this history of scene and music representation, which relates to Mozart's posthumous work. All dialogues in *Hamaca Paraguaya* are in Guaraní language but are not used as reference sounds: they do not correspond to the lip movements of the performers. They don't speak dynamically in front of the camera and in fact don't even move their mouths. This decision influences the entire mise-en-scène of the film and recalls emblematic works like *Moi, un noir* by Jean Rouch, which draws its aesthetics from the rejection of dubbed / synchronized sound, also applies to the difference between filmed opera and a film based on opera. This factor demands from audiences a different way of listening not linked to the illusion of dubbing. The voices do not coincide with either the images or the Spanish language. It becomes the role of the subtitles to signal a kind of listening that opens through the reading of a translation. Unless, of course, the spectator speaks Guaraní, an intense and purely oral language that, apart from phonetic transcription, makes do without an alphabet and was used for the screenplay. The only places where Encina's film can be shown without subtitles are Paraguay and a few regions of Argentina and Brazil which formerly used to be part of Paraguay, and where Guaraní is still spoken.

Nde ningo guerrante voi reikuaa.
Nereñe'ëséi otra cosa rehe.
The whole day through, you're talking about the war …
You don't want to talk about anything else.

Requiem aeternam dona eis, Domine
et lux perpetua luceat eis.
Grant them eternal rest, Lord,
and let perpetual light shine on them.

Nde ningo guerrante voi reikuaa.
Nereñe'ëséi otra cosa rehe.
Den ganzen Tag sprichst du von Krieg ...
Von nichts anderem willst du sprechen.

Requiem aeternam dona eis, Domine
et lux perpetua luceat eis.
Herr, gib ihnen die ewige Ruhe,
und das ewige Licht leuchte ihnen.

Tahána che upéicharö, papa.
Papa, ich werde mich schon von dir verabschieden.

Tahána che upéicharö, papa.
Papa, I'll say goodbye to you already now.

In *Hamaca Paraguaya* sind Aktionen nur kontemplative Situationen, da sich die erzählerisch bedeutungsvollen Elemente – die im klassischen Kino durch den M.R.I.[2] geregelt werden – außerhalb des Bildes befinden (nicht dargestellt werden). Es besteht ein stärkerer Bezug auf diesen durch die Nicht-Darstellung suggerierten imaginären Raums, weil er im Off bleibt. Der Krieg und die Absenz / der Tod des Sohnes ist das, was man nicht sieht, obwohl es als Teil im Aufbau des diegetischen Universums verstanden wird, das Encina so bestechend darstellt. Ein profunder Inszenierungsprozess ähnlich der Weise, in der die Gesangsstimmen in Mozarts *Requiem* den Tod benennen, ohne dass dieser je durch konkrete Handlungen dargestellt würde. Es gibt im *Requiem* keine Bühnenhandlung, und genau deshalb stellt es das intensivste Werk Mozarts dar: die unglaublich virtuose und dramatische Kraft dieses Begräbnisoratoriums als Medium, in das Mozart auch die Schilderung seines eigenen Todes einfließen lässt.

Erinnern wir uns an das Experimentalvideo *Hamaca Paraguaya*, das 1999 von Paz Encina produziert und ebenfalls auf namhaften Filmfestivals gezeigt wurde. Dieses Werk können wir in dem Sinne als Skript für *Hamaca Paraguaya* bezeichnen, wie Jean-Luc Godard im Video *Scénario du Film „Passion"* die Entwicklung konzeptioneller Prozesse im Film *Passion* darstellt. Im Gegensatz zu Godards Video nimmt Encina in ihrem Essay jedoch Konzept und Produktion ihres späteren Films vorweg, was diesen eher zu einem Präludium macht.

Oper wie Film unterliegen komplizierten Produktionsprozessen und brauchen dafür Kapital. Das Leben Mozarts war von seiner Abhängigkeit vom geistlichen wie weltlichen Adel gekennzeichnet. Der Fürsterzbischof von Salzburg prägte als Mäzen und Arbeitgeber Mozarts in Wien einen Teil seines Lebens, in jener Stadt, in der Mozart den Großteil des Lebens verbrachte – trotz einiger Versuche, sich außerhalb Österreichs niederzulassen, etwa in Paris. Im ersten Jahrzehnt des dritten Jahrtausends, in einer ungerechten Welt voll räuberischer globalisierter Ausbeutung, bleibt das Thema der Kunstproduktion weiterhin von grundsätzlicher Bedeutung. Kinofilme in Lateinamerika zu produzieren, ist eine komplexe, schmerzhafte und schwierige Aufgabe. Obwohl in Argentinien, Brasilien und Mexiko eine große Anzahl von Filmen produziert wird, geschieht dies fast ausschließlich mit Hilfe staatlicher Unterstützungen oder im Rahmen unsicherer internationaler Finanzierung. Im Fall eines kleinen Marktes wie des argentinischen können praktisch alle produzierten Filme als Verlustgeschäft eingestuft werden, da sie die Produktionskosten nicht wieder einspielen können. Deswegen muss stets um Kredit oder Unterstützung vom Nationalen Institut für Kinematographie und Audiovisuelle Kunst angesucht werden, was langwierige Wartezeiten und Verhandlungen mit sich bringt. Obwohl Paz Encina in Buenos Aires studierte, war es ihr nicht möglich, sich um eine Unterstützung zu bewerben, und in Paraguay gab es keine Möglichkeit, an irgendeine Art von Produktionshilfe heranzukommen, da diese Alternative schlicht und einfach nicht existiert.

In gesellschaftlicher und wirtschaftlicher Hinsicht war Paraguay eines der interessantesten Länder des amerikanischen Kontinents, das Ende des 19. Jahrhunderts durch einen vom lokalen kaufmännischen Bürgertum und dessen europäischen Mentoren angezettelten Bruderkrieg, den ihm Argentinien, Brasilien und

In *Hamaca Paraguaya*, actions are only of contemplative situations, since the facts of narrative importance – which are regulated in classic cinema by the M.R.I.[2] – are outside the frame (and hence not represented). The reference to this imaginary space suggested by its non-framing is stronger because it remains off-screen. War and the absence / death of the son: that is what is not seen, though understood as part of the structure of the diegetic universe so strikingly visualized by Encina – an in-depth staging process similar to the manner in which the singing voices evoke death in Mozart's *Requiem* without ever showing it on a stage through concrete action. In the *Requiem*, there is no stage action, and this is precisely why it is the most intense of Mozart's works: the incredible virtuoso and dramatic potential of the funeral oratorio as a medium in which Mozart also inscribed the narrative of his own death.

The film *Hamaca Paraguaya* was preceded by an eponymous experimental video produced in 1999 by Paz Encina and likewise shown at prestigious film festivals. One could call that work a kind of screenplay for *Hamaca Paraguaya* in the sense that Jean-Luc Godard's *Scénario du Film "Passion"* illuminates the evolution of conceptual processes in the film *Passion*. Unlike Godard's video, though, Encina's essay anticipates the concept and production of the later film – it is more like a prelude.

Opera and film both share elaborate production processes and need capital. Mozart was dependent on the ecclesiastical and secular nobility of his day. As Mozart's patron and employer, the Prince-Archbishop of Salzburg marked part of the composer's years in Vienna, where Mozart spent most of his life, despite a few attempts to settle outside of Austria, e.g. in Paris. In this first decade of the third millennium, in an unjust world of predatory globalized exploitation, the issue of artistic production remains a crucial one. Producing films in Latin America is a complex, painful and difficult undertaking. Although numerous movies are produced in Argentina, Brazil and Mexico, this is almost exclusively done through state subsidy or in the context of precarious international financing. In the case of a small market like the Argentinian one, practically all films are produced on the basis of "sunk costs", i.e. will never be able to recover the cost of production. Thus it is always necessary to obtain a loan or subsidy from the National Institute of Cinematography and Audiovisual Arts, which implies protracted waiting-times and negotiations. Although Paz Encina studied in Buenos Aires, she could not apply for a subsidy, and there was no possibility in Paraguay to obtain any sort of production aid, because, quite simply, it doesn't exist.

Socially and economically, Paraguay was one of the most interesting countries of the American continent until, in the late 19th century, it was destroyed by a fratricidal war declared by Argentina, Brazil and Uruguay at the instigation of the local merchant bourgeoisie and its European mentors. From that historic massacre to this day, Paraguay has remained a country affected by unemployment, smuggling, corruption, and poverty. After studying abroad, Paz Encina, full of hope and resolved to set up her own film production company, decided to return to Paraguay. This conviction was further expressed in her refusal to lecture in an obvious und unsubtle fashion about a difficult and complex reality, and to opt instead for more intricate and elusive creative processes, in her handling of cinematographic devices and film language. Her vision challenges the demagogy of certain assumptions about audiovisual culture in so-called "emerging countries".

Uruguay erklärt hatten, zu Grunde gerichtet wurde. Bis heute ist Paraguay durch dieses historische Massaker ein Land, das von Arbeitslosigkeit, Schmuggel, Korruption und Armut geprägt ist. Nachdem Paz Encina im Ausland studiert hatte, beschloss sie – hoffnungsvoll und entschlossen, ihre eigene Filmproduktionsfirma zu gründen –, sich wieder in Paraguay niederzulassen. Zu dieser Einstellung gehört auch ihre Weigerung, banale und wenig subtile Vorlesungen über eine schwierige und komplexe Realität zu halten, um stattdessen diffizilere und weniger leicht fassbare Schaffensprozesse in ihrem Umgang mit filmischen Geräten und filmischer Sprache zu wagen. Ihre Vision stellt sich gegen die Demagogie bestimmter Annahmen über die audiovisuelle Kultur in so genannten „aufstrebenden Ländern".

Requiem aeternam dona eis, Domine,
et lux perpetua luceat eis,
cum sanctis tuis in aeternum, quia pius es.
Herr, gib ihnen die ewige Ruhe,
und das ewige Licht leuchte ihnen,
mit Deinen Heiligen in Ewigkeit,
denn Du bist gut.

Die systematische Wiederholung von Formeln durch eine filmische Uniformität für große Multiplexe macht Emotionsmodelle weitgehend vorhersagbar und zeichnet sich durch ein Ausmerzen jeglicher Spuren echter Autorschaft aus. Die Originalität von *Hamaca Paraguaya* verträgt sich auch nicht mit der Konsenssuche des so genannten „neuen argentinischen Kinos". Die unterschiedlichen Inszenierungsstrategien von *Hamaca Paraguaya* hinterfragen dieses banale Modell wie auch ein gewisses unabhängiges Kino, das sich als Autorenkino versteht und dazu neigt, sich durch seine eigenen Gemeinplätze in ein Klischee zu verwandeln. Es ist ein untrüglicher Beweis für den künstlerischen Wert von *Hamaca Paraguaya*, einem Erstlingswerk, dass eine in einem so kleinen und unbekannten lateinamerikanischem Land angesiedelte Produktion so viel Interesse bei angesehenen Veranstaltungen und Festivals auf der ganzen Welt findet. Obwohl alle diese Hommagen, die das Geburtsjahr Mozarts feiern, sehr ergreifend sind, darf man doch auf die Grenzen nicht vergessen, die Mozart gesetzt waren und unter denen er zeitlebens litt. Auch wenn Österreich als Nation Werk und Person Mozarts als großes Symbol für sich übernommen hat, müssen wir uns doch die komplizierte berufliche Geschichte des Salzburger Genies in Erinnerung rufen. Es ist eine Geschichte der Abhängigkeit, die von Ludwig II. von Bayern bis zu den derzeitigen Plänen der in Mode gekommenen kulturellen Unterstützung für die so genannten „aufstrebenden Länder" seitens der Staaten der Europäischen Union reicht.

Die Förderung von Musik und audiovisueller Kunst war schon immer der Kontrolle und den Einflüssen durch die jeweiligen Machtstrukturen unterworfen, die von der Politik und deren jeweiligen Machthabern ausgeübt werden. Deswegen besteht in einer permanent ungerechten und immer mehr zwischen Arm und Reich gespaltenen Welt die Herausforderung für alle ReferentInnen und ProduzentInnen darin zu versuchen, das Entstehen von originellen Werken und Talenten zu fördern und dabei die Grenzen der Nationalstaaten und regionalen Gemeinden zu überwinden. Die Globalisierung, die sich in Dominanz und heimtückischen Streitigkeiten manifestiert, muss und kann in bessere und direktere internationale Netzwerke der Zusammenarbeit umgeleitet werden, die Kunstwerken wie KünstlerInnen das Überleben ermöglichen, wie dies auch bei *Hamaca Paraguaya* der Fall ist – es gäbe den Film nicht ohne die Initiative von Organisationen der Europäischen Union. Abseits des Glamours bei Ehrungen und Festivals besteht die Herausforderung im Versuch, diese Netzwerke zu erweitern, solche Koproduktionen noch aktiver zu unterstützen und dabei künstlerische und moralische Vorteile für die vorherrschende verkümmerte Fantasie des dritten Jahrtausends – egal ob in Argentinien oder in Europa – zu schaffen.

Requiem aeternam dona eis, Domine,
et lux perpetua luceat eis,
cum sanctis tuis in aeternum, quia pius es.
Grant them eternal rest, Lord,
and let perpetual light shine on them,
as with Your saints in eternity,
because You are merciful.

The systematic repetition of formulas of cinematic uniformity for large multiplexes renders emotional models mostly predictable and is characterized by the eradication of all traces of genuine auteurism. Neither does the originality of *Hamaca Paraguaya* mesh with the search for consensus typical of the so-called "new Argentinian cinema". The varied strategies of mise-en-scène in *Hamaca Paraguaya* challenge this banal model as well as a certain type of independent cinema that views itself as auteurist, and whose own commonplaces tend to turn it into a cliché. It is proof positive of the artistic validity of *Hamaca Paraguaya*, a debut feature, that a production from this small and little-known Latin American country has met with such great interest on the part of prestigious events and festivals all over the world. Although all these celebrations for Mozart's birthday are very touching, we should not forget the limitations imposed on the composer throughout his life. Even if the Austrian nation has adopted as its great symbol both Mozart's œuvre and the man himself, we should recall the complicated professional life of the genius from Salzburg. It is a story of dependence, a story that ranges from the patronage of Ludwig II of Bavaria to current plans for fashionable cultural support to "emerging countries" by the countries of the European Union.

Support of the musical and audiovisual arts has always been subject to control and influence by the power structures of politics and the governments of the day. For this reason, the challenge for all officials and producers in this permanently unjust world that is increasingly split into rich and poor must be to try and promote the emergence of original talents and works of art, and to transcend the borders of national states and regional communities. The globalization that manifests itself in domination and insidious divisiveness must and can be redirected towards better and more direct international cooperation networks that enable artworks and artists to survive – as was the case for *Hamaca Paraguaya*, which would not exist without the initiative of some organizations of the European Union. Far apart from the glamour of ceremonies and festivals, the challenge lies in trying to expand these networks, to support more actively this type of co-production and thus to generate artistic and ethical options outside the dominant atrophied imagination of the mainstream – whether in Argentina or in Europe – of the third millennium.

Struktur Hamaca Paraguaya

Szene 1 Hamaca I
Sie kommen, sie befestigt die Hängematte:
Hamaca A:	Himmel 1
Hamaca B: Sie setzen sich.	Himmel 2
Hamaca C:	Himmel 3

Hamaca D: Sie steht auf, um die Vögel zu sehen;
zum ersten Mal setzt sie sich den Hut nicht auf.
Szene 2 Vater auf dem Zuckerrohrfeld
Szene 3 Mutter wäscht die Wäsche
Szene 4 Leute sitzen im Zuckerrohrfeld
Szene 5 Sich ausruhende Wäscherinnen
Szene 6 Hamaca II
Hamaca A: Er ist alleine.	Himmel 1
Hamaca B: Sie kommt.	Himmel 2
Hamaca C: Er geht.	Himmel 3

Hamaca D: Sie geht.
Szene 7 Vater im Haus, Genesung der Hündin
Szene 8 Mutter am Herd, Briefträger
Szene 9 Parallelschnitt 5/6
Szene 10 Hamaca Ende
Hamaca A: Beide kommen.	Himmel 1
Hamaca B:	Himmel 2
Hamaca C:	Himmel 3

Hamaca D: Sie gehen.
Szene 11 Regen

Struktur Requiem

INTROITUS
1. Requiem Aeternam
2. Kyrie Eleison
SEQUENZ
3. Dies Irae
4. Tuba Mirum
5. Rex Tremendae
6. Recordare
7. Confutatis
8. Lacrymosa
OFFERTORIUM
9. Domine Iesu
10. Hostias et Preces
11. Sanctus
12. Benedictus
13. Agnus Dei
COMMUNIO
14. Lux Aeternam

1 „Mozarts *Requiem* wurde vom Komponisten selbst nicht vollendet. Es bestehen einige Versionen mit unterschiedlichen Überarbeitungen und Veränderungen, wie etwa jene von Beyer, Maunder, Robbins Landon, Druce und Levin. Die bekannteste ist die von Franz Beyer 1972 über arbeitete Fassung F. X. Süssmayrs, welche die größtmögliche mozartische Reinheit wiederherstellen möchte, jedoch auch ihre Kritiker hat. Mozart beendete den Introitus und schrieb auch einen großen Teil der ersten fünf Stücke der Sequenz (von Dies Irae bis Confutatis) sowie die ersten acht Takte des sechsten Stücks (Lacrymosa). Außerdem hinterließ er bereits weit fortgeschrittene Skizzen für das Offertorium. Süssmayr fügte die Posaune im Tuba Mirum hinzu und schrieb das Sanctus, Benedictus und Agnus Dei auf der Grundlage von Skizzen und Ideen Mozarts. Schließlich wiederholte er die Fuge des Kyrie Eleison, damals keine Seltenheit (wie man auch in der Krönungsmesse sieht)", www.lcc.uma.es

2 Mode de représentation institutionelle (Modus der institutionellen Darstellung), in Burch, Noël: *La lucarne de l'infini. Naissance du langage cinématographique.* Nathan, Paris 1991.

Structure of Hamaca Paraguaya

Scene 1 Hamaca I
They arrive, she attaches the hammock:
Hamaca A:	Sky 1
Hamaca B: They sit down.	Sky 2
Hamaca C:	Sky 3

Hamaca D: She gets up to see the birds;
for the first time, she does not put on her hat
Scene 2 Father in sugarcane field
Scene 3 Mother doing the washing
Scene 4 People sitting in sugarcane field
Scene 5 Washerwomen relaxing
Scene 6 Hamaca II
Hamaca A: He is alone.	Sky 1
Hamaca B: She arrives.	Sky 2
Hamaca C: He leaves.	Sky 3

Hamaca D: She leaves.
Scene 7 Father in the house, the dog recovers
Scene 8 Mother by the stove, postman
Scene 9 Crosscut 5/6
Scene 10 Hamaca end
Hamaca A: Both arrive.	Sky 1
Hamaca B:	Sky 2
Hamaca C:	Sky 3

Hamaca D: They leave.
Scene 11 Rain

Structure of Requiem

INTROITUS
1. Requiem Aeternam
2. Kyrie Eleison
SEQUENCE
3. Dies Irae
4. Tuba Mirum
5. Rex Tremendae
6. Recordare
7. Confutatis
8. Lacrymosa
OFFERTORIUM
9. Domine Iesu
10. Hostias et Preces
11. Sanctus
12. Benedictus
13. Agnus Dei
COMMUNIO
14. Lux Aeternam

1 "Mozart's *Requiem* was not finished by the composer himself. There exist several versions with different modifications and changes, such as those by Beyer, Maunder, Robbins Landon, Druce and Levin. The best-known is the one by F. X. Süssmayr, revised in 1972 by Franz Beyer 1972, which aims at recovering the most authentic Mozartean purity but is not undisputed. Mozart completed the Introitus and also wrote most of the first five pieces of the sequence (from Dies Irae to Confutatis) as well as the first eight bars of the sixth piece (Lacrymosa). Moreover, he left quite advanced sketches for the Offertorium. Süssmayr added the trombones in Tuba Mirum and wrote the Sanctus, Benedictus and Agnus Dei on the basis of Mozart's sketches and ideas. Finally, he repeated the fugue of the Kyrie Eleison, which at the time was quite common (as the Coronation Mass shows us)", www.lcc.uma.es

2 Mode de représentation institutionelle (Mode of institutional representation), in Burch, Noël: *La lucarne de l'infini. Naissance du langage cinématographique.* Nathan, Paris 1991.

Paz Encina
Von Notizen aus dem Original-Treatment für Hamaca Paraguaya
From notes on the original treatment for Hamaca Paraguaya

Der letzte auf 35 mm in Paraguay gedrehte und kommerziell vertriebene Film entstammt den Siebzigerjahren. Er beschäftigte sich mit dem Paraguayischen Krieg des 19. Jahrhunderts und wurde von der Stroessner-Diktatur unumschränkt gebilligt. Damals stand Alfredo Stroessner auf dem Zenit seiner Macht. Der Film hieß Cerro corá und dankte dem „großen Führer" offen für die Unterstützung, die er und seine Regierung der Kunst und Kultur des Landes gewährten – seine eigenen Kinder spielten in dem Streifen mit.

In den Neunzigerjahren besuchten uns ausländische Filmemacherlnnen, die vorgaben, Möglichkeiten für Koproduktionen zu suchen, während sie in Wirklichkeit hofften, in Paraguay

The last picture filmed in Paraguay, in 35mm and released in theatrer, was made in the 70s. It was a film based on the Triple Alliance War and it was totally endorsed by the administration of dictatorship Alfredo Stroessner, at that time at the peak of his power. The film was entitled Cerro corá and showed overt appreciation for the support the "great leader" and his administration gave to the country's art and culture – his own children played roles in the film.

During the 90s, foreign filmmakers came to us pretending to look for a coproduction collaboration when in reality they were being driven to Paraguay by the possibility of finding cheap labour due to the value of the guaraní, the Paraguayan

aufgrund des niedrigen Standes der einheimischen Währung, des Guaraní, billige Arbeitskräfte zu finden. Ihre Filme setzten zwar paraguayische DarstellerInnen und Schauplätze ein, aber diese Filme hatten nur wenig oder nichts mit uns zu tun. Später gab es einige Versuche, Spielfilme auf Video zu drehen, aber auch diese waren nicht erfolgreich oder in irgendeinem Sinne lokal zu nennen. Paraguay ist ein Land ohne Filmindustrie, es gibt keine Entwicklungslabors, es gibt nicht einmal einen/eine VertreterIn für Kodak. Daher gibt es keine Produktionsfirmen, keine Filmförderung. All dies macht es noch schwieriger, tatsächlich einen Film zu drehen.

Ich möchte mein Volk darstellen. Manchmal glaube ich, dass es mein Schicksal ist, die paraguayische Lebensweise zu porträtieren. Manchmal sehe ich das als Fluch und manchmal als Segen. Ich glaube, wenn wir die Möglichkeit hätten, könnte das Kino Paraguays eine eigene Identität entwickeln und wir so in der ganzen Welt bekannt und anerkannt werden. Ich glaube, es ist an der Zeit, dass unsere eigenen Interessen, Lebensweisen und -Situationen im Film präsentiert werden. Wir haben etwas anzubieten, weil wir mehrere Völker sind, und deshalb glaube ich, dass unser Kino auch vielfältig sein könnte – eben so wie wir.

Da ich einer der wenigen Menschen bin, die im Ausland Film studieren konnten, fühle ich die Verpflichtung, mit diesem kleinen Sandkorn zu beginnen, mit diesem Film etwas Neues auszulösen. Ich möchte Paraguay gerne als ein Land bekannt machen, das Filme produziert. Ich denke, die Aufgabe des Filmemachens darf nicht mehr ein isoliertes Wunder für Wenige sein, und dass, abgesehen von den Schwierigkeiten des Filmemachens, diese Möglichkeit besteht. Es ist egal, wenn das Filmemachen schwierig ist, aber es darf nicht unmöglich sein.

Ich bin mir bewusst, dass mein Projekt nicht einfach ist, aber seit ich den Film zu planen begann, war ich mir gewiss, dass dies die Art und Weise ist, in der ich die Dinge sehe: So sehe ich meine Heimatstadt und mein Volk. Die Wahrnehmung der Zeit, die ich in meinem Film aufzeige, ist diejenige, in der wir – wie ich glaube – leben. Ich glaube, dass *Hamaca Paraguaya* mein Leben ändern und für mich als Mensch ein Meilenstein sein wird. Und ich glaube, der Film kann das auch für andere sein, weil er schließlich versucht darzustellen, was wir alle durchstehen müssen, das einfache und komplexe Projekt des Lebens.

currency. For their stories they used Paraguayan actors and locations, but the truth is the films had little or nothing to do with us. Later on, there were some feature film attempts in video. However, they were not fruitful, nor local in any sense. Paraguay is a country with no film industry, there are no laboratories; we do not have Kodak representatives. Therefore, there are no production companies, nor funds specially destined for the film industry. All of this makes it more difficult to fulfil the desire to make a film.

Personally, what I long for the most is to portray my people. Sometimes I believe that to make a portrait of the Paraguayan condition is my destiny. Sometimes I think of it as fate, other times as a blessing. I believe that if we had the opportunity, the Paraguayan cinema could begin to find its own identity and the world would know us and would recognize us. I think it's about time that our own interests, situations and ways of being were presented on the screen. We have something to offer because we are different people and that is why I believe our cinema could also be different, it could simply be like us.

On the other hand, since I am one of the few people who had the opportunity to study cinema abroad, I feel the obligation to begin, starting from this little grain of sand, to bring something into being with this film. I feel the need to try to make Paraguay known as a country that produces films. I feel that the task of making films has to stop being an isolated miracle for a few people and that that possibility exists, beyond the difficulties that come with filmmaking. It does not matter that making films is difficult, the important thing is that it not become an impossible task.

This said, I know that I am not proposing an easy project, but since I started to conceive this film, I had the certainty that this is the way in which I see things; this is the way I see my hometown and my people. The temporal perception I propose is the one I believe we are living in. I think *Hamaca Paraguaya* will change my life and will be a landmark for me as an individual. I also think that it can be the same for others because, finally, what it attempts is to portray what we all must go through, the simple and complex undertaking of life.

Als ich vier Jahre alt war, schickte mich meine Mutter in einen Kurs, um das klassische Gitarrenspiel zu erlernen. Für eine normale Gitarre war ich noch zu klein, also bekam ich eine Sonderanfertigung.

Aber eigentlich geht es mir hier nicht darum. Im Laufe der Jahre wurde mir klar, dass ich Noten lesen und schreiben gelernt hatte, noch bevor ich das Lesen und Schreiben von Buchstaben beherrschte. Wenn ich an Lesen und Schreiben denke, denke ich also zuallererst an Musik.

Das Drehbuch für *Hamaca Paraguaya* zu schreiben, war für mich wie Musik zu komponieren; ich versuchte, die gleiche Sorgfalt und Unbewusstheit ins Spiel zu bringen, wie ich Noten in Form von Buchstaben auf dem Computerschirm erscheinen lasse. Viertelnoten, Achtelnoten und insbesondere halbe und ganze Noten … und Pausen, lange Pausen. Ich dachte bloß an die Zeit, an den Rhythmus der Worte, daran, wie zwei Menschen mit Worten eine Totenklage singen können. Genau das sollte geschehen, diese zwei Bauersleute sollten über ihr Leid klagen, aber eben singend, während ihre Stimmen im Lauf der Zeit ausgelöscht werden.

Monate später erhielt ich das Programmbuch von New Crowned Hope und las, dass Peter Sellars *Hamaca Paraguaya* ein lyrisches Requiem für unsere Zeit genannt hatte.

An diesem Tag war meine Seele glücklich.
Und kannte Frieden.

Paz Encina

When I was four years old, my mother sent me to study classical guitar. I was too small to play a normal guitar; so, they had to make a special one for me.

However, that is not the most important thing I want to share. As the years went on, I realized that before learning to read and write with letters, I had learned to read and write with musical notes. That was what remained with me as the learning of reading and writing.

When I wrote *Hamaca Paraguaya*, it was like writing a score for me. I tried to do it with the same care, and unconsciously , the notes slid onto the computer in the form of letters. Crotchets, quavers, and especially minims and semi-breves … and silence, a lot of silence. I thought only about the time, about the rhythm of the words, and about how two people, with words, could sing a funeral response. I wanted that to happen, that these two peasants were able to mourn their distress, but singing, as their voices were extinguished as time passed.

Months later, I received the New Crowned Hope catalogue, and read that Peter Sellars described *Hamaca Paraguaya* as a lyrical requiem for our age.

That day, my soul was happy.
And it was at peace.

Paz Encina

Teboho Mahlatsi
Sekalli le Meokgo
Meokgo and the Stickfighter

RegisseurDirector **Teboho Mahlatsi** — Südafrika/ÖsterreichSouth Africa/Austria —
2006 — 16 min — FarbeColor — 35mm — SothoSotho —

ProduktionsfirmenProduction Companies **Bomb, New Crowned Hope** —
Ausführende Produzenten für New Crowned HopeExecutive Producers for New Crowned Hope **Simon Field, Keith Griffiths,**
Illuminations Films — ProduzentinProducer **Desiree Markgraaff** —
Österreich VertriebAustrian Distribution **Stadtkino Filmverleih** —

DrehbuchScreenplay **Teboho Mahlatsi** — KameraCinematographer **Robert Malpage** — SchnittEditor **Andrew Trail** —
AusstattungProduction Designer **Dylan Loyyd** — TonSound **JJ Le Roux** — MusikMusic **Philip Miller** —
DarstellerInnenCast **Mduduzi Mabaso** — **Terry Pheto** —

PremierePremiere **20.11.2006, 20:30** — OmeUeng.st. — OrtVenue **Gartenbaukino** —
Im Anschluss an *Daratt* Publikumsgespräch mitAfter *Daratt* followed by Q&A with **Teboho Mahlatsi** —
VorstellungScreening **27.11.2006, 18:30** — OmeUeng.st. — OrtVenue **Österreichisches Filmmuseum** —

Siven Maslamoney
Die Schönheit afrikanischer Magie
The Beauty of African Magic

Der Vorstand einer katholischen Schule in einem kleinen süd-afrikanischen Township führt eine Gruppe von elf- oder zwölf-jährigen Jungen in einen dunklen Raum – ein regelmäßiges Ritual. Die Schule ist eine geschützte religiöse Insel einer Gemeinschaft, die kurz vor einem Ausbruch gewalttätigen Widerstands gegen das Establishment steht. Die nervösen, aufgeregten Jungen werden noch wenigstens ein Jahr dieses Ritual genießen, bevor das Chaos über sie hereinbricht. Das Ritual besteht in Vorführungen von Clint-Eastwood-Westernfilmen: *Zwei glorreiche Halunken* und *Für ein paar Dollar mehr*. Es ist Anfang der Achtzigerjahre, das südafrikanische Fernsehen noch nicht einmal ein Jahrzehnt alt. Für diese, mit dem Radio aufgewachsenen Kleinstadtjungen, war Fernsehen etwas, auf das man gerade mal von einer fremden Türschwelle einen Blick erhaschen konnte – es war noch nicht fixer Bestandteil der Wohnzimmer ihrer Eltern. Kinofilme jeglicher Art hatten daher etwas Magisches an sich. Aus der Gruppe von zehn Freunden, die sich so vor der Flimmerkiste versammelt hatten, entschieden sich acht für den Lehrberuf – ich selbst wurde Anwalt. Der zehnte, den Kopf voller Bilder aus den Filmen und vielen Büchern, die er las, wandte sich von solch konventionellen Lebensmustern ab; ihn zog es in die große Stadt des Goldes, Johannesburg, um Filmemacher zu werden. Über 20 Jahre später

The headmaster of a junior Catholic School in a small South African township gathers the pre-teen boys into a dark room. This is a regular ritual. The school is a protected religious island in community on the verge of erupting into violent resistance against the establishment. The boys, nervous with excitement, will have at least one more year of these rituals before chaos descends. These are the ritual screenings of Clint Eastwood cowboy movies. *The Good, the Bad and the Ugly*. And *For a Few Dollars More*. It is the early 1980s and South African television is only less than a decade old. For these small town boys fed on a diet of radio, TV was close on the doorstep but not yet in their lounges. So movies – any movies – were magical. In a group of 10 friends sitting in front of that flickering screen, 8 would later become teachers and 1 would become a lawyer. The last one, his head filled with vignettes from the movies and the many books he read, resisted all conventional life and packed his bags for the big city of gold, Johannesburg, to learn to make movies. More than 20 years later, this boy, Teboho Mahlatsi, will make his own version of a cowboy film – set in the mountains only a few hundred kilometres from the school of his boyhood. The film is *Sekalli le Meokgo* [*Meokgo and the Stickfighter*].

drehte dieser Junge, Teboho Mahlatsi, seinen eigenen Western, angesiedelt in den Bergen nur ein paar hundert Kilometer von der Schule seiner Kindheit entfernt. Der Film heißt *Sekalli le Meokgo* [*Meokgo und der Stockkämpfer*].

In seinen frühesten Texten entdeckte er, dass das Schönste am Geschichtenerzählen darin bestand, wie es die Erinnerungen seiner Jugendzeit filterte. Er erinnerte sich, wie ein zufällig mitgehörtes Gespräch zwischen seiner Tante und seiner Mutter ein Geheimnis aufbrachte, das er unbedingt ergründen wollte. Seine Tante suchte Schutz vor einem gewalttätigen Onkel. Sie flüsterte etwas von „Rache" und „Männern aus Lesotho, die es ihm schon zeigen würden". Diese „Männer aus Lesotho" waren die berüchtigten berittenen Banden, die man „AmaRussia" (Russen) nannte. Ab diesem Moment stand Lesotho in seiner Phantasie für eine Art tapferer, doch mysteriöser Männlichkeit. Jahre später löste diese frühe Erinnerung den brennenden Wunsch aus, einen afrikanischen Western zu drehen, in dem die Gangster, von denen die Tante gesprochen hatte, vorkommen sollten. Als ich Teboho 1998 (vor dem Start von *Yizo Yizo 1*, einer wichtigen Fernsehserie, bei der er gemeinsam mit Angus Gibson Regie führte) traf, erzählte er lebhaft von „AmaRussia", entwarf Szenen von Reitern, die

In his earliest attempts at writing, he discovered that the joy of story-telling is that it clarified the memories of his boyhood. He remembers how eavesdropping on a conversation between his aunt and mum created a mystery he had to resolve. His aunt was seeking refuge from an abusive uncle. She whispered of revenge and "finding those men from Lesotho to sort him out". The "men from Lesotho" she was referring to were the infamous gangs of men on horseback called the "AmaRussia" (Russians). From then on, Lesotho stood for some kind of brave masculinity shrouded in mystery. Years later, invoking these early memories created a deep desire to make an African cowboy movie with the gangsters his aunt needed. When I first met Teboho in 1998, prior to the launch of *Yizo Yizo 1*, the big TV series he co-directed with Angus Gibson, he spoke vividly of "AmaRussia" – of scenes of men on horseback, hiding AK47s under their brightly coloured traditional blankets. Since that time he has become somewhat of a celebrity having co-directed South Africa's most highly rated and provocative TV series, *Yizo Yizo*. Despite a decade of success, that image of Mosotho men on horseback has remained etched deeply into his imagination. Now *Sekalli le Meokgo*, his 3rd short film, is a "sketch" for this larger film he so desires to make. Instead of AK47s, the

Kalaschnikows unter ihren bunten traditionellen Umwürfen verbargen. Seitdem ist er als Co-Regisseur der erfolgreichsten und provokantesten Fernsehserie Südafrikas, *Yizo Yizo*, bekannt geworden. Trotz seiner zehnjährigen erfolgreichen Karriere konnte er das Bild der reitenden Mosothos nie vergessen. Und nun ist *Sekalli le Meokgo*, sein dritter Kurzfilm, eine Skizze für den Spielfilm, den er so gerne drehen möchte. Statt einer Kalaschnikow verwendet die Hauptfigur Kgotso eine traditionelle Waffe – einen Stock. Statt eines Bandenmitglieds ist Kgotso ein Einzelgänger, der von seiner Mutter nach der Geburt ausgesetzt, aber von einer alten traditionellen Heilerin adoptiert wird, die ihm magische Kräfte verleiht. Nach einigen Jahren stirbt die Adoptivmutter, und er verlässt das Dorf mit seiner geerbten Ziehharmonika, um Hirte zu werden. Er wächst als Einsiedler hoch in den Maluti-Bergen auf. Als er eines Tages seine magische Ziehharmonika spielt, erscheint plötzlich eine schöne Frau namens Meokgo. Ihr Blick fasziniert ihn, aber Meokgo ist ein Zombie.

Während magische Geister und Zombies anderswo vielleicht wie Phantasien und übernatürliche Geschichten erscheinen mögen, sind sie sehr reale Phänomene der südafrikanischen Erzähltradition. Zombies sind Geister, gestohlen von Toten, – arbeitende Tote –, die von Hexern gezwungen werden, als SklavInnen für sie zu arbeiten. Sie können für niedrige Dienste ebenso wie für Verbrechen missbraucht werden. Die Hexer schneiden den Zombies die Zunge heraus, damit sie sich nicht mitteilen können. In Südafrika sind Zombies nicht nur Bestandteil von Alpträumen und okkulten Geschichten, sondern ein Element des täglichen Lebens und tatsächlich so häufig, dass die Regierung Mandela 1995 einen offiziellen Untersuchungsausschuss für Gewalt und Ritualmorde im Zusammenhang mit Hexerei einsetzte. Manche Intellektuelle meinen, dass das Zombiephänomen in der Kolonialära erfunden wurde, um Gründe für Vorfälle ohne logische Erklärung zu liefern, etwa wie manche Leute ohne offensichtliche Einkommensquelle plötzlich zu viel Geld kamen. Jedenfalls hörte Teboho in seiner Kindheit unzählige Geschichten über Hexen und Zombies, und diese Geschichten wurden nicht nur in Büchern oder im Radio erzählt – es waren Erzählungen über Nachbarn, Menschen in der Dorfgemeinschaft. Übrigens darf man Hexer nicht mit Sangomas (den traditionellen Heilern) verwechseln – diese sind ebenfalls mit überirdischen Kräften ausgestattet, aber bekämpfen oft die Hexer. Geistheiler sind in Südafrika weit verbreitet. Schätzungen zufolge suchen über 70% der Bevölkerung Hilfe bei westlich ausgebildeten ÄrztInnen erst, nachdem sie einen traditionellen Heiler konsultiert haben. Wie die meisten Menschen in Südafrika lebt Teboho diesen Dualismus von Realität und Magie, zwischen Oberfläche und Geistwelt. Für Teboho war die Magie immer etwas Lebendiges, in seinem Leben und in seiner Phantasie. Auch in seinen sehr wirklichkeitsnahen Arbeiten zeichnet sich Teboho durch ein stetes Bewusstsein für die dunkle, magische Seite des Lebens aus, obzwar die Magie in diesen hoch realistischen Arbeiten nur wenig Platz finden konnte (er war einer der Regisseure der Dokumentarserie *Ghetto Diaries* sowie Koproduzent, Autor und Regisseur dreier Staffeln der lebensnahen Fernsehserie *Yizo Yizo*, wie bereits erwähnt). Er schätzt zwar das Konzept des magischen Realismus, dennoch schien seine Haltung gegenüber diesem Dualismus immer ein wenig ambivalent zu sein. Sein erster Kurzfilm *Etjha* (*Hitze*) entstand noch während seiner Studienzeit und handelt von einem Jungen, der sich um seinen kranken Vater kümmert. Als der Junge die weinende Mutter fragt, was wohl mit dem Vater geschehen würde, antwortet sie: „Niks. Modimo a ka se mo nke, o a tseba re a mo hloka" (Nichts. Gott wird ihn nicht von uns nehmen, er weiß, dass wir ihn brauchen), „Hape matsoho a hao a tla mo fodisa" (und deine Hände werden ihn auch heilen). Also geht der Junge im festen Glauben, dass Gott für ihn da ist und er magische heilende Hände hat, hinaus, um zu spielen. Aber als er zurückkehrt, ist der Vater tot. Der Junge setzt sich

main character, Kgotso uses the stick, a traditional weapon. Instead of a gang of men, Kgotso is a loner – abandoned by his mother at childbirth, but adopted by an old traditional healer who gives him magical powers. The healer dies when he is a young boy and he leaves his village with his inherited concertina to become a shepherd. He grows up as a hermit high up in the Maluti mountains. One day while playing his magical concertina, a beautiful woman, Meokgo, arrives from nowhere. He is lured by her gaze. But Meokgo is a zombie.

While magical spirits and zombies may seem like fantasy and supernatural narratives elsewhere, in the context of South African traditional story-telling, these are very real phenomena. Zombies are the spirits stolen from dead people – the working dead – who are used by witches as slaves to do anything. They can be used for menial tasks as well as for crime. Witches cut off the zombies tongue so they are mute. Zombies in South Africa are not merely the figures of nightmares and the occult. They form part of daily life. So common was this occurrence, that in 1995, Nelson Mandela's government officially appointed the "Commission of Inquiry into Witchcraft Violence and Ritual Murders". Some academics argue that the zombie phenomenon was invented in the colonial era as a way of explaining occurrences that had no logical explanation – like how some people accumulated wealth from no logical source. Wherever it came from, Teboho grew up hearing stories of witches and zombies in his community. And these weren't merely in the storybooks or on the radio. They were community narratives about neighbours. Witches are not to be confused by the vocation of sangomas (traditional healers). They also have powers beyond the real, but are often working against witches. Spiritual healers are everywhere in South Africa. It is estimated that more than 70% of South Africans who seek the help of western trained doctors, have first seen a traditional healer. Teboho, like the majority of South Africans, lives in the dualism between the real and magical – between what's on the surface and what's in the spiritual. Magic has always been alive in Teboho – in his life as well as in his imagination. Even when dealing with hard realism, Teboho has made a mark for seeing the magical dark side of life. But these were only snatches of magic in work dominated by hard realism (he co-directed a documentary series called *Ghetto Diaries* and was co-creator, writer and director of 3 seasons of the gritty TV series *Yizo Yizo*. While he loves the idea of magic realism, he has always seemed ambivalent of his dualism. His first short film, *Etjha* (*Heat*) made as a student project, is about a boy caring for his ailing father. When the boy asks his crying mother what will happen to his sick father, she says, "Niks. Modimo a ka se mo

vor dem Haus auf den Boden und weint, dabei fügt er sich Schnittwunden an den Händen zu, um seinem Verlust von Gott und der Magie Ausdruck zu verleihen. Der Junge in diesem autobiographischen Kurzfilm war Teboho. Heute, da seine Hände wieder heil sind, ist *Sekalli le Meokgo* die erste Arbeit, in der magischer Realismus eine wesentliche Rolle spielt. Die frühere Ambivalenz ist verschwunden.

Seine Kindheit ist wohl eine ständige Inspiration für seine Geschichten und Figuren. „Ich habe keine Bilder aus meiner Kindheit im Kopf", meint er. „Woran ich mich erinnere, sind vielmehr Gefühle und Stimmungen. Wie Weihnachten in Kroonstad. Jedes Jahr zog meine Mutter meinen Bruder und mich gleich an – es war geradezu eine Besessenheit von ihr, die mir verhasst war. Dann gingen wir in die Kirche, kamen in der drückenden Hitze wieder heim und hatten nichts, absolut gar nichts zu tun. Ich erinnere mich, wie ich in unserem schummrigen Wohnzimmer saß und nichts zu tun hatte und eine tiefe Traurigkeit über mich hereinbrach." Während Teboho geborgen in einer Kleinfamilie aufwuchs, spiegeln sich diese Erinnerungen der Traurigkeit doch in seinen großen, einsamen Außenseiterfiguren. In *Sekalli le Meokgo* steht Kgotso für den Menschen, der seinen Platz in der Welt sucht. Zweimal wurde er verlassen, zuerst gleich nach seiner Geburt und später, als seine Adoptivmutter starb. Er wählt das Exil hoch oben im Gebirge. In Tebohos frühem Kurzfilm *Portrait of a Young Man Drowning*, der 1999 mit dem Silbernen Löwen von Venedig ausgezeichnet wurde, ist die männliche Hauptfigur – er trägt den passenden Namen Shadow – ein Außenseiter, der sich nach Erlösung (und einem Bad) sehnt. In der Fernsehserie *Yizo Yizo* heißt eine der Hauptfiguren Papa Action – auch er ist ein Außenseiter, der von seiner kriminellen Vergangenheit loskommen will; für südafrikanische Zuschauer ist er zu einer Art Ikone geworden. Die Figur des einsamen Mannes, der „dazugehören" möchte, ist sehr bedeutsam für die südafrikanische Kultur. Mehr als ein Jahrhundert lang beruhte die Wirtschaft des Landes auf Wanderarbeitern und damit auf einem Kolonialsystem, das die Männer aus ihren Dörfern abzog, um sie in weit entfernten Städten in rein männlichen Wohnheimen unterzubringen, während die Frauen weiterhin die armen Landgemeinden bevölkerten. Vor dem Hintergrund der HIV / AIDS-Epidemie, die so viele Kinder in der Region zu Waisen machte, nehmen Geschichten von einsamen Männern eine tiefe emotionale Bedeutung an. *Sekalli le Meokgo* mag zum Teil von amerikanischen Westernfilmen inspiriert sein, aber die Seele der Story – Kgotso, der einsame Mann – ist zutiefst südafrikanisch.

Erlösung und Versöhnung sind ebenfalls südafrikanische Themen. In *Sekalli le Meokgo* versöhnt die magische Musik aus Kgotsos Ziehharmonika den Geist des Zombies mit dem leblosen Körper, besiegt ihre Macht den bösen Reiter. In *Yizo Yizo* wird Papa Action, der sein Viertel in Angst und Schrecken versetzt hatte, festgenommen und in einem Polizeiwagen weggebracht. Mit Handschellen gefesselt ruft er in seiner Einsamkeit den Geist der Mutter an und bittet sie singend um Vergebung. Dies ist eine bemerkenswerte Szene, die von den ZuschauerInnen intensiv diskutiert wurde. Das Streben nach Erlösung wurde zum treibenden Motiv der Serie. Auch das Thema der Versöhnung ist Teboho vertraut. Als die Serie zum ersten Mal ausgestrahlt wurde, waren die primären Reaktionen Begeisterung und Schock. Die Mehrzahl der ZuschauerInnen war hingerissen (die Einschaltquoten unter der schwarzen Bevölkerung erreichten den noch nie da gewesenen Wert von 90%). Das Leben der Schwarzen in den Städten Südafrikas wurde mit einer Authentizität, Achtung und Ehrlichkeit gezeigt, die das Fernsehen nie zuvor erreicht hatte. Einige politische FührerInnen waren jedoch schockiert. Ein Parlamentsabgeordneter und Mitglied von Nelson Mandelas ANC-Partei rief dazu auf, die Serie zu verbieten. Für manche war die ungeschminkte

nke, o a tseba re a mo hloka" (Nothing. God won't take him away. He knows we need him). "Hape matsoho a hao a tla mo fodisa" (and your hands will also heal him). So the boy believing that he has God and magical, healing hands on his side, goes out to play. But when he returns home, he discovers his father dead. Sitting outside on the ground crying, the boy cuts his hands, suggesting a loss of faith in both god and magic. The young boy in this autobiographical short film was Teboho. Now that his hands have healed, *Sekalli le Meokgo* is Teboho's first work where magic-realism is so central to the story. The ambivalence is gone.

His boyhood seems to be a constant inspiration for his stories and characters. "I don't just remember pictures of childhood" he says. "I remember the feelings and mood of the memories. Like Christmas in Kroonstad. Every year my mother would dress my brother and I alike – she seemed obsessed by the idea of dressing us alike, which I hated. We would go to church, come home in the oppressive heat, and then have absolutely nothing to do. I remember sitting in the dimly lit lounge with nothing to do and feeling a deep sadness descend on me". While Teboho had a safe childhood in a nuclear family, his memories of these moments of sadness are captured in the great lonely, outcast male characters he creates. In *Sekalli le Meokgo*, Kgotso epitomises this man in search of belonging. He is a twice abandoned boy – first at childbirth then by the death of his adoptive mother. He then chooses exile high up in the mountains. In his previous short film *Portrait of a young man drowning*, (Silver Lion, Venice, 1999) the main character, appropriately named Shadow, is an outcast seeking redemption and a bath. In the TV series *Yizo Yizo*, one of the main characters, Papa Action, – also an outcast seeking redemption from his criminal past – is now an iconic character for South African TV viewers. The idea of lonely men seeking belonging is one with big resonance in South African culture. For over 100 years, Southern Africa's economy was built on migrant labour – a colonial system that wrenched men away from their communities to work in distant cities and live in single-sex hostels. The women remained in communal rural poverty. As the HIV/AIDS epidemic sweeps through the region leaving many orphans in its wake, stories of lonely men will have deep emotional resonance. *Sekalli le Meokgo* may have been born from the vestiges of American cowboy movies, but in its soul, the story of Kgotso, the lonely man, is a truly South African story.

Redemption and reconciliation too is especially South African. In *Sekalli le Meokgo*, it is the magical music of Kgotso's accordion that reconciles zombie spirit with lifeless body. It is the power of music that defeats the evil horseman. In *Yizo Yizo*, the character Papa Action, having terrorised his community, is arrested and finds himself at the back of the police van. Handcuffed and lonely, Papa Action invokes the spirit of his mother and sings for her forgiveness. It is a memorable scene – much talked about by viewers of the series. This journey of redemption becomes the spirit of the series. Teboho knows about personal reconciliation too. When this debut drama series went on air, it was met with awe and shock. The majority of viewers were in awe (the series captured an unprecedented 90% of black market share). It portrayed South African, black, urban life with an authenticity, respect and honesty that had not been witnessed on TV before. But some of the new political elite were shocked. A Member of Parliament in Mandela's ANC Party called for the series to be banned. The honesty – dealing with violence and rape, including male rape – was too difficult for some to handle. It was debated in Parliament, on radio talkshows, and even in Cabinet. Teboho and his team were vilified publicly. He was accused of 'selling out' on his black culture.

Darstellung von Themen wie Brutalität und (an Frauen wie Männern verübter) Vergewaltigung zu brisant. Über die Serie wurde im Parlament, in Radiotalkshows und sogar im Kabinett diskutiert. Teboho und sein Team wurden öffentlich angegriffen und beleidigt. Er wurde beschuldigt, seine schwarze Kultur „verschachert" zu haben. Während sich also Mandelas Regierung mit den Feinden aus der Ära der Apartheid auszusöhnen suchte, erklärten einige Regierungsmitglieder ihre Feindschaft gegenüber dieser neuen Generation von GeschichtenerzählerInnen. Dennoch war die Serie ein großer Erfolg und so einflussreich, dass die Begeisterung der ZuschauerInnen letztlich über die Kritik der neuen Elite obsiegte. Einige Jahre später wurde Teboho als bester junger südafrikanischer Entertainer des Jahres ausgezeichnet; der Preis wurde durch Präsident Thabo Mbeki verliehen. Für Teboho war dies ein Moment der Aussöhnung, wie ihn nur wenige seiner Figuren erleben dürfen.

Als bekennender Populist ist Teboho sehr an seinem Publikum interessiert. Er glaubt, dass die südafrikanischen FilmemacherInnen Geschmack und Bedürfnisse der anspruchsvollen jungen ZuschauerInnen noch nicht wirklich erkannt haben. Als Mitschöpfer der erfolgreichsten südafrikanischen Fernsehserie *Yizo Yizo* weiß er

So while Nelson Mandela's government was reconciling with its apartheid enemies, some in government were making enemies with this new generation of story-tellers. But the series was so overwhelmingly successful and influential that the public's vindication finally quietened the voices of the new elite. A few years later, he was awarded South Africa's Tribute Young Entertainer of the Year Award. It was presented to him by President Thabo Mbeki. It was Teboho's moment of reconciliation that only some of his characters find.

As a self-confessed populist, Teboho is very interested in his audience. He believes that South African film makers have yet to catch up with the tastes and desires of the country's sophisticated young audiences. Having co-created South Africa's highest rated TV series (*Yizo Yizo*) he can claim to know how to press his audiences' buttons. *Yizo Yizo* has given him the reputation of being a typically young talent – speaking in the language of fast-cutting, pumping pace of music videos. But he confesses that his acclaimed short film *Portrait of a Young Man Drowning* (Silver Lion, Venice, 1999) didn't quite hit the buttons he would've liked for his audience at home. He thinks that he often over complicated his work. *Sekalli le Meokgo* signals for

wohl, wie man das Publikum bedient. *Yizo Yizo* verschaffte ihm den Ruf eines typischen neuen Talents, das die Sprache, die schnellen Schnitte und das furiose Tempo der Musikvideos beherrscht. Er selbst gibt zu, dass sein mehrfach ausgezeichneter Kurzfilm *Portrait of a Young Man Drowning* nicht so gut beim heimischen Publikum ankam, wie er gewünscht hätte. Seiner Meinung nach sind seine Arbeiten oft zu kompliziert. *Sekalli le Meokgo* zeigt ihn auf einem neuen Weg hin zu größerer Einfachheit in Form und Erzählstil. Bei den Dreharbeiten zu diesem Kurzfilm reiste er zum ersten Mal in sein mythisches Lesotho. Im Bergdorf Hamatikita entdeckte er, dass sich das Leben nicht viel verändert hat. Die Menschen tragen noch immer bunte traditionelle Umwürfe, Kapuzenhauben und weiße Gummistiefel. Am Freitagabend reiten die Männer in die Bars und binden ihre Pferde draußen an, genau wie in den Western, die Teboho als Kind sah. Auf dieser Reise entdeckte er auch die Schönheit seiner Muttersprache Sesotho wieder. „Wenn ein junger Mann hier in den Bergen einem Mädchen den Hof machen will, zählen nicht seine Besitztümer, sondern nur die Worte, mit denen er um sie wirbt. Wenn jemand kein Dichter ist, bekommt er kein Mädchen", meint Teboho. Die jungen Hirten erzählten ihm die moderne, wahre Geschichte von einem Polizeiinspektor, der in ihr Dorf kam, um ein dort weit verbreitetes Verbrechen zu lösen – einen Fall von Viehdiebstahl. Auf dem Rückweg von einem anderen Dorf wurde er von einem Wildbach erfasst und mitgerissen. Seine Leiche wurde nie gefunden. Die Hirten glaubten, dass die Viehdiebe ihn mit einem Zauber belegt hatten. *Sekalli le Meokgo* ist zwar eine in Johannesburg geschriebene Fiktion, aber dabei ebenso treu gegenüber dem Leben der Menschen in Hamatikita wie ihre eigenen Geschichten.

Sekalli le Meokgo weist alle typischen Merkmale von Teboho Mahlatsis Arbeiten auf – eine magische Weltsicht, große Sorgfalt im Detail, virtuos komponierte Bilder, einen männlichen Außenseiter, den Standpunkt junger Menschen und die kreativ eingesetzte Sprache der Musik. Dabei enthält dieser Kurzfilm auch einige Neuerungen. Es ist Tebohos erster Film, der außerhalb der Großstadt und sogar außerhalb Südafrikas spielt. Außerdem ist es seine erste Arbeit, die ausschließlich in seiner Muttersprache gedreht wurde. Noch nie ist er den traditionellen Mustern des Geschichtenerzählens, mit denen er aufgewachsen ist, so nahe gekommen. Vielleicht werden die alten Frauen in seiner kleinen Heimatstadt Kroonstad (die sich sicher gewundert haben, warum seine Dokumentarserie sie ausschloss, die sich bei *Yizo Yizo* wohl ein wenig fürchteten und von *Portrait of a Young Man Drowning* eher verwirrt waren) sich bei *Sekalli le Meokgo* zufrieden zurücklehnen und sagen: „Lechepa lekholoa le khutletse hae" („Endlich ist unser Sohn heimgekehrt").

him a new quest for simplicity in form and narrative. While making this short film, he made his first trip to his mystical Lesotho. In the mountain village of Hamatikita, he discovered that life has not changed much. People wear colourful traditional blankets, balaclavas and white gumboots. On Friday nights, men ride out to bars and park their horses outside, just like in the cowboy movies he watched as a child. While up there he re-discovered the beauty of his mother-tongue, Sesotho.

"Up there in the mountains, when you want to court girls, your material possessions don't count. All you have is your words. If you cannot make poetry, you cannot get the girls", says Teboho. The young shepherds told him a contemporary, true story of a police inspector who came to the village to solve the commonest crime in the mountains – cattle rustling. On his way back from another village, he was swept away by the raging river. His body was never found. The shepherds believed that the rustlers bewitched him. *Sekalli le Meokgo*, although written as a work of fiction in Johannesburg, is as true to the life of the people of Hamatikita as their own fables.

Sekalli le Meokgo shares the characteristic marks of Teboho Mahlatsi's work – a magical perception of reality, great attention to detail, boldly composed cinematography, an outcast male character, a young person's point of view and creative use of the language of music. But this short film also marks some departures. It is his first fictional work outside an urban space. It's his first work set outside his country. Yet it is also his first work made exclusively in his mother tongue. It is the closest he has come to the traditional story-telling he grew up with. Now perhaps the old women in his small hometown Kroonstad – having wondered why his documentary series excluded them, and having been slightly terrified by *Yizo Yizo* and perhaps somewhat puzzled by *Portrait of a Young Man Drowning* – when watching *Sekalli le Meokgo* will sit back with satisfaction and say: "Lechepa lekholoa le khutletse hae" ("Aaah, our son has finally come home").

Desiree Markgraaff
Einige Gedanken zu den Dreharbeiten von Sekalli le Meokgo
Some thoughts from the shooting of Sekalli le Meokgo

Nach einer neunstündigen Fahrt von Johannesburg aus, von denen man vier auf zermürbenden unbefestigten Straßen verbringt, die in die Maluti-Berge Lesothos führen, erreicht man den winzigen Ort Semonkong. Dieser Ort liegt wahrhaft an der Grenze zur Zivilisation ... Danach gibt es nichts mehr ... Das ist das Ende der Straße. Die kleine Stadt ist ein zusammengewürfelter Haufen von Blechhütten und wenigen Steinhäusern, genauso wie im Wilden Westen. Am Freitag reiten die Männer aus den vielen Bergdörfern in die Stadt. Sie haben Kapuzenmützen auf – manche tragen ungewöhnliche Kopfbedeckungen aus Schakal- oder Pavianschwänzen – und sind in die auffälligen Decken gehüllt, die für Lesotho so typisch sind (vor etwa hundert Jahren von den Engländern importiert). Sie binden ihre Pferde auf dem kleinen Platz vor der

After a nine hour drive from Johannesburg, four of which are on gruelling dirt roads winding up the Maluti mountains in Lesotho, you reach the tiny settlement of Semonkong. This is a real frontier town ... there is nothing further ... this is the end of the road. The little town is a scraping together of tin houses and a few stone buildings. It is just like the wild west. On a Friday the men from the many villages scattered high in the mountains ride into town on horseback. They wear balaclavas – a few in unusual headgear made from jackal or baboon tails – they are wrapped in striking blankets traditional to Lesotho (imported some hundred years ago by the English). They park their horses in the little square outside the bar next to a few 4 wheel drive pick ups ... belonging to the Chinese shop

Bar neben ein paar Kastenwagen mit Allrad-Antrieb, die dem chinesischen Ladeninhaber oder Lieferanten von außerhalb gehören. Semonkong existiert hauptsächlich für die zweimal jährlich stattfindende Abholung der Wolle aus den vielen winzigen hoch gelegenen Bergdörfern. Diese Ortschaften können nur per Pferd, Allrad-Antrieb oder zu Fuß erreicht werden. Jedes Dorf lebt von seinen Schafen und Ziegen, die von Schäfern noch höher in den Bergen bewacht werden. Sie haben 70 bis 500 Stück davon, und der Verkauf der Wolle ist ihre primäre und oft einzige Einnahmequelle.

  Wir wollten schon seit vielen Jahren in diesen Bergen einen Film drehen, und hier zu sein war viel bereichernder und schöner, als wir es uns hätten träumen lassen. Sofort umgab uns ein Gefühl, außerhalb der Welt zu sein, ein anderer Rhythmus, uralte Bau- und Kochmethoden, fast wie in der Bibel. Menschen, die so weit von der Stadt, von Fernsehen und Zeitungen entfernt sind. Dies ist ein Ort, wo Mythen und Legenden leben.

  Für Teboho und mich ging es vor allem darum, wie wir diesen wunderbaren Ort und seine Menschen einfangen sollten. Wir hatten ein Drehbuch, das Teboho flexibel und offen für die Landschaft und ihre Menschen belassen wollte, so dass während der Dreharbeiten Änderungen möglich wären.

  Wir hatten nur zwei BerufsschauspielerInnen aus Johannesburg für die beiden Hauptrollen engagiert; alle anderen Personen sollten aus diesem und anderen Orten in der Gegend kommen. Wir brachten unsere Casting-Direktorin Mavis Khanye mit uns, und täglich fuhr sie von Dorf zu Dorf, um mögliche Mitwirkende zu testen. Ich frage mich, was sich die Leute über dieses sonderbare Stadtmädchen gedacht haben, das sie bat, auf den Knien herumzukriechen und wie ein eben Geblendeter zu brüllen oder vorzugeben, jemanden mit einem Pfeil in den Rücken zu stechen.

  Außerdem überraschte uns, wie schnell alle verstanden, was wir wollten und vorhatten – von der Vorbereitung einer Aufnahme bis zur Organisation von Hunderten Schafen oder Rindern zu einem bestimmten Zeitpunkt an einem bestimmten Ort. Der Dorfprediger Elliot Nhlapo wurde als der böse Reiter engagiert und erwies sich zusammen mit Mothiane Manaka, dem Häuptling des Gebiets, als äußerst nützlich für unsere Crew, indem sie als Regieassistenten, Aufnahmeleiter, Übersetzer, Tierbändiger, Stuntmen, Requisiteure und noch in vielen anderen Aufgaben einsprangen.

  Auch die Sprache war für uns sehr interessant; obwohl einige Crewmitglieder einschließlich Teboho Sotho sprechen, war der lokale Dialekt hier in den Bergen doch ganz unterschiedlich, wie dies oft in kleinen Gemeinschaften der Fall ist.

  Vierter Drehtag. Ich befinde mich in einer winzigen Schäferhütte in den Bergen (ca. 700 Meter über dem Meeresspiegel). Dies bedeutet eine Fahrt von einer Stunde mit Allrad-Antrieb, gefolgt von einem 20-minütigen Marsch zusammen mit Pferden und Eseln für die Ausrüstung … Ein richtiger Treck … Großartig.

  In der kleinen Schäferhütte finden sich in die Wand gekratzte Zeichnungen eines Mannes und einer Frau, die sich küssen, eines einsamen Mannes mit einer Erektion, der Berge und eines kleinen Dorfes mit einer Kirche – all die Dinge, von denen der Bewohner der Hütte in seiner monatelangen Einsamkeit hier oben träumte.

  Dies ist wirklich ein Ort, an dem man an Mythen und Magie glauben kann.

owner or outsiders bringing in supplies. Semonkong exists mainly to service the bi-annual collection of wool from the many tiny villages dotted deep in the mountains. These villages can only be reached by horse, 4x4 or foot. Each village relies on their sheep and goats, which shepherds take care of yet higher in the mountains, anything from 70 to 500 – selling the wool is their main, if not only, source of income.

  We had wanted to make a film in these mountains for many years and being here was much richer and more beautiful than we have ever imagined. We were immediately struck by the sense of other worldliness, a different pace, ancient building and cooking methods, almost like something biblical. People so far away from the city, from TV and newspapers. This is a place where myths and legends live.

  The critical thing for Teboho and I was how to capture this very beautiful place and its people. We had a script that Teboho wanted to keep flexible and open for the landscape and people to mould with us whilst we made the film.

  We had only cast the two leads as professionals from Johannesburg; we wanted to find all the other characters from the community and villages. We brought our casting director Mavis Khanye with us, and everyday she drove from village to village holding casting sessions. I wonder what the people must have thought of this strange girl from the city asking them to crawl around on their knees and howl like a man just blinded, or pretend to stab someone in the back with an arrow.

  We were also struck by how quickly everyone understood what we were doing and wanted, from setting up a shot, to arranging hundreds of sheep or cattle to be at a location at a certain time. We cast a village preacher as the evil horseman, Elliot Nhlapo, who together with the chief of the area Mothiane Manaka, turned out to be critical to our crew. They performed the tasks of Assistant director, location manager, translator, wrangler, stunts, props master and many other functions.

  Language was very interesting for us, although members of the team, including Teboho, are Sotho speaking, the variety of Sotho spoken up here in the mountains was very different as a language preserved in a small community can be.

  Day 4 of shoot. I am in a tiny little Shepherd's hut high in the mountains (2300ft above sea level). This is a 1 hour 4x4 up the mountain and then a 20 minute hike with horses and donkeys carrying gear … A big trek … It is magnificent.

  Inside the little Shepherd hut are small drawings scratched into the wall; of a man and woman kissing, a man alone with an erection, of mountains and of a little village with a church. All the things he dreams of while isolated here for months on end.

  This really is a place where you can believe in myths and magic.

Im Alter von etwa zwölf Jahren besuchte ich eine katholische Schule, deren Direktor geradezu von Westernfilmen besessen war und sie jeden Mittwoch in der Sporthalle zeigte. Ich erinnere mich, dass *Zwei glorreiche Halunken* einen starken Eindruck bei mir hinterließ. Die von der Sonne versengte Landschaft und die Revolverduelle in diesem Film faszinierten meine kindliche Fantasie. In *Sekalli le Meokgo* versuche ich, dieses Gefühl in den majestätischen Bergen Lesothos wieder aufleben zu lassen. Lange schon möchte ich einen afrikanischen Western machen – seitdem ich Bilder von Reitern aus dieser Gegend gesehen habe, die Schlapphüte trugen und in traditionelle Decken gehüllt waren.

Sekalli le Meokgo ist Teil des Festivals New Crowned Hope zur Feier des 250. Geburtstags von W. A. Mozart. Obwohl mir klar war, dass ich mich für New Crowned Hope nicht spezifisch auf Mozart beziehen musste, wollte ich mich selbst herausfordern, indem ich einige seiner Themen aufgriff. Ein unmittelbares Hindernis bestand darin, dass ich mit Mozarts Arbeit nicht vertraut war. Mich zogen die *Zauberflöte* und das Leid der Tochter der Königin der Nacht an, die von einem bösen Zauberer gefangen gehalten wird, und natürlich der schöne Prinz, der sie zu retten versucht. Ich meinte, daraus etwas Interessantes machen zu können, indem ich das Thema in eine afrikanische Landschaft übertrug, mit traditionellen Mythen und Geschichten, mit denen ich aufgewachsen bin.

Die Berge von Lesotho und ihre Menschen haben etwas zutiefst Mystisches und Magisches. Ich stellte mir lyrische Schlachten mit traditionellen Kampfstöcken vor, in schneebedeckten Winterlandschaften. Geschichten über unerfüllte Liebe und Opfer, voll von der Grausamkeit und Schönheit afrikanischer Zauberei.

Teboho Mahlatsi

When I was about twelve years old, I went to a Catholic school where the principal was obsessed with Westerns and he used to project them in the school hall every Wednesday. I remember *The Good, the Bad and the Ugly* made a big impression on me. There was something about the sun-drenched landscapes and the gunfights that captured my imagination as a child. In *Sekalli le Meokgo* I am trying to re-capture the same feel this evoked in me in the majestic mountains of Lesotho. I have for a long time wanted to make an African Western after seeing pictures taken from there of men on horseback, wearing Fedora hats and wrapped in traditional blankets.

Sekalli le Meokgo is part of the New Crowned Hope festival which celebrates Mozart's 250 anniversary. Even though the brief from New Crowned Hope made it clear that I didn't have to have specific reference to Mozart I was inspired to challenge myself by incorporating some of his themes. The immediate obstacle was the fact that I was not familiar with Mozart's work. I did some reading and was drawn to *The Magic Flute* and the plight of the daughter of the Queen of the Night who has been captured by an evil wizard and the handsome prince who tries to rescue her. I thought I could do something interesting by appropriating that into an African landscape, using traditional myths and stories I grew up listening to.

There is something deeply mystical and magical about the Lesotho mountains and the people there. I started imagining lyrical battles with traditional fighting sticks on wintry landscapes covered with snow. Stories of unrequited love and sacrifice infused with both the cruelty and the beauty of African magic.

Teboho Mahlatsi

Mahamat-Saleh Haroun
Daratt
Dry Season

RegisseurDirector **Mahamat-Saleh Haroun** — Frankreich/Belgien/Tschad/ÖsterreichFrance/Belgium/Chad/Austria —
2006 — 95 min — FarbeColor — 35mm — Französisch/Tschad-ArabischFrench/Arabo-Chadian —

ProduktionsfirmenProduction Companies **Chinguitty Films, Entre Chien et Loup, New Crowned Hope** —
Ausführende Produzenten für New Crowned HopeExecutive Producers for New Crowned Hope **Simon Field, Keith Griffiths,**
Illuminations Films — ProduzentenProducers **Abderrahmane Sissako, Mahamat-Saleh Haroun** —
KoproduzentinCo-producer **Diana Elbaum** —
WeltvertriebForeign Sales Agent **Pyramide International** — Österreich VertriebAustrian Distribution **Stadtkino Filmverleih** —

DrehbuchScreenplay **Mahamat-Saleh Haroun** — KameraCinematographer **Abraham Haile Biru** —
SchnittEditor **Marie-Hélène Dozo** — TonSound **Dana Farzanehpour** — MusikMusic **Wasis Diop** —
DarstellerInnenCast **Ali Bacha Barkaï** — **Youssouf Djaoro** — **Hisseine Aziza** — **Khayar Oumar Defallah** —
Mahamat Saïd Abakar — **Amaboua Lamana** —

PremierePremiere **20.11.2006, 20:30** — OmeUeng.st. — OrtVenue **Gartenbaukino** —
Im Anschluss Publikumsgespräch mitFollowed by Q&A with **Mahamat-Saleh Haroun** —
VorstellungScreening **27.11.2006, 18:30** — OmdUger.st. — OrtVenue **Österreichisches Filmmuseum** —

Elisabeth Lequeret
Die Rache und ihre Gespenster
Revenge and its ghosts

Das Krematorium ist außer Betrieb. Die Intrigen der Nazis sind passé.
Neun Millionen Tote lassen dieses Land nicht los.
Wer von uns wacht an diesem merkwürdigen Posten, um uns vor dem
Kommen der früheren Peiniger zu warnen?
Sehen sie wirklich anders aus als wir?
Irgendwo unter uns gibt es noch Kapos, die Glück hatten,
gerettete Gauleiter, unbekannte Denunzianten.
Wir betrachten mit Naivität diese Ruinen, als ob das Ungeheuer der
Konzentrationslager unter den Trümmern begraben wäre, geben vor,
angesichts dieser in die Ferne rückenden Vorstellung Hoffnung zu schöpfen,
geben vor zu glauben, dass das alles in eine bestimmte Zeit, in ein
bestimmtes Land gehört, und vergessen dabei uns umzusehen und
überhören die nicht enden wollenden Schreie.
Jean Cayrol, aus Nuit et brouillard (Nacht und Nebel)

The crematorium is no longer in use. The devices of the Nazis are out of date.
Nine million dead haunt this landscape.
Who is on the lookout from this strange tower to warn us of the coming of
new executioners? Are their faces really different from our own?
Somewhere among us, there are lucky kapos, reinstated officers,
and unknown informers.
There are those of us who sincerely look upon the ruins today, as if the old
concentration camp monster were dead and buried beneath them,
those who pretend to take hope again as the image fades,
those who pretend to believe that all this happened only once,
at a certain time and in a certain place, and those who refuse to see,
who do not hear the cry to the end of time.
Jean Cayrol, from Nuit et brouillard (Night and Fog)

Was ist Rache? Ein Geisteszustand, ein Gefühl, ein Prozess, eine Tat? Inwieweit ist sie notwendig, ab wann wird sie absurd? Inwieweit soll sie unser Leben prägen, unsere Gegenwart durchdringen, unsere Zukunft belasten? All diese Fragen beeinflussen von Ruanda bis zum Horn von Afrika, von Marokko bis Zimbabwe, das politische, kulturelle und soziale Leben des afrikanischen Kontinents. Diesen Fragen geht auch der aus dem Tschad stammende Mahamat-Saleh Haroun in seinem Film *Daratt* [*Trockenzeit*] mit schmerzhafter Konsequenz nach.

What is revenge? A state of mind, an emotion, a process, an action? To what degree is it necessary, at what moment does it become an aberration? How far is it to imbue our lives, infect our present, burden our future? These questions mark the contemporary political, cultural and social history of Africa, from Rwanda to the Horn of Africa, from Morocco to Zimbabwe. These questions are explored with the greatest intensity by Chad-born Mahamat-Saleh Haroun in his film *Daratt* [*Dry Season*].

Der 20-jährige Atim lebt allein mit seinem blinden Großvater in einem kleinen Dorf, in das sich zumindest ab und zu Sendungen des staatlichen Rundfunks verirren: Eine Kommission für „Wahrheit und Versöhnung" hat soeben ihre Schlussfolgerungen präsentiert. Generalamnestie? Kaum hat der Radiosprecher seinen Satz beendet, hört man eine Schießerei. Die nächste Einstellung zeigt Atim allein auf einer menschenleeren Straße, wo nur noch die Schuhe derjenigen herumliegen, die offensichtlich vor den Schüssen der Militärs geflüchtet sind. Einige Augenblicke später sieht man, wie Atim von seinem Großvater einen Revolver anvertraut bekommt. Die Szene ist feierlich, jedes Wort erübrigt sich. Als Symbol für einen Vater, der unter vermutlich tragischen Umständen gestorben ist, besiegelt die überreichte Waffe sowohl ihre eigene Bestimmung als auch das Schicksal Atims: zum Instrument der Rache der Familie zu werden. Hier sind die Prämissen des filmischen Schaffens von Mahamat-Saleh Haroun eingefangen in wenigen Szenen. Diskreter Humor mit Reminiszenzen an amerikanische Burlesken. Gewalt, die – wenn auch nie direkt gezeigt – Handlung und Sprache prägt. Gedanken über die Modalitäten der Übertragung, selbst in ihren grausamsten Dimensionen.

20 year-old Atim lives alone with his blind grandfather in a small village where broadcasts by the national radio station are every now and then received: a commission for "Truth and Reconciliation" has just presented its conclusions. A general amnesty? The announcer has not yet finished reading before we hear guns going off. The next scene shows Atim alone on a deserted street that has suddenly become a kind of cemetery of sandals, obviously abandoned by men trying to escape from the fire opened by the military. A few moments later, his grandfather entrusts Atim with a gun. The scene is solemn, words are unnecessary. A symbol of a father who probably died under tragic circumstances, the gun seals both its own purpose and Atim's fate: to become the instrument of family vengeance. In these few images, we are given the basics of Mahamat-Saleh Haroun's cinema. Discreet humor loaded with reminiscences of American burlesque. Violence that, while never treated directly, still permeates gestures and spoken words. A reflection on the modalities of transmission, even of its cruelest dimensions.

Sons without fathers

In 1999, *Bye Bye Africa* narrated the return of a man to his home city for the funeral of his mother. In N'Djamena, its

Söhne ohne Väter

Der Film *Bye Bye Africa* (1999) erzählt die Rückkehr eines Mannes in seine Heimatstadt anlässlich des Begräbnisses seiner Mutter. In der heruntergekommenen Hauptstadt N'Djamena, gezeichnet von den Spuren des Bürgerkriegs, sucht er seine früheren Freunde auf, die nun illusionslos und verbittert sind; entmutigt, ohne Aussicht auf Arbeit oder eine Zukunft. Sogar in der Freude über das Wiedersehen mit seinem Vater schwingt Bitterkeit mit, wenn in einem Gespräch ähnlich einem Dialog zwischen Gehörlosen – ein kleines absurdes Theater – die Distanz zwischen dem alten Mann und seinem Sohn, einem nach Europa emigrierten Filmemacher, offenbar wird: „Warum bist du Filmemacher geworden? Du hättest doch einen richtigen Beruf ergreifen können, wie zum Beispiel Arzt oder Rechtsanwalt …" Eine höchst komische Szene, die allerdings voller Anspannung ist – sowohl der des Vaters, der den Beruf seines Sohnes nicht versteht, und der des Sohnes, der nicht imstande ist, diesen dem Vater zu erklären.

Warum sollen die Söhne für die Fehler ihrer Väter einstehen? Inwieweit müssen sie sich zu traditionalistischen Werten bekennen, in denen sie sich nicht wiederfinden und die sie für überholt halten? Die Fragestellungen von *Bye Bye Africa* sind sowohl psychoanalytischer (der Vater: „Und wer ist überhaupt dieser Freud? Ein Freund von dir?") als auch metaphysischer Natur. Drei Jahre später werden sie in *Abouna* auf andere Art gestellt. Auch hier wird die Geschichte einer unmöglichen Kommunikation zwischen einem Vater, der irgendwo zwischen Nouadhibou und Tanger auf der Suche nach dem westlichen Eldorado verschwunden ist, und seinen beiden Söhnen erzählt. *Abouna* ist ein wesentlich optimistischerer Film als *Bye Bye Africa*. Anstatt sich auf das gewiss ergreifende Bild des stillen Kummers derjenigen, die zurückgeblieben sind, zu beschränken, veranschaulicht er den Weg seiner Bewältigung auf zwei Ebenen: einerseits auf der des Traums – das Warten auf die Rückkehr des Vaters – und andererseits auf jener der Wirklichkeit, anhand der Solidarität der beiden Brüder, die von ihrer Mutter in eine Koranschule gesteckt werden. Er zeigt, wie das Leben trotz Trauer und Schmerz weitergeht, wie der ältere Junge beginnt, sich in ein Mädchen aus dem Dorf zu verlieben. Und wie daraus nichts wird, weil der Jüngere, erschöpft von Misshandlungen und Krankheit, stirbt.

Zwei Männer + einer

Ein ähnliches Trio gibt es in *Daratt*. Aber die entstehende Freundschaft zwischen einem einheimischen Jugendlichen, der Atim bei sich wohnen lässt und versucht, ihn in die Existenz der kleinen Diebe einzuführen, wird bald von einer anderen Begegnung überschattet: der mit einem finsteren Bäcker, bei dem alles darauf hinweist, dass er der Mörder von Atims Vaters ist. Auf der einen Seite steht also ein junger kämpferischer Mann, der auf seine Stunde wartet, um die Ehre seiner Familie zu retten; auf der anderen ein Handwerker, der mit offensichtlicher Erleichterung diesen neuen – stummen, aber durchaus arbeitswilligen – Lehrling aufnimmt. Es ist schwierig, diese beiden Positionen darzustellen, ohne die Spannung im Zusammenhang mit der Frage, „Wann kann endlich Rache geübt werden?", unerträglich werden zu lassen. Haroun löst dieses Dilemma mit einer Montage, die nur widerstrebend den Mörder mit seinem indirekten Opfer in ein und derselben Einstellung zu zeigen scheint und so den Spiegelungseffekt vervielfacht.

Daratt ist ein Kammerspiel. Der Film beschränkt sich zunehmend auf den Hof der Bäckerei und geht schließlich gänzlich von Außenaufnahmen ab, um sich auf die Beziehung zwischen den beiden Männern zu konzentrieren, wie sie Tag für Tag das Gleiche tun: Teig kneten, zerteilen, formen, backen. In der Hitze der Backstube tragen sie die gleichen Kleider. Und bald sehen sie ein und dieselbe Frau an, die junge und schöne Bäckersgattin. Ähnlich wie im Film *Le fils* (*Der Sohn*) der Brüder Dardenne, wo die Darstellung der Begegnung zwischen einem Mann und dem

dilapidated walls still streaked by signs of the civil war, he meets with old friends, who have become disillusioned, bitter, wry, worn down by the lack of work and a future. Even the pleasure of seeing his father again is tainted by bitterness, for example when a conversation between the old man and his filmmaking son – an émigré to Europe – reveals a distance that likens the talk to a discussion between two deaf persons, worthy of a little theater of the absurd. "Why did you have to become a filmmaker? You could've chosen a real job, like a doctor or a lawyer …" A very funny scene that is filled with tension, both on the part of the father, who is unable to understand his son's work, and on the part of the son, who is incapable of explaining it.

Why should sons endorse their fathers' mistakes? To what degree should they commit to „traditionalist" values in which they cannot recognize themselves, and which they consider obsolete? The questions posed by *Bye Bye Africa* are of both the psychoanalytical (the father says, "And anyway, who's that Freud? Is he a friend of yours?") and the metaphysical kind. Three years later, *Abouna* reformulates these questions, by again narrating a story of the impossibility of transmission between a father – who has disappeared somewhere between Nouadhibou and Tangiers in search of the Western El Dorado – and his two sons. Yet *Abouna* is an infinitely more optimistic film than *Bye Bye Africa*, for instead of limiting itself to a (certainly poignant) tableau of the unexpressed chagrin of those that have been left behind, it sketches a possible way of overcoming this chagrin on two levels. One is the level of phantasms – waiting for the father to return –, while the other is grounded in reality – the solidarity between the two brothers sent by their mother to a Koranic school. It shows us how life goes on, despite mourning and pain: a nascent romance between the older boy and a girl from the village. And how that story is cut short: the younger boy's death, triggered by maltreatment and illness.

Two men + one

A similar trio emerges in *Daratt*. But the seeds of friendship with a village boy who takes Atim in and tries to introduce him to a life of small-time thieving are soon canceled by another encounter: with a gloomy baker who very likely was the killer of Atim's father. Thus we have, on the one hand, a young, rebellious man biding his time to revenge his family's honor. On the other hand, we have a shopkeeper who – with evident relief – takes in this taciturn but industrious apprentice. It is difficult to sketch these two positions without ratcheting up the suspense fueled by the central question "When will revenge be done?". Haroun resolves this dilemma by editing his film in a way that seems to refuse putting the killer and his indirect victim in one

sehr jungen Mörder seines Sohnes, der bei ihm eine Tischlerlehre macht, weniger auf einer klassisch psychologischen Grundlage als auf dem verwirrenden Nebeneinander der gemeinsamen Gesten, der unvermeidlichen, langsam entstehenden Vater-Sohn-Beziehung aufbaut. Auch dort beruht die Beziehung auf einer grundlegenden Ungleichheit, nur umgekehrt: In *Daratt* ist es der ältere der beiden Männer, der nicht weiß um die wahre Identität desjenigen, den er beherbergt und ernährt, nicht weiß um die lauernde Gefahr.

Mein Leben im Busch der Geister

Der Film verbindet immer wieder zwei Szenarien, die zwei verschiedenen Ebenen von Bildern entsprechen: Die eine ist streng realistisch (die Übereinstimmung der Gesten), während die andere diskret ins Phantastische übergeht. Denn Atim kommt nicht nur mit einer Waffe und verborgenen Absichten in die Stadt, sondern auch mit einem geheimen Bild, das nicht auf der Leinwand gezeigt werden kann – dem seines ermordeten Vaters. Wie er ist auch der Bäcker seiner Einsamkeit überlassen, als einsamer Mann in seiner Welt voller Gespenster, den Geistern der Menschen, die er umgebracht oder gefoltert hat. Zwei Einsame, Rücken an Rücken (aber einander über ein und denselben Toten verbunden). Zwei gleichermaßen zum Schweigen verurteilte Stimmen. Die von Atim, der die in Afrika so wichtige Frage, „Wer ist dein Vater?", nicht beantworten kann. Und die des Mörders, den – sehr symbolisch – seine entzündeten Stimmbänder fast stumm werden lassen. In *Daratt* schmerzt die Narbe umso mehr, als sie innerlich ist. Um die Schmerzen, die sie verursacht, auszudrücken, muss eine ganze Struktur zum Einsturz gebracht werden – die kleinbürgerliche Existenz des Bäckers, der ein ehrenwerter Bürger der Stadt geworden ist und den Bettlern auf der Straße großzügig altes Brot zum Essen gibt; der Plan von Atim, der gezwungen ist, das Vertrauen des Mannes, den er hasst, zu gewinnen, um sein Vorhaben ausführen zu können.

Es geschieht immer über eine Annäherung, dass ein Mensch zum Mörder eines anderen wird, ein schreckliches Paradoxon, das nicht aufhört, die moderne Philosophie – so auch Maurice Blanchot – zu beschäftigen: „Wenn ein Mensch, Unterdrückung und Terror ausgesetzt, wie außer sich gerät und jegliche Perspektive, jeglichen Halt, jegliche Eigenheit verliert und somit einer zeitlosen Zeit ausgeliefert ist, die er als ewige Fortsetzung einer unbestimmten Gegenwart empfindet, dann liegt sein letzter Halt, wenn er zum Unbekannten und Fremden, d.h. zu seinem eigenen Schicksal wird, darin zu wissen, dass nicht die Elemente, sondern die Menschen über ihn hereinbrechen, und so alles, was ihn trifft, *Mensch* zu nennen." (aus *L'entretien infini*). Auf diesem Eingeständnis und nicht auf irgendwelchen Verurteilungen vor dem Hintergrund eines bequemen guten Gewissens beruht die Relevanz von *Daratt*. Denn nur durch die ständige Betonung der menschlichen Dimension des ehemaligen Mörders (die bis zu seiner Sorgfalt als Handwerker reicht: Man glaubt gern, dass er als Mörder ebenso gut taugt wie als Bäcker, so sehr scheint ihn die Befriedigung der gut gemachten Arbeit zu motivieren), durch seine Darstellung als guter Arbeiter, integrer Moslem und braver Ehemann, gelingt es, ihn der Abstraktion zu entreißen, ihm ein Gesicht zu geben.

Zwischenräume

Seit jeher hat Haroun die Erforschung von Zwischenräumen fasziniert. In *Bye Bye Africa* geht es um geografische und kulturelle Zwischenräume, in *Abouna* um einen zeitlichen Zwischenraum, wie die Szene zeigt, in der der Jüngere der beiden Brüder in einem Kino glaubt zu sehen, wie ihm der Vater von der Leinwand aus zulächelt: Das Leben, wie es in der Erwartung der Rückkehr des Verschwundenen stehen geblieben ist. Auch in *Daratt* geht es um einen Zwischenraum. Indem der Großvater Atim den Revolver gibt, erteilt er ihm nicht nur einen Auftrag,

and the same frame, hence multiplying the mirror effects.

Daratt is a chamber piece. Gradually zeroing in on the courtyard of the baker's house, it finally eschews all extraneous shots to concentrate solely on the relationship between the two men: doing the same things day after day, kneading the dough, forming, preparing, baking it. In the heat of the bakehouse, they wear the same clothes. Soon, they look at the same woman: the baker's young and beautiful wife. This is not unlike the film *Le fils* (*The Son*) by the Dardenne brothers, where the confrontation between a man and the very young killer of his son, who has become a carpenter's apprentice working with the victim's father, is less based on a psychological core in the classic sense but on the problems resulting from the parallelism of shared gestures, the unavoidable father-son relationship that gradually develops. In that film, too, the relationship stems from one fundamental difference between the two characters that, however, is reversed by *Daratt*: here, it is the older man who is unaware of the identity of the youth sleeping and eating under his roof, unaware of the lurking danger.

My Life in the Bush of Ghosts

Time and again, the film links two scenarios that are also two different levels of imagery: one is strictly realistic (the congruence of gestures), while the other is tinged by a discreet fantasy element. For Atim arrives in the village not merely with a hidden gun and hidden motives but also with a secret image – that cannot be shown on the screen – of his murdered father. Like him, the baker is left to his solitude, a lonely man in his forest of phantoms: the ghosts of those he has killed or tortured. Two solitudes, back to back (but linked by the same corpse). Two voices, both doomed to silence. One is that of Atim, who is unable to answer the question – so crucial in Africa – "Who is your father?". The other voice is that of the killer, whose damaged vocal chords, very symbolically, have rendered him all but mute. In *Daratt*, the scar is all the more painful because it is on the inside. To give vent to the pain, a whole edifice will have to be brought down: the petit-bourgeois life of the baker, who has become a prominent local citizen, generously feeding his stale bread to the village beggars; the plan of Atim, forced to win the trust and friendship of the man he hates to be able to carry out his intention.

It is always by getting closer that a person becomes the killer of another: a terrible paradox that has never ceased to haunt modern thinkers like e.g. Maurice Blanchot: "When through oppression and terror man falls as though outside himself, there where he loses every perspective, every point of reference, and every difference and is thus handed over to a time without respite that he endures as the perpetuity of an indifferent present, he has one last possibility. At this moment, when he becomes the unknown and the foreign, thus when he becomes a fate for himself, his last recourse is to know that he has been struck not by the elements, but by men, and to give the name man to everything that assails him." (from *L'entretien infini*). The relevance of *Daratt* stems from precisely this avowal, not from arbitrary condemnations drawn from a lazy good conscience. For only by constantly emphasizing the human dimension of this former killer (which includes his meticulous workmanship: it's easy to believe he was as good a killer as he now is a baker, he seems to derive such great satisfaction from doing a fine job), by showing him to be a good worker, a good Muslim and a good husband, he is snatched from mere abstraction, he acquires a face.

In limbo

Haroun has always been fascinated by exploring in-betweens. *Bye Bye Africa* addresses geographic and cultural inbetweens, while in *Abouna* this limbo concerns time, as

sondern verbannt ihn in einen Limbus, in die Geiselhaft einer Zwischenwelt. Wenn die einzig mögliche Gegenwart die der Rache ist, dann gibt es keine Gegenwart mehr, nur eine Zeitspanne, die von der Absicht der Tat bis zu ihrer Vollendung reicht.

Dass sich die Figur des Vaters dabei mit der des Mörders vereint, ist ein vordringliches Paradoxon des Films, das aber letzten Endes nicht weniger schrecklich ist als die verbaute Zukunft Atims.

So ist zweifelsohne auch das Ende des Films zu verstehen, wo die Möglichkeit des Verzeihens, aber auch die Eroberung des freien Willens zugelassen wird: Plötzlich gelingt es einem Jugendlichen, sich vom Familienschicksal zu befreien. Indem er den Namen des Mörders, aber auch seine eigene Abstammung ablehnt, dem endlosen Zyklus der Rache abschwört und schließlich seinen eigenen Weg geht – allein, aber frei.

evidenced by the scene where the younger brother believes that he is seeing his father smiling at him from a cinema screen: life, stuck in waiting for the missing man's return. *Daratt*, too, deals with an in-between. By giving a gun to Atim, his grandfather not only entrusts him with a mission but also, literally, banishes him to limbo, hostage to an intermediate space. If the only possible present is that of revenge, no present exists anymore, merely the time between the intention to commit the act and its accomplishment.

The fact that the figure of the father blends with that of the killer is a prominent paradox of the film but ultimately no less monstrous than Atim's blocked future.

Undoubtedly, this is how we should read the end of the film, which harbors the possibility of forgiveness but also the conquest of the freedom of choice: suddenly, a young man succeeds in detaching himself from his family-imposed destiny. By rejecting the killer's name but also his own origins, he abjures the endless cycle of revenge and finally goes his own way – alone but free.

Mahamat-Saleh Haroun

Drehtagebuch von Daratt
Diary of the shooting of Dry Season

1 – Einige Tage vor den Dreharbeiten Nach zweimaliger Verschiebung des Drehbeginns ist es diesmal sicher: Wir starten am 3. April 2006. Ich sammle Notizen, Fotos, Bilder, die ich meinem Kameramann zeige.

Eine Zeit intensiven Nachdenkens beginnt: Für mich ist die zentrale Frage in *Daratt* jene des Sohnes – sein Weg in die Welt der Erwachsenen in Verbindung mit jener Frage, die Atim so quält: Was bedeutet es, jemanden zu töten? Wir müssen uns hier von allen anderen Filmen unterscheiden, in denen der Tötungsakt zum Spektakel wird. Ich weiß, dass es anders ist. Ein Mann ist vor meinen Augen hingerichtet worden, mit einer Kugel in den Kopf. Dieses Bild wird man sein ganzes Leben lang nicht mehr los.

Auch wenn die Themen Vergebung und Versöhnung im Film gegenwärtig sind, dürfen sie nicht allmächtig werden. Und *Daratt* darf keine Apologie der Vergebung werden. Der französische Philosoph Emmanuel Levinas formulierte es folgendermaßen: „Die Welt, in der die Vergebung allmächtig ist, wird unmenschlich." Ich will im Bereich des Menschlichen bleiben. Aus Atim einen Helden unserer Zeit machen. Jemanden, der sich der Absurdität dieses Teufelskreises bewusst wird und wagt, ihn zu durchbrechen: Er beginnt etwas Neues, schlägt eine neue Seite auf …

1 – A few days before shooting After shooting had been twice postponed, it's finally certain, we'll start on 3 April 2006. I'm collecting notes, photos, pictures I show to my cinematographer.

A time of intense reflection before shooting: for me, the central issue in *Daratt* is about the son – his road towards adulthood, by way of this question that troubles Atim so much: what does it mean to kill a man? It is important that we distinguish ourselves from all movies where killing a person has become a mere spectacle. I know it's different. I saw a man being executed right before my eyes, with a bullet in the head. That's an image you'll never forget for as long as you live.

All the same, although the idea of forgiveness and reconciliation is present in the film, it must not become all-powerful. And *Daratt* must not turn into an apology of forgiveness. The French philosopher Emmanuel Levinas has put it this way, "A world where forgiveness is all-powerful becomes inhuman." I want to remain within the human scope. Make Atim a hero of our times. Somebody who becomes aware of the absurdity of this vicious circle and dares to break it; he starts something new, turns over a new leaf …

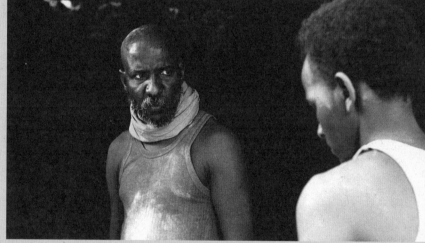

2 – Die Hauptdarsteller Geschafft: Ich habe meine zwei Hauptdarsteller. Youssouf Djaoro, der erstmals mit einem Film aus dem Tschad bekannt geworden war (*Daressalam*), und Ali Bacha Barkaï, ein 17-jähriger Gymnasiast, der überhaupt keine Schauspielerfahrung hat. Sein Blick ist der eines Luchses, seine Intelligenz instinktiv. Beim Casting erzählt er mir, dass er Gedichte liebt, und beginnt, Baudelaires *Blumen des Bösen* zu rezitieren. Ich zögere keinen Augenblick und engagiere ihn auf der Stelle. Wer die Poesie liebt, kann nicht schlecht sein … Youssouf Djaoro hat schon das Drehbuch gelesen. Er hat sich dermaßen hineinversetzt, dass er es geändert hat. Er hat den Kopf Nassaras, wie ich ihn mir vorstelle. Ich bitte ihn, sich den Bart wachsen und

2 – The leads I've done it: I've found my two leads. Youssouf Djaoro, who first drew attention to himself in the Chad movie *Daressalam*, and Ali Bacha Barkaï, a 17-year-old high-school student without cinema experience. His gaze is the gaze of a lynx, his intelligence is instinctive. At the casting session, he tells me that he loves poetry and starts to recite Baudelaire's *Flowers of Evil*. I don't hesitate for a moment and hire him on the spot. Somebody who loves poetry can't be bad … Youssouf Djaoro, in his turn, has already read the script. He has gotten into it to the point that he has even changed it. He has Nassara's head the way I imagine it. I ask him to let his beard grow and have his scalp shaved. He has a natural grace, like a feline.

den Kopf rasieren zu lassen. Er hat eine natürliche Anmut, wie eine Katze.

Ich verbiete meinen Hauptdarstellern, miteinander zu reden oder eine Beziehung zu beginnen, die ihre Interaktion im Film verfälschen würde. Jeder bleibt in seinem Winkel, dem anderen fremd. Ich möchte, dass ihre Beziehung, die angespannt sein soll, erst mit den Dreharbeiten beginnt, dass sie zuallererst meiner Kamera dargeboten wird …

I forbid my leads to talk to each other, to establish a relationship that would falsify their rapport later in the film. Each one remains in his corner, unknown to the other. I want that their relationship, which is meant to be tense, will only begin when we're shooting, that it will hit my camera first thing …

3 – A trip to Paris Two weeks before we're due to start shooting, I return to Paris for a week. Family affairs. In a restaurant, I happen to meet a man who has lost the use of his

3 – Ein Kurzbesuch in Paris Zwei Wochen vor Drehbeginn komme ich für eine Woche nach Paris zurück. Familienangelegenheiten. In einem Restaurant treffe ich auf einen Mann, der nicht mehr sprechen kann. Er kommuniziert über ein Gerät, das er an seine Kehle hält. Das inspiriert mich – ich mache aus Nassara einen Mann, der auch nicht mehr sprechen kann und einen solchen Apparat (Servox genannt) verwendet. Dieses Gerät wird Nassara zerbrechlicher, menschlicher machen …

4 – Auf der Suche nach Drehorten Ich bin in der Stadt mit meinem Auto unterwegs, um Drehorte für den Film zu suchen. Eines Tages sehe ich von der Straße aus in ein Haus hinein, dessen riesiger Innenhof mich anzieht. Das scheint ein geeigneter Drehort zu sein. Ich bleibe stehen und schicke meine AssistentInnen vor, um mit den Eigentümern zu sprechen. Sie erklären sich bereit, uns das Haus zu vermieten. Die AusstatterInnen beginnen sofort mit ihrer Arbeit.

Ich stelle mir diesen Hof und die dazugehörige Bäckerei wie eine Arena vor, einen Ort der Konfrontation und Beobachtung zwischen Atim und Nassara.

Um mich auf die beiden Figuren konzentrieren zu können, brauche ich einen ganz einfachen Stil, der auf Gesten, Blicken, Bewegungen verweilt. Man muss in den Kopf der Figuren eindringen. Ich eliminiere alles Überflüssige, achte nur auf das Wesentliche. Die Rolle der Mutter und auch eine Menge Dialog wird gestrichen.

5 – Beginn der Dreharbeiten 3. April 2006. Erster Tag der Dreharbeiten. Alles geht gut. Meine Crew, vor allem AmateurInnen aus dem Tschad, schart sich um mich. Ich bin zufrieden.

voice. He speaks by holding a device to his throat. That inspires me to make Nassara a man who has lost his voice, too, and uses the same device (it's called Servox). The device will render Nassara more fragile, more human …

4 – Looking for locations I'm riding my car around the city in search for location ideas for the film. One day, driving down a road, I glimpse an immense courtyard inside a house that attracts me. That would seem an appropriate location. I stop and send my assistants to talk to the owners of the house. They agree to rent it to us. The set designers immediately get about their work.

I imagine this courtyard and the annexed bakery like an arena, a place of confrontation and mutual observation between Atim and Nassara.

To focus on the two characters, I need a pared-down style that lingers on gestures, looks, movements. You have to get into the heads of the characters. I eliminate all that is superfluous, concentrating on the essential instead. I cut the role of the mother and lots of dialogue as well.

5 – Beginning of location shooting 3 April 2006. First day of shooting. Everything goes off smoothly. My crew, which mostly consists of non-professionals from Chad, is rallying round me. I'm happy.

6 – Atim and Nassara Finally, Ali (Atim) and Youssouf (Nassara), too, enter the film. The first scene between the two

6 – Atim und Nassara Endlich ist auch der Moment für Ali (Atim) und Youssouf (Nassara) gekommen. Die erste gemeinsame Szene der beiden Darsteller, die den Film tragen müssen. Sie haben eine starke Präsenz. Die Paarung scheint zu funktionieren. Sie sind richtig für die Rollen. Ich frage mich: Wie merkt man, dass ein Darsteller für eine Rolle richtig ist? Zweifellos eine Art Alchemie zwischen Regisseur und Darsteller. Dem Darsteller wird schmerzlich klar, dass mit dieser flüchtigen kurzen Szene, die gedreht wird, Ewigkeit erschaffen wird … Also liefert er sich aus, gibt dem Regisseur die Liebe zurück, die er von ihm empfangen hat. Filmen ist im Grunde ein Akt der Liebe. Mir fällt ein Dialogsatz Nassaras ein: „Ohne Liebe gibt es kein gutes Brot." Ich könnte auch sagen: „Ohne Liebe gibt es keinen guten Film."

7 – 13. April 2006, Krieg Um fünf Uhr früh, während wir uns zum Drehort aufmachen wollen, bricht der Krieg aus. Die

actors that are to carry my movie. They have strong presence. They seem to work as a couple. They are just right for their roles. I'm asking myself: How do you realize that an actor is doing just right? No doubt it's a kind of alchemy between director and performer. The performer becomes painfully aware that you're creating eternity through this ephemeral scene you're shooting … And so he surrenders, gives the love he has received back to the director. Ultimately, filming is an act of love. A line of Nassara's comes to mind, "There's no good bread without love." I could also say, "There's no good movie without love."

7 – 13 April 2006, war At five o'clock in the morning, while we're about to leave for location shooting, war breaks out. The rebels attack N'djaména. The fights last for five hours. The outcome: three hundred casualties. Officially, that is … We

Rebellen greifen N'Djamena an. Die Kämpfe dauern fünf Stunden. Die Bilanz: dreihundert Tote. Offiziell … Wir unterbrechen die Dreharbeiten. Die bittere Realität des Tschad holt uns ein. Ein trauriger Geburtstag für Ali, der heute achtzehn Jahre alt wird. Die Crew ist unruhig. Die ausländischen TechnikerInnen haben Todesangst. Manche wollen nach Hause. Ich versuche sie zu beruhigen. Aber wie soll ich das tun, mit all diesem Geschützfeuer und Kugelhagel?

Am nächsten Tag nehmen wir die Dreharbeiten wieder auf. Aber am Abend herrscht Ausgangssperre. Das Land ist nicht mehr sicher. Also beschließe ich, nicht in die Wüste zu fahren. Wir müssen eben das Drehbuch ändern, eine andere Lösung finden. Aber was wird aus dem Film werden ohne die Wüste – diesen ungeheuren Raum des Beginns? Ich weiß, dass kein Film es wert ist, Menschenleben zu riskieren. Tief im Inneren weiß ich auch, dass eine Streichung der Wüstensequenz eine Art Selbstverstümmlung bedeutet. Wie soll ich auf die Endszene in der Wüste verzichten? Ich erinnere mich, dass Truffaut gesagt hat: „Ist das Kino wichtiger als das Leben?" Ohne Zweifel … Denn am Ende überzeuge ich mich selbst, dass wir in die Wüste aufbrechen müssen, komme was wolle. Ich überrede die Crew, mir zu folgen. Das Kino als Akt des Widerstands gegenüber der Barbarei des Menschen.

interrupt shooting. The bitter reality of Chad has caught up with us. A sad eighteenth birthday for Ali. The crew members are restless. The foreign technicians are terrified. Some want to return home. I try to calm them. But how am I supposed to do that, with all that gunfire, that hail of bullets?

The next day, we resume shooting. But in the evening, there's a curfew. The country is no longer safe. So I decide that we won't go to the desert. The script will have to be changed, we'll have to find another solution. But what will happen to the film without the desert – this immense space of commencement? I know that no film is worth risking human lives for it. Deep down, I also know that cutting the desert sequence means shooting ourselves in the foot. How can I waive that final scene in the desert? I remember what Truffaut once said, "Is cinema more important than life?" No doubt it is … For in the end, I convince myself that we have to leave for the desert, come what may. I persuade the crew to follow me. Cinema as an act of resistance to human barbarity.

8 – Finally, the desert We have arrived in Mao, a small village 350 kilometers from the capital N'djaména. 40 degrees centigrade in the shade. Blindingly white light. There's no

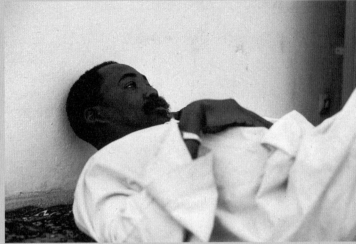

8 – Endlich, in der Wüste Wir sind in Mao angekommen, einem kleinen Dorf 350 Kilometer von der Hauptstadt N'Djamena entfernt. 40 Grad im Schatten. Blendend weißes Licht. Es gibt keinen Strom, die Nächte sind pechschwarz. Wir schlafen im Freien, im Hof eines großen Hauses. Gemeinschaftliches Leben. Wir arbeiten weiter, immer mit der Angst im Bauch. Schließlich haben wir den Film rechtzeitig abgeschlossen, ohne den Fertigstellungstermin überzogen zu haben. Lachen und Weinen verschmelzen. Wir umarmen einander, endlich befreit, zufrieden, unsere selbst gestellte Aufgabe bewältigt zu haben …

Der junge Ali tritt auf mich zu. Ein Augenblick des Schweigens. Dann: „Was muss man eigentlich studieren, um Regisseur zu werden?" Die Frage macht mich glücklich, denn sie bedeutet, dass ich durch diese Erfahrung jemandem die Liebe zum Kino habe vermitteln können. Es ist noch nicht alles verloren. „Und das Leben geht weiter …" (Abbas Kiarostami)

electricity, the nights are black. We sleep outside in the courtyard of a big house. Communal living. We continue working, always with fear in our bellies. Finally, we have completed the film without going overtime. Laughter and tears blend into one. We hug, finally liberated, happy to have accomplished what we had set out to do …

Young Ali comes up to me. A moment of silence, then, "What does one have to study to become a director?" This question makes me happy. It means that I've been able, through this experience, to transmit my love of the cinema to another person. Not all is lost. "And life goes on …" (Abbas Kiarostami)

Ich bin stolz und fühle mich geehrt, Teil dieser Familie von Filmschaffenden zu sein, die Mozarts 250. Geburtstag feiern. Nach der ersten Freude und Aufregung begann ich mir bald der Bedeutung dieser Aufgabe klar zu werden. Mozart feiern? Warum nicht. Ich begann, alles über ihn zu lesen, was ich finden konnte, und hörte mir alle im Zusammenhang mit diesem Jubiläum gemachten Aufnahmen an.

Eines Tages hatte ich dann, lieber Gott, einen Traum: Ich traf Mozart irgendwo zwischen Himmel und Erde. Natürlich kannte er meinen Namen nicht. Ich sagte ihm, wer ich bin und woher ich komme, und dass es mein größter Wunsch sei, einen Film zu machen, der so einfach wäre wie seine Klaviersonaten. Ein Film, der vor allem so klar und entspannt ist wie seine Stücke für Violine und Klavier.

„So wie du in deiner Arbeit", – sagte ich zu ihm –, so möchte ich ein schmuckloses, ernstes Gleichgewicht erzielen … Mir ist klar, dass dir die Virtuosität um ihrer selbst willen unsympathisch ist." Er stimmte mir zu, und ich erinnerte mich an eine Äußerung Mozarts, dass seine Kompositionen nämlich so leicht verständlich sein sollten, dass auch ein Kutscher sie singen könnte (in einem Brief an den Vater vom 28. Dezember 1782).

Von dieser geträumten Begegnung mit Mozart erinnere ich mich vor allem an sein Gespür für Rhythmus. Ich habe versucht, ihn als Inspiration zu nutzen, um den richtigen Rhythmus für *Daratt* zu finden. Aber ist es mir wirklich geglückt?

Mahamat-Saleh Haroun

I'm proud and honored to be part of this family of filmmakers chosen to celebrate the 250th anniversary of Mozart's birth. After the initial joy and excitement, I quickly began to feel the weight of the task. Celebrate Mozart? Why not. I started to read everything I could about him and listened to all the recordings released for this commemoration.

Then one day, my God, I had a dream: I met Mozart somewhere. Between Heaven and Earth. Of course, my name told him nothing. I then told him who I was and where I came from and that my biggest wish was to make a film resembling his piano sonatas in its simplicity. A film that should above all be clear and unencumbered like the pieces for violin and piano.

"Just like you were able to do in some of your work, I said to him, I would like to achieve an unadorned somber balance … I understand you do not like gratuitous virtuosity." He acknowledged that and I remembered something he once said: "It is necessary to write things so comprehensible that a coachman would be able to sing them." (Letter to his father, December 28th, 1782)

What I most recall about this dreamed encounter with Mozart, is his sense of tempo. I tried to use it as an inspiration to find the right rhythm in *Daratt*. But did I really succeed?

Mahamat-Saleh Haroun

Apichatpong Weerasethakul
Sang sattawat
Syndromes and a Century

RegisseurDirector **Apichatpong Weerasethakul** — Thailand/Österreich/FrankreichThailand/Austria/France —
2006 — 105 min — FarbeColor — 35mm — ThailändischThai —

ProduktionsfirmenProduction Companies **Kick the Machine Films, TIFA, New Crowned Hope, Anna Sanders Films** —
Ausführende Produzenten für New Crowned HopeExecutive Producers for New Crowned Hope **Simon Field, Keith Griffiths,
Illuminations Films** — ProduzentenProducers **Apichatpong Weerasethakul, Pantham Thongsang, Charles de Meaux** —
WeltvertriebForeign Sales Agent **Fortissimo Films** — Österreich VertriebAustrian Distribution **Stadtkino Filmverleih** —

DrehbuchScreenplay **Apichatpong Weerasethakul** — KameraCinematographer **Sayombhu Mukdeeprom** —
SchnittEditor **Lee Chatametikool** — AusstattungProduction Designer **Akekarat Homlaor** —
TonSound **Koichi Shimizu — Akritchalerm Kalayanamitr** —
DarstellerInnenCast **Sakda Kaewbuadee — Nu Nimsomboon — Jenjira Pongpas — Sophon Pukanok** —

PremierePremiere **21.11.2006, 20:30** — OmeUeng.st. — OrtVenue **Gartenbaukino** —
Im Anschluss Publikumsgespräch mitFollowed by Q&A with **Apichatpong Weerasethakul** —
VorstellungScreening **30.11.2006, 18:30** — OmdUger.st. — OrtVenue **Österreichisches Filmmuseum** —

Kong Rithdee
Apichatpong Weerasethakuls Kino der Unbeständigkeit
Apichatpong Weerasethakul's Cinema of Impermanence

*Da sind zwei Bäume. Einer steht für die Geschichte meines Vaters,
der andere für die meiner Mutter. Sie wachsen zusammen, und daraus
wachsen wieder andere Geschichten.*

*There are two trees. One represents my father's story. The other represents my mother's story. They grow together, and other stories grow out
of them too.*

Das Rätsel in Apichatpong Weerasethakuls neuem Film
Sang sattawat [Syndrome und ein Jahrhundert] ist das Rätsel der
Erinnerung. Wie Erinnerungen strömen, gleich dem fröhlichen,
nachmittäglichen Sonnenlicht an einem Teich, wie sie uns langsam entgleiten können, so wie eine Sonnenfinsternis notwendigerweise einen Schatten auf die Erde wirft. Es geht um das große
Rätsel, wie Erinnerungen uns verfolgen, berühren, reizen, erfreuen
und quälen. Wie sie Licht ins Leben bringen und es verdunkeln
können. Wie sie das Leben nachahmen und endlich zum Leben
werden. Wie sie das Ökosystem der Sinne und die biologische
Symmetrie des Körpers steuern, die Metaphysik der Seele, den
ewigen Schlag unserer aller Herzen. Wie sie uns retten und auslöschen. Wie sie wissenschaftlich erklärt und spirituell in Frage
gestellt werden können. Wie sie die Möglichkeiten eines vergangenes Leben andeuten und die Chancen für das nächste erweitern
können. Wie sie so zuverlässig, unzerstörbar und gleichzeitig
vergänglich, so deprimierend kurzlebig erscheinen wie eine plötzlich empfundene und vielleicht für immer verlorene Freude.

The enigma of Apichatpong Weerasethakul's new movie
Sang sattawat [Syndromes and a Century] is the enigma of
memories. How they come flooding like happy sunlight on an
afternoon by the pond, how they gradually slip out of grasp
like when a solar eclipse casts an inevitable shadow on the
earth. It's the great enigma of how memories haunt, touch,
tease, elate and pain us. How they illuminate life. How they
darken life. How they imitate life then become life itself. How
they orchestrate the ecosystem of the senses and the biological
symmetry of the body, the metaphysics of the soul, the eternal
pulsating of the heart – his heart, mine, yours. How they save
and obliterate us. How they could be scientifically explained
and spiritually questioned. How they hint at the possibility of
the past life and augment the prospect of the next. How they
appear so solid, so indestructible and at once so transient, so
dishearteningly impermanent like the joy that is found and
suddenly lost, sometimes forever.

Apichatpong sagte mir einmal, dass der Zauber von Erinnerungen für ihn darin besteht, dass er sie von seinen Eltern übernehmen konnte wie ein wertvolles Familienerbstück. Man kann Erinnerungen haben, ohne ein Erlebnis gehabt zu haben, meint er, und die schwer zu fassende Natur des Ererbten und des tatsächlich Erinnerten sind das Rätsel in *Sang sattawat*, einem Film, in dem die Zeit aufgesplittert wird, in dem Erinnerungen in verschiedenen Schubladen aufbewahrt werden, in dem Wissenschaft und Spiritualität einen surrealen *Pas de deux* tanzen, der Gegenwart und Zukunft – oder Vergangenheit und Gegenwart – einander gegenüberstellt. Die minimalistische, kaum vorhandene Geschichte ist dem Leben der Eltern des Filmemachers entnommen, die in ihrer Jugend an einem Krankenhaus in Khon Kaen, einer ländlichen Provinz in Nordthailand, beschäftigt waren. Fast der ganze Film spielt in diesem Krankenhaus – warm und wehmütig im ersten Teil, synthetisch und klinisch im zweiten. Wir lernen PatientInnen mit einer Vielzahl von Syndromen kennen und ÄrztInnen, die ihrerseits an einer Reihe von unsichtbaren Krankheiten zu leiden scheinen.

Apichatpong verbrachte seine Kindheit in den Krankenstationen, wo seine Eltern arbeiteten, und in diesem seltsamen, amüsanten und berührenden Film wägt er diesen unglaublichen

Apichatpong once told me that the magic of memories is in the fact that he could inherit them from his parents, like a family heirloom. You can have the memories even though you didn't experience them, he says, and the elusive nature of what is inherited and what is actually remembered constitutes the enigma of *Sang sattawat*, a film in which time is fragmented and memories compartmentalized, in which the scientific and the spiritual dance a surreal *pas de deux* that juxtaposes the present and the future – or the past and the present. The thin, now-you-see-it-now-you-don't storyline is taken from the lives of the filmmaker's parents when they were both working at a rural hospital in Khon Kaen, a province in northeastern Thailand. Almost the entire film is set in a hospital, warm and wistful in the first half and synthetically clinical in the second, as we meet patients with a variety of syndromes and doctors who seem to be afflicted by a repertoire of invisible maladies themselves.

Apichatpong spent his early years hanging around the wards where his parents worked, and in this strange, funny, affecting film he juggles the unlikely playground of his childhood, where sickness was an everyday spectacle, with the ethereal longing to find a universal healing to all human conditions.

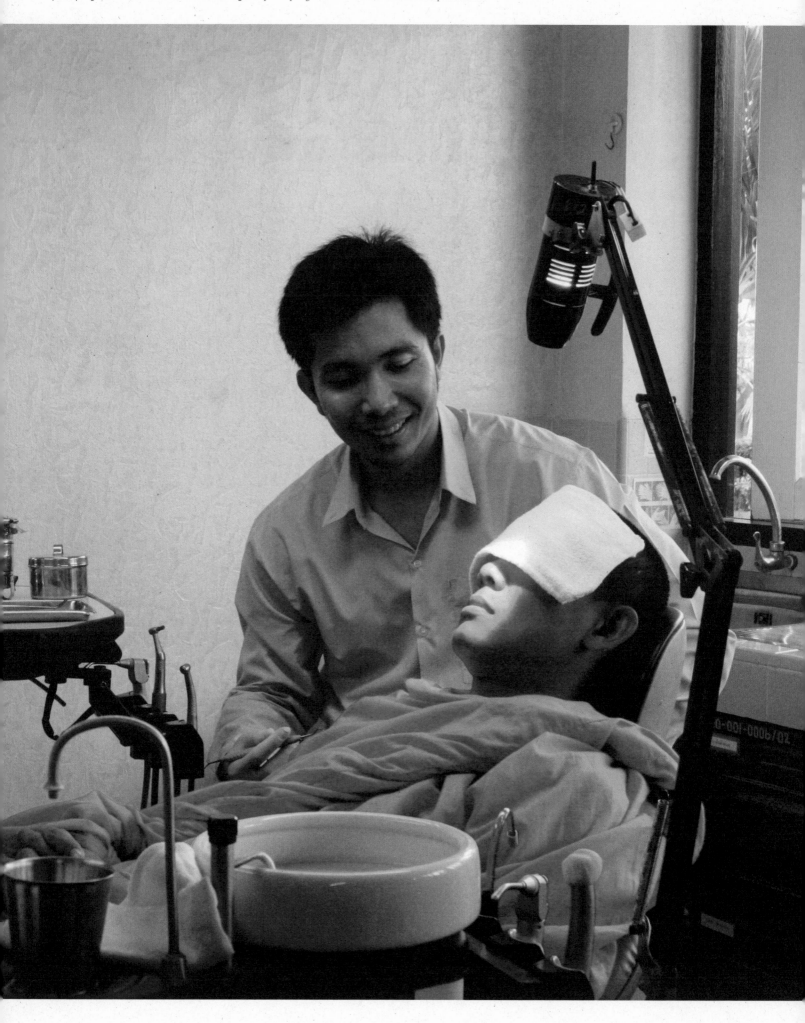

kindlichen Spielplatz, wo die Krankheit alltäglich war, gegen die unfassbare Sehnsucht ab, ein Allheilmittel für sämtliche menschlichen Leidenszustände zu finden.

Indem er sich auch an Erinnerungen versucht, die ihm nicht gehören, erwägt Apichatpong die Möglichkeit paralleler Leben, der Träume, die die Realität in Besitz nehmen, wahrscheinlich auch der Freuden und Qualen von Reinkarnationen. Der Titel des Films in Thai ist *Sang sattawat* – „Lichter des Jahrhunderts", und er ist ein zeremonielles Experiment des Regisseurs mit Licht, das dem Film seine gespaltene Tonalität verleiht. In der milden Ästhetik des ersten Teils treffen die feinen Strahlen des Sonnenlichts stets scharf auf die sich wiegenden Bananenbäume vor den Fenstern von Dr. Teis Untersuchungszimmer. Die physische Präsenz des Krankenhauses scheint ein Reich der Medizin abzustecken, das vollkommen von der grünen Hölle fruchtbarer Reisfelder und üppiger Wälder abgetrennt ist, die unaufhörlich von der heißen Tropensonne beschienen wird. Durch ihre Fenster blickt Dr. Tei auf dieses Pflanzenreich, das so nahe ist und doch so weit entfernt scheint, und es ist tief ergreifend, wenn wir verstehen, dass sie versucht, ihre eigenen, unfassbaren Erinnerungen in den Griff zu bekommen. Erst die Möglichkeit der Liebe führt sie aus ihrem Krankenhauspanzer heraus, und die romantischen Zusammentreffen der jungen Ärztin mit einem Botaniker, der mehrmals stolz auf eine seltene wilde Orchideenart verweist, die in der Dunkelheit leuchtet, finden in dem chlorophyllgeladenen Umfeld überwachsener Veranden und baumbestandener Ecken statt, die einst – wie sie hört – im Schatten einer totalen Sonnenfinsternis lagen.

Während die Wechselbeziehung zwischen Technologie und Natur oder zwischen Wissenschaft und Übernatürlichem auf den ersten Blick möglich scheint, da die ÄrztInnen ihren PatientInnen Tabletten verschreiben, während die PatientInnen den ÄrztInnen Kräutergetränke empfehlen, präsentiert Apichatpong nach etwa der halben Spielzeit des Films ein anderes Konzept, in dem er uns in ein Land scharfer Lichtverhältnisse, künstlicher Neon- und Wolframlampen stürzt, in dem seine Kamera in die Eingeweide des Krankenhauses vordringt, wo groteske medizinische Geräte und seelenzerstörende Metallröhren sowohl Erlösung und Ende des menschlichen Organismus versprechen. Hier verweisen die intensive, harte Beleuchtung und das verstörende Summen sonderbarer Maschinen auf ein dystopisches Reich, in dem Heilung zwar versucht wird, aber vielleicht unmöglich ist. Da Apichatpongs Filme stets die unbewusste ebenso wie die bewusste Ebene ansprechen, ist die Strategie „natürliches gegen künstliches Licht" nicht bloß eine formale Frage, sondern elementarer Teil des Grundkonzepts, d.h. der Erforschung der Präsenz vergänglicher (wahrer oder künstlicher) Erinnerungen, die in einem Moment so hell und klar und eine Sekunde später so nebelhaft und unberührbar scheinen.

Ich bin kein Mozart-Fan. Aber wenn ich seine Musik höre, höre ich ihre fließende, wasserartige Qualität. Ich höre, wie die Musik in ihrer Vorwärtsbewegung verschiedene Formen anzunehmen scheint. Vielleicht hat mein Film dieselbe Qualität.

Apichatpong, 1970 geboren, studierte Architektur in Khon Kaen und Film in Chicago. Das Wunder seiner Arbeiten – insbesondere für ein thailändisches Publikum, das seine Art des ländlichen Surrealismus liebt – entstammt daher einer intuitiven Natürlichkeit, die in eine präzise, fast wissenschaftliche Erzählstruktur eingespannt wird. Apichatpong hat zwar nicht Musik studiert, aber in dem Versuch, die Grenzen seiner Kunst zu erweitern, hat dieser Filmemacher vielleicht Zugang zu einer kosmischen Energie gefunden, die schon viele Kunstschaffende vor ihm beeinflusst hat: Ganz unabsichtlich erinnert die Struktur von *Sang sattawat* – etwa wenn wir dieselben Szenen mit kleinen Variationen immer wieder sehen, als ob uns die Erinnerung narrte – an die Form der klassischen Fuge. Von Bach zur Perfektion geführt, aber nur

By also dabbling in the memories he never had, Apichatpong suggests the possibility of paralleled lives, of dreams that invade reality, probably of the joy and agony of reincarnations. The Thai title of the film is *Sang sattawat* – "lights of the century" – and it is the director's ceremonial experiment with lights that gives the film its bifurcated tonalities. In the balmy aesthetics of the first half, the supple rays of natural sunlight always dash the swaying banana trees outside the windows of doctor Tei's examination room. The physical presence of the hospital seems to demarcate a medical domain that is totally separated from the verdant inferno of green paddies and teeming forests, always dappled by the tropical sun-glare. Through her windows, doctor Tei stares out at the flora kingdom that is so close but feels so remote, and there's a deep sense of poignancy when we understand that she's trying to grasp her own ungraspable memories. It's the possibility of love that leads her out of the shell of her hospital, and the young doctor's romantic encounters with a botanist, who repeatedly boasts of his rare breed of wild orchid that glows in the dark, takes place in chlorophyllised environments of leafy verandas and tree-embraced corners that were once, she's told, fallen into the shadow of a total solar eclipse.

If the interrelation between the technological and the natural, or the scientific and the supernatural, seems possible at the first glance as doctors prescribe pills to the patients while the patients prescribes herbal potions to their doctors, Apichatpong proposes another scheme at the film's midway mark and plunges us into the territory of sharp lighting, of artificial fluorescent flares and tungsten illuminations as his camera travels into the bowel of the hospital, where grotesque medical equipments and soul-sucking metal pipes promise both the redemption and the end of human organism. Here the strong, harsh light and disturbing drone of strange machines suggest a dystopian realm where healing is attempted but not necessarily possible. Because Apichatpong's films always affect us at both the conscious and unconscious level, the real-light-vs.-fake-light strategy is not merely a matter of exercise. It is inherent to the fundamental concept to explore the presence of fleeting memories, real or artificial, that seem so bright and clear at one second and foggy and untouchable at another.

I'm not a fan of Mozart. But when I listen to his music, I hear the fluid, watery quality in it. I hear how the music seems to take different shapes as it tries to move forward. Maybe there's the same quality in my film.

Apichatpong, born 1970, studied architecture in Khon Kaen and filmmaking in Chicago. The marvel of his films, especially for a Thai audience who digs his brand of rural surrealism, thus comes from the intuitive naturalness that is framed within the precise, almost scientific structure of the

selten von Mozart eingesetzt, arbeitet die Fuge mit einer Melodie, die wiederholt wird und gleichzeitig in neue Melodien übergeht, die auf dem Originalthema beruhen. Der organisierte Fluss in Apichatpongs Filmen könnte das Etikett des (Post-)Modernismus für sich beanspruchen, ist tatsächlich aber eine traditionelle Kunstform, die von Barockkomponisten lange vor der Erfindung des Kinos praktiziert wurde.

Dabei weisen Apichatpongs Filme häufig eine subtile Dissonanz auf – so wie ein Moll-Akkord unter einer Dur-Tonart lauert und eine unbewusste melodische Fantasie andeutet, die zwar da ist, die wir aber nicht hören können, oder die einem Traum gleicht, der sich an die Oberfläche des Bewusstseins kämpft. In seiner Interpretation von Apichatpongs letztem Film, dem in Cannes ausgezeichneten *Tropical Malady*, verglich ein thailändischer Kritiker (ich gebe es zu, das war ich) die Doppelstruktur des Films und seinen primitiven Surrealismus mit Strawinskys *Sacre du Printemps*. Dieser etwas unwahrscheinliche Vergleich illustriert Apichatpongs einzigartiges Talent, das sich aus seinem Status als Filmemacher der Dritten Welt ergibt: Obwohl alle seine Filme tief in der thailändischen Geisteshaltung, in einheimischen Melodramen und provinzieller Simplizität verankert sind, beziehen sie ihre künstlerische Freiheit auch aus dem immensen Fundus des westlichen Intellekts. Die Welt mag momentane Eindrücke von Renoir, Bach und Kiarostami in Apichatpongs Filmen sehen – aber wir Thais sehen auch alte Mythen, Dschungelmärchen und Groschenromane zutiefst heimischer Provenienz. Die Welt sieht lyrische Metaphern und mystische Beschwörungen, und wir sehen alltägliches Elend und ehrlichen Humor, der nur uns Thais gehört.

Der Regisseur setzt in seinen Filmen kaum Orchestermusik ein; ihm sind die Form der Fuge oder Strawinskys Meisterwerk nicht wirklich vertraut, und meine Ansichten über diese musikalischen Analogien wirken im Rückblick übertrieben. Apichatpong hat vielleicht die „wasserartige Qualität" von Mozarts Musik erkannt, aber er ist auch ein Filmemacher, der für seine Vorliebe für sentimentale thailändische Popmusik bekannt ist, die gleichzeitig ernst und extrem kitschig klingt. In *Blissfully Yours* leitet eine von einem hübsch singenden Teen vorgetragene, optimistische Melodie die zweite, paradiesische Filmhälfte ein. In *Tropical Malady* wird der traurig-prophetische Song *Wana sawat* (*Dschungelromanze*) angestimmt, bevor ein junger Soldat in den Tropendschungel aufbricht, um seinen Liebhaber zu suchen, der sich in einen Tiger verwandelt hat. Allerdings singt in *Sang sattawat* ein sentimentaler Zahnarzt ein melancholisches Liebeslied bei einer staubigen Tempelfeier, bevor ein klassischer Gitarrist eine Melodie von nostalgischer Schönheit einbringt, die irgendwie die sanfte Ästhetik der Bilder vervollständigt. Vielleicht ist Apichatpong kein Mozart-Fan, aber wenn es um die Musik geht, löst sich das Rätsel auf, und alle Erinnerungen scheinen ganz klar – der seltene Augenblick strahlender Schönheit, die alle Menschen kennen, die seit mehr als zwei Jahrhunderten Mozarts Musik lauschen.

Ich bin nicht religiös. Aber ich ziehe oft religiöse Bücher zu Rate, wenn ich Probleme mit meinen Gefühlen habe. Ich glaube an die Idee, dass man loslassen, sich nicht anklammern soll, obwohl ich das immer sehr schwierig finde.

Seit ich zum ersten Mal 1999 über seine Arbeit geschrieben habe, werde ich immer wieder eine Sache gefragt: Was bedeuten seine Filme? Und noch beängstigender: Was ist ihre Botschaft? In meiner jugendlichen Naivität versuchte ich, die Frager durch recht falsch und erfunden klingende Antworten zufrieden zu stellen, aber heute mache ich mir gar nichts mehr daraus. Vielleicht sollen Apichatpongs Filme nicht erklärt werden, nur erfüllt. Sie bereichern uns und hüllen uns in eine feste Umarmung ein – weil sie eben nicht verstanden, sondern mit den Sinnen wahrgenommen werden wollen. Wir nehmen ihre Bilder mit den Augen auf,

narrative. Apichatpong didn't study music, but in his quest to stretch the limit of his art, the filmmaker may have tapped into some cosmic energy that has influenced so many artists that came long before him: Unintentionally, the structure of *Sang sattawat*, when we see the same scenes being repeated with slight variations as if memories are playing tricks on us, bears a resemblance to the fugue form in classical music composition. Perfected by Bach (though rarely used by Mozart), the fugue form features a melody that keeps repeating itself while also branching off into new melodies based on the original theme. The organized fluidity of Apichatpong's movies may attract the label of (post-)modernism, but it's actually a traditional art form practiced by baroque composers long before cinema was invented.

Yet again, Apichatpong's movies often display that subtle dissonance, like when a minor chord lurks beneath a major key and intimates a subconscious fantasy of melodies that exist but that we cannot hear, or a dream that's forcing its way to the surface. In reading his previous film, the Cannes-winning *Tropical Malady*, a Thai critic (okay, it's me) compares the film's dual structure and its primitive surrealism to Igor Stravinsky's *The Rite of Spring*. Such unlikely comparison may illustrate Apichatpong's unique talent that has been born out of his status as a Third-World filmmaker: despite the fact that all his works are firmly rooted in Thai sensibilities, in the homegrown melodrama and provincial unsophistication, they also draw their artistic license from the vast pool of Western intellectualism. So the world sees glimpses of Renoir and Bach and Kiarostami in Apichatpong's movies, but we also see ancient myths, jungle yarns and cheap pulp fictions of totally Thai origins. As the world sees lyrical metaphors and mystical conjuring, we see the mundane misery and honest humor patented only to the Thais.

The director hardly uses any orchestral music in his films; he's not familiar with the fugue form or Stravinsky's masterpiece, and my takes on those musical analogies might have sounded, in retrospect, unduly ambitious. Apichatpong may have detected the "watery quality" of Mozart's music, but in truth the filmmaker is known to be so fond of cloying Thai pop numbers that sound at once earnest and utterly cheesy. In *Blissfully Yours*, an upbeat tune sung by a sweet-voiced teenager launches the film into its Edenic second half. In *Tropical Malady*, a folk singer croons the sadly prophetic *Wana sawat* (*jungle romance*) before a young soldier treks into a humid forest in search of his lover who's transformed into a tiger. In *Sang sattawat* though, a sentimental dentist sings a brooding love song at a dusty temple fair before a classical guitarist chips in a tune of nostalgic beauty that somehow complements the gentle aesthetics of the visual. Apichatpong may not be a Mozart fan, but at that particular moment when the nylon strings are plucked the enigma evaporates and all memories seem so clear – it's the rare moment of luminous beauty known to all Mozart listeners since three centuries ago.

I'm not religious. But I often consult religious books when I have emotional problems. I believe in the idea of letting things go, of not feeling attached. But I always find that it's hard to do that.

People have thrown one particular question at me for countless times since I first started writing about Apichatpong's works in the 1999: What do his films mean? Or even more sinister: What are the messages? In my early naiveté I satisfied them by fishing out some hokum-sounding answers, but lately I've been in the habit of giving those inquirers a shrug. Maybe Apichatpong's films are not meant to be explained but felt. They enrich and wrap us whole in their smothering hugs not

und diese Bilder gehen direkt ins Herz. Wie große Musik schalten seine Filme die kritische Denkfähigkeit aus, weil sie auf einer unbewussten Ebene ansetzen und einen schwermütigen Sog der Gefühle auslösen, bevor das Gehirn aufgerüttelt wird, die Informationen zu verarbeiten – wenn das überhaupt noch Sinn hat.

Ich interviewte ihn zum ersten Mal für meine Zeitung im Zusammenhang mit seinem ersten Spielfilm *Mysterious Object at Noon*. Damals war Apichatpong ein noch unbekannter Filmemacher, der gerade aus Chicago heimgekehrt war, obwohl seine experimentellen Kurzfilme bei einem kleinen Kreis von Kinofreaks in Bangkok ein gewisses Interesse ausgelöst hatten. Ich schrieb einige Artikel über seinen nächsten Film *Blissfully Yours*, der im Rahmen der Reihe Un Certain Regard in Cannes gezeigt, aber von einheimischen Zensoren beschnitten und hier überhaupt nur in einem einzigen Kino gezeigt wurde. Und ich hatte das große Glück, 2004 gerade in Cannes zu sein, als *Tropical Malady* im Hauptwettbewerb lief und den Großen Preis der Jury gewann – das erste Mal, dass ein thailändischer Film mit einem wichtigen internationalen Kinopreis ausgezeichnet wurde.

because they can be understood but perceived. We receive the images through the eyes and they go directly to the heart. Like great music, his films bypass our critical faculty since they can connect with us at the unconscious level, leaving a languorous swirl of emotions before the brain is jolted into processing the data – if any data-processing still matters after all.

I first interviewed him for my newspaper when he was struggling to finish his first feature-length film *Mysterious Object at Noon*. Apichatpong was still an unknown filmmaker who just came back from his study in Chicago, though his experimental shorts had generated a certain buzz among a small circle of cinephiles in Bangkok. I wrote a few articles on his next movie *Blissfully Yours*, which was shown in Un Certain Regard at Cannes but was mutilated by local censors when it opened in a single theatre here. And I was lucky enough to be in Cannes in 2004 when *Tropical Malady* was screened in the Competition and eventually won a Jury Prize, the first time a Siamese movie was honored with a major international film award.

„Joe" – so nennt sich Apichatpong auf Englisch, obwohl sein Spitzname auf Thai eine viel schwieriger auszusprechende, vokal-lastige Version ist, die eher wie „Joei" klingt. Manchmal nenne ich ihn „Gentleman Joe" (noch nicht allgemein bekannt!). Und von meinem ersten Interview mit diesem freundlichen Mann an empfand ich eine Mischung aus Neugier und Frustration, da es so schwierig ist, seine Beschreibungen seiner Filme zu verstehen. Ihm ist das bewusst, manchmal hat er Mitleid mit mir und sagt: „Ich weiß, dass das schwer verständlich ist. Deswegen musst du eben den Film sehen." Die meisten Menschen wollen aber nicht mehr Verständnis für einen Film, als man mit dem Lesen der Inhaltsangabe in einer Zeitung erreichen kann, und während manche ZuschauerInnen vielleicht durch eine Mischung aus Neu-gier und Frustration in einen Film von Apichatpong gelockt werden, werden viele unter ihnen nur letzteres Gefühl empfinden. Frustration kann sogar zu Angst werden, und es täte mir sehr leid, wenn ich erführe, dass meine Artikel über einen neuen Film von Joe wie ein Warnsignal klingen könnten – nämlich, dass dies kein Film für Jedermann (und insbesondere kein Film für die Multiplex-Klientel) ist.

„Ich mache Filme von meiner persönlichen Wellenlänge aus, und mir ist klar, dass dies vielleicht nicht der Wellenlänge der Mehrheit entspricht, aber das ist okay", meinte er einmal mir gegenüber. Wovon ich mich selbst kürzlich zu überzeugen versuchte ist, dass sich die Probleme mit dem Verständnis von Apichatpongs Filmen nicht daraus ergeben, dass sie schwierig sind, sondern vielmehr und im Gegenteil aufgrund ihrer großen Einfachheit. In einer Zeit, in der unsere Sinne durch ein Übermaß an Fiktionen und bewegten Bildern verstopft sind, können Geschichten, die auf Erinnerungen und Mythen beruhen – den ältesten Geschichten der Menschheit – als etwas erscheinen, das von einem anderen Planeten kommt. Apichatpongs Filme zeigen stets die Natur als jene Kraft, die die biochemische und meta-physische Seite des Menschen beeinflusst. Man kann sagen, dass die Natur nicht leicht zu verstehen ist, aber andererseits ist nichts einfacher als die Natur. Das Wort für Natur in der thailändischen Sprache ist übrigens *dharma-chart*, was auf das Wort *dharma* zurückgeht. Die buddhistische *Dharma*-Lehre befasst sich mit der Vergänglichkeit aller Dinge. Alles ist nur Illusion, Traum oder Erinnerung. Gentleman Joe macht ein Kino des *dharma-chart* – ein Kino der Unbeständigkeit. Genauso wie er selbst lernt loszu-lassen, sich nicht anzuklammern, sollten wir es ihm vielleicht gleichtun, wenn wir seine Filme sehen. Nichts ist einfacher, als sich der unwiderstehlichen Umarmung der Natur hinzugeben. Und vielleicht ist das Rätsel gar keines.

"Joe" – that's what Apichatpong calls himself in English, though his nickname in Thai is a vowel-twister that's pronounced somewhat like "Joei". Sometimes I'd like to call him "gentleman Joe" (it hasn't got into the mainstream yet!). And from the very first time I interviewed this amiable man, I experienced a mix of curiosity and frustration since it was difficult to understand the description of the film he tried to give me. He knew it and occasionally sympathizes by saying: "I know it's hard to understand. You have to see the film in order to." For most people though, being unable to understand a movie by simply reading its synopsis in a newspaper is unacceptable, and while some people are driven by a mix of curiosity and frustration to see an Apichatpong's movie, most viewers feel only the latter. Frustration even transforms into dread, and I'd feel upset with myself when I realize that some-times my articles on a new film by Joe often sound like a warning sticker that this may not be a movie for everybody, especially regular multiplex-goers.

"I make films from my personal wavelength, and I know that maybe not many people share the same wavelength as mine, but that's all right," he once told me. What I've tried to convince myself lately is that perhaps people don't get Apichatpong's movies not because they are difficult but be-cause they are very simple. In a time when our consciousness is clogged by overexposure to fictions and moving images, stories based on memories and myths – the oldest stories of humankind – might have seemed like something from an alien wavelength. Apichatpong's films always feature nature as the force that affects the biochemical and metaphysical workings of human beings. You could say that it's not easy to understand nature, but then again there is nothing easier. The Thai word for nature, by the way, is *dharma-chart*, whose linguistic root is based on the word *dharma*. In the Buddhist *dharma* teachings we're told that everything is impermanent. It's just illusion, or dream, or memory. Gentleman Joe's is the cinema of *dharma-chart* – the cinema of impermanence. As he himself is learning how to let things go, to not feel attached, perhaps we should do the same when watching his films. There's nothing easier than let yourself be swept into the irresistible embrace of nature. Maybe there's even no enigma after all.

Erinnerungen. Geheimnisse
Memories. Mysteries

Der englische Titel des Films ist eine Anspielung. „Syndrome" verweist auf ein Interesse an menschlichem Verhalten, während „ein Jahrhundert" auf ein Interesse an der Zeit verweist. Sehen Sie das auch so? Ja, das ist der dritte Film, dessen Struktur ich einsetze, um Dualitäten zu erforschen, und es wird wohl auch der letzte sein. Das Wort „Syndrome" ließe sich genauso auf *Blissfully Yours* oder *Tropical Malady* anwenden: es bezieht sich auf menschliches Verhalten, z.B. die Art und Weise, wie wir uns verlieben. Ich möchte nicht, dass das Wort negative Konnotationen hat; wenn sich zu verlieben eine Art Krankheit ist, dann haben wir alle ihre Symptome. Für mich bedeutet das Wort „Jahrhundert" eine Vorwärtsbewegung. Ein Jahrhundert ist so etwas wie eine Lebenszeit. Ich interessiere mich für die Art, wie sich die Dinge im Lauf der Zeit ändern oder eben nicht. Mir scheint, dass menschliche Themen relativ gleich bleiben.

Für mich war *Blissfully Yours* ein Film über das Kino und meine Art, es zu sehen. *Tropical Malady* ist persönlicher: es geht um mich. Und in diesem Film geht es um meine Eltern. Ich habe das Gefühl, dass ich mit diesem Film eine Art Schlusspunkt erreicht habe, und das Wort „Jahrhundert" passt irgendwie dazu.

Hier ist die hauptsächliche Dualität das Weibliche und Männliche ... Ja, die erste Hälfte behandelt die Geschichte meiner Mutter und die zweite die meines Vaters. Die gelegentlichen Wiederholungen spiegeln meinen Glauben an die Reinkarnation wider: Menschen wiederholen ja Dinge. Wahrscheinlich dachte ich anfänglich an größere Dualitäten – Tag und Nacht, männlich und weiblich –, aber die Kontraste sind im fertigen Film nicht so stark fühlbar. Es geht bloß um meine Mutter und meinen Vater.

Die erste Hälfte hat eine stärkere „Retroatmosphäre" als die zweite, aber Sie haben nicht wirklich versucht, das Umfeld, in dem Sie aufgewachsen sind, nachzubilden. Wollten Sie keine Details aus dieser Zeit in Ihrem Film? Ich bin in der Stadt Khon Kaen im Nordosten Thailands nahe der Grenze zu Laos aufgewachsen; dort ist mein Vater gestorben, und meine Mutter lebt noch immer dort. Ich bin hingefahren, um Drehorte zu suchen, aber die Landschaften und Krankenhausgebäude, an die ich mich erinnere, existieren nicht mehr. Auch wenn es also meine Absicht gewesen wäre, die Vergangenheit wieder auferstehen zu lassen – ich hätte es nicht vermocht. Wir haben den Film an verschiedenen Schauplätzen gedreht, die mich an meine Kindheit erinnerten, aber es sind vorwiegend moderne Örtlichkeiten. Die erste Hälfte des Films, die sich mit meiner Mutter beschäftigt, ist weniger gegenwartsbezogen als die zweite, aber das hat damit zu tun, dass Orte in Thailand immer altmodischer wirken, je weiter man sich von Bangkok entfernt.

Die Erinnerung ist der zentrale Impuls in Ihrem filmischen Schaffen? Vielleicht sogar der einzige! Alles ist in unserer Erinnerung

The film's English title is rather allusive. "Syndromes" suggests a concern with human behavior, while "a Century" suggests a concern with time. Is that how you saw it yourself? Yes, this is the third film in which I've used the structure to explore dualities, and I think it will be the last. The word "Syndromes" could apply equally to *Blissfully Yours* or *Tropical Malady*: it does refer to human behavior, such as the way we fall in love. I don't intend the word to have negative connotations; if falling in love is a kind of sickness, it's one for which we all show symptoms. "Century" for me conveys the sense of moving forward. A century is more or less the same as a lifetime. I'm interested in the ways things change over time, and in the ways they don't change. It seems to me that human affairs remain fairly constant.

Blissfully Yours was, for me, a film about cinema and the way I see it. *Tropical Malady* is more directly personal: it's about me. And this film is about my parents. I feel that I'm achieving some kind of closure with this film, and the word "Century" somehow chimes with that.

Here the main duality is female / male ... Yes, the first half is for my mother and the second for my father. The occasional repetitions reflect my belief in reincarnation: people do repeat things. I probably started out with larger dualities in mind – such as day / night, masculine / feminine – but the contrasts aren't so stark in the finished film. It's just my mother and father.

The first half has a more "period" feel than the second, but you haven't really tried to recreate the environment in which you grew up. You didn't want period detail? The town where I grew up is Khon Kaen (it's in the north-east of Thailand, near Laos); it's where my father died, and my mother still lives there. I went back there to look for locations, but the landscapes and hospital buildings that I remember simply don't exist any more. So even if I'd wanted to recreate the past, it would not have been possible. We shot the film in various places that evoked my childhood memories, but they're basically contemporary. The first half of the film, centered on my mother, is less contemporary than the second, but that's because places in Thailand do look more old-fashioned when you leave Bangkok.

Memory is the central impulse in your film-making? It may well be the only impulse! Everything is stored in our memory, and it's in the nature of film to preserve things ... But I've never set out to recreate my memories exactly. The mind doesn't work like a camera. The pleasure for me is not in remembering exactly but in recapturing the feeling of the memory – and in blending that with the present. That's been especially true in this film. In *Tropical Malady* I was following a full script and trying to get things "right". But this film is

gespeichert, und es liegt in der Natur des Films, Dinge zu bewahren … Ich habe aber nie versucht, meine Gefühle exakt zu duplizieren. Das menschliche Gehirn funktioniert nicht wie eine Kamera. Für mich besteht das Vergnügen nicht in der genauen Erinnerung, sondern im Einfangen des Erinnerungsgefühls und in seiner Verschmelzung mit der Gegenwart. Das gilt besonders für diesen Film. In *Tropical Malady* hatte ich ein komplettes Drehbuch und versuchte, alles „richtig" zu machen. Aber in diesem Film geht es nicht wirklich um mich, und daher hatte ich (dank der Großzügigkeit meiner Produzenten, die keine Einsprüche erhoben) die Freiheit, alles Stück für Stück, Tag für Tag aufzubauen. Wir drehten die erste Hälfte, unterbrachen kurz für den Rohschnitt und setzten dann mit der zweiten Hälfte fort. Das half mir sehr, den Rhythmus der zweiten Hälfte, einen Teil der Dialoge etc. zu formen. In der zweiten Hälfte änderten wir viele Dinge als Reaktion auf Plätze, die wir bei der Suche nach geeigneten Drehorten gefunden hatten, oder auf kleine Ereignisse während der Dreharbeiten. Zum Beispiel war der Raum voller Prothesen etwas, das wir beim Durchstreifen zahlreicher Krankenhäuser zufällig fanden. Und die Idee, dass die Ärztin in einer der Prothesen Alkohol versteckte, war auch spontan. Das kam erst ein paar Tage vor den Aufnahmen in den Film.

Wieviele der Ereignisse und Details im Film beruhen also auf Erinnerungen und wieviele auf zufälligen Entdeckungen in der Gegenwart? Das kann ich nicht genau sagen. Zum Beispiel die Gesprächsszenen, mit denen jede der beiden Hälften beginnt. Die Entscheidung, in den Gesprächen Fragen aus psychologischen Tests zu verwenden, kam von der Schauspielerin, die wir engagiert hatten: Sie arbeitet zwar an einer Mautstelle, aber sie hat einen Universitätsabschluss in Psychologie. Die Idee ergab sich in unseren Workshops vor den Dreharbeiten. Aber die Frage nach der Bedeutung von „DDT" bezieht sich direkt auf etwas, das mir mein Vater erzählt hat. Ihm wurde diese Frage von einem Lehrer gestellt, und die Antwort im Film ist diejenige, die auch er gab.

Das Verhalten der buddhistischen Mönche spiegelt genau wider, woran ich mich vom Krankenhaus meines Vaters her erinnere. Mönche sollen ja nicht Gitarre spielen, aber es kommt doch vor. Ich erinnere mich aus meiner Kindheit an Mönche in meiner Geburtsstadt, als ich bei ihrem Tempel vorbeiging und dachte, dass sie eigentlich nicht wie Mönche aussahen. Und Sakda sagte mir, dass er sich in seiner Zeit als Mönch nicht anders verhalten hätte als sonst. Der Mönch, den er in dem Film spielt, setzt natürlich seine Rolle in *Tropical Malady* fort. In meinem ursprünglichen Drehbuch verwandelte er sich nachts in einen Tiger!

Die Idee des singenden Zahnarztes kam von einem Mann, den ich kennenlernte, als ich nach Khon Kaen zurückkehrte, um eine Auszeichnung meiner alten Universität in Empfang zu nehmen. Ein ehemaliger Student war eben Zahnarzt geworden und hatte ein Album mit Liedern über Zahnhygiene aufgenommen. Ich dachte, ich könnte ihn in den Film einbauen, aber als die Dreharbeiten vor der Tür standen, war er nicht verfügbar. Also habe ich diese Rolle mit jemand anderem besetzt. Eine Anzahl anderer Figuren und Ereignisse im Film ergaben sich auch aus zufälligen Zusammentreffen während der Recherchezeit – etwa einen

not really about me, and so (thanks to the generosity of my producers, who never objected) I had the freedom to build it bit by bit, day by day. We shot the first half first, then took a break and rough-cut the footage before shooting the second half. That helped very much to shape the rhythms in the second half, some of the dialogue and so on. We changed a lot in the second half in response to places we found while scouting for locations and little things that happened during the shoot. For example, the room full of prosthetic limbs was something we came across by chance, while scouting many hospitals. And the idea that the woman doctor would hide liquor in one of the prosthetic limbs was spontaneous, too. It came into the film at most a few days before we shot it.

So how many of the incidents and details in the film are based on memories and how many on present-day accidents of discovery? It's impossible to say exactly. Take the interview scene which opens both halves of the film. The decision to use psychological-test questions in the interview came from the actress we cast: she may work in a toll-booth, but she has a Master's degree in Psychology. The idea emerged in the workshops we did before shooting. But the question about what "DDT" stands for comes directly from something my father told me. It was a question he was asked by a teacher, and the answer in the film is the one he gave.

The behavior of the Buddhist monks reflects exactly what I remember seeing in my father's clinic. Monks are not supposed to do things like play guitar, but such things do happen. I have a childhood memory of seeing monks in my hometown, walking near their temple, and thinking that they didn't look like monks at all. And Sakda told me that when he was a monk, he behaved no differently from the way he did normally. The monk he plays in this film is of course a continuation of his role in *Tropical Malady*. In my original script, he changed into a tiger at night!

The idea of the singing dentist came from someone I met when I went back to Khon Kaen to receive an award from my old university. One alumnus there was a dentist and he had released an album of songs about dental health. I thought I'd put that in the film, but when the time came to shoot, the guy wasn't available. So I cast someone else as the dentist. Quite a few of the other characters and incidents in the film also came from chance encounters during the research period: finding a beautiful man or woman and deciding to put them in the film.

What does the tree orchid mean to you? It's a beautiful parasite, and a symbol of fertility. Its seeds are blown by the wind and it attaches itself to the host it lands on. It's random and mysterious, like the film itself. As I was growing up, my mother had a huge garden of orchids. And she shot home movies of the family, so maybe there's more than one association there for me.

And the sun imagery? The Thai title means "Light of the Century". The first half of the film is a kind of portrait of the

attraktiven Mann oder eine schöne Frau zu finden und in den Film zu integrieren.

Was bedeutet die Baumorchidee für Sie? Sie ist ein schöner Parasit und ein Symbol der Fruchtbarkeit. Ihre Samen werden vom Wind verbreitet, und sie setzt sich dann auf der Wirtspflanze fest. Der Vorgang ist so zufällig und geheimnisvoll wie der Film. In meiner Kindheit hatte meine Mutter einen riesigen Garten voller Orchideen. Und sie machte Amateurfilme von unserer Familie, daher habe ich hier vielleicht mehrere Assoziationen.

Und die Sonnensymbolik? Auf Thai heißt der Film übersetzt „Licht des Jahrhunderts". Die erste Hälfte des Films ist eine Art Porträt der Sonne oder eine Darstellung der Art und Weise, in der unser Überleben von der Sonne abhängt. Die zweite Hälfte des Films wird vom Kunstlicht beherrscht. Aber die Chakrenheilung in der zweiten Hälfte betrifft auch die Sonne: Es geht darum, wie man die Kraft der Sonne in den Körper lenken kann.

Aus einem Interview mit Apichatpong Weerasethakul von Tony Rayns, Bangkok, Juli 2006

sun, or an account of the way we depend on the sun for our survival. The second half of the film is dominated by artificial light. But the chakra healing in the second half is also all about the sun: it's a way of channelling the sun's power into the body.

From an interview with Apichatpong Weerasethakul by Tony Rayns, Bangkok, July 2006

Tsai Ming-Liang
Hei Yan Quan
I Don't Want To Sleep Alone

RegisseurDirector **Tsai Ming-Liang** — Taiwan/Frankreich/ÖsterreichTaiwan/France/Austria —
2006 — 118 min — FarbeColor — 35mm — Malaiisch/Mandarin/BengaliMalay/Mandarin/Bengali —

ProduktionsfirmenProduction Companies **Homegreen Films, Soudain Compagnie, New Crowned Hope** —
Ausführende Produzenten für New Crowned HopeExecutive Producers for New Crowned Hope **Simon Field, Keith Griffiths, Illuminations Films** — ProduzentenProducers **Bruno Pesery, Vincent Wang** —
WeltvertriebForeign Sales Agent **Fortissimo Films** — Österreich VertriebAustrian Distribution **Stadtkino Filmverleih** —

DrehbuchScreenplay **Tsai Ming-Liang** — KameraCinematographer **Liao Pen-Jung** — SchnittEditor **Chen Sheng-Chang** —
AusstattungProduction Designer **Lee Tian-Jue, Gan Siong-King** — TonSound **Tu Duu-Chih, Tang Shiang-Chu** —
DarstellerInnenCast **Lee Kang-Sheng** — **Chen Shiang-Chyi** — **Norman Atun** — **Pearlly Chua** — **Xin Qu** — **Tan Soo Suan** —

PremierePremiere **22.11.2006, 20:30** — OmeUeng.st. — OrtVenue **Gartenbaukino** —
Im Anschluss Publikumsgespräch mitFollowed by Q&A with **Tsai Ming-Liang** —
VorstellungScreening **27.11.2006, 20:45** — OmdUger.st. — OrtVenue **Österreichisches Filmmuseum** —

Jean-Michel Frodon
Auf Tsais Art
Tsai's Way

Welche Sprache sprechen sie? Wo ist das Land? Für mich als europäischen Zuschauer mindert der Mangel an Grundinformationen über das, was ich zu Beginn von Tsai Ming-Liangs neuem Spielfilm Hei Yan Quan [Ich will nicht alleine schlafen] sehe und höre, nicht meine Fähigkeit, eine Beziehung zu diesem Film aufzubauen, was doch eigentlich zu erwarten wäre – vielmehr steigert er sie. Im Verlauf wird die Lage sozusagen noch „schlimmer": Immer weniger Dialog und am Ende gar keiner mehr. Kein Geschichtenerzählen im üblichen Sinn, wo jemand etwas tut, das eine Konsequenz nach sich zieht, die Reaktion eines anderen herausfordert. Nein, das ist nicht Tsai Ming-Liangs Art. Je weiter man in die sonderbare Geografie seines achten Spielfilms vordringt (seine Filme beruhen immer mehr auf Bild- und Klanggeografien als auf dem Geschichtenerzählen), desto klarer wird, dass dieser neue Film etwas, was schon immer typisch für Tsai war, in besonders radikaler Weise präsentiert: Eine unglaublich einfache und gefühlsmäßige Wette auf die Fähigkeit der ZuschauerInnen, eine enge emotionale Beziehung zu Figuren einzugehen, die doch so weit von ihm entfernt sind. Ich wiederhole, ich schreibe dies als europäischer Zuschauer. Aber um ehrlich zu sein, bin ich überzeugt, dass dies auch für taiwanesische oder malaiische ZuschauerInnen gilt. Die Distanz ist nicht vor

What language do they speak? Where is the country? For me, a European viewer, the lack of this basic information about what I am watching and listening to at the beginning of Hei Yan Quan [I Don't Want To Sleep Alone], Tsai Ming-Liang's new feature, does not diminish my ability to relate to the film, as it should. It increases it. What comes next, during the screening, is "worse", so to speak. Less and less dialogue, then none at all. No storytelling in the usual way: somebody does something which has an effect, generating somebody else's reaction. No way! Or, to be more precise, this not Tsai Ming-Liang's way. The further you get inside the strange geography of his eighth feature (all his cinema was always based on visual and sound geography more than on storytelling), the more you become aware that this new film radicalizes what has been at work since the beginning: an incredibly simple and sentimental wager on the ability of the viewer to relate intimately, on an emotional level, with characters who are so far from them. Once again, I write as the European viewer that I am. But to tell the truth I am convinced this is true even for Taiwanese or Malaysian viewers. The distance is not mainly cultural or physical, as Tsai himself suggested in earlier films and then made clear What Time Is It There? having suggested it in all his previous films.

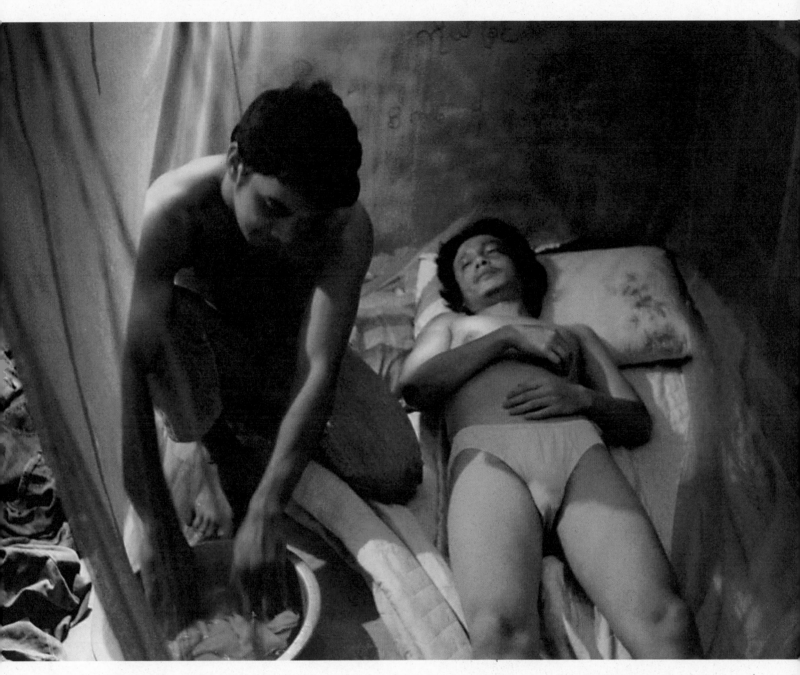

allem kulturell oder physisch, wie Tsai selbst mit seinem Film *What Time Is It There?* klar zum Ausdruck gebracht (und in allen früheren Filmen angedeutet) hat.

Ein „Fluss", ein „Loch" oder ein „Skywalk" (die in den Titeln von drei seiner früheren Filme auftauchen) können verschiedene menschliche Welten miteinander verbinden (Welten verschiedener Generationen oder Geschlechter, sogar reale / imaginäre Welten wie z.B. in Musicals oder die imaginären Welten alter Filme …), so bald Menschen aus diesen verschiedenen Welten (also auch wir, die ZuschauerInnen) dazu bereit sind. Um diese Verbindungen zu ermöglichen, vertraut Tsai nicht auf die üblichen Verfahren, die mit dem Vokabular der Einfühlung, emotionaler Handlungen oder Nahaufnahmen arbeiten – dieser großen Trickkiste, durch die ZuschauerInnen mittels vorformatierter Muster eine Beziehung zu den Figuren aufbauen sollen, welche notwendigerweise die Möglichkeit, andere zu verstehen manchmal sehr effizient, aber stets irgendwie beschränken.

Tsais Art ist ganz anders, sie beruht auf einigen der spezifischsten und potenziell mächtigsten Ressourcen des Kinos: Zeit, Licht, physische Präsenz. Zeit: Jede einzige Einstellung in einem Film von Tsai Ming-Liang und insbesondere in diesem Film, der

A "river" or a "hole" or a "skywalk" (titles of three of his previous works) can connect different human worlds (generational worlds, gender worlds, even real / imaginary worlds like those of musicals or the imaginary worlds of old movies …) as soon as people from these different worlds (including us, the films' viewers) are ready for connection. To make these connections possible, Tsai does not trust the usual procedures based on the vocabulary of empathy, of emotional plots, of close-ups. All those large array of tricks which make audiences relate with characters through pre-formatted patterns, that necessarily limit the possible understanding of others in a sometimes very efficient, but always very narrow way.

Tsai's way is different, it relies on some of the most specific and potentially powerful resources of cinema: time, light, physical presence. Time: not a single shot in a Tsai Ming-Liang film, particularly this one which exemplifies his work, generates its meaning and effect without its full length. This is mostly, but not systematically, related to long shots. It includes the art of editing (when does a shot start, when does it end, how does it connect with the previous and the next shot) as well as the art of lighting the scene (almost always taking the best advantage of already existing light), framing and moving the camera.

wirklich stellvertretend für sein gesamtes Werk steht, gewinnt
ihre Bedeutung und Wirkung nur aus ihrer vollen Länge. Dies gilt
vor allem, aber nicht systematisch für die Totalen. Dazu gehören
auch die Kunst des Schnittes (wann beginnt eine Einstellung,
wann endet sie, wie hängt sie mit der vorhergehenden und nach-
folgenden Einstellung zusammen) sowie die Kunst der Ausleuch-
tung (wobei fast immer die bestehende Lichtsituation möglichst
ausgeschöpft wird), die Wahl des Bildausschnitts und die
Kamerafahrten. Jeder, der glaubt, dass Licht, Bildausschnitt und
Bewegung nichts mit der Zeit zu tun hätten, muss sich bloß Tsais
Filme ansehen, um eines Besseren belehrt zu werden. Durch Tsais
Einsatz der Zeit entsteht ein *gleichzeitig* sehr einfacher und sehr
subtiler Effekt. Ein Beispiel: Jemand betrachtet schweigend einen
anderen Menschen – eine ganz triviale Alltagssituation. Aber die
Einstellung dauert an, eben auf Tsais Art. Sie wird sinnlich, ge-
walttätig, ironisch, grausam, komisch, obwohl an der Oberfläche
nichts verändert scheint, niemand sich bewegt hat; es gibt laute
Hintergrundgeräusche, oder einen alten Popsong oder vielleicht
ein tiefes Schweigen, das andauert. Noch wichtiger: Jedes neue
Gefühl, das uns im Verlauf der Einstellung bewusst wird, löscht
die vorhergehenden Gefühle nicht aus, sondern verbindet sich
mit ihnen. Ohne ein Wort oder Ereignis wird die Beziehung
zwischen den beiden Figuren reich und komplex, schließlich sogar
tragisch. Man könnte leicht in Tränen ausbrechen wie die junge
Frau am Ende von *Vive l'amour*, einfach wegen dieser langsamen
Sedimentierung von Spuren unserer Einsamkeit. Dies ist eine sehr
kluge (und ökonomische) Arbeitsweise, und sie ist auch sehr
großzügig, da sie auf zwei symmetrischen Glaubenssätzen beruht:
dem Glauben an das Potenzial jedes Menschen vor der Kamera
und dem Glauben an das Potenzial der Menschen, die vor der
Leinwand sitzen – unser Potenzial also. Aber nur sehr wenige
RegisseurInnen erzielen diese Wirkung. Dafür muss man für die
Wellen extrem sensibel sein, die von einem Gesicht, einem Blick,
einem Lächeln, einem Schatten, einem Lichtstrahl ausgehen.
Nehmen wir zum Beispiel die beiden jungen Männer, die in
Hei Yan Quan unter dem Moskitonetz liegen. Eigentlich geschieht
nichts, aber Mitleid, Solidarität, Begehren, Liebe, Gleichgültigkeit,
Notwendigkeit, Kompromiss treten auf der Leinwand ans Licht.

Dies passt zu dem zweiten großen Talent, das Tsai Ming-Liang
seit seinem ersten Spielfilm *Rebels of the Neon Gods* unter Beweis
gestellt hat: Sinnlichkeit im Filmemachen. Andere RegisseurInnen
können die physische Attraktivität ihrer DarstellerInnen einfangen
und mit den ZuschauerInnen teilen, wobei jedoch die meisten ein
Gefühl der Monotonie auslösen. Mit jungen Männern und
Mädchen, aber auch älteren Männern und Frauen und überhaupt
fast allen möglichen Kombinationen weiß Tsai, wie er eine Art
„physische Emulsion" erzeugen kann, die ein sehr breites
Gefühlsspektrum abdeckt. Manche dieser Menschen sind hässlich,
schwer krank, verkrüppelt, andere sind banal, aber jedem wird
ein vielschichtiges Potenzial zugestanden – erotisch, komisch,
dramatisch etc. Ein Beispiel ist die unglaubliche Gewalttätigkeit,
die mit einer simplen Ohrfeige explodiert, wenn das junge
Mädchen geschlagen wird, das sich in diesem Film um den
gelähmten Jungen kümmert. Es wirkt, als ob sich so viel angestaut
hätte, dass diese eigentlich kleine und unerklärte Geste zu einer
Explosion aller früheren Angst, Verzweiflung und Grausamkeit
(auch der unseren) würde. Oder denken wir, was ganz unwahr-
scheinlicher Weise während der Massageszenen geschieht.
In seinem vorhergehenden Film *The Wayward Cloud* verwies
Tsai Ming-Liang ironisch auf die Schizophrenie, die sich ergibt,
wenn Sex und Gefühle voneinander getrennt werden – die Hässlichkeit, die Vulgarität und der Triumph des Unmenschlichen. In
all seinen Filmen legt er Zeugnis ab von seiner Gabe, verschiedene
Gefühlsarten und -niveaus miteinander zu verbinden.

Anybody who believes that light, frame and movement have no
relation with time just has to watch Tsai's films, then they will
know better. What is at work through Tsai's use of time is, *at
the same time*, very simple and very subtle. Example: somebody
looks silently at somebody else. It's the most trivial factual
situation. But the shot keeps going on, in Tsai's way. It becomes
sensual, violent, ironic, cruel, hilarious. Though, apparently,
nothing has changed, no one has moved, there is some noisy
background sound, or an old pop song, or maybe a deep silence
just keeping going. More importantly: each new feeling we
encounter during the length of the shot does not abolish the
previous ones but combines with them. Without a word or an
event, the relation between the two characters becomes rich,
complex. Eventually tragic. One could very naturally burst into
tears, like the young woman at the end of *Vive l'amour*, with no
other reason than this slow sedimentation of traces of our loneliness. It's a very clever (and economic) way to work, and also a
very generous way. Because it relies on two symmetrical beliefs:
in the potential of each human being in front of the camera; and
in the potential of the humans beings – us – who are in front of
the screen. But very few directors are able to achieve this. It takes
an ultra-sensitivity to the waves that come from a face, a look, a
smile, a shadow, a ray of light. Look at the two young men lying
under the mosquito-net in *Hei Yan Quan*. Nothing happens
really, but mercy, solidarity, desire, love, indifference, necessity,
compromise surface on the screen.

This goes with the other major talent Tsai Ming-Liang has
proved to have since his first feature, *Rebels of the Neon Gods*:
sensuality in filmmaking. Other directors are able to capture
and share with audiences the actors' physical attraction, most of
them generate a "one-note" feeling. With young men and girls,
but also, older men and women, and between them in almost
all possible combination, Tsai knows how to generate a kind of
"physical emulsion" which covers a very large spectrum of feelings. Some of these people are ugly, terribly sick, crippled, others are banal, but every one earns a multi-level potential – erotic,
comic, dramatic, etc. Look at the incredible violence which
explodes with a simple slap to the girl who takes care of the
paralysed young man in this film. It's as if so many things have
accumulated before that this gesture, actually small, unexplained,
bears the explosion of all the previous anguish, despair and
cruelty – including our own. Look at what happens, beyond all
odds, during the massage scenes.

In his previous film, *The Wayward Cloud*, Tsai Ming-Liang
ironically pointed out the schizophrenia that occurs when separating sex and feelings: the ugliness, the vulgarity and the
triumph of the un-human. In all his films, he testifies to the
power to connect together different kinds and levels of affects.

Es scheint auch, als ob Tsai Ming-Liang für immer und ewig den perfekten Partner gefunden hätte, um in dieser Alchimie des Filmemachens die volle Bandbreite physischer Eindrücke erarbeiten zu können. In all seinen Filmen ist Lee Kang-Sheng nicht nur ein unglaublich guter und attraktiver Darsteller, sondern auch eine Art Botschafter für Tsais Beziehung zur Welt sowie ein „Kondensator" dieser Beziehung zum Vorteil aller anderen Mitwirkenden. Tsai und Lee haben eine solch effiziente Komplizenschaft erreicht, dass auch wenn der junge Mann nur passiv ist, etwa zu Beginn, wenn er von Schlägern angegriffen wird, die scheinbar nicht dieselbe Sprache sprechen, oder wenn er im Koma liegt, Lee noch immer diese bescheidene und intensive Präsenz ausstrahlt, die das Bild erweitert, es reicher macht als die einfachen Ereignisse, die uns gezeigt werden.

Die Art, in der Tsai Ming-Liang das sehr triviale Leben seiner Figuren filmt, ist auch extrem aufmerksam gegenüber der materiellen Realität der Welt. Man könnte die Handlung von *Hei Yan Quan* als die Geschichte eines jungen Mannes zusammenfassen, der von einer Gruppe illegaler Gastarbeiter gerettet wird. Einer von ihnen verliebt sich in ihn, wird aber für ein junges Mädchen verlassen, das in der Nähe wohnt. Aber dieser Ansatz würde komplett an der großen Bedeutung realer und sozialer Fragen vorbeigehen (die gigantischen Räume in dem Gebäude, die kleinen Restaurants, die Umweltverschmutzung, die internationalen Beziehungen, die Immobilienspekulation), die stets sehr konkret und in gleichzeitig spektakulär umgestalteten, visuellen Szenen beschrieben werden (als Überschwemmung, Dürre, Unmengen von Abfall, endlose Aufenthalte in Videospielhallen, albtraumhafte Einsamkeit in den modernen Städten, Verschmutzung der Flüsse etc., wie Tsai dies in früheren Filmen getan hat). Tsai Ming-Liang erschafft poetische Welten, aber stets auf Grundlage einer sehr scharfen Beobachtung der Welt, in der wir – und er – leben.

Diese Genauigkeit und Distanz haben, glaube ich, etwas mit dem Gefühl des Exiliertseins zu tun. In jedem Film Tsais ist Lee Kang-Sheng ein Exilant – und oft sind es auch die anderen Figuren, sogar in ihren eigenen Städten: Erinnern wir uns an Jean-Pierre Léaud in Paris. Der in Malaysia geborene, aber in Taipeh lebende Tsai Ming-Liang ist selbst ein Exilant. In Hei Yan Quan nimmt er explizit auf seine eigene Biografie Bezug, wenn er eine Gruppe malaysischer Einwanderer zeigt. Aber wiederum ist das Exil nicht nur geografisch und kulturell, sondern eine innere Kluft, die von uns allen nachvollzogen werden kann – ein Gefühl der Melancholie, besetzt durch die unscharfe Erinnerung an ein verlorenes Paradies, das noch immer durch die alten Popsongs durchklingt, die in jedem seiner Filme zu hören sind, oder manchmal auch in den Bildern selbst oder als Kung-Fu-Filme aus der goldenen Vergangenheit (wie etwa in *Goodbye Dragon Inn*) erkenntlich wird. Wahrscheinlich hat sein eigenes Exil es Tsai Ming-Liang erleichtert, dem Gefühl einer nicht erfolgten Verbindung mit der Welt (und der Unfähigkeit, diese Welt besser, menschlicher zu machen) Ausdruck zu verleihen. Dies ist etwas, das wir alle nachvollziehen können, und deshalb können alle Menschen eine Beziehung zu Tsai Ming-Liangs Filmen herstellen: Sie geschehen stets im Hier und Jetzt.

Seemingly once and for ever, Tsai Ming-Liang found himself the perfect partner to elaborate this alchemy of filming the complete range of physical impressions. In all his films, Lee Kang-Sheng is not only an incredibly good and handsome actor, but he is both a kind of ambassador for Tsai's relation to the world and a "condenser" of these relations to the benefit of everyone on the screen. Tsai and Lee have reached such an efficient complicity that even when the boy is only passive, as in the beginning when he is attacked by bullies who, seemingly, don't speak the same language, or when he is in a coma, Lee still irradiates this modest-and-intense presence which opens the image, makes it richer than the simple events being shown.

The way Tsai Ming-Liang films the very trivial life of his characters is also completely filled with attention to the material reality of the world. One could sum-up the story of *Hei Yan Quan* as the story of a young boy who is rescued by a group of foreign illegal workers. One among them falls in love with him, but he will be abandoned for a young girl living next door. This approach would definitely miss the major importance of real and social issues (the huge building spaces, the small restaurants, the pollution, the international relations, the real estate speculation), always described both as very concrete and as spectacularly reshaped visual scenes (as floods, drought, overpresence of garbage, endless stays in videogame parlours, nightmarish loneliness in modern cities, river pollutions, etc. as Tsai did in previous films). Tsai Ming-Liang creates poetical worlds, but it is always from a very sharp observation of the world we live in. And he lives in.

This accuracy and this distance relates, I believe, to a feeling of exile. Lee Kang-Sheng is, in any Tsai's film, an exiled character – as are often the other characters too, even in their own city: remember Jean-Pierre Léaud in Paris. Born in Malaysia but living in Taipei, Tsai Ming-Liang experiences in his own life the feeling of exile. He refers explicitly to his own biography in *Hei Yan Quan*, which shows a group of Malayan immigrants. But, once again, the exile is not only geographical and cultural, it's an inner gap, which can be felt by everyone: a sense of melancholy, inhabited by the confused remembrance of a lost paradise, that can still shine through the old popular songs that appear on the soundtrack of every film and sometimes in the image itself, or as kung-fu movies from the golden past, as in *Goodbye Dragon Inn*. Most probably, his real exile helped Tsai Ming-Liang to give shape to the feeling of unachieved connection with the world (and the inability to make it better, more human). Something each of us experiences. This is why everyone can relate to Tsai Ming-Liang's films: they are all happening here and now.

Eine Unterschicht-Geschichte
An Underclass Thing

Warum Kuala Lumpur und nicht das ländlichere Gebiet, wo Sie aufgewachsen sind? Ich bin in Kuching geboren, das kleiner und ruhiger ist als Kuala Lumpur, aber als ländlich kann man es wohl kaum bezeichnen! Für mich ist Kuala Lumpur interessanter, weil es alle möglichen Menschen anzieht, nicht bloß Leute aus anderen Teilen Malaysias, sondern auch Arbeitskräfte aus anderen Ländern. Daraus entsteht eine interessante soziale Mischung. Malaysia ist faszinierend für jeden, der sich für die Unterschicht der GastarbeiterInnen interessiert. Malaysia selbst exportiert Arbeitskräfte in höher entwickelte Länder wie Singapur und Japan und importiert gleichzeitig Menschen aus ärmeren Ländern wie Indonesien und Bangladesch. Tatsächlich ist Indonesien vielleicht das Land, das die meisten GastarbeiterInnen in andere Länder entsendet, sie alle verlieren ihre ursprüngliche Identität und suchen eine neue.

Es ist bekannt, dass Sie Ihre Hauptpersonen von einem Film zum anderen „mitnehmen", aber die hier von Ihren Stammdarstellern Lee Kang-Sheng und Chen Shiang-Chyi interpretierten Figuren sind nicht die Personen, als die wir sie früher gesehen haben ... Das ist wahr, diesmal habe ich die beiden Figuren in eine zusammenhanglose Welt geschickt, wo sie auf der untersten Ebene der sozialen Leiter stehen und mit der lokalen Sprache und Kultur weitgehend unvertraut sind. Hier sind sie leicht als AusländerInnen zu erkennen. Aber niemanden interessiert es, woher sie kommen. Ein Mitglied unseres malaysischen TechnikerInnen-Stabs fragte mich, wieso ich eine Geschichte über solche Leute und ihre Umwelt drehen wolle, anstatt sie zu ignorieren, wie das sonst alle tun. Ich sagte ihm, dass ich das täte, weil diese Menschen nicht „unsichtbar" sind. Man sollte sie bemerken, nicht ignorieren.

Die ethnische Zugehörigkeit Rawangs, der dritten Hauptperson, des Mannes, der Hsiao Kang wieder gesund pflegt, wird nicht näher geklärt. Ursprünglich erdachte ich die Figur als jemanden aus Indien oder Bangladesch, und wir testeten Hunderte Inder und Bangladescher, ohne jemanden zu finden, der für die Rolle geeignet gewesen wäre. Dann erinnerte ich mich an einen Mann, den ich beim Einkaufen auf einem lokalen Nachtmarkt getroffen hatte. Er verkaufte gebratene Kuchen an einem Marktstand und sah wie ein ausländischer Arbeiter aus. Außerdem war er auch recht attraktiv, und so schickte ich einen meiner Assistenten vor, um mit ihm zu sprechen. Der Assistent rief mich zurück und meinte: „Vergiss ihn! Er ist Malaysier, kein Inder, und außerdem hat er sehr schlechte Zähne!" Also ließ ich die Idee fallen. Aber ich kaufte noch immer recht oft seine gebratenen Kuchen und begann mit ihm zu plaudern. Er heißt Norman und kommt vom Land. Er wuchs mit seinem Vater in einem riesigen Wald auf, wo er Quellwasser trank und Fische aus dem Fluss aß. Manchmal sah er einen Tiger, aber er hatte nie Angst. Als er älter wurde, zog er in die Stadt, um sich ein neues Leben zu schaffen und lebte eine Zeitlang bei einer Gruppe von GastarbeiterInnen. Je besser ich ihn kennenlernte, desto dringender

Why Kuala Lumpur rather than the more rural area you grew up in? I was born in Kuching, which is smaller and quieter than Kuala Lumpur, but you could hardly call it rural! I feel that Kuala Lumpur is more interesting because it attracts everyone, not only people from other parts of Malaysia but also workers from other countries. It makes for an interesting social mix. For anyone interested in the immigrant-worker underclass, Malaysian is fascinating. Malaysia itself exports labourers to more developed countries, like Singapore and Japan, while at the same time importing people from poorer countries such as Indonesia and Bangladesh. In fact, Indonesia may well be the country which sends the largest numbers of workers abroad, all of them stripped of their original identities and looking for new ones.

You're known for "carrying" your central characters forward from one film to the next, but the characters played here by your regular actors Lee Kang-Sheng and Chen Shiang-Chyi are not the ones we've seen them play before ... It's true, this time I pushed the two characters into a disconnected world, a world in which they're on the lowest rung of the social ladder and in which the language and culture are largely unfamiliar. Here they're easily recognised as foreigners. But nobody ever cares where they come from. One member of our Malaysian pick-up crew asked me why I was filming such people and their environment rather than ignoring them like everyone else. I told him I was doing it because these people are not "invisible". They should be noticed, not ignored.

You don't specifiy the ethnicity of Rawang, the third main character, the man who nurses Hsiao Kang back to health. I initially wrote the character as Indian or Bangladeshi and we auditioned hundreds of Indian and Bangladeshi men without finding anyone suitable for the role. Then I remembered a guy I'd met while shopping at a local night market. He was selling fried cakes from a market stall, and looked like a foreign worker. He was rather good-looking too, and so I sent an assistant to approach him. The assistant called me back on the phone: "Forget him! He's Malaysian, not Indian, and he has very bad teeth!" So I dropped the idea. But I was still buying fried cakes from him quite often, and I started chatting with him. His name is Norman and he is from the countryside. He grew up with his father in a huge forest, where he drank spring water and ate fish from the river. Sometimes he'd see a tiger, but he was never afraid. When he grew older he moved to the city to seek a new life and spent some time living with a group of immigrant workers. The more I got to know him, the more I wanted him in the film. I explained the basic story to him and he understood immediately. I tried him out in front of a camera and he acted very naturally, as though the camera weren't there.

Norman is a Muslim. If I'd found the Indian man I was looking for, there would have been some sex scenes between

wollte ich ihn für den Film. Ich erzählte ihm die Handlung, und er verstand sie sofort. Ich testete ihn vor der Kamera, und er verhielt sich sehr natürlich, ganz als ob die Kamera nicht da wäre.

Norman ist Moslem. Hätte ich den Inder gefunden, den ich suchte, hätte es einige Sexszenen zwischen ihm und Hsiao Kang gegeben. Aber da ich Norman besetzte, und weil Homosexualität unter Moslems tabu ist, musste ich die Beziehung zwischen den beiden Männern neu überdenken.

Wurde das Drehbuch auch noch in anderer Weise verändert? Vor fünf Jahren, als ich das Drehbuch zum letzten Mal in der Hand hatte, lag das Schwergewicht auf den GastarbeiterInnen, die eine Zeit sozialer Unruhe erleben. Damals habe ich das Drehbuch aber nicht beendet, und als ich es wieder aufnahm, verschob sich mein Interesse auf die Frage der Freiheit. Wir alle leben nicht ewig, unsere Körper haben keine Dauer. Wann sind wir wirklich frei? Die erste Szene, die ich drehte, war Norman, wie er Hsiao Kang zu Bett bringt und seinen Körper wäscht. Während ich Normans einfache und genaue Bewegungen beobachtete, fühlte ich mich gerührt, plötzlich wurde mir etwas klar. Ehrliche, kleine Lebensgesten ersetzten komplizierte, sentimentale Handlungsfäden. Und ich beschloss, das Drehbuch stark zu vereinfachen.

Können Sie mir sagen, wieso die Idee der „Krankheit" Sie so stark beschäftigt? Wenn man verstehen möchte, was „Leben" bedeutet, muss man auch die „Krankheit" berücksichtigen. Beide von Lee Kang-Sheng in dem Film gespielten Figuren sind „krank". Der eine ist im Grunde in einem rein vegetativen Zustand, er wird nicht mehr gesund werden. Der andere ist der Obdachlose, der wieder gesund gepflegt wird, nachdem man ihn verprügelt und halbtot auf der Straße liegen gelassen hat. Im Falle der zweiten Figur, die nur ein Traum der ersten sein könnte, wollte ich den Eindruck erwecken, als ob er eine Art Tunnel durchquerte. Es ist fast so, als ob er wiedergeboren würde, zurückkehrte in seine Kindheit, wo er ebenso versorgt wurde. Für mich ist diese zwischenmenschliche Beziehung – zwischen Pfleger und Gepflegtem – die schönste auf der Welt. Es ist bedingungslose Liebe.

Aus einem Interview mit Tsai Ming-Liang von Tony Rayns, Taipeh, Juli 2006

him and Hsiao Kang. But since I cast Norman – and since homosexuality is a Muslim taboo – I had to re-think the relationship between these two men.

Did the script change in other ways too? Five years ago, when I last worked on this script, the focus was on the foreign workers living in a time of social unrest. I didn't finish the script at that time, and when I picked it up again my focus shifted to the notion of freedom. All of us have a limited lifespan and impermanent body. When are we ever truly free? The very first thing I shot was Norman putting Hsiao Kang to bed and washing his body. As I watched Norman's simple and detailed movements, I felt touched and had a sudden realization. Honest, small gestures of life replaced complicated and sentimental plotlines. And I decided to greatly simplify the script.

Can you say why you are so pre-occupied with the notion of "sickness" Any understanding of what "life" means has to take into account "sickness" as well. Both the characters played by Lee Kang-Sheng in the film are "sick". One is essentially a vegetable, someone who is never going to get better. The other is the homeless man, who is nursed back to health after being beaten up and left to die. In the case of the second character, who might be just a dream in the mind of the first, I wanted it to feel as if he's going through some kind of tunnel. There's almost a sense that he's being re-born – back to his infancy, being nursed. I feel that this kind of interpersonal relationship – between carer and cared-for – is the most beautiful in the world. It is an unconditional love.

From an interview with Tsai Ming-Liang by Tony Rayns, Taipei, July 2006

Zum ersten Mal habe ich in meinem Heimatland Malaysia gedreht. Wir entdeckten einen bemerkenswerten Drehort, ein großes, verlassenes Gebäude neben dem Pudu-Gefängnis in Kuala Lumpur. Anfang der Neunzigerjahre brachte die malaysische Regierung als Teil des Wirtschaftsentwicklungsplans eine enorme Anzahl von GastarbeiterInnen für die vielen Großbaustellen ins Land. Eines dieser Projekte waren die Petronas-Twin-Towers, damals das höchste Gebäude der Welt. Ende der Neunzigerjahre wurden viele dieser Projekte wegen der asiatischen Wirtschaftskrise aufgegeben. Die ArbeiterInnen wurden über Nacht arbeitslos; viele von ihnen entzogen sich den Behörden und arbeiten nunmehr illegal. Dieses Gebäude ist ein Überbleibsel aus dieser Zeit. Als wir es zum ersten Mal betraten, waren wir überrascht von der Großartigkeit des Innenraums – fast wie ein post-modernes Opernhaus. In der Mitte fanden wir ein tiefes Becken mit dunklem Wasser (wahrscheinlich angesammeltes Regen- und Überschwemmungswasser). Ich musste an Mozarts *Zauberflöte* denken. Prinz, Prinzessin, Geister und Ungeheuer könnten in diesem Beton-Dschungel eine neue Bühne finden. Außerdem wurde ich an ein Gedicht des chinesischen Poeten Bei Dao erinnert:

Lass uns gehen,
Denn wir haben nicht vergessen.
Lass uns den See des Lebens suchen.

Vor Beginn der Dreharbeiten traf ich einen jungen Wahrsager. Er erkannte mich, wusste aber nicht, welchen Film ich drehen wollte. Er sagte mir, dass in meinem neuen Film ein Becken mit dunklem Wasser vorkäme, und wenn ich das Becken fände, mein Film vollkommen wäre.

Tsai Ming-Liang

This is the first time I've made a film in my homeland, Malaysia. We discovered a remarkable location next to the Pudu Jail in Kuala Lumpur. It is a large abandoned building. In the early 90s, as part of its economic development plan, the Malaysian government brought in large numbers of foreign workers to work on its many construction projects. One of these was the Petronas Twin Towers, then the tallest building in the world. In the late 90s, many of these projects were abandoned because of the Asian economic crisis. The workers found themselves unemployed overnight and many went into hiding, becoming illegal labourers. This building is a remnant from those days. As we entered, we were surprised at how grand it looked inside. It felt almost like a post-modern opera theatre. In the middle of it, we found a deep pool of dark water (probably accumulated from rain and flooding). I was reminded of Mozart's *The Magic Flute*. The prince, princess, spirits and monsters could make this concrete jungle their new stage. I was also reminded of a poem by the Chinese poet Bei Dao:

Let us go,
For we have not forgotten.
Let us seek the lake of life.

Before I began filming, I met a young fortune teller. He recognized me but didn't know what film I was going to make. He told me that there would be a pool of dark water in my new film and that when I found the pool, my film would be completed.

Tsai Ming-Liang

Österreichisches Filmmuseum
Notre musique. Eine Filmgeschichte der Gegenwart
Notre musique. A film history of the present

1. – 30.11. 2006 — OrtVenue **Österreichisches Filmmuseum** —
FilmtexteTexts written by **Christoph Huber/Österreichisches Filmmuseum** —

Alexander Horwath
Notre musique. Eine Filmgeschichte der Gegenwart
Notre musique. A film history of the present

Filmmuseen werden oft – und zu Recht – als Orte verstanden, an denen sich ein Bewusstsein über die historischen Grundlagen des aktuellen Kinos ausbilden kann. Aber die umgekehrte Perspektive ist nicht weniger wichtig – ein filmhistorischer Blick, der offen ist für die Jetztzeit: Filmgeschichte reicht immer herauf bis zum heutigen Tag, sie inkludiert das Kino der Gegenwart ebenso selbstverständlich wie Werke aus der Frühzeit oder „Klassiker" der 1930er, 50er und 70er Jahre. Mit der Retrospektive *Notre musique* betont das Österreichische Filmmuseum diesen umgekehrten Blick und widmet sich der jüngsten „Epoche" in der (Film-)Geschichte. Gezeigt werden vierzig wesentliche Spiel- und Dokumentarfilme, die seit dem Jahr 2000 entstanden sind.

Für die Auswahl waren nicht die berühmtesten oder „meistdiskutierten" Filme der letzten Jahre maßgeblich, sondern die ungebrochene Kraft des Kinos, Zeugnis von der Welt zu geben. Nicht im Sinne des Festschreibens von Bestehendem, sondern als ein momenthaftes Festhalten von Umständen, die das Potenzial zur Veränderung in sich tragen. Wo, in welchen Geschichten und Formen, finden Filmschaffende heute die Energie zur Erneuerung oder Transformation? Welche zeitgenössischen Arbeiten sind in der Lage, die soziale und politische Vorstellungskraft zu stärken, die für den modernen Film stets ein wesentlicher Antrieb war? Und: Wie könnte ein globales Bild des Kinos aussehen, dessen Konturen nicht automatisch „westlich" definiert und von den Distributionsmustern in Europa und den USA bestimmt sind?

Film museums and cinematheques are often – and justifiably – viewed as places where an awareness of the historic foundations of contemporary cinema can evolve. Yet a reverse perspective is equally important – an approach to film history that is open to the present: film history always reaches up to the current moment, it encompasses contemporary works just as matter-of-factly as works from the early days of cinema or the "classics" of 1939 and 1976. With the retrospective *Notre musique*, the Austrian Film Museum draws attention to this reverse approach and dedicates itself to the latest "era" of (film) history. The show presents forty major works of fictional and documentary cinema made between 2000 and 2006.

The selection is not so much influenced by the best-known or "most-discussed" films of recent years but rather by the unbroken capacity of cinema to bear witness to life on this planet – not just in the sense of documentation, but also as an illumination of circumstances that harbor a potential for change. Where, in which stories and forms, do filmmakers today find the energies for renewal or transformation? Which contemporary works are capable of strengthening or re-conceiving the traditions of political critique and social imagination that lie at the heart of modern cinema? And what might a "global picture of cinema today" look like if it were not automatically framed by the criteria of commercial distribution in Europe and the USA?

Das Spektrum der Schau reicht dementsprechend weit: von eindrucksvollen Alterswerken (von Jean-Luc Godard, Ousmane Sembène, Johan van der Keuken oder Allan King) bis zu den Stimmen einer jungen Generation, die neue Erzählweisen erprobt oder ältere, verschüttete Formen neu belebt (Lucrecia Martel, Apichatpong Weerasethakul, Fanta Régina Nacro oder Travis Wilkerson). Vom populären und robusten Genrekino (*Land of the Dead* oder *Veer Zaara*) bis zu fragilen, radikal persönlichen Essays und „dokumentarischen Fiktionen" (bei Ana Poliak, Garin Nugroho oder Cristi Puiu). Von entlegenen Orten, an denen indigene ProtagonistInnen ihre ureigenen Erzähltraditionen in Kino-Epik verwandeln (die Inuit in *Atanarjuat*, australische Aborigines in *Ten Canoes*) bis hin zu vertrauten Schauplätzen, die sich dank Migration und neuer Konfliktlinien massiv verändern (*Batang West Side*: die philippinische Diaspora in New Jersey; *L'Esquive*: die algerischen Kids in den Pariser Banlieues üben Marivaux).

Als Beitrag zum Festival New Crowned Hope erzählt die Retrospektive nicht nur vom „Stand des Kinos". Sie ist auch vom Vertrauen getragen, dass Filme die Gegenwart erkennbar machen können: ganz verdichtet (oder „entschlackt"), in konkrete Bilder und Konstellationen gefasst, herausgesprengt aus dem Kontinuum des Vergessens. Oder auch über die Erfahrung von Zeit, die Dauer eines Wegs (wie in *Yi Yi* oder *Eureka*) bzw. einer bestimmten, insistierenden Tätigkeit (*La Libertad*).

Herausgesprengt: ein von Porträts der Ermordeten und müden, schuldhaften Gesten der damaligen Mörder erfüllter Raum in einem Todeslager der Roten Khmer (*S21*). Ein Entertainment-Zentrum in Peking, das den Begriff des *global village* ins Bild setzt – Weltmaschine aus lauter Simulakren, vom Taj Mahal bis Las Vegas (*Shijie / The World*). Ein israelischer Filmemacher im Telefongespräch mit seinem palästinensischen Freund, eingehüllt von jenen Angst- und Rachefantasien, die in ihrem gemeinsamen Territorium wie böse Blumen blühen (*Avenge But One of My Two Eyes*). Eine Gruppe von Kindern am Spielplatz, die die zuvor geschilderte Liebestragödie weitererzählen und in Sekundenschnelle „durchschlagen", so wie manchmal die Sonne durch den grauen Himmel bricht (*Sehnsucht*).

All das ist Teil „unserer Musik": die Texturen, der Sound, die Räume und Figuren, die den abstrakten Begriff der „zeitgenössischen Realität" mit Leben erfüllen. *Notre musique*, der von Jean-Luc Godard entliehene Titel der Schau ist neutral, was die dunklen und hellen Anteile dieser Musik betrifft. Er versteht sich nicht als Fluchtbewegung vor dem „Horror des Realen", aber er erlaubt sich, dem Wirklichkeitssinn jene „feinen und spirituellen Dinge" hinzuzufügen, die laut Walter Benjamin gerade im Kampf um die rohen, materiellen Angelegenheiten lebendig sind: Zuversicht, Mut, Humor, List, Unentwegtheit. Das Kino hat die Fähigkeit, diese Kräfte weiterzugeben.

Mehr als die Hälfte der gezeigten Filme wurde in Österreich bisher nicht im Kino verliehen, einige davon sind Premieren. Die sieben neuen, für New Crowned Hope kommissionierten Filme werden im Rahmen dieser Schau ebenfalls im Filmmuseum gezeigt. Mehrere FilmemacherInnen werden anwesend sein und über ihre Arbeit sprechen.

Zur Eröffnung der Retrospektive am 1. November läuft – gemeinsam mit dem Film von Godard – ein kleines, schillerndes Einsprengsel von Rudy Burckhardt und Joseph Cornell aus dem Mozartjahr 1956: *What Mozart Saw on Mulberry Street*.

The range of our retrospective is accordingly wide: from impressive late works by recognized masters such as Jean-Luc Godard, Ousmane Sembène, Johan van der Keuken or Allan King to the voices of a young generation testing novel methods of storytelling or reviving older, submerged forms (Lucrecia Martel, Apichatpong Weerasethakul, Fanta Régina Nacro or Travis Wilkerson); from popular and robust genre movies (*Land of the Dead* or *Veer Zaara*) to fragile, radically personal essays and "documentary fiction" (Ana Poliak, Garin Nugroho or Cristi Puiu); from faraway places where indigenous protagonists transmute their narrative traditions into epic cinema (the Inuit in *Atanarjuat*, Australian Aborigines in *Ten Canoes*) to familiar locations massively transformed by migration and new lines of conflict (*Batang West Side*: the Philippine diaspora in New Jersey; *L'Esquive*: Algerian youngsters in a suburb of Paris rehearse Marivaux).

As a contribution to the New Crowned Hope festival, this retrospective not only speaks about the "state of the art" in cinema. It is also nurtured by the conviction that film can render the present more easily readable: highly condensed, cast in concrete images and constellations, exploded from the continuum of forgetting; or by highlighting the experience of time, the duration of a process (in *Yi Yi* or *Eureka*) or a specific, insistent activity (*La Libertad*).

Concrete constellations. A room in a Khmer Rouge death-camp overflows with portraits of murdered victims and the tired, guilty gestures of their killers (*S21*). An entertainment center in Beijing gives physical shape to the concept of the "global village" – a world machine composed of simulacra, from the Taj Mahal to Las Vegas (*Shijie / The World*). An Israeli filmmaker talking on the phone to his Palestinian friend, surrounded by fear and fantasies of revenge which bloom like flowers of evil on their common territory (*Avenge But One of My Two Eyes*). A group of children in a playground who discuss the tragic love story we have just witnessed and, by expanding on it, break through the darkness, just like the sun may suddenly emerge from a thick layer of gray clouds (*Sehnsucht*).

All this is part of "our music": textures, sounds, spaces and characters that invest the abstract concept of "contemporary reality" with life. The title of the retrospective, borrowed from Jean-Luc Godard, is neutral with respect to the dark or light portions of this music. *Notre musique* does not define itself as an escape from the "horrors of the real" but suggests to add those "refined and spiritual things" to our sense of reality that, in Walter Benjamin's words, are always alive in the fight for the crude and material things: confidence, courage, humor, cunning, fortitude. Cinema has the ability to pass on these powers.

More than half of the films in this series have not been distributed commercially in Austria; some are premieres. The seven new films commissioned for New Crowned Hope will also be shown in the context of the retrospective. Several filmmakers will be present to speak about their work.

To inaugurate the retrospective on 1 November, a wonderful short film made half a century ago will be shown together with the Godard film: Rudy Burckhardt's and Joseph Cornell's contribution to the Mozart anniversary year 1956: *What Mozart Saw on Mulberry Street*.

EröffnungInauguration Event

What Mozart Saw on Mulberry Street

Ein Film vonA film by **Rudy Burckhardt, Joseph Cornell** —
USAUSA — 1956 — 6 min — s/wb/w — EnglischEnglish —
VorstellungScreening **1.11.2006, 18:30** — OF —

Notre musique
Our music

RegisseurDirector **Jean-Luc Godard** —
FrankreichFrance — 2004 — 80 min — FarbeColor —
FranzösischFrench —
DrehbuchScreenplay **Jean-Luc Godard** —
KameraCinematographer **Julien Hirsch** —
MusikMusic **Jean Sibelius, Meredith Monk, György Kurtág**
u.a.and others — DarstellerInnenCast **Sarah Adler,
Nade Dieu, Rony Kramer, Simon Eine, Jean-Luc Godard** —
VorstellungScreening **1.11.2006, 18:30** — OmdUger.st. —

Warum die Revolutionen nicht von den Menschlichen
begonnen werden, wird Jean-Luc Godard in *Notre musique* einmal gefragt. Die Menschlichen beginnen andere Dinge, antwortet
der alte Aphorist: Sie gründen Bibliotheken. Und Friedhöfe, fügt
ein Beisitzer an. So beginnt auch dieser dreiteilige Film, mit zehn
Minuten meisterhafter Montage der „Hölle", einer Vision des
totalen Kriegs aus Filmmaterial des 20. Jahrhunderts: Bibliothek
und Friedhof zugleich. Am Ende zehn Minuten „Paradies" wie
ein Club-Med-Naturidyll, bewacht von US-Marines. Dazwischen
eine Stunde Herzstück: Im „Fegefeuer" des Nachkriegs-Sarajevo,
wo sich Godard und andere Denker zum Symposium treffen. Er
selbst trägt sein dialektisches Weltmodell vor – Schuss / Gegen-
schuss, und das ist auch die Struktur des Panoramas rundherum:
Dokument und Fiktion, Mann und Frau, Israel und Palästina. Eine
schöne, überraschend zugängliche Elegie auf das 20. Jahrhundert, aufs Kino, auf Godard selbst. Und als Zentralmetapher
der Wiederaufbau der Mostar-Brücke: gemeinsam mit der Jugend
Hoffnungsschimmer für einen Skeptiker. — In *Notre musique*,
Jean-Luc Godard is asked why revolutions are never started by
humane people. Humane people start other things, the old
aphorist replies: libraries. And cemeteries, someone adds from
the sidelines. And that is the beginning of this three-part film:
ten minutes of masterfully edited "Hell", a vision of total war
distilled from 20th-century film stock – both library and
cemetery. At the end: ten minutes of "Paradise" not unlike a
Club Med-style idyllic haven of nature, guarded by the Marines.
In between, the true heart of the film: one hour of "Purgatory"
in postwar Sarajevo, where Godard and other intellectuals meet
for a symposium. The French director presents his dialectical
model of the world – shot-countershot, and this is also the
structure of the surrounding panorama: document and fiction,
man and woman, Israel and Palestine. An appealing, surprisingly
accessible elegy to the 20th century, to cinema, to Godard.

The central metaphor is the reconstruction of the Bridge of
Mostar: together with youth, it offers a glimmer of hope for an
old skeptic. —

Abouna
Our Father

RegisseurDirector **Mahamat-Saleh Haroun** —
TschadChad — 2002 — 85 min — FarbeColor —
Französisch/ArabischFrench Arabic —
DrehbuchScreenplay **Mahamat-Saleh Haroun** —
KameraCinematographer **Abraham Haile Biru** —
MusikMusic **Ali Farka Touré** —
DarstellerInnenCast **Ahidjo Mahamat Moussa, Hamza Moctar
Aguid, Zara Haroun, Mounira Khalil, Koulsy Lamko** —
VorstellungScreening **1.11.2006, 20:30** — OmdUger.st. —
23.11.2006, 18:30 — OmdUger.st. —
Im Anschluss Publikumsgespräch mit
Followed by Q&A with
Mahamat-Saleh Haroun —

Ein Mann verschwindet: geht durch die Wüste, lächelt noch
einmal der Kamera zu und entfernt sich Richtung Horizont. Es
folgt der Titel: *Abouna* – der Vater, nach dem in der Folge seine
zwei Söhne suchen werden. Sie suchen bei der Brücke an der
Grenze, die täglich von Hunderten Männern mit der Hoffnung
auf ein besseres Leben überquert wird; und sie suchen im Kino,
wo die Kinder glauben, dass ihnen der Verschwundene von der
Leinwand zuwinkt – und prompt die Filmrolle stehlen. Der ins-
gesamt dritte Spielfilm aus dem Tschad, inspiriert vom dort
alltäglichen Phänomen spur- und grundlos verschwindender
Familienväter. Mahamat-Saleh Haroun inszeniert schön und präzis,
dabei nie prätentiös, in einem ruhigen Sog, der seiner einfachen
Geschichte von Trauma und Hoffnung ganz selbstverständlich
gewitzte und reflexive Momente abgewinnt. Das grandiose Früh-
werk von Abbas Kiarostami ist als filmhistorische Erinnerung in
Harouns Kino eingeschrieben. — A man disappears: walking
into the desert, he smiles one last time at the camera and
strides on towards the horizon. Cue the title *Abouna*, the
father whose two sons will in due course begin their search.
First the kids go looking for him at a border bridge crossed day
after day by hundreds of men hoping for a better life; later the
search continues at a moviehouse, where they imagine their
vanished father smiling at them from the screen – and promptly
filch the film can. The third-ever feature from Chad is inspired
by the everyday phenomenon of family men who disappear
without a trace or reason. Mahamat-Saleh Haroun's style of
directing is appealing and precise, never pretentious, with a
steady pull that teases unselfconsciously witty and reflective
moments from the simple plot of trauma and hope. The magnificent early films of Abbas Kiarostami are embedded in
Haroun's feature as cinematic-historic memories. —

Nekam Achat Mishtey Eynay
Avenge But One of My Two Eyes

Ein Film vonA film by **Avi Mograbi** —
IsraelIsrael — 2005 — 100 min — FarbeColor —
Englisch/Arabisch/HebräischEnglish/Arabic/Hebrew —
KameraCinematographer **Philippe Bellaïche, Yoav Gurfinkel,
Avi Mograbi, Itzik Portal** —
VorstellungScreening **2.11.2006, 18:30** — OmeUeng.st. —
13.11.2006, 18:30 — OmeUeng.st. —

Bilder aus der Belagerung: eine dialektische Untersuchung zum Palästinakonflikt vom israelischen Interventionisten Avi Mograbi. Wütende Palästinenser an Checkpoints und israelische Reiseführer bei der Runde durch Masada und beim Samson-Kult-Schulunterricht für die Jüngsten. Dazwischen, den Film strukturierend, Mograbis Telefongespräch mit einem palästinensischen Freund, der darauf insistiert, dass seit dem gründlichen Eingreifen der Armee ins Alltagsleben die Existenz schlicht unerträglich geworden ist. Als zentrale, große Gegenüberstellung des Films, in der die anderen aufgehen, eine häretische historische These: dass die (palästinensischen) Selbstmordattentäter der Gegenwart denselben Suizidal-Heroismus angenommen haben, der lange auch ultrarechten Zionismus speiste. Unter den „Zeugen" etwa: ein alternder Rechts-Rocker, der beim Konzert vor religiösen Extremisten Samsons Zeile „Avenge But One of My Two Eyes" ausdehnt – „on Palestine. Revenge, revenge, revenge." — Pictures from a siege: a dialectical investigation of the Palestinian conflict by Israeli interventionist Avi Mograbi. Furious Palestinians at checkpoints – Israeli tour guides on a visit of Masada and participating in Samson-exalting school lessons for younger kids. In between, as a structural device of the film, we listen to Mograbi's phone conversation with a Palestinian friend, who insists that the massive army interventions into everyday life have rendered existence simply unbearable. The central, important confrontation of the film – the one that absorbs all others – is a heretical thesis: namely that recent (Palestinian) suicide bombers have assumed the same suicidal heroism that for a long time had fed ultra right-wing Zionism. Among the "witnesses": an ageing right-wing rocker who, performing before an audience of religious extremists, extends Samson's line "Avenge but one of my two eyes" to "on Palestine. Revenge, revenge, revenge." —

L'Esquive
Games of Love and Chance

RegisseurDirector **Abdellatif Kechiche** —
FrankreichFrance — 2003 —117 min — FarbeColor —
FranzösischFrench —
DrehbuchScreenplay **Abdellatif Kechiche, Ghalia Lacroix** —
KameraCinematographer **Lubomir Bakchev** —
DarstellerInnenCast **Osman Elkharraz, Sara Forestier, Sabrina
Ouazani, Nanou Benhamou, Hafet Ben-Ahmed** —

VorstellungScreening **2.11.2006, 20:30** — OmeUeng.st. —
18.11.2006, 18:30 — OmeUeng.st. —

Banlieue-Kino mit doppeltem Boden – weder liberale Pädagogik noch Gewalteskalation in der Art von *La Haine*. Der tunesische Immigrant Abdellatif Kechiche weicht beidem aus, boxt dafür die hochenergetische Faszination des Slangs durch. Der Titel, *L'Esquive*, ist ein Ausdruck aus dem Boxer-Slang – für flinkes Ausweichen. Eine Lehrerin lässt ihre Trabantenstadt-SchülerInnen Marivaux' *Spiel von Liebe und Zufall* einstudieren, Arabersohn Krimo sieht seine weiße Sandkastenfreundin Lydia im Kostüm, und es ist um ihn geschehen. Leidenschaftliche Komplikationen verbreiten sich bald als Brandrede durch die Vorstadt. *L'Esquive* ist Hochdrucksprechkino, und die urbane rhythmische Rap-Rede der Marivaux-Kunstsprache mehr als ebenbürtig. Die knappe Kadrage betont die Spannung, unter der die dauerredenden Gesichter stehen. Und irgendwann, knapp vor der großen Aufführung, ein Einsatz, bei dem eine Polizistin einem Mädchen den Marivaux-Band wiederholt ins Gesicht drischt. Ein großer, leichter, schmerzvoller, beglückender Film. — Doubled-edged banlieue cinema – neither liberal lecturing nor an escalation of violence in the style of *La Haine (Hate)*, both of which are avoided by Tunisian immigrant Abdellatif Kechiche, who instead goes for the highly energetic fascination exerted by slang. The title *L'Esquive* is actually taken from boxing – it's French for a fast dodge. While a teacher has her poverty-stricken students study Marivaux's *Game of Love and Chance* for performance, second-generation immigrant Krimo sees his Caucasian childhood pal Lydia in period costume and is suddenly overcome by love. Passionate complications soon devour the banlieue like wildfire. *L'Esquive* is high-pressure spoken cinema, and its rhythmic urban rap is more than a match for Marivaux's artificial language. Tight framing enhances the tension between the ceaselessly talking characters. And just before the big performance night, there is some police action, and we see a cop hitting a girl repeatedly in the face with Marivaux's book. A big, lightweight, painful, incandescent movie. —

Dogfar nai mae marn
Mysterious Object at Noon

RegisseurDirector **Apichatpong Weerasethakul** —
ThailandThailand — 2000 — 83 min — s/wb/w —
ThailändischThai —
KameraCinematographer **Prasong Klinborrom** —
DarstellerInnenCast **Somsri Pinyopol, Duangjai Hiransri,
To Hanudomlapr, Kannikar Narong, Kongkiert Komsiri** —
VorstellungScreening **3.11.2006, 18:30** — OmeUeng.st. —
23.11.2006, 21:00 — OmeUeng.st. —
Im Anschluss Publikumsgespräch
mitFollowed by Q&A with
Apichatpong Weerasethakul —

Erstes Langfilmgedicht einer der faszinierendsten Stimmen im Gegenwartskino: Der täuschende Doku-Beginn von Apichatpong Weerasethakuls „Stille Post"-Reise von Bangkok südwärts weicht bald einem unvergleichlichen, unvorhersehbaren, aus dem kollektiven Unbewussten aufsteigenden Fakt-Fiktion-Fantasie-Bastard. Unterwegs hörte der Regisseur eine Geschichte, die er von anderen Menschen, die er traf, nach Belieben weiterspinnen ließ. Der Thai-Titel heißt übersetzt „Himmlische Blume in Teufelshand" – der Name der Blume, Dogfar, ist auch der Name der Frau, die in der stetig mutierenden Geschichte-im-Film einen querschnittgelähmten Jungen lehrt. Dieser Filmtitel würde gut zu einem archetypischen Thai-Melodram passen, aber in den Händen Weerasethakuls, des enigmatischsten und einfallsreichsten Neudeuters der Nationaltradition, wird daraus viel mehr: z.B. eine Musical-Darbietung, aus der ein Schul-Spiel entsteht, aus dem ein Zeichensprache-Dialog wird. Ein einzigartiger Film. — The first full-length movie-poem by one of the most fascinating voices of contemporary cinema: the deceptively "documentary" beginning of Apichatpong Weerasethakul's "Chinese whispers" trip from Bangkok to southern Thailand soon morphs into a unique, unpredictable cross-breed of fact and fiction generated by the collective unconscious. While on the road, the director hears a story and decides to ask the people he meets along the way to continue that story as they please. The literal translation of the film's title in Thai is "Heavenly Flower in the Devil's Hand" – the name of the flower (dogfar) is also the name of the woman who teaches a paraplegic boy in the constantly mutating story. While the title would seem highly suitable for a standard Thai melodrama, it becomes much more than that in the hands of Weerasethakul, the most enigmatic and imaginative re-interpreter of national traditions – and so we get a musical, transmuted into a school-play that evolves into a dialog in sign language. A unique film. —

Yi Yi
A One and a Two

RegisseurDirector **Edward Yang** —
TaiwanTaiwan — 2000 — 173 min — FarbeColor —
Taiwanesisch/Japanisch/EnglischTaiwanese/Japanese/English —
DrehbuchScreenplay **Edward Yang** —
KameraCinematographer **Yang Weihan** —
MusikMusic **Peng Kaili** — DarstellerInnenCast **Wu Nianzhen, Elaine Jin, Kelly Lee, Jonathan Chang, Tang Ruyun** —
VorstellungScreening **3.11.2006, 20:15** — OmdUger.st. —
17.11.2006, 20:15 — OmdUger.st. —

Zu Anfang eine Hochzeit, am Ende ein Begräbnis, in den drei Stunden dazwischen ein episches Drei-Generationen-Porträt aus dem modernen Taipeh, die verschiedenen Handlungsstränge, Blickwinkel und Figurenschattierungen so nahtlos, mühelos zum Ineinandergreifen gebracht, dass keine Minute fehlen dürfte: in

gewisser Weise wie eine TV-Seifenoper ohne Seife, statt dessen aus dem Geiste (und mit dem Reichtum) eines klassisch-realistischen Romans konzipiert und von Edward Yang meisterhaft in subtilen Rhythmen arrangiert. Eine der schönsten Szenen erhält ihren metronomischen Takt aus den Schaltwechseln einer Verkehrsampel. Im Zentrum steht der Vater, Partnerchef einer bröselnden Computerfirma, der in Tokio eine alte Flamme treffen will, während sich seine Frau nach einem leichten Nervenzusammenbruch in Klausur begibt; rundherum ein vielschichtiges Panorama des modernen Großstadtlebens und seiner Auswirkung auf menschliche Beziehungen; und als heimlicher Held der kleine Sohn, besessen davon, das zu fotografieren, was die Menschen nicht sehen können. — In the beginning, there is a wedding; at the end, a funeral; and in the three hours in between, we get an epic portrait of three generations in modern Taipei. The different plot strands, viewpoints and character shadings mesh so seamlessly, so effortlessly that not a minute seems too long: in a way, it's like a TV soap opera without soap but rather conceived in the spirit (and with the narrative richness) of a novel in classic-realist style, masterfully arranged in subtle rhythms by Edward Yang. One of the best scenes is given its metronomic beat by the changing phases of a traffic-light. At the center of the story is a father, a partner in a financially shaky computer company, who wants to meet an old flame in Tokyo, while his wife – who has had a mild nervous breakdown – opts for a time of retreat. Around them, we are treated to a multi-layered panorama of modern metropolitan life and its effects on human relationships, although the real hero of the film is the couple's young son, who is obsessed by photographing what people cannot see. —

La Nuit de la Vérité
The Night of Truth

RegisseurDirector **Fanta Régina Nacro** —
Burkina FasoBurkina Faso — 2004 — 100 min — FarbeColor —
Französisch/Mooré/DioulaFrench/Mooré/Dioula —
DrehbuchScreenplay **Fanta Régina Nacro, Marc Gautron** —
KameraCinematographer **Nara Keo Kosal** —
MusikMusic **Troupe Naba Yaadéga, Sami Rama, Los Três Amigos** — DarstellerInnenCast **Naky Sy Savane, Commandant Moussa Cissé, Georgette Paré, Adama Ouedraougo, Rasmané Ouedraougo** —
VorstellungScreening **4.11.2006, 18:30** — OmeUeng.st. —
26.11.2006, 16:00 — OmeUeng.st. —
Im Anschluss Publikumsgespräch mitFollowed by Q&A with
Fanta Régina Nacro —

Irgendwo in Afrika: Nach einer Dekade des Bürgerkriegs kommt es zum (unbehaglichen) Waffenstillstand zwischen zwei Fraktionen. Der Präsident der „Nayak" lädt den Rebellenführer der „Bonandé" zum großen Versöhnungsfest, aber die Stimmung dort ist von Angst und Misstrauen durchsetzt. Eilig gebuddelte Massengräber, verstreute Leichen, blutige Graffiti, horrible Alpträume und Rückblenden erzählen vom Erbe der Gewalt. Das Spielfilmdebüt von Fanta Régina Nacro, ein perspektivisch umfassender Beitrag zu Wahrheit und Versöhnung nach dem Krieg, ist im selbstsicheren Stil des epischen Theaters erzählt, der afrikanische Deklamation und Shakespeare-Ambition verbindet: Der Ton wechselt zwischen schwarzem Humor („Mehr geröstete Tausendfüssler, Herr Präsident?") und echtem Entsetzen, das Personal entstammt dem klassischen Drama, vom Machete-schwingenden Dorftrottel bis zur Präsidentenfrau, die den Tod ihres Sohnes nicht vergessen hat – und als eine Art Lady Macbeth den schockierenden

Schlusskonflikt auslöst. — Somewhere in Africa: an (uneasy) truce between two camps is negotiated after a decade of civil war. The president of the "Nayak" invites the rebel leader of the "Bonandé" for a great reconciliation party, but the atmosphere is heavy with fear and distrust. Hastily dug mass graves, scattered corpses, bloody graffiti, horrible nightmares and flashbacks speak of a legacy of violence. The debut feature by Fanta Régina Nacro, a comprehensive, multi-perspective contribution to truth and postwar reconciliation, is also a self-confidently told epic that blends African declamatory style and Shakespearean ambitions: the mood switches from black humor ("More roasted centipedes, dear President?") to genuine horror, and the characters have their origins in classical drama – from the machete-wielding village idiot to the President's wife who cannot forget the death of her son and, not unlike Lady Macbeth, triggers the shocking final conflict. —

Sehnsucht
Longing

RegisseurinDirector **Valeska Grisebach** —
DeutschlandGermany — 2006 — 88 min — FarbeColor —
DeutschGerman — DrehbuchScreenplay **Valeska Grisebach** —
KameraCinematographer **Bernhard Keller** —
MusikMusic **Martin Hossbach** —
DarstellerInnenCast **Andreas Müller, Ilka Welz, Anett Dornbusch, Erika Lemke, Doritha Richter** —
VorstellungScreening **4.11.2006, 20:30** — OF —
Im Anschluss Publikumsgespräch mit
Followed by Q&A with
Valeska Grisebach —

Ein Mann, eine Frau, eine andere Frau – eine der einfachsten (Liebes-)Geschichten der Welt, über den stilistischen Naturalismus hinaus in etwas ganz Eigenes, Magisches verwandelt: Essenz und Ewigkeit. Zweiter Film von Valeska Grisebach, die zuvor in ihrem Einstünder *Mein Stern* eine erste Liebe unter Teenagern glaubhaft in ihrer ganzen welterschütternden Dimension einfing. Nun die (wieder ganz einfach und veristisch erzählte) Tragödie eines Schlossers aus einem 200-Seelen-Weiler in Brandenburg, mit innig geliebter Frau und Kind. Als er mit seinen Kollegen von der freiwilligen Feuerwehr im Nachbarort feiert, landet er in einem fremden Bett – und verliebt sich auch in die andere. Irgendwann wird es ihn zerreißen. Nur Laien spielen in diesem Film, aber sie spielen nicht wirklich, sie eignen sich eine fremde Geschichte an, und bekannte Gefühle, und drücken sie in unschuldigen, ungelenken Sätzen aus; und allein im Zittern ihrer Stimmen liegt eine Wahrheit, eine pathetische Größe, die konkret und universal zugleich ist. — A man, a woman, another woman – one of the simplest (love) stories in the world is transformed into something special, magical beyond stylistic naturalism: essence and eternity. This is the second feature by Valeska Grisebach, whose one-hour film *Mein Stern* (*Be My Star*) had credibly captured first love among teens in its total, earth-shattering dimension. This is another (again told simply, vérité-style) tragedy – that of a mechanic in a tiny hamlet with about two hundred souls somewhere in Brandenburg, deeply attached to his wife and child. When he is one day celebrating in the neighboring village with his colleagues from the volunteer fire brigade, he ends up in another woman's bed – and falls in love with her. Sooner or later, something's got to give. The cast is entirely made up of non-professionals, but they do not really act: they appropriate the story of other people and feelings they are familiar with, and express them in innocent, awkward sentences; in the mere trembling of their voices, there is a truth, an emotional greatness that is both concrete and universal. —

Bamako

RegisseurDirector **Abderrahmane Sissako** —
MaliMali — 2006 — 118 min — FarbeColor —
Französisch/BambaraFrench/Bambara —
DrehbuchScreenplay **Abderrahmane Sissako** —
KameraCinematographer **Jacques Besse** —
DarstellerInnenCast **Aïssa Maïga, Tiécoura Traoré, Maïmouna Hélène Diarra, Danny Glover, Elia Suleiman** —
VorstellungScreening **5.11.2006, 18:30** — OmdUger.st. —

Ein wunderbar gelassenes, klares Bild vom Afrika der Gegenwart. Als Rahmenhandlung dient das Zerbrechen der Ehe einer schönen Sängerin im Armenviertel der titelgebenden Hauptstadt Malis. Ihre bewegenden Lieder eröffnen und beenden den Film. Aber die vermeintlichen Hauptfiguren verschwinden über weite Strecken, während ein anderer Prozess in den Vordergrund tritt: Im Hinterhof wird, zwischen Alltagstätigkeiten der DorfbewohnerInnen, über die Weltbank zu Gericht gesessen. Das abstrakte Konzept der Präsentation eines mit harten Fakten untermauerten Verfahrens wird von Regisseur Abderrahmane Sissako trotz beinharter antikapitalistischer Stoßrichtung mit Humor und Wärme zum Leben erweckt: „Zeugen" aus allen Bevölkerungsschichten präsentieren vor den Plädoyers von Anklage und Verteidigung ihren Fall. Und irgendwo, mittendrin, als Film-im-Film, ein allegorischer, ironischer Timbuktu-Western mit Danny Glover und Elia Suleiman in den Hauptrollen. — A wonderfully relaxed, clear picture of contemporary Africa. The frame story concerns the breakup of the marriage of a beautiful singer in a poor section of the titular capital of Mali. Her moving songs open and close the movie. But the apparent protagonists disappear over long stretches while another process comes to the fore: in the backyard, judgment is passed on the World Bank, intermingled with everyday, mundane activities of the locals. Despite the tough, anti-capitalist orientation of the film, director Abderrahmane Sissako manages to imbue the abstract concept of presenting a trial underpinned by hard facts with lots of warmth and humor: "witnesses" from all strata of the population state their case before the final speeches of prosecution and defense. And somewhere, as a film-within-the-film, we even get an allegorical, ironic Timbuktu western starring Danny Glover and Elia Suleiman. —

The Royal Tenenbaums

RegisseurDirector **Wes Anderson** — USAUSA — 2001 —
110 min — FarbeColor — EnglischEnglish —
DrehbuchScreenplay **Wes Anderson, Owen Wilson** —
KameraCinematographer **Robert D. Yeoman** —
MusikMusic **Mark Mothersbaugh** —
DarstellerInnenCast **Gene Hackman, Anjelica Huston, Owen Wilson, Luke Wilson, Gwyneth Paltrow, Ben Stiller, Danny Glover, Bill Murray** —
VorstellungScreening **5.11.2006, 20:45** — OF —

Wes Andersons berückende Filme formen ein eigenes Universum, dessen Eckpfeiler kauziger Humor, die liebevolle und gänzlich unironische Verwendung von Popsongs, detailversessene Kompositionen und ein überaus eigenwilliges Timing sind. Letzteres verdankt sich nicht zuletzt der ungezwungenen, familiären Interaktion der SchauspielerInnen. Um eine Familie dreht sich auch *The Royal Tenenbaums*: ein schrulliger, an J. D. Salingers Figuren geschulter New Yorker Clan, dessen Mitglieder ihr großes Potenzial nie realisiert haben und statt dessen an den Brüchen im Inneren und an ewig adoleszenter Verantwortungslosigkeit zu zerbrechen drohen. Aber Andersons herzliches Verhältnis zu seinen Charakteren würde dergleichen nie zulassen (auch wenn er zeigt, wie weit die Abgründe aufklaffen). „Stephanie says", singen The Velvet Underground einmal, „that she wants to know, why she's given half her life to people she hates now". Was sich die Tenenbaums in Bezug aufeinander auch fragen könnten. Die ebenso banale wie unwiderstehliche Antwort lautet natürlich: weil sie sich lieben. — Wes Anderson's enchanting movies create their own universe grounded in wry humor, in the loving and quite unironic use of pop songs on the soundtrack, in detail-obsessed compositions and unique timing. The latter asset is in part due to the unforced, "familiar" interactions between his actors. A family is also at the heart of *The Royal Tenenbaums*: an odd New York clan reminiscent of Salinger's characters, whose members have never realized their great potential and instead are crumbling under the weight of their internal fracture lines and eternal adolescent irresponsibility. But Anderson's affection for his characters would never permit their destruction (even if he does show just how deep the rifts run). To quote The Velvet Underground, "Stephanie says that she wants to know why she's given half her life to people she hates now" – an obvious question for the Tenenbaums. And the equally obvious answer is as banal as it is irresistible: because they love one another. —

La Ciénaga
The Swamp

RegisseurinDirector **Lucrecia Martel** —
ArgentinienArgentina — 2001 — 103 min — FarbeColor —
SpanischSpanish —
DrehbuchScreenplay **Lucrecia Martel** —
KameraCinematographer **Hugo Colace** —
DarstellerInnenCast **Graciela Borges, Mercedes Morán, Martín Adjemian, Juan Cruz Bordeu, Daniel Valenzula** —
VorstellungScreening **6.11.2006, 18:30** — OmdUger.st. —
19.11.2006, 20:45 — OmdUger.st. —

Ein totes Tier verfault im Morast, der dem Film den Titel gibt. Nebenan, im Herrschaftshaus, beschäftigen sich sturzbesoffene Bürger am dreckigen Pool hauptsächlich damit, mehr zu trinken, herumzuliegen und beiläufig ihre DienstbotInnen zu demütigen. Dazwischen hantieren die Kinder mit Waffen, und der Fernseher neben dem Bett läuft unbarmherzig ununterbrochen weiter. Lucrecia Martels Debüt, eine mit schwarzem Humor unterfütterte, distanzierte und wie in Erinnerungsfetzen vorgetragene Erzählung vom Versinken im Sumpf der Perspektivlosigkeit, gleichzeitig extrem nah am Physischen, hochkörperlich in seiner Erforschung von Schorf und Blut der sich im geistesabwesenden Rausch beigebrachten Wunden, der Falten und der Narben in den Körpern (und Köpfen). Wie ein Science-Fiction-Film, nur ohne Science und Fiction: Lähmungsbilder aus einer postapokalyptischen Welt, in der eine unbekannte Katastrophe allen Figuren den Lebens(an)-trieb geraubt hat. Argentinien, im Jahr 2001. — An animal carcass is rotting in the film's titular morass. Close by, at the local manor, punch-drunk burghers lounging by a dirty pool are mostly concerned with getting even more smashed and casually humiliating their servants. The kids are handling guns, and the implacable bedside TV set is never switched off. Lucrecia Martel's feature debut is about people getting submerged in a lack of perspective, studded with black humor, distant, not unlike a collection of memory shreds, and yet extremely physical, highly body-oriented in its exploration of scabs and blood from wounds inflicted in boozy mindlessness, of wrinkles and scars left on bodies (and in minds). Like a sci-fi adventure, only without science or fiction: paralyzed images from a post-apocalyptic world where an unknown catastrophe has robbed all characters of their life force and energy. Argentina in 2001. —

Dying at Grace

Ein Film vonA film by **Allan King** —
KanadaCanada — 2003 — 148 min — FarbeColor —
EnglischEnglish —
KameraCinematographer **Peter Walker** —
DarstellerInnenCast **Carmela Nardone, Joyce Bone, Eda Simac, Rick Pollard, Lloyd Greenway** —
VorstellungScreening **6.11.2006, 20:30** — OF —
12.11.2006, 16:00 — OF —

Zweieinhalb Stunden Film vom Sterben. Ein „actuality drama" von Allan King, Jahrgang 1930, hierzulande kaum gewürdigter, bedeutender kanadischer Vérité-Pionier (aber nach seinen ersten Dokumentarfilm-Klassikern der 1960er Jahre zwischendurch auch Regisseur erfolgreicher Fiktionen). Der Film ist ein überwältigendes Alterswerk im buchstäblichen Sinn, entstanden auch aus der Beschäftigung mit dem eigenen Älterwerden. Es ist der Versuch, sich einem von der „fortschrittlichen" Gesellschaft zunehmend verdrängten – und wenn, dann meist nur verbrämt gezeigten – Faktum zu stellen: dem Tod ganz wörtlich ins Auge zu sehen. Mit Humanismus nähert sich King dem schwierigen Thema in unausbeuterischer, verblüffend intimer Weise, als Wechselspiel von völliger Versenkung und respektvoller Distanz. Fünf todkranke PatientInnen des titelgebenden Hospitals der Heilsarmee in Toronto (und ihre Angehörigen) gaben die Einwilligung, über ihre letzten Tage, Monate hinweg gefilmt zu werden: bis zum letzten Atemzug. — Two and a half hours dedicated to the process of dying: an actuality drama by Allan King (born in 1930), an important yet little-known (in Austria, that is) Canadian pioneer of cinéma vérité (he has also successfully directed fiction since his first classic documentaries in the 1960s). The film is an overwhelming late work that deals with age and ageing, both that of others and of the director himself and attempts to confront a fact that is increasingly suppressed – or, if shown at all, embellished – by "progressive" society: it looks death in the eye. King approaches the difficult issue with great humanism, in a defiantly non-exploitative, astonishingly intimate manner, as an interplay of total immersion and respectful distance. Five terminal patients at the titular Toronto-based Salvation Army hospital (and their relatives) gave permission to film them during their last days, or months, of life: quite literally, until their last breath. —

Eureka

RegisseurDirector **Aoyama Shinji** —
JapanJapan — 2000 — 217 min — Farbe und s/wColor and b/w —
JapanischJapanese —
DrehbuchScreenplay **Aoyama Shinji** —
KameraCinematographer **Tamura Masaki** —
MusikMusic **Aoyama Shinji, Albert Ayler, Jim O'Rourke,
Yamada Isao** — DarstellerInnenCast **Yakusho Kôji, Miyazaki
Aoi, Miyazaki Masaru, Saito Yoichiro, Kokusho Sayuri** —
VorstellungScreening **8.11.2006, 19:00** — OmdUger.st. —

Breitwandweites Land, in Sepia getönt: ein Bus, Kinder –
und plötzlich der Terror. Der Bus von einem Irren gekapert, Tote,
Todesangst, aber keine Erklärung. *Eureka* erzählt vom Nachhall
dieses Traumas, von der Hoffnung auf Heilung, als Odyssee
durchs weite, immer weitere Land: Der Busfahrer zieht nach der
Tragödie zu den anderen Überlebenden, zwei Kindern; gemeinsam
fahren sie durch die Landschaften der Insel Kyushu, ein vierter
kommt später hinzu, er soll wohl Ordnung in die verstörten Leben
bringen. Aber seine lebhafte Art verträgt sich nicht umstandslos
mit dem Wesen der Trauernden. Wanderungen zwischen Elektrizi-
tätspfosten und Parkplätzen, Vulkankratern und verstreuten
Gebäuden, in kostbarer Ruhe. Ein Monumentalwerk, von Aoyama
Shinji in hochpräzisen, eleganten Kompositionen und Kamerafahrten orchestriert. Schock, *aftershock* und der Versuch, diese
Erfahrung in der Bewegung zu überwinden. — A sepia-toned,
widescreen landscape: a bus, kids – and, suddenly, terror. The
bus is hijacked by a madman, people are killed, there is panic
but no explanation. *Eureka* narrates the aftermath of this trauma,
the hope of healing, as a sort of odyssey through a wide and
increasingly wider country: after the tragedy, the bus driver
moves in with the other survivors, two children; together,
they roam the landscapes of the island of Kyushu, where they
are joined by a fourth character who could perhaps bring order
into their shaken lives. But his lively manner does not gel easily
with the grieving characters. Wandering between light poles
and parking lots, volcano craters and scattered buildings, in
precious tranquility. A monumental film that is orchestrated
by Aoyama Shinji in very precise, elegant compositions and
camera moves. Shock, aftershock, and the attempt to overcome
the experience through movement. —

An Injury to One

Ein Film vonA film by **Travis Wilkerson** —
USAUSA — 2002 — 53 min —
Farbe und s/wColor and b/w — EnglischEnglish —
MusikMusic **Dirty Three, If Thousands, Low, Will Oldham,
Jim O'Rourke** —
VorstellungScreening **9.11.2006, 18:30** — OF —

Accelerated Under-Development:
In the Idiom of Santiago Alvarez

Ein Film vonA film by **Travis Wilkerson** —
USAUSA — 1999/2003 — 63 min —
Farbe und s/wColor and b/w — EnglischEnglish —
MusikMusic **If Thousands** —
VorstellungScreening **9.11.2006, 18:30** — OF —

Ein mittellanger, aber ganz großer Essay über die Geschichte
von Butte, Montana als Spiegelbild des kapitalistischen Kurses:

Einst Kupferminen-Boomtown, ist Butte heute eine Arbeiterstadt-
ruine neben dem Giftteich. „Poisonville" heißt die Stadt in
Dashiell Hammetts Krimi-Meisterwerk *Red Harvest*, inspiriert von
seinen Erlebnissen als Pinkerton-Detektiv rund um die Ermordung
des Gewerkschafters Frank Little zwecks ungestörter Profitmaxi-
mierung durch die Monopolfirma Anaconda Mining Co. im Jahr
1917. Dies ist auch ein Schlüsselereignis von Travis Wilkersons
zornig-melancholischer Bestandsaufnahme *An Injury to One*.
Wilkerson, eines der größten Talente im unabhängigen US-Film,
befasst sich aber nicht nur mit der „Gegengeschichte" seiner
Heimat, sondern auch mit anti-imperialistischen Traditionen außerhalb der USA: *Accelerated Under-Development* ist das außerordentliche Porträt des Filmemachers Santiago Alvarez, König des
kubanischen Agitprop und Agitpop. — A medium-length but
magnificent essay on the history of Butte, Montana as a reflection on the evolution of capitalism: once a copper boomtown,
Butte today is a ruined city of unoccupied workers, set by a
toxic pit lake. "Poisonville" is the name given to it by Dashiell
Hammett in his masterful thriller *Red Harvest*, which was
inspired by the author's experience as a Pinkerton representative
involved in the investigation of the murder of unionist Frank
Little, perpetrated in 1917 by the monopoly holder Anaconda
Mining Co. to remove a human obstacle to unchecked profit
maximization. This murder is also a key event in Travis
Wilkerson's angry-melancholy survey *An Injury to One*. Yet
Wilkerson, one of the greatest talents of American indie film,
is not solely committed to writing a "counter-history" of his
hometown but presents anti-imperialist traditions outside the
U.S. as well: *Accelerated Under-Development* is the extraordinary portrait of filmmaker Santiago Alvarez, the king of Cuban
agit-prop and agit-pop. —

Land of the Dead

RegisseurDirector **George A. Romero** —
USAUSA — 2005 — 93 min — FarbeColor — EnglischEnglish —
DrehbuchScreenplay **George A. Romero** —
KameraCinematographer **Miroslaw Baszak** —
MusikMusic **Reinhold Heil, Johnny Klimek** —
DarstellerInnenCast **Simon Baker, John Leguizamo,
Dennis Hopper, Asia Argento, Tom Savini** —
VorstellungScreening **9.11.2006, 20:45** — OF —

Viertes Meisterwerk im Zombie-Zyklus von George Romero,
viertes definitives Statement zur US-Gesellschaft nach 1960, zur
offensichtlichen Unterdrückung und der Wiederkehr des Unterdrückten: 20 Jahre nach dem philosophisch-blutigen Kammer-
(end)spiel *Day of the Dead* eine Gegenbewegung hin zu rabiater
Politsatire, grober Klotz statt metaphysischer Rasierklinge – das
Unheimliche braucht man nicht mehr zu beschwören, die Zeiten
sind horribel genug. Die Schere zwischen Arm und Reich ist auf
die Spitze getrieben: Als letzter Zufluchtsort der „Zivilisation"
fungiert das umzäunte Pittsburgh, kapitalistisches Paradies für

die Elite, beherrscht vom korrupten Mogul Dennis „Wir verhandeln nicht mit Terroristen" Hopper; im äußeren Ring lebt die Unterklasse, mit Abu-Ghraib-Spielen bei Laune gehalten; und draußen Ghettos für die Zombies, die nicht aufzuhalten sind. (Nicht nur) die New-Orleans-Katastrophe hat Romero in diesem metaphorisch reichen Genre-Zeitbild schon erahnt, aber im Finale geht er einen Schritt weiter, lässt die letzte Grenze zwischen (unterdrückten) Menschen und Zombies endgültig hinfällig werden. Zum Schluss ein großes Feuerwerk: Unabhängigkeitstag der Toten. — The fourth masterpiece in George Romero's zombie cycle, and the fourth definitive statement on post-1960 U.S. society, on evident repression and the return of the repressed: 20 years after the philosophical-gory chamber play *Day of the Dead* comes a reversal towards furious political satire, a blunt instrument instead of a metaphysical razor-blade – and why not? Horror does not need to be conjured anymore, our times are horrifying enough. The gap between rich and poor has grown excessively; as the last refuge of "civilization" we get fenced-in Pittsburgh, a capitalist paradise for the élite, governed by corrupt tycoon Dennis "We don't negotiate with terrorists" Hopper. The circle around this core is inhabited by the lower classes, who are humored by Abu Ghraib-style fun and games; outside these suburbs, there are the ghettoes of the unstoppable zombies. In his metaphor-laden genre snapshot, Romero has managed to anticipate the catastrophe of Hurricane Katrina – and not just that: he goes one step further in the finale by breaking down the ultimate dividing line between (oppressed) humans and zombies. At the end, the big fireworks: Independence Day of the Dead. —

stellten, deren private Illusionen das einzige Überlebensmittel in dieser Illusion von Welt sind. Der superbe Kameramann Yu Lik Wai kleidet Jias vorzüglich geätzte Vision in hochauflösende Videobilder, deren fließende Qualität mit der surrealen Ungreifbarkeit des Schauplatzes und den zerrinnenden Emotionen korrespondiert. Nur in (leinwandfüllend animierten) SMS-Nachrichten gibt es ein Aufblühen: das Leben, eine Fiktion. — The world begins right beyond the boundaries of Beijing: the setting of Jia Zhangke's epic fourth feature film is a suburban theme park, a megalomaniac world *en miniature* with scaled-down models of international sights. 50 hectares of global imitation as the congenial setting of a movie about alienation at work and in life in the era of globalism, planted with modernist precision between the make-believe buildings: "large-scale" ballets and simulated Las Vegas-style shows in front of a tatty Taj Mahal blur with the "details" of existence, the overlapping relationships and activities of the workers, whose private illusions are their only tool to survive in this world of illusion. The superb cinematographer Yu Lik Wai dresses Jia Zhanke's sharply etched vision in high-resolution video images whose flowing quality corresponds to the surreal ineffability of the location and the melting emotions of the characters. Only their animated text messages flourish: life as fiction. —

La Libertad
Freedom

RegisseurDirector **Lisandro Alonso** —
ArgentinienArgentinia — 2001 — 73 min — FarbeColor —
SpanischSpanish — DrehbuchScreenplay **Lisandro Alonso** —
KameraCinematographer **Cobi Migliora** —
MusikMusic **Juan Montecchia** —
DarstellerInnenCast **Misael Saavedra, Humberto Estrada, Rafael Estrada, Omar Didino, Javier Didino** —
VorstellungScreening **12.11.2006, 19:00** — OmeUeng.st. —
20.11.2006, 18:30 — OmeUeng.st. —

Shijie
The World

RegisseurDirector **Jia Zhangke** —
VR ChinaVR China — 2004 — 133 min — FarbeColor —
Mandarin/Shanxi/RussischMandarin/Shanxi/Russian —
DrehbuchScreenplay **Jia Zhangke** —
KameraCinematographer **Yu Lik Wai** —
MusikMusic **Lim Giong** — DarstellerInnenCast **Zhao Tao, Chen Taisheng, Jing Jue, Jiang Zhongwei, Wang Yiqun** —
VorstellungScreening **10.11.2006, 20:45** — OmeUeng.st. —
18.11.2006, 20:45 — OmeUeng.st. —

Gleich hinter Peking beginnt die Welt: Schauplatz von Jia Zhangkes epischem vierten Spielfilm ist ein Vorstadt-Themenpark, ein megalomanisches Minimundus mit maßstabsgetreuen Nachbildungen internationaler Sehenswürdigkeiten. 50 Hektar globale Imitation als kongenialer Schauplatz eines Films über entfremdete Arbeit und Leben in der globalisierten Ära, mit modernistischer Exaktheit zwischen die Nachbauten gepflanzt: „Große" Tanzspektakel, simulierte Las-Vegas-Shows vor der Taj-Mahal-Simulation, verschwimmen mit den „Kleinigkeiten" des Daseins, den sich überschneidenden Beziehungen und Tätigkeiten der Ange-

Erster Film des jungen Argentiniers Lisandro Alonso: ein Tag im Leben eines Holzfällers im argentinischen Busch, verdichtet auf 73 Minuten, die Fragen nach den (ohnehin zweifelhaften) Grenzen zwischen Dokumentation und Inszenierung völlig hinter sich lassend, in gleitenden Einstellungen auf die Essenz reduziert, die Geheimnisse bewahrend und niemals exotisch im Angesicht des archaischen Alltags. Stoisch geht der Protagonist Misael Saavedra durch den Wald, markiert manche Bäume, fällt und beschneidet andere. Einmal fährt er mit dem Mann, der die Bäume holt, zum Geschäft, Zigaretten kaufen, ein paar Worte wechseln. Dazwischen ruht er im Zelt, isst ein (mit flinker Handbewegung gefangenes und selbst geschlachtetes) Gürteltier und scheidet das Gegessene im Wald wieder aus: Kreislauf der Existenz, Routinen des Lebens – die verblüffende Techno-Musik über dem Vorspann erinnert beiläufig daran, dass es sich auch in urbaneren, „näheren" Welten und Existenzen nicht viel anders verhält. Was ist, wo ist, wie ist

Freiheit? — The first film by young Argentine director Lisandro Alonso: one day in the life of a woodcutter in the Argentine bush, condensed into 73 minutes, jettisoning all questions regarding the boundaries between documentation and mise-en-scène (which are dubious at best), reduced to the essence with its gliding takes, keeping the mystery intact, never exotic in the face of an archaic everyday existence. Protagonist Misael Saavedra stoically walks through the forest, marks some trees, fells or prunes others. Once, he and the man who picks up the cut trees drive to a shop to buy cigarettes, talk a bit. In between, he rests in his tent, eats a (deftly caught and slaughtered) armadillo and excretes the digested food in the forest: a cycle of existence, a routine of life – the amazing techno sound during the opening credits is a casual reminder of how people in more urban, "familiar" worlds and existences do not behave much differently. What is freedom, where is it, what is it like? —

like the protagonist – was no longer allowed to perform in post-revolutionary Iran). A quasi-documentary music / road movie with a cast of non-professional actors (all main performers are singers in real life), set against the backdrop of the terrible consequences of the first Gulf War, when Saddam Hussein bombarded the Kurdish population of his country to leaven the disgrace of defeat. The tenor of the tragicomic vignettes gradually mutates from an impulsive, cartoonish farce (often set to dynamic music) to a grim study of a borderland of mass graves, barbed wire-studded snowfields, orphans and funeral processions. The Kurdish answer to Emir Kusturica. —

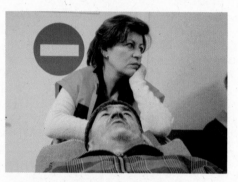

Moartea domnului Lazarescu
The Death of Mr. Lazarescu

RegisseurDirector **Cristi Puiu** —
RumänienRomania — 2005 — 153 min — FarbeColor —
RumänischRomanian —
DrehbuchScreenplay **Cristi Puiu, Razvan Radulescu** —
KameraCinematographer **Oleg Mutu** —
MusikMusic **Andrea Barbu** —
DarstellerInnenCast **Ion Fiscuteanu, Luminita Gheorghiu, Gabriel Spahiu, Doru Ana, Dana Dogaru** —
VorstellungScreening **13.11.2006, 20:30** — OmdUger.st. —

Gomgashtei dar Aragh
Marooned in Iraq

RegisseurDirector **Bahman Ghobadi** —
IranIran — 2002 — 97 min — FarbeColor —
Kurdisch/FarsiKurdish/Persian —
DrehbuchScreenplay **Bahman Ghobadi** —
KameraCinematographer **Saed Nikzat** —
DarstellerInnenCast **Shahab Ebrahimi, Faegh Mohamadi, Allah-Morad Rashtian, Rojan Hosseini, Iran Ghobadi** —
VorstellungScreening **12.11.2006, 20:30** — OmdUger.st. —
19.11.2006, 16:00 — OmdUger.st. —
Im Anschluss Publikumsgespräch mit
Followed by Q&A with
Bahman Ghobadi —

Mit Schnauzbart und grünen Plastikbrillen zieht ein bekannter kurdischer Sänger auf seinem Beiwagenmotorrad vom Iran in den Irak, um mit den beiden Söhnen seine Ex-Frau zu suchen, die ihn vor 23 Jahren für seinen besten Freund verlassen hat, auch weil sie – ebenfalls eine Sängerin – nach der Revolution im Iran nicht mehr öffentlich auftreten durfte. Ein mit Laien (die HauptdarstellerInnen allesamt selbst Sänger) besetztes, quasi-dokumentarisch inszeniertes Musik-Road-Movie vor dem Hintergrund der fürchterlichen Folgen des ersten Golfkriegs, als Saddam Hussein die kurdische Bevölkerung seines Landes bombardieren ließ, um die Schmach der Niederlage zu mindern. Der Tenor der tragikomischen Vignetten wandelt sich zunehmend von impulsiver Cartoon-Posse (oft mit treibenden Musikeinlagen) zur grimmigen Grenzstudie einer Gegend voller Massengräber, stacheldrahtgesäumter Schneefelder, Waisen und Begräbnisprozessionen. Die kurdische Antwort auf Emir Kusturica. — Mustachioed, wearing green plastic glasses and accompanied by his two sons, a well-known Kurdish singer rides his sidecar motorcycle from Iran to Iraq to look for his ex-wife, who left him 23 years ago for his best friend (another reason was the fact that she – a singer

Einhundertdreiundfünfzig Minuten illusionslose Tour de force: die längste Nacht für Herrn Lazarescu, einen trinkfreudigen, nicht nur olfaktorisch nicht mehr ganz funktionierenden alten Bohemien, der nach Verschlimmerung seiner Beschwerden zunächst auf die Ambulanz wartet, dann auf einer erschütternden wie schwarzhumorigen Odyssee von einem überfüllten Krankenhaus zum nächsten weitergereicht wird, während er zunehmend in Katatonie verfällt. Ein in quasi-dokumentarischen Handkamera-Einstellungen entworfenes tragikomisches Pandämonium des Alltags, das nie auf tatsächlich Dämonisches zurückgreifen muss: Die Textur erinnert an Frederick Wiseman, samt naturalistischem Schauspiel, enzyklopädisch im Menschlichen und im Gesellschaftlichen, überwältigend reich im Ineinandergreifen metaphorischer, philosophischer und, wie man gern sagt, ganz banaler Bedeutungen. Nur eines ist sicher, so Regisseur Cristi Puiu: „Der Patient wird sterben." Wenn auch vielleicht nicht, entgegen seinem Titel, im Film. Ein Meisterwerk. — A one-hundred-and-fifty-three-minute, disillusioned tour de force: the longest night for Mr. Lazarescu, a boozy old bohemian whose body is not just threatened by olfactory failures. When his symptoms get worse, he calls an ambulance and after a long wait is shuttled from one crowded hospital to the next on a gut-wrenching but darkly humorous odyssey, all the while slowly becoming catatonic. This is a tragicomic everyday pandemonium shot in quasi-documentary style with a handheld camera that does not need actual demons to function: the film's texture recalls Frederick Wiseman, down to the naturalistic performances, its encyclopedic view of humanity and society, and an overwhelming richness of inter-

locking metaphorical, philosophical and, in everyday parlance, utterly banal meaning. Only one thing is certain, director Cristi Puiu says, "The patient will die", even if it might not happen in the movie, despite the title. A masterpiece. —

La Niña Santa
The Holy Girl

RegisseurinDirector **Lucrecia Martel** —
2004 — 106 min — FarbeColor —
SpanischSpanish —
DrehbuchScreenplay **Juan Pablo Domenech, Lucrecia Martel** —
KameraCinematographer **Félix Monti** —
MusikMusic **Andrés Gerszenon** —
DarstellerInnenCast **Mercedes Morán, Carlos Bolloso, Alejandro Urdapilleta, María Alché, Julieta Zylberberg** —
VorstellungScreening **15.11.2006, 18:30** — OmdUger.st. —

Die schöne junge Frau singt inbrünstig ein Lied: davon, dass sie Gott gehört. Plötzlich eine Pause. Weinend dreht sie sich weg. Ihre Schülerinnen tuscheln, reichen ein Bild herum, glucksen. Nach kurzer Pause gewinnt die Frau ihre Fassung zurück, singt weiter. Ein enigmatischer Filmbeginn, aber dann rollt *La Niña Santa* langsam die näheren Umstände auf: Die Mädchen sind Klosterschülerinnen; die Eltern der Heldin betreiben ein heruntergekommenes Hotel mit Swimmingpool; dort findet ein medizinischer Kongress statt – und einer der Doktoren leistet sich eine unziemliche Berührung. Der zweite Film der Argentinierin Lucrecia Martel erschafft aus solchen Erzählfragmenten, aus Gesichtern, Gesten, Geräuschen und aus ungewöhnlich kadrierten Bildern eine Welt von erstaunlicher Plastizität. Das karge Hotel verwandelt sich in ein Wunderland, in dem der Kontrast aus Ärzte-Rationalismus und Mädchen-Religiosität zwar keine Beweise für Übersinnliches zeitigt, aber eine höhere Sinnlichkeit – eine gesteigerte Wahrnehmung der Texturen von Leben, Begehren, Erwachsenwerden. Ein zauberhaftes und inspirierendes Kunstwerk. — A beautiful young woman breaks into a fervent song about belonging to God but suddenly interrupts her singing. She turns away, weeping. Her students whisper among each other, show a picture around, giggle. Presently, the woman recovers her composure and continues her song. An enigmatic opening – but then *La Niña Santa* slowly goes into the details of the story: the girls are pupils at a convent school, while the heroine's parents run a seedy hotel with a pool. A medical conference is taking place at the hotel, and one of the participating physicians engages in forbidden physical contact. From such narrative fragments, from faces, gestures, sounds and unusually framed images, the second film by Argentine Lucrecia Martel creates a world of astonishing three-dimensionality. The shabby hotel is transformed into a wonderland where the contrast between medical rationality and girlish religiosity, while producing no proof of the supernatural, does enhance sensuality, a heightened perception of the textures of life, of desire, of growing up. An enchanting and inspiring work of art. —

De grote vakantie
The Long Holiday

Ein Film vonA film by **Johan van der Keuken** —
2000 — 145 min — FarbeColor — NiederländischDutch —
VorstellungScreening **15.11.2006, 20:30** — OmdUger.st. —

„Der Mensch, der am Abgrund lebt, mit Hilfe schöner Geschichten, die er sich weismacht, als Trost im Angesicht des

Nichts." Ein bewegender Film über Todesangst und Lebensglück: Der große niederländische Dokumentarist Johan van der Keuken macht sich auf eine letzte, neugierige Weltreise, nachdem er erfährt, dass sich sein Prostatakrebs wieder verschlimmert hat (die Suche nach einer Therapie ist kontrapunktisch eingewoben in den Free-Jazz-Fluss des Films, der unerwartete Zusammenhänge herstellt). „Wenn ich keine Bilder machen kann, bin ich tot", sagt van der Keuken einmal im Off, als es in einer brasilianischen Disco dunkel wird: *sans soleil*, ohne Licht keine Bilder, ohne Bilder kein Leben. *De grote vakantie* ist eine letzte große Hymne an die Kraft der Bilder: ans Kino und ans Leben als eins. — "People living close to the abyss, using pretty, make-believe stories as a consolation in the face of nothingness." A touching movie on the fear of dying and the joy of living: the great Dutch documentary filmmaker Johan van der Keuken embarks on a last, curious journey around the world after having been told that his cancer of the prostate has again progressed (his search for a therapy is woven, counterpoint-style, into the free-jazz flow of the film, which makes for unexpected juxtapositions and links). "If I can't create images, I'm dead", van der Keuken says once, off-camera, when the lights go out in a Brazilian disco: *sans soleil*, no images without light, no life without images. *De grote vakantie* is a last, great tribute to the power of images: cinema and life seen as one. —

Au delà de la haine
Beyond Hatred

Ein Film vonA film by **Olivier Meyrou** —
FrankreichFrance — 2005 — 86 min — FarbeColor —
FranzösischFrench —
KameraCinematographer **Jean-Marc Bouzou** —
MusikMusic **François-Eudes Chanfrault** —
VorstellungScreening **16.11.2006, 18:30** — OmeUeng.st. —
26.11.2006, 18:45 — OmeUeng.st. —

Am 13. September 2002 wurde in Reims ein 29-jähriger Homosexueller von drei jungen Skinheads getötet, die später zu Protokoll gaben, dass sie eigentlich „auf der Suche nach einem Araber zum Verprügeln" herumstreiften, als ihnen das Opfer in die Quere kam. Der ungeschönte und keineswegs sensationslüsterne Dokumentarfilm von Olivier Meyrou beobachtet die juridischen und persönlichen Folgen der Tat; im Zentrum stehen die Familienangehörigen des Opfers. Trotz Zorn und intensiver Trauer ringen sich die stets ruhigen Eltern zu jenem Beschluss durch, der dem Film seinen Titel und seine Stoßrichtung gibt: jenseits des Hasses zu agieren, um vielleicht zu verstehen, wie es zu der Tragödie kommen konnte. Meyrous unvoreingenommener Blick entspricht dieser Haltung bis ins Detail: Die Täter kommen nicht vor, aber ihre Verwandten werden mit derselben Sympathie gefilmt wie die Angehörigen des Toten. — On 13 September 2002, a 29 year-old gay man was killed in Reims by three young skinheads who later stated that they were actually "looking for an Arab to bash" when they happened upon their victim. This plain, non-sensationalistic documentary by Olivier Meyrou records the legal and personal consequences of the killing, with a focus on the victim's family. Despite their anger and profound grief, the always calm parents finally arrive at a decision that gives the film its title and thrust: to go beyond hatred in order to (perhaps) understand how the tragedy came about. Meyrou's unbiased look embodies this attitude down to the last detail: the perpetrators remain invisible while their relatives are filmed with the same sympathy as the family of the dead man. —

La fé del volcán
The Faith of the Volcano

RegisseurinDirector **Ana Poliak** —
ArgentinienArgentina — 2001 — 86 min — FarbeColor —
SpanischSpanish —
DrehbuchScreenplay **Ana Poliak, Willi Behnisch** —
KameraCinematographer **Willi Behnisch** —
MusikMusic **Los Kjarkas** — DarstellerInnenCast **Mónica Donay,
Jorge Prado, Matel Golombek, Ana Poliak, Luis Morazzoni** —
VorstellungScreening **17.11.2006, 18:30** — OmeUeng.st. —

Die junge Ana ist Lehrling in einem Frisiersalon, verliert aber
bald ihren Job; mit einem Scherenschleifer mittleren Alters, der in
seinem „fahrenden Büro" durch Buenos Aires radelt, verbindet
sie eine ungewöhnliche Freundschaft. Ihre Begegnungen werden
von seinen oft leicht verwirrten Erzählungen geprägt. Gemeinsam
streifen sie herum, gehend, redend, rundherum ein quasi-doku-
mentarisches Porträt der Stadt, das seltsam fragmentarisch bleibt,
von schwarzen Löchern durchsetzt, entsprechend dem Innenleben
der Figuren, in denen fragmentarische Erinnerungen – an die
Verschwundenen der Militärdiktatur, an traumatische Erfahrungen – herumspuken. Ana Poliak: „Die ProtagonistInnen stehen
für das Fortbestehen einer traurigen Realität in der Geschichte
Argentiniens, wo politische Unterdrückung und soziale Marginali-
sierung seit Dekaden Hand in Hand gehen und ein einzigartiges
Unrechtssystem bilden." — Young Ana is an apprentice hair-
dresser but soon loses her job; an unlikely friendship links her
to a middle-aged scissors grinder, who rides his "mobile workshop" – his bike – around Buenos Aires. Their encounters are
characterized by the often slightly confusing stories the man tells
Ana. Together, they roam the city, walking, talking, creating a
quasi-documentary portrait of Buenos Aires that yet remains
oddly splintered, riddled by black holes that echo the characters' psyches, which are haunted by fragmentary memories of
the desaparecidos of the military dictatorship, of traumatic
events. Ana Poliak: "The protagonists embody the continuation
of a sad reality in Argentine history, where political oppression
and social marginalization have closely intertwined for decades
to create a unique system of injustice." —

Aku ingin menciummu sekali saja
Birdman Tale

RegisseurDirector **Garin Nugroho** —
IndonesienIndonesia — 2003 — 87 min — FarbeColor —
IndonesischIndonesian —
DrehbuchScreenplay **Garin Nugroho** —
KameraCinematographer **Shamir** — MusikMusic **Fahmy Alatas** —
DarstellerInnenCast **Octavianus Rysiat Muabuay, Lulu Tobing,
Adi Kurdi, P. Ramendei Thamo, Sonya Baransano** —
VorstellungScreening **18.11.2006, 16:00** — OmeUeng.st. —
Im Anschluss Publikumsgespräch mit
Followed by Q&A with
Garin Nugroho —
25.11.2006, 18:30 —OmeUeng.st. —

Ein bewegender, poetischer Arte-Povera-Spielfilm, entstanden
als Erweiterung des zuvor gedrehten Dokumentarmaterials – und
zugleich der erste indonesische Film, der vom Wunsch der papua-
nischen Bevölkerung nach Unabhängigkeit erzählt: Zu sehen sind
etwa die Massendemonstrationen, bei denen Papuas Morgenstern-
Flagge entrollt und Lieder für ein freies Papua gesungen werden
– während der Zeit des Drehs wurden von der Regierung Razzien
durchgeführt, um diese verbotene Flagge zu beschlagnahmen.

Aber Garin Nugroho hält der finsteren religiösen und politischen
Thematik mit üppigen, satten Farben, musikalischer Inszenierung
und reicher Symbolik eine humanistische Fabel entgegen: gewitzte,
zugleich ganz ernsthafte Selbstfindungsgeschichten, etwa die des
15-jährigen Jungen, der im Hafen eine mysteriöse, trauernde
Frau trifft, die obsessiv die Bibel studiert – und der prompt vom
Gedanken besessen ist, sie zu küssen. — A moving, poetic *arte
povera* feature developed out of previously shot documentary
material – and at the same time the first Indonesian movie to
speak of the striving for independence of the inhabitants of
Papua: the film presents mass demonstrations that show Papua's
morning star flag being unfurled while songs about a free
Papua are sung – during the shoot, the government carried out
several raids to seize the (forbidden) flag. But Garin Nugroho
balances the somber religious and political themes with
humanism, lush, saturated colors, a music-drenched style and
rich symbolism: witty yet serious stories of people finding
direction in life, e.g. that of the 15 year-old boy who, on going
to the harbor, meets a mysterious, grieving woman who is
obsessively studying the Bible – and whom he suddenly feels
utterly compelled to kiss. —

Talaye sorgh
Crimson Gold

RegisseurDirector **Jafar Panahi** —
IranIran — 2003 — 97 min — FarbeColor — FarsiPersian —
DrehbuchScreenplay **Abbas Kiarostami** —
KameraCinematographer **Hossein Jafarian** —
MusikMusic **Peyman Yazdanian** —
DarstellerInnenCast **Hossein Emadeddin, Kamyar Sheisi, Azita
Rayeji, Shahram Vaziri, Pourang Nakhaei** —
VorstellungScreening **19.11.2006, 18:45** — OmdUger.st. —

„Was wollen Sie?" fragt eine Stimme eingangs über dem
Schwarzbild, dann der klaustrophobische Beginn: Wie einzemen-
tiert blickt die Kamera auf die Auseinandersetzung eines Juweliers
mit einem Kunden – ein Überfall mit tödlichem Ausgang. Bevor
er am Ende zu dieser Urszene zurückkehrt, skizziert Jafar Panahi
den Alltag des Täters, eines Pizzaboten, in dem sich Frust und
Verzweiflung aufstauen, während er mit sozialer Ungerechtigkeit
und Klassendünkel konfrontiert wird. Nach einem wahren Fall
(und einem Exposé von Abbas Kiarostami) entstand Panahis bester
Film, auch dank des unglaublichen Hauptdarstellers: Hossein
Emadeddin, selbst Pizzabote und paranoid-schizophren, bewegt
sich mit singulärer Präsenz und komischer Würde durch eine Abfolge lang ausgespielter Schlüsselszenen. Die letzte davon, ein
schier end- und schwereloser Rundgang, ein Tanz des bulligen
Mannes durch die riesige Dachwohnung eines reichen Sohns, hat
fast außerirdische Kraft. — "What do you want?", a voice asks
in the opening moments against a black screen, followed by
the real, claustrophobic beginning: as if embedded in concrete
and unable to move, the camera registers an argument between

a goldsmith and his customer – a holdup with lethal results. Before returning to this primeval scene at the end, Jafar Panahi sketches the daily routine of the perpetrator, a pizza delivery-man who accumulates frustration and despair when confronted with social injustice and class snobbery. Based on a real-life case (and a treatment by Abbas Kiarostami), this is Panahi's best film, also due to the incredible protagonist: Hossein Emadeddin, who himself is a pizza delivery man and a paranoid schizophrenic, moves through a series of drawn-out key scenes with singular presence and comic dignity. The last sequence, a seemingly endless and weightless walk, a dance of this hefty man through the vast loft apartment of a rich son, acquires an almost unearthly power. —

Veer Zaara

RegisseurDirector **Yash Chopra** —
IndienIndia — 2004 — 193 min — FarbeColor —
HindiHindi —
DrehbuchScreenplay **Aditya Chopra** —
KameraCinematographer **Anil Mehta** —
MusikMusic **Madan Mohan** —
DarstellerInnenCast **Shah Rukh Khan, Preity Zinta, Rani Mukerji, Amitabh Bachchan, Boman Irani** —
VorstellungScreening **20.11.2006, 20:00** — OmdUger.st. —

Als die pakistanische Muslimin Zaara die Asche ihrer Sikh-Amme in Indien rituell bestatten will, kommt es zu einem Busunglück. Rettungsflieger Veer kommt ihr zu Hilfe, in ein paar idyllischen Tagen verlieben sie sich ineinander – dann muss Zaara zurück, um eine politisch wünschenswerte Ehe einzugehen. Als ihr Veer folgt, landet er im Gefängnis. Ein schönes, beseeltes Alterswerk des 72-jährigen Yash Chopra, Fixgröße des Bollywood-Kinos, in klassizistischem Stil und mit majestätischem Gleichmaß inszeniert. Die typische Geschichte einer Landesgrenzen-, Religions- und Standesunterschiede überwindenden Liebe wird vom Gefängnis aus in Rückblenden aufgerollt, die Filmviertel dazwischen beleuchten das große Thema Toleranz aus verschiedenen Perspektiven: religiös, politisch, juristisch – und schließlich emotional, wenn im überwältigenden Finale Raum und Zeit aus den Angeln gehoben werden und alle Inkarnationen von Veer und Zaara vervielfacht im selben Atemzug existieren. — A bus accident occurs while Pakistani Muslima Zaara wants to ritually bury the ashes of her Sikh nanny in India. Rescue pilot Veer saves her; over a few idyllic days, the couple fall in love, then Zaara must return home to contract a politically desirable marriage. When Veer follows her, he is thrown into prison. An appealing, inspired late work by 72 year-old Yash Chopra, a fixed star in the Bollywood firmament, directed in classicist style and with majestic symmetry. The typical story of a love that must overcome national borders, religious and class differences is shown in flashback, with Veer in prison, while the in-between segments cover the important issue of tolerance from its different perspectives: religious, political, legal – and finally emotional, when the overwhelming finale upsets the dimensions of space and time and all incarnations of Veer and Zaara, multiplied, coexist simultaneously. —

Batang West Side

RegisseurDirector **Lav Diaz** —
PhilippinenPhilippines — 2002 — 297 min —
Farbe und s/wColor and b/w —

Englisch/TagalogEnglish/Tagalog —
DrehbuchScreenplay **Lav Diaz** —
KameraCinematographer **Miguel V. Fabie III** —
MusikMusic **Joey Ayala** —
DarstellerInnenCast **Joel Torre, Yul Servo, Priscilla Almeda, Gloria Diaz, Arthur Acuña** —
VorstellungScreening **22.11.2006, 18:30** — OmeUeng.st. —

Ein gewaltiges Zeitbild der philippinischen Diaspora in New York, von Regisseur Lav Diaz als episodische Rekonstruktion eines Verbrechens in mesmerisierende fünf Stunden gegossen. Hanzel Harana, ein frisch immigrierter Jugendlicher wird tot aufgefunden, ein philippinischstämmiger Jersey City Cop untersucht den Fall, muss sich mit großer Zähigkeit vorantasten, um die Mauer des Schweigens zu durchbrechen, den (v)erbitterten Widerstand der Angehörigen zu überwinden. Die Spur einer Designerdroge namens „Shabu" zieht ihre Spur durch den Film wie ein blutiges Rinnsal, aber Diaz delegiert seine Berichte über Kriminalität, häusliche Gewalt und die Unzufriedenheit in den Seelen lange Zeit ins Off; er setzt auf das hypnotische Porträt eines zerfallenden Lebens als Sinnbild der Entfremdung von Wurzeln und Heimat. Je mehr über den Jungen zu erfahren ist, desto komplexer, ungreifbarer, widersprüchlicher wird sein Bild. Auch ein Dokumentarfilmer tritt auf. Er sagt: „But the camera will catch plenty of stories. Even the truth, maybe." — A powerful portrayal of the Philippine diaspora in New York, spanning five mesmerizing hours and with director Lav Diaz' episodic reconstruction of a crime at its center. Hanzel Harana, a newcomer to the U.S., is found dead; a Jersey City cop with Philippine origins is assigned the case but faces myriad problems in trying to break down the wall of silence and the bitter (and embittered) resistance of the boy's relatives. A designer drug called "Shabu" leaves its bloody tracks on the film like a trickle of gore, but for long stretches Diaz actually relegates his report on crime, domestic violence and unhappy souls to the background; he is more interested in creating the hypnotic portrait of a crumbling life as a symbol of alienation from roots and homeland. The more we learn about the dead boy, the more complex, ineffable and contradictory his image becomes. A documentary filmmaker appears in the film, too. He says, "But the camera will catch plenty of stories. Even the truth, maybe." —

Ten Canoes

RegisseurDirector **Rolf de Heer** —
AustralienAustralia — 2006 — 91 min —
Farbe und s/wColor and b/w —
Ganalbingu/EnglischGanalbingu/English —
DrehbuchScreenplay **Rolf de Heer** —
KameraCinematographer **Ian Jones** —
DarstellerInnenCast **Crusoe Kurddal, Jamie Dayindi Gulpilil Dalaithngu, Richard Birrinbirrin, Peter Minygululu, David Gulpilil Ridjimiraril Dalaithngu** —
VorstellungScreening **24.11.2006, 18:30** — OmdUger.st. —

„Once upon a time in a land far, far away", hebt die Erzählerstimme an, während die Breitwandfilmkamera ein prächtiges Flussdelta hinunter gleitet, zum großen Arafura-Sumpf im Norden Australiens – und sich der Erzähler unterbricht: „No, it's not like that. It's not like your story." Ein Film vom anderen Geschichtenerzählen, entwickelt mit und gespielt von Aborigines, die Bilder inspiriert von den Tausenden Fotos, die Donald Thomson in den 30er Jahren in deren Heimat schoss. Eine Annäherung an die orale Tradition: Die Geschichte verzweigt sich in andere Geschichten, jedes Problem, das darin auftaucht, wird eine Geschichte

und als solche ausagiert – das ist der Weg, die Welt zu erschaffen in der Kultur des Geschichtenerzählens. Die erwartete (westliche) Moral der ursprünglichen Erzählung erweist sich am Ende als herzlich nutzlos, die volkstümliche Ironie dazwischen dafür als herzhaft brauchbar: „Never trust a man with a little prick." — "Once upon a time in a land far, far away", the narrator's voice informs us while the widescreen camera sweeps down a splendid river delta to reach the great Arafura swamps in northern Australia – and then the narrator interrupts his introduction, "No, it's not like that. It's not like your story." A movie about a different way of storytelling, developed with and performed by Aborigines, with images inspired by the thousands of photographs of their homeland shot by Donald Thomson in the 1930s. A rapprochement to Aboriginal oral tradition: the story branches off into other stories; each problem arising in the story becomes a story of its own and hence is acted through – in the culture of storytelling, this is the method to create the world. In the end, the expected (Western) moral of the original tale proves quite useless, while down-home irony is a much more valuable commodity: "Never trust a man with a little prick." —

Atanarjuat
The Fast Runner

RegisseurDirector **Zacharias Kunuk** —
KanadaCanada 2001 — 170 min — FarbeColor —
InuktitutInuktitut —
DrehbuchScreenplay **Paul Apak Angilirq** —
KameraCinematographer **Norman Cohn** —
MusikMusic **Chris Crilly** —
DarstellerInnenCast **Natar Ungalaaq, Sylvia Ivalu, Peter-Henry Arnatsiaq, Lucy Tulugarjuk, Madeline Ivalu** —
VorstellungSreening **24.11.2006, 20:30** — OmdUger.st. —

Ein bemerkenswertes dreistündiges Epos aus der kanadischen Arktis, die Verfilmung einer alten Legende seines Volkes durch den Inuit Zacharias Kunuk, frei von den Exotismen früherer Eskimodramen, selbst so wesentlicher Werke wie *Nanook of the North* und *The Savage Innocents*: ein tatsächlich indigener Film, der seine Kultur zu ihren eigenen Bedingungen verhandelt. Die mythischen Elemente sind universal – eine Geschichte von Eifersucht und Ehebruch, Mord und Rache, epischer Flucht übers Eis und schließlich Gerechtigkeit. Aber Kunuk präsentiert sie ganz im Hinblick auf die Bedürfnisse und den Überlebenskampf einer ganz bestimmten Gemeinschaft und ihrer Lebensweise. Auch wenn *Atanarjuat* „am Morgen des ersten Millenniums" spielt, ist seine Kraft die der Zeitlosigkeit. Der archetypische Nachhall wird durch die mit Digitalvideo überraschend eindrucksvoll eingefangenen archaischen Lebensverhältnisse verstärkt. — A remarkable three-hour epic from the Canadian Arctic, a film by Inuit Zacharias Kunuk about an old legend of his people, devoid of the exotics of earlier Eskimo dramas including such important entries as Nanook of the North and The Savage Innocents: a genuinely indigenous film that negotiates its culture at its own terms. The mythical elements are universal – a story of jealousy and adultery, murder and revenge, an epic flight across the ice and, finally, justice. But Kunuk is above all concerned with the needs and struggle for survival of a specific society and its lifestyle. Even if Atanarjuat is set "at the dawn of the first millennium", its power derives from its timelessness. The archetypal aftereffect is amplified by the archaic lifestyle, rendered with surprising impressiveness on digital video. —

S21, la machine de mort Khmère rouge
S21, the Khmer Rouge Death Machine

Ein Film vonA film by **Rithy Panh** —
KambodschaCambodia — 2003 — 101 min — FarbeColor —
KhmerKhmer —
KameraCinematographer **Prum Mésar, Rithy Panh** —
MusikMusic **Marc Marder** —
VorstellungScreening **25.11.2006, 16:00** — OmdUger.st. —

Der kambodschanische Regisseur Rithy Panh ist der bedeutendste Chronist der leidvollen Geschichte seines Heimatlandes. In diesem nüchternen, bohrenden Film kehrt er ins Todeslager „S21 Tuol Sleng" zurück, wo unter Pol Pots Terror-Regime über 17.000 Menschen verhört, gefoltert und getötet wurden. Einer der wenigen Überlebenden, der Maler Vann Nath, ist Führer durch die gründlichen Archive der Vernichtung, in denen sich Fotos sämtlicher Opfer befinden. Nath musste damals immer wieder den Kommandanten porträtieren, nun zeigt er den einstigen Tätern, die sich selbst als Opfer bezeichnen, seine großformatigen Gemälde – wie Portale in die Vergangenheit, die die Geschehnisse und Tagesabläufe rekonstruierbar machen. Wenig ist im jüngeren Kino so unheimlich wie die automatisch (wieder) ausgeführten Handgriffe der ehemaligen Folterer: das Körpergedächtnis der Todesmaschine. — Cambodian director Rithy Panh is the leading chronicler of the pain-filled history of his native country. With this austere, piercing film, he returns to the death camp "S21 Tuol Sleng", where more than 17,000 persons were interrogated, tortured and killed during Pol Pot's reign of terror. One of the few survivors, painter Vann Nath, leads us through the detailed archives of annihilation, which hold photographs of all victims. As an inmate, Nath was forced to portray, time and again, the camp commander; now he shows his large-format paintings to his erstwhile torturers (who refer to themselves as victims) – like portals to the past that permit the reconstruction of events and processes. There are only few images in recent cinema as terrifying as the automatically (re-) executed manipulations of the former torturers: the physical memory of the death machine. —

Dare mo shiranai
Nobody knows

RegisseurDirector **Kore'eda Hirokazu** —
JapanJapan — 2004 — 141 min — FarbeColor —
JapanischJapanese —
DrehbuchScreenplay **Kore'eda Hirokazu** —
KameraCinematographer **Yamazaki Yutaka** —
MusikMusic **Gontiti** —
DarstellerInnenCast **Yagira Yuya, Kitaura Ayu, Kimura Hiei, Shimizu Momoko, You** —
VorstellungScreening **25.11.2006, 20:30** — OmdUger.st.—

Regisseur Kore'eda Hirokazu, hartnäckiger Humanist, Trauer- und Erinnerungsarbeiter, begann als Dokumentarist. In keinem seiner Filme ist das so deutlich zu spüren wie in *Nobody knows*, der denkbar unsentimental, mit fast kosmischer Gelassenheit inszenierten Chronik eines Versinkens nach dem wahren Fall der „Affäre der vier verlassenen Kinder von Nishi-Sugamo", die 1988 Japan erschütterte. Die Kinder werden von der labilen Mutter verlassen, versuchen sich durchzuschlagen, als wäre nichts geschehen. Die Außenwelt weiß nichts von ihnen (die Eröffnungsszene zeigt, wie die drei jüngsten in Koffern ins neue Apartment geschmuggelt werden), das Drama ereignet sich bemerkenswert beiläufig, und nur scheinbar paradox entfaltet sich zugleich auch die Freude der absoluten Freiheit. Im Lauf der Jahreszeiten wiederholen sich die Tätigkeiten, Verwilderung greift um sich: Strubbelhaare, Kleiderfetzen. Die Wolfskinder in der verfallenden Wohnung ergeben sich der manchmal geradezu glückseligen Bewegungslosigkeit. — Director Kore'eda Hirokazu, stubborn humanist, mourning and memory worker, began his career as a documentary filmmaker. None of his films shows these antecedents as clearly as *Nobody Knows*, a decidedly unsentimental, almost cosmically serene chronicle of submersion based on the true-life "affair of the four abandoned children of Nishi-Sugamo", which shook Japan in 1988. The children are left on their own by their mentally unstable mother and try to muddle through as if nothing had happened. The world outside knows nothing about them (the opening scene shows how the three youngest ones are smuggled into the new apartment in suitcases), the drama develops with remarkable casualness, and the children's pleasure in their total freedom likewise evolves only seemingly paradoxically. Activities are repeated in the course of the passing seasons as the kids begin to return to a primeval state: unkempt hair, torn clothing. The feral children in the dilapidated apartment surrender to an occasionally almost blissful immobility. —

beginnen. Der Mittelteil von Sembènes Trilogie über den „alltäglichen Heroismus" von Frauen zu Anfang des neuen Jahrhunderts ist, wie sein Vorgänger *Faat Kiné*, von einer subtilen Meisterschaft gekennzeichnet, einer selbstverständlichen Anwendung von Sembènes „brechtischem Naturalismus". Der vehemente Vortrag des Dialogs, die Musikeinlagen und die sozial konstruierten Charaktere fügen sich mit Leichtigkeit zum Porträt einer (Dorf-) Gemeinschaft und zugleich zur Darstellung eines massiven, global wirksamen Umbruchs. Der grandiose letzte Schnitt ist ein überwältigendes Bekenntnis zu Offenheit und Aufklärung. — Probably the most uplifting film ever about the practice of female genital mutilation: six little girls run away from this traditional "purification ceremony"; four of them seek refuge with Collé, a woman of their tribe who in the past had shielded her own daughter from mutilation. When Collé places the girls under the protection of "moolaadé", an ancient spell of sanctuary, vehement conflicts erupt in the village. Like its predecessor *Faat Kiné*, this central part of Sembène's trilogy about the "everyday heroism" of women at the beginning of this new century is characterized by subtle mastery, a matter-of-fact application of Sembène's "Brechtian naturalism". The dynamic presentation of the dialog, the musical numbers and the socially constructed characters integrate easily to depict a (village) community while at the same time portraying massive, global change. The fantastic final shots are an overwhelming commitment to openness and enlightenment. —

Moolaadé

RegisseurDirector **Ousmane Sembène** — SenegalSenegal — 2004 — 120 min — FarbeColor — Bambara/FranzösischBambara/French — DrehbuchScreenplay **Ousmane Sembène** — KameraCinematographer **Dominique Gentil** — MusikMusic **Boncana Maïga** — DarstellerInnenCast **Fatoumata Coulibaly, Maïmouna Hélène Diarra, Salimata Traoré, Aminata Dao, Dominique T. Zeïda** — VorstellungScreening **26.11.2006, 20:30** — OmdUger.st. —

Der wohl erhebendste Film, der je über die Praxis der (weiblichen) Genitalbeschneidung gedreht worden ist: Sechs kleine Mädchen sind dieser traditionellen „Reinigungszeremonie" entflohen, vier von ihnen suchen bei Colle Zuflucht, einer Frau des Stammes, die die Beschneidung ihrer Tochter verweigert hat. Colle stellt die Mädchen unter den Schutz der „Moolaadé", eines alten Banns, während im Dorf heftige Auseinandersetzungen

Osvaldo Golijov
Kronos Quartet I
Kronos Quartet I

Rahul Dev Burman (arr. Osvaldo Golijov) — **Aaj Ki Raat** — arr. 1998 —
Café Tacuba (arr. Osvaldo Golijov) — **12/12** — 2000 — Österreichische ErstaufführungAustrian Premiere —
Severiano Briseño (arr. Osvaldo Golijov) — **El Sinaloense** — 1943/arr. 2001 — Österreichische ErstaufführungAustrian Premiere —
Osvaldo Golijov — **Doina** — 2000 —
Osvaldo Golijov — **Last Andalusian Sky** — 2005 — Österreichische ErstaufführungAustrian Premiere —
Igor Strawinsky (arr. Osvaldo Golijov) — **Circus Polka** — 1942/arr. 1999 — Europäische ErstaufführungEuropean Premiere —
Rezsö Seress (arr. Osvaldo Golijov) — **Gloomy Sunday** — 1933/arr. 1998 — Österreichische ErstaufführungAustrian Premiere —
Aníbal Troilo (arr. Osvaldo Golijov) — **Responso** — 1943/arr. 1998 —
Osvaldo Golijov & Gustavo Santaolalla — **Darkness 9/11** — aus dem Filmfrom the film 11'09"01 — 2002 —
Europäische ErstaufführungEuropean Premiere —
Traditional (arr. Osvaldo Golijov) — **K´in Sventa Ch´ul Me´tik Kwadulupe (Festival for the Holy Mother Guadalupe)** — 2001 —
Österreichische ErstaufführungAustrian Premiere —
Osvaldo Golijov — **Tenebrae** — 2000/arr. 2003 — Österreichische ErstaufführungAustrian Premiere —

MitWith **Kronos Quartet** —
ViolineViolin **David Harrington** — ViolineViolin **John Sherba** — ViolaViola **Hank Dutt** — VioloncelloCello **Jeffrey Zeigler** —

LichtLight Design **Larry Neff** — TonSound Design **Scott Fraser** —

GeschäftsführungManaging Director **Janet Cowperthwaite** —

Osvaldo Golijov — **Ayre** für Stimme und Kammerensemblefor voice and chamber ensemble — 2004 —
Österreichische ErstaufführungAustrian Premiere —

SopranSoprano **Dawn Upshaw** —
MitWith **The Andalusian Dogs** —
FlöteFlute **Tara O'Connor** — KlarinetteClarinet **Chen Halevi** — HornHorn **Eric Ruske** — ViolaViola **Ljova** —
VioloncelloCello **Priscilla Lee** — KontrabassDouble bass **Mark Dresser** — HarfeHarp **Bridget Kibbey** —
AkkordeonAccordion **Michael Ward-Bergeman** — Ronroco/GitarreRonróco/Guitar **Gustavo Santaolalla** —
PerkussionPercussion **Jamey Haddad** — LaptopLaptop **Jeremy Flower** —

TonSound Design **Mark Grey** —

ProduktionProduction **New Crowned Hope** —
VorstellungPerformance **15.11.2006, 20:00** —
OrtVenue **Jugendstiltheater** —

Alexandra du Bois, Franghiz Ali-Zadeh, Tanya Tagaq, Wladimir Martynow
Kronos Quartet II
Kronos Quartet II

Alexandra du Bois —
Night Songs (Nachtliederen), StreichquartettString Quartet Nr. 3 — 2005 — Österreichische ErstaufführungAustrian Premiere —
Franghiz Ali-Zadeh —
Apsheron Quintet für Klavier und Streichquartettfor piano and string quartet — 2001 —
Tanya Tagaq & Kronos Quartet —
Nunavut für Stimme und Streichquartettfor voice and string quartet — 2006 — Europäische ErstaufführungEuropean Premiere —
Wladimir Martynow —
Der Abschied für Streichquartettfor string quartet — 2006 — Österreichische ErstaufführungAustrian Premiere —

KlavierPiano **Franghiz Ali-Zadeh** —
StimmeVocalist **Tanya Tagaq** —
MitWith **Kronos Quartet** —
ViolineViolin **David Harrington** — ViolineViolin **John Sherba** — ViolaViola **Hank Dutt** — VioloncelloCello **Jeffrey Zeigler** —

LichtLight Design **Larry Neff** — TonSound Design **Scott Fraser** —

ProduktionProduction **New Crowned Hope** —
VorstellungPerformance **16.11.2006, 20:00** —
OrtVenue **Jugendstiltheater** —

Terry Riley, Henryk M. Górecki
Kronos Quartet III
Kronos Quartet III

Terry Riley —
The Cusp of Magic für Pipa und Streichquartettfor pipa and string quartet — 2004 — Österreichische ErstaufführungAustrian Premiere —
Henryk M. Górecki —
Pieśni Śpiewaja ("... songs are sung"), StreichquartettString Quartet Nr. 3, op. 67 — 1994/95 —
Österreichische ErstaufführungAustrian Premiere —

PipaPipa **Wu Man** —
MitWith **Kronos Quartet** —
ViolineViolin **David Harrington** — ViolineViolin **John Sherba** — ViolaViola **Hank Dutt** — VioloncelloCello **Jeffrey Zeigler** —

LichtLight Design **Larry Neff** — TonSound Design **Scott Fraser** —

ProduktionProduction **New Crowned Hope** —
VorstellungPerformance **17.11.2006, 20:00** —
OrtVenue **Jugendstiltheater** —

Alternative Radio
Kronos Quartet IV und V
Kronos Quartet IV and V

Alternative Radio – Musik in einer Zeit von Krieg und Hoffnung Alternative Radio – Music In A Time of War and Hope —
Musik ausMusic from **Afghanistan, Argentinien, Kanada, China, Äthiopien, Deutschland, Island, Indien, Iran, Irak, Libanon, Mexiko, Nubia, Russland, Saudi-Arabien, Schweden, Türkei, USA, Usbekistan** —

MitWith ModeratorModerator **David Barsamian** — Special GuestSpecial Guest **Howard Zinn** —
PipaPipa **Wu Man** —
StimmeVocalist **Tanya Tagaq** u.a.and others —
MitWith **Kronos Quartet** —
ViolineViolin **David Harrington** — ViolineViolin **John Sherba** — ViolaViola **Hank Dutt** — VioloncelloCello **Jeffrey Zeigler** —

LichtLight Design **Larry Neff** — TonSound Design **Scott Fraser** —

ProduktionProduction **New Crowned Hope** — In Zusammenarbeit mitIn co-operation with **ORF-RadioKulturhaus** —
VorstellungPerformance Teil IPart I **18.11.2006, 15:00** — VorstellungPerformance Teil IIPart II **18.11.2006, 23:00** —
OrtVenue **ORF-RadioKulturhaus, Großer Sendesaal** —
In englischer SpracheIn English —

Kronos Quartet VI
Kronos Quartet VI

PipaPipa **Wu Man** —
MitWith **Kronos Quartet** —
ViolineViolin **David Harrington** — ViolineViolin **John Sherba** — ViolaViola **Hank Dutt** — VioloncelloCello **Jeffrey Zeigler** —

LichtLight Design **Larry Neff** — TonSound Design **Scott Fraser** —

ProduktionProduction **New Crowned Hope** —
VorstellungPerformance **19.11.2006, 14:00** —
OrtVenue **Flüchtlingslager Traiskirchen** —
Geschlossene VeranstaltungClosed to the public —

Frank J. Oteri
Erweiterung und Verwandlung: Das Kronos Quartet und New Crowned Hope
Expansion and Transformation: The Kronos Quartet and New Crowned Hope

Ich war schon immer gegen diese Vorstellung vom Streichquartett als Kunstform für Sonntagnachmittagsvorstellungen. Diese Sorte passiver Unterhaltung interessiert mich nicht. Ich fühle mich ermutigt, ermächtigt und in der Lage, Musikprogramme zu präsentieren, die auf ihre Art Aspekte unserer Gesellschaft analysieren. Gleichzeitig will ich, dass unsere Konzerte wirklich mitreißend, amüsant und reich strukturiert sind. Sie sollen so vielfältig sein wie das Leben selbst. Ich suche Menschen, die in der Lage sind, etwas über unser aller Zugehörigkeit zur Welt auszusagen.

David Harrington

I've resisted the idea of the string quartet as an art form that exists for Sunday afternoon soirées. I'm not interested in that kind of passive entertainment. I feel emboldened and empowered and enabled to make programs of our music that, in their own way, examine things in our society. And yet I want a concert to be incredibly gripping and fun and richly textured. I want our concerts to be as diverse as life is. I am looking for a community of people who are able to make statements about what we're all a part of.

David Harrington

Im Laufe der letzten drei Jahrzehnte hat das Kronos Quartet eine jahrhundertealte Instrumentalformation – eben das Streichquartett – neu definiert und ihr neues Leben für unsere Zeit eingehaucht. Die Flexibilität dieser Formation erlaubt es dem Kronos Quartet, die klanglichen Möglichkeiten musikalischer Traditionen aus der ganzen Welt gemeinsam mit MusikerInnen zu erforschen, denen trotz ihres unterschiedlichen Werdegangs ein Ziel gemeinsam ist: Sie alle machen Musik, die nicht nur hoch originell und individuell ist, sondern auch ihr Publikum in profunder und universeller Weise berührt. Dadurch nützt das Kronos Quartet ihre Interpretation von Musik im Konzertsaal und auf CD als Gelegenheit, unsere Gesellschaft und unsere Welt unter die Lupe zu nehmen.

Die Konzentration des Festivals New Crowned Hope auf die Frage, inwieweit die Künste artikulierter als jedes andere Medium auf die dringenden Probleme des zeitgenössischen Lebens reagieren können, verweist auf die Ursprünge des risikofreudigen Ensembles aus San Francisco. Sein „Vater" und künstlerischer Leiter David Harrington hat schon oft den Geistesblitz beschrieben, der ihn dazu veranlasste, das Kronos Quartet zu gründen:

Ich gründete das Quartett im September 1973, weil ich spätabends im Radio George Crumbs Black Angels gehört hatte. Dieses Erlebnis kam in einem Augenblick größten Selbstzweifels über den Wert der Musik, so wie ich sie damals verstand. Als ich Black Angels hörte, vernahm ich in meinem Inneren einen dynamischen neuen Klang, wo vorher nur eine große Stille gewesen war. Der Vietnamkrieg war noch nicht vorbei, viele Menschen meiner Altersgruppe wussten nicht, was sie tun sollten. Plötzlich wurde spät an diesem Augustabend mein Leben ganz klar: Ich musste Black Angels spielen und versuchen, mit diesem Klang und dieser musikalischen Essenz als meinen Führern einen eigenen Weg zu finden.

Over the past three decades, the Kronos Quartet has redefined the string quartet, a centuries-old instrumental combination, making it vital to our own time. Through the ensemble's malleability, Kronos has sought to explore the sonic possibilities in musical traditions from all over the world, with musicians from many different backgrounds who all share a common ground: each seeks to create music that is not only highly original and individual, but which also resonates with audiences in a profound and universal way. In that process, Kronos has transformed the performance of music, in the concert hall and on recordings, into an opportunity to examine our society and our world.

The New Crowned Hope Festival's exploration of how art often responds more articulately than any other means to the pressing concerns of contemporary life harkens back to the origins of this maverick San Francisco-based ensemble. David Harrington, Kronos' founder and artistic director, has frequently described the epiphany that resulted in the creation of the ensemble:

I formed Kronos in September 1973 because I had heard George Crumb's Black Angels on the radio late one night. That experience occurred as I was in a moment of extreme self-doubt about the value of music as I then knew it. Hearing Black Angels gave me a vibrant new sound inside where before there was a vast silence. The war in Vietnam was still happening, and many people my age had no idea what to do. Suddenly, late that August night, my life became very clear: I had to play Black Angels and attempt to make my way with that sound, that musical essence, as my guide.

In the 33 years since Harrington heard that life-changing recording, Kronos has itself created dozens of albums influenced

In den 33 Jahren, die vergangen sind, seit Harrington diese für ihn so lebensentscheidende Aufnahme hörte, hat das Kronos Quartet selbst Dutzende Alben herausgebracht, die durch Weltereignisse und -kulturen beeinflusst wurden und HörerInnen spannende neue Klänge bieten. Der Bogen spannt sich von offenen politischen Statements wie *All the Rage* (Bob Ostertags Anklage gegen die AIDS-Krise und soziale Ungerechtigkeit) und *Howl, U.S.A.* (mit den Stimmen des Journalisten I. F. Stone und des Dichters Allen Ginsberg) zum Engagement für neue Kompositionstalente aus der ganzen Welt, z.B. in *Pieces of Africa* und *Kronos Caravan*.

Eine der spannendsten Aufnahmen, die ich je gehört habe, ist *Cadenza on the Night Plain and Other Quartets*, eine Sammlung von Streichquartetten, die der revolutionäre kalifornische Komponist Terry Riley für das Kronos Quartet geschrieben hat. Diese Musik ist eindeutig neu, aber doch so einladend, ja überschäumend. Dabei ist die Geschichte hinter diesem Überschwang ganz typisch für das Quartett und seine Art der Zusammenarbeit mit KomponistInnen. In den Jahren nach seinem legendären *In C*, das den groovelastigen Minimalismus lancierte, der die moderne Kompositionstechnik der letzten 50 Jahre neu definierte, hatte Riley tatsächlich aufgehört, für andere zu komponieren und sich unter dem Eindruck seines Studiums der indischen Raga-Musik vor allem auf Soloimprovisationen konzentriert. Hartnäckigkeit und Engagement des Quartetts überzeugten ihn, die Möglichkeit der schriftlichen Komposition – d.h. des Schreibens für andere MusikerInnen – doch noch einmal in Erwägung zu ziehen. Die ersten Früchte dieser Meinungsänderung – eben die vier Quartette auf der oben erwähnten, von mir so geschätzten Aufnahme – sind bloß die Spitze eines Eisbergs, der bis heute weit davon entfernt ist zu schmelzen. 2005 beauftragte das Quartett Terry Riley anlässlich des 70. Geburtstags des Komponisten zum 21. Mal mit einem neuen Werk. Diesmal war es *The Cusp of Magic*, eine sehr passend betitelte Komposition für Streichquartett, chinesische Laute (Pipa) und viele Spielsachen. Durch Rileys Integration dieses traditionellen fernöstlichen Instruments in den Klang des Streichquartetts gelang es dem Ensemble, seine langjährige Kooperation mit der Virtuosin Wu Man fortzusetzen, einer Musikerin, die wie das Kronos Quartet stets bemüht ist, das Repertoire ihres Instruments über die Grenzen der Tradition hinweg zu erweitern.

Der Einsatz des Kronos Quartet für diesen Pionier des Minimalismus hat uns auch gezeigt, dass Rileys Bandbreite weit über die von Genreetiketten umschriebenen Grenzen hinausweist. Es ist ein wichtiges – und wahres – Häppchen trivialer Musikgeschichte, dass das Kronos Quartet das einzige Ensemble ist, das Werke aller vier US-Komponisten uraufgeführt hat, die als Begründer des Minimalismus gelten (Riley, La Monte Young, Steve Reich und Philip Glass) – haben sie doch alle für das Quartett Stücke geschrieben, die ihr Œuvre überhaupt neu definierten. Die Quartette von Young und Glass zeigen, wie gut ihre kompositorische Sprache für diese Ausdrucksform geeignet ist. Und in Reichs musikalischem Meilenstein *Different Trains*, bei dem die Kronos-Mitglieder kurze musikalische Phrasen spielen, die vorher aufgenommenen Sprachfragmenten entsprechen (darunter Erinnerungen von Holocaust-Überlebenden), liegen rigorose kompositorische Prozesse einer emotional tief anrührenden musikalischen Dokumentation zugrunde.

Natürlich hat die Fördertätigkeit des Quartetts schon lange die US-Landesgrenzen überschritten. Insbesondere sein Einsatz für KomponistInnen aus den ehemaligen Sowjetrepubliken hat weltweite Wirkung entfaltet. Das dauerhaftes Engagement für Werke von Alfred Schnittke, Wladimir Martynow und Sofia Gubaidulina aus Russland, Dmitri Yanov-Yanovsky aus Usbekistan, Pēteris Vasks aus Lettland und vor allem Henryk Górecki aus Polen hat dazu beigetragen, Brücken zwischen zwei Welten zu schlagen,

by world events and cultures, full of vibrant new sounds. They range from overt political statements, like *All the Rage* (Bob Ostertag's diatribe against the AIDS crisis and social injustice) and *Howl, U.S.A.* (featuring the voices of journalist I. F. Stone and poet Allen Ginsberg), to the advocacy of new compositional voices from around the globe, as in *Pieces of Africa* and *Kronos Caravan*.

One of the most exciting recordings I've ever heard is *Cadenza on the Night Plain and Other Quartets*, a collection of string quartets that revolutionary Californian composer Terry Riley wrote for Kronos. Here was music that was unmistakably new, yet welcoming – exuberant, in fact. Behind this surface of exuberance lies a story that is fundamental to Kronos and how it collaborates with composers. In the years following Riley's legendary *In C*, which initiated the groove-based minimalist music that redefined contemporary composition in the last half century, Riley had abandoned composing music for others, focusing primarily on solo improvisation influenced by his study of Indian ragas. Only through Kronos' perseverance and dedication was he convinced to reconsider the prospect of putting notes on paper, in essence creating works that other musicians could perform. The first fruits of that reconsideration, the four quartets on this recording I still treasure, turn out to be just the tip of an iceberg that shows no sign of melting. In 2005, in honor of Riley's 70th birthday, Kronos commissioned its 21st work from him, *The Cusp of Magic*, a very appropriately named work for string quartet and pipa (as well as a variety of toys). Riley's integration of this traditional Chinese instrument into the sound of the string quartet allowed Kronos to extend its long collaboration with virtuoso Wu Man, a musician who, like Kronos, has worked to expand her instrument's repertoire beyond its traditional confines.

Kronos' championing of this pioneer of the minimalist movement has also revealed a composer whose range far transcends the limitations that genre monikers like "minimalism" circumscribe. It's an important factoid of music history that Kronos is the only ensemble to premiere compositions by all four American composers whose names are associated with the founding of minimalism – Riley, La Monte Young, Steve Reich, and Philip Glass – each one creating a work for Kronos that redefined their oeuvres. The quartets of Young and Glass show how well their compositional languages are suited to this idiom. And in Reich's landmark *Different Trains*, where the members of Kronos play short musical phrases that correspond to fragments of prerecorded speech including reminiscences of Holocaust survivors, rigorous compositional processes underpin an emotionally visceral musical documentary.

Of course, Kronos' advocacy has long transcended national boundaries. Their championing of compositions from nations that were once part of the Soviet block has had a particular global resonance. Their ongoing commitment to works by Russia's Alfred Schnittke, Vladimir Martynov, and Sofia Gubaidulina, Uzbekistan's Dmitri Yanov-Yanovsky, Latvia's Pēteris Vasks, and, perhaps most notably, Poland's Henryk Górecki have helped to forge bridges between two worlds once divided on both sides by numerous curtains – iron and others – that seemed impermeable. Like Riley and Reich, Górecki had never composed for string quartet before being approached by Kronos, and then subsequently embarked on new compositional vistas as a result of exploring the richness of this ensemble. Thus far, Górecki has created three major works for Kronos, with the third and most recent, a work bearing the subtitle *Pieśni Śpiewaja* (...*songs are sung*), being a monumental five-movement work that lasts nearly an hour and was over a decade in gestation.

die früher auf beiden Seiten durch zahlreiche, nicht nur Eiserne Vorhänge getrennt waren, die allesamt unüberwindlich schienen. Wie Riley und Reich hatte Górecki nie für ein Streichquartett komponiert, bevor sich das Kronos Quartet an ihn wandte. Er wurde durch diese Erfahrung mit der reichen musikalischen Kultur des Ensembles motiviert, kompositorisches Neuland zu betreten. Bislang hat Górecki drei große Werke für das Quartett geschrieben; das dritte und neueste unter ihnen trägt den Untertitel *Pieśni Śpiewaja* (*… songs are sung, … Lieder werden gesungen*) und ist eine monumentale, fünfsätzige Arbeit von fast einer Stunde Dauer, deren Fertigstellung mehr als ein Jahrzehnt in Anspruch nahm.

Die laufende Kooperation des Kronos Quartet mit einer weiteren Komponistin aus der ehemaligen Sowjetunion, nämlich Franghiz Ali-Zadeh aus Aserbaidschan, deren Musik sich aus den durch Mikrotöne modulierten Tonleitern des Kaukasus speist, zeigt auch, wie leicht das Quartett kulturelle wie nationale Grenzen überschreitet. Ein kürzlich vom Kronos Quartet zusammen mit der Inuit-Meisterin des Kehlgesangs Tanya Tagaq präsentiertes Werk stellt eine neue Herausforderung an eine Formation dar, die früher die ausschließliche Domäne europäischer E-Musik und ihrer US-amerikanischen Erben war.

Die globale Rekontextualisierung des Streichquartetts durch das Kronos Quartet hat die Musiker veranlasst, vielfältigste Klangwelten zu erforschen, die von traditionellen schwarzafrikanischen Rhythmen oder mexikanischem Pop zu indischer Filmmusik reichen. Einer ihrer wichtigsten Partner bei vielen dieser Unternehmungen war Osvaldo Golijov, dessen idiomatische Quartettarrangements dazu beigetragen haben, diese Expeditionen musikalisch überzeugend zu gestalten, und dessen eigene Kompositionen geografisch so allumfassend sind wie die Interpretationen des Quartetts.

Und dann ist da noch *Alternative Radio*. Seit vielen Jahren suchte Harrington nach einem Weg, um Elemente von *Alternative Radio*, einer vom Journalisten David Barsamian entwickelten, einstündigen landesweiten Radioserie, die von den US-Massenmedien oft vernachlässigte politische Perspektiven darstellt, in den Konzertsaal zu bringen. Schließlich ergab sich im vergangenen Frühjahr eine Möglichkeit für das Kronos Quartet, diese Idee zusammen mit Barsamian und dem progressiven, radikalen Historiker Howard Zinn (Autor von *Eine Geschichte des amerikanischen Volkes* und *Declarations of Independence* sowie anderen Klassikern der modernen Geschichtsschreibung) in der Carnegie Hall umzusetzen, und dieses Erlebnis erwies sich für Harrington als tief lebensverändernd. „Es ist ein echter Markstein in unserer Karriere und zeigt auf, was das Streichquartett als Kunstform alles behandeln kann. Für mich gibt es die Konzerte vor *Alternative Radio* und die nachher", meint er. Harrington beschreibt das New Yorker Konzert als „eines der wichtigsten, das das Kronos Quartet jemals gegeben hat", und das Ensemble freut sich auf eine erweiterte Version im Rahmen des Festivals New Crowned Hope.

Aber *Alternative Radio* soll kein krönender Schlusspunkt der Ambitionen des Kronos Quartet sein. Auch nach 33 Jahren ist Harrington kein bisschen müde. In seinen Worten:
Das Kronos Quartet hat gerade erst angefangen. Wir werden neue Instrumente verwenden, inspirierende neue Beziehungen aufbauen und die bestehenden vertiefen. Wir werden versuchen, auf dem Erreichten aufzubauen, und uns mit neu gefundener Energie am Mysterium der Musik erfreuen. Es gibt so viele Möglichkeiten für die Zukunft unserer Musik, dass man sie sich gar nicht ausmalen kann. Derzeit werden über 55 neue Stücke für uns geschrieben. Die tollste Musik ist noch nicht geschrieben, das größte Konzert noch nicht gegeben worden, und die Note mit der grundlegendsten menschlichen Information kann man sich kaum vorstellen, geschweige denn spielen. Die Konzerte der Zukunft werden viel enthalten, wonach wir heute noch mühevoll suchen. Die Zeit ist so kurz, und dabei gibt es so viel zu lernen und zu tun.

Kronos' ongoing collaborations with another composer from the former Soviet Union, Azerbaijan's Franghiz Ali-Zadeh, whose music is formed by the microtonally inflected scales of the Caucasus, also demonstrates how effectively Kronos can transcend cultural as well as national boundaries. A recent work that Kronos has been performing with Inuit throat singer Tanya Tagaq poses further challenges for an ensemble which was once solely the domain of the art music of Europeans and that tradition's subsequent inheritors in the United States.

Kronos's global recontextualization of the string quartet has led them to explore sonic terrain as diverse as sub-Saharan African traditional music, Mexican rock, and Indian film music. An essential partner in many of these endeavors has been Osvaldo Golijov, whose idiomatic quartet arrangements have helped make these expeditions musically convincing and whose own compositions have been as geographically omnivorous as Kronos' performances.

And then there's *Alternative Radio*. For many years Harrington has wanted to find a way to bring elements of journalist David Barsamian's *Alternative Radio* (a syndicated one-hour radio series that provides political perspectives not often included in mainstream American media) into a live concert experience. Kronos finally had the opportunity to realize the idea last spring at Carnegie Hall with Barsamian and the progressive, radical historian Howard Zinn (the author of *A Peoples' History of the United States* and *Declarations of Independence* among other classics), and the experience was a deep and transformative one for Harrington. "It's a real marker for our career and what the string quartet as an art form is able to deal with. For me there's the concerts we did before *Alternative Radio*, and the ones we do now," Harrington remarked. He describes the New York concert as "one of the most important concerts Kronos has ever played," and the group looks forward to an expanded version for the New Crowned Hope Festival.

But don't assume that *Alternative Radio* is an apotheosis of what Kronos hopes to achieve. As Harrington, indefatigable after 33 years, is quick to point out:
Kronos is just getting started. We will utilize new tools and find inspiring new relationships to embark on while deepening those we already have. We will try to build on what we have already done and marvel, with new found energy, at the mystery of music. There are so many possibilities for the future of our music that it is staggering to contemplate. At the moment, there are more than 55 new pieces being written for the group. The greatest music has not yet been written, the greatest concert has not been played, and the note with the most essential human information can hardly be imagined much less played. The concerts of the future will hold much that we are struggling to find today. There is so little time but so much to learn about and to do.

María Guinand
Osvaldo Golijov
Osvaldo Golijov

Als Peter Sellars mich darum bat, etwas über das Werk Osvaldo Golijovs zu schreiben und dem Publikum anhand einiger Aspekte seinen Schaffensprozess, seine Persönlichkeit als Komponist, seine Sensibilität als Individuum, seine Ängste und Freuden als Mitmensch sowie die geschichtlichen und persönlichen Hintergründe seines Werks nahe zu bringen, d.h. dem Publikum meine Wahrnehmung eines Künstlers und Freundes darzulegen, mit dem ich sehr bewegende Momente sowohl auf künstlerischer als auch menschlicher Ebene erleben durfte, dachte ich, dies am besten in Form einer persönlichen Rückschau zu tun, in der ich ihn mit meinen kurzen Geschichten und Erinnerungen porträtieren und so dem Publikum zugänglich machen könnte.

Osvaldo ist ein Mensch seiner Zeit. Seine Wurzeln gehen, wie die vieler anderer auch, auf ein Gemisch von Kulturen zurück: Sein Vater kam aus Russland, seine Mutter stammte von orthodoxen Aschkenasim ab; er wurde in Argentinien geboren und ist heute US-Staatsbürger. Osvaldo legt wenig Wert auf Formalitäten, er

When Peter Sellars asked me to write about the work of Osvaldo Golijov, to highlight some of its aspects to make audiences understand his creative process, his personality as a composer, his sensitivity as an individual, his anxieties and joys as a human being, the historical and personal background to his work, and hence to communicate to audiences my own ideas about an artist and friend with whom I have shared very emotional moments in our lives as artists and human beings, I thought that this could be best done through personal recollections, as these would enable me to sketch a profile of Osvaldo and make him accessible to audiences through anecdotes and memories.

Osvaldo is a man of his time. As with many others, his origins are a mix of legacies – born in Argentina to a Russian father and orthodox Ashkenazi mother, he is now a U.S. citizen. He is informal, sincere, introverted, anxious, a bit stubborn, nervous, humorous, full of poetry, magic and sensitivity, bold,

ist ehrlich, introvertiert, oft besorgt, ein wenig starrköpfig, voller Unruhe, Humor, Poesie, Zauber und Sensibilität, aber auch mutig, kühn und bereit, als Künstler extreme Risiken einzugehen.

Ich kenne Osvaldo seit zehn Jahren. In dieser Zeit haben wir gemeinsam an Projekten gearbeitet, die für unsere künstlerische Existenz sehr wichtig waren: Dazu zählen die Uraufführungen seiner Kantate *Oceana* und seiner *Pasión según San Marcos* – beides beispielhafte Werke seines künstlerischen Schaffens und entscheidende Erfahrungen in meiner beruflichen und künstlerischen Laufbahn. Dabei habe ich ihn sowohl als Musiker als auch als Freund kennengelernt.

Osvaldo und sein Werk sind untrennbar miteinander verbunden. Für ihn gibt es nicht nur einen einzigen Ausdrucksstil, eine einzige Sprache als Komponist. Sein Werk beschäftigt sich intensiv mit der formalen Vielfalt der musikalischen Sprache, die Teil seines Hintergrundes und seines ständigen Bedürfnisses ist, etwas Neues, Eigenes zu schaffen. Dadurch bekommen seine Schöpfungen eklektischen, vielseitigen Charakter, in denen bisweilen mehrere Stile nebeneinander bestehen bleiben, anstatt harmonisch ineinander zu verschmelzen. All das ist in seinem tief greifenden schöpferischen Impuls, in seiner Kühnheit und seinen expressiven und vitalen Bedürfnissen begründet und lässt eine aufrichtige, wunderschöne Musik entstehen. Sein Werk ist etwas Lebendiges, das in einem ständigen Austausch zwischen Komponist und InterpretIn immer wieder neu erschaffen wird. Seine ursprünglichen Partituren werden ständig verändert; die endgültige Notation eines Werks entsteht demnach erst am Ende eines langen Revisions- und Adaptionsprozesses. Osvaldo arbeitet bis zum Schluss an seinen Werken, und auch eine Uraufführung hindert ihn nicht daran, ein Werk weiter zu verändern, bis er es vollständig fertiggestellt hat (sofern dies überhaupt möglich ist). Aus diesem Grund sind seine Kompositionen immer lebendig und gefühlvoll. Alle seine Werke wurden für bekannte InterpretInnen geschrieben, die in vielen Fällen am kreativen Prozess beteiligt waren. Osvaldo ist nicht nur ein Erforscher von Klängen, Klangeffekten, Farben und Stimmungen, sondern einer, der die Existenzen und Gefühle aller, die wir das Glück haben, als MusikerInnen und FreundInnen in seiner Nähe zu sein, ineinander verwebt.

Ich machte mit Osvaldo vor zehn Jahren brieflich und über Telefon Bekanntschaft. Es war anlässlich des Auftrags für die Kantate *Oceana* für das Oregon Bach Festival, das in jenem Jahr unter dem Motto „Bach and the Americas" stattfinden sollte. Helmuth Rilling, Maestro der jüngeren Generationen und musikalischer Visionär, beauftragte fünf nord- und südamerikanische Komponisten mit jeweils einem Werk aus dem Genre der Kantate. Osvaldo war einer von ihnen und die Schola Cantorum de Caracas einer der Chöre, die zur Uraufführung eingeladen wurden. Erst nach etlichen Jahren, beim erneuten Lesen unserer Korrespondenz, die in liebenswürdig-höflichem Ton begonnen hatte und dann immer angespannter wurde, zumal die endgültige Notenschrift erst zwei Wochen vor der Uraufführung eintraf, verstand ich, dass es mit Osvaldo nicht anders sein konnte. *Oceana* entstand für mich als Interpretin tatsächlich erst an dem Tag, als ich Osvaldo persönlich in Oregon kennen lernte, er sich ans Klavier setzte, das Werk vorspielte und -sang und sich anschließend mit mir lange über Neruda und dessen Gedichte unterhielt. Dann begannen die Proben mit Luciana Souza, dem Chor und dem Orchester unter der lebhaften und intensiven Beteiligung des Komponisten. Nach und nach klärte sich die Partitur, wurde immer wieder umgeschrieben und vervollständigt. Heute verstehe ich, dass nicht alle KomponistInnen die gleiche Vorgehensweise haben. Osvaldos Bedürfnis, nahe am Instrument und an den InterpretInnen zu sein, machten diese erste Uraufführung zu einer echten Belastungsprobe unserer beruflichen Beziehung, bei der es bisweilen zu großen Spannungen und Missverständnissen kam.

daring, and willing to risk very much as an artist.

I have known Osvaldo for ten years. Over this period, we have cooperated on projects of great importance for our artistic lives, including the world premieres of his cantata *Oceana* and his *Pasión según San Marcos*, both emblematic of his creative process and fundamental experiences in my professional and artistic career. I have come to know him well as both musician and friend.

Osvaldo and his work are inextricably linked. For him as a composer, there exists not just one single style of expression, one single language. His work is based on a formal variety of musical languages that derives from his background and constant need to create something new, something of his own, which endows his music with an eclectic, varied character that occasionally juxtaposes styles instead of blending in harmony. This is due to his profound creative impulse, his courage, his vital and expressive needs, and results in beautiful and sincere music. His work is a living being that is constantly reborn in the continuous exchange between composer and interpreter. This means that his original scores are constantly transformed; the final notation of a piece is thus always the result of intense revision and adaptation processes. Osvaldo continues to work on his compositions until the very end, and even a world premiere does not stop him from continuing this transformation until the work in question is completely finished (if this is possible at all) – thus his compositions are always alive and full of emotion. All his works were written for well-known interpreters; in many cases, they take part in the creative process. Osvaldo is not only an inventor of sounds, effects, colors, and moods but also somebody who blends in the lives and feelings of all those who have had the pleasure to be part of his circle as interpreters and friends.

I met Osvaldo ten years ago by correspondence and telephone, on the occasion of the commission for his cantata *Oceana* for the Oregon Bach Festival, which in that year was dedicated to "Bach and the Americas". Helmuth Rilling, maestro of younger generations and musical visionary, had commissioned five North and South American composers to create one cantata each. Osvaldo was one of them, and the Schola Cantorum de Caracas was one of the choirs invited for the world premiere. It was only after several years, when I reread our correspondence, which had begun very pleasantly but gradually became more and more tense (especially since the final score had arrived a bare two weeks before the premiere), that I understood that it could not have been any different with Osvaldo. For me as a musician, *Oceana* only came to life that day in Oregon when I met Osvaldo in person, when he sat down at the piano, played and sang his music and then talked to me at length about Neruda and his poetry. This was followed by the rehearsals with Luciana Souza, the choir and orchestra, and by vibrant and intense cooperation on the part of the composer. Gradually, the score became clearer, was rewritten, completed. Today I know that not all composers work along a similar process. Osvaldo's need to be close to the instruments and interpreters made this world premiere a true endurance test for our professional relationship that was sometimes characterized by high tension and misunderstandings.

Following this experience, Helmuth Rilling commissioned Osvaldo with a *St. Mark's Passion* to commemorate the 250th anniversary of the death of Johann Sebastian Bach; this work was premiered in summer 2000 in the context of the European Music Festival Stuttgart as a new cooperation project with the Schola Cantorum de Caracas, conducted by myself. This time, the challenge was even greater, especially because this was a

In der Folge beauftragte Helmuth Rilling Osvaldo für die Feiern zum 250. Todestag Johann Sebastian Bachs mit einer neuen Markuspassion (*Pasión según San Marcos*), die im Rahmen des Europäischen Musikfestes Stuttgart im Sommer 2000 als neue Zusammenarbeit mit der Schola Cantorum de Caracas unter meiner musikalischen Leitung uraufgeführt wurde. Es war dies eine noch viel größere Herausforderung, zumal es sich um ein ehrgeizigeres Werk und außerdem um eine seiner Kultur und seinem persönlichen Hintergrund fremde Thematik handelte. Vier Jahre lagen zwischen den Uraufführungen der beiden Werke, und wieder war es so, dass sich das Mosaik der Stile, musikalischen Formen, Instrumente, Tänze, Gesangsarten und choreografischen Bewegungen erst einige Wochen vor der Aufführung zusammen-fügte, um ein eklektisches Werk zu ergeben, das die menschliche, geistige, religiöse und politische Realität widerspiegelt, die die lateinamerikanischen Völker, insbesondere diejenigen mit starken afrikanischen und spanischen Einflüssen, miteinander verbindet. Während der Entstehung des Werks unterhielt ich mich oft mit Osvaldo über meine Eindrücke von den venezolanischen Feierlich-keiten in der Karwoche. Ich erinnere mich deutlich an die Prozes-sionen in einem kleinen Dorf an der Küste, bei denen wir uns alle mit Kerzen in den Händen unter die begeisterten Menschen mischten, die sich stundenlang mit ihren Heiligen und geschmück-ten Bildern – tanzend oder sie einfach tragend – durch die engen, ungeteerten Straßen bewegten. Die Männer, unter ihnen mein Vater, trugen und schwenkten die Bilder und tranken dabei Rum. Diese in Lateinamerika alltägliche Mischung aus populären und sakralen Elementen findet sich in Osvaldos Werk wieder. Er ver-mittelt sie, indem er verschiedene Tänze wie Samba, Son, Mambo, Fandango oder afro-brasilianische Ausdrucksformen wie den Kampftanz Capoeira oder auch andere Stilrichtungen wie Jazz, das romantische Lied und verschiedenste Perkussionsinstrumente einsetzt. Er unterscheidet nicht zwischen populärer und E-Musik, und dies ist ein wesentliches Merkmal des musikalischen Schaffens auf unserem Kontinent. Osvaldo sagt, die Musik von Astor Piazzolla, eines von ihm sehr verehrten Musikers und Komponisten, habe ihn zu dieser Erkenntnis geführt.

Der künstlerische Elan Osvaldos vereinte eine Gruppe unter-schiedlicher KünstlerInnen in der Genese und Geburt dieser Markuspassion. Alle diese InterpretInnen brachten ihr Können und ihre gesammelten Erfahrungen aus den verschiedensten Musik-richtungen großzügig und aus ganzem Herzen in das gemeinsame Werk ein, das als handlungs- und nicht gedankenorientiertes, auf lebendigen Gefühlen und nicht auf unantastbarer Schönheit basierendes Ritual beschrieben werden kann. Gewidmet ist die Passion den Menschen Lateinamerikas (vertreten durch die Schola Cantorum de Caracas), die Tag für Tag mit unerschütterlichem Glauben, inniger Liebe und Selbstverständlichkeit das Ziel einer besseren Welt verfolgen, und der Tapferkeit und dem Mut der Frauen, die durch die Solostimmen vertreten sind. Aus diesem Grund ist die Stimme des Glaubens und der Liebe, die Stimme Jesu, das ganze Werk hindurch hörbar.

Wir alle widmeten unzählige Stunden diesem Werk und den Proben mit der Schola Cantorum de Caracas, mit Osvaldo und dem Orquesta la Pasión, wobei die Teilnahme von Mike Ruinquist und Gonzalo Grau entscheidend war. Gemeinsam suchten wir nach neuen Klängen, experimentierten mit Stimmungen, entwarfen Konzepte, stellten uns die Atmosphäre auf der Bühne vor. Das Schwierigste bestand vielleicht darin, die lateinamerikanische Seele authentisch, aber doch auf neue Art und Weise zu erfassen und wiederzugeben.

Durch Osvaldo habe ich viele gute Freunde gewonnen, die ich an dieser Stelle gar nicht alle aufzählen kann, darunter Peter Sellars und Dawn Upshaw. Es war übrigens genau bei meiner Rückkehr nach Worcester, in Begleitung von Osvaldo und Dawn, von einer Veranstaltung in New York zu Ehren Peter Sellars, als

more ambitious work and moreover covered a theme removed from his cultural and personal background. Four years had gone by between the premieres of both compositions, and again the mosaic of styles, musical forms, instruments, dance, singing styles, and choreographed movements only came together a few weeks before the performance to produce an eclectic work that reflects the human, spiritual, religious and political realities common to the Latin American peoples, in particular those with strong African and Spanish influences. During the genesis of the composition, Osvaldo and I talked a lot about my impressions of the Venezuelan celebrations for the "Semana Santa", Easter Week. I distinctly remember the processions in a little village on the coast, when we all joined in the fervent joy of the people who, candles in hand, walked or danced for hours on end, carrying their saints or simply decorated images through the narrow dirt roads. The men, including my father, carried and danced with the images while drinking rum. This mix of the folkloristic and the sacred is typical of Latin American life, and Osvaldo's composition reflects this by using various dance rhythms, such as samba, son, mambo, fandango, or Afro-Brazilian forms of expression, such as the martial arts / dance mix called "capoeira", or other styles, such as jazz, romantic song and a variety of percussion instruments. He does not draw a line between popular and "serious" music, and this is a key characteristic of musical creation on our continent. Osvaldo affirms that this conviction was conveyed to him by the work of Astor Piazzolla, whom he admires very much as both musician and composer.

Through Osvaldo's creative impulse, the St. Mark's Passion brought a group of artists together to evolve and give birth to this composition. Each of them generously and profoundly invested his or her knowledge and experience in a variety of musical styles to produce a work that is a ritual based on action, not reflection; on living emotion, not intangible beauty. It is dedicated to the everyday actors of Latin American life, represented by the Schola Cantorum de Caracas, with their unshakable faith, profound love and certainty of working daily for a better life. It is dedicated to the valor and courage of the women, who are represented by the solo voices. And it is for this reason that the voice of faith and love, the voice of Jesus, can be heard throughout the entire piece.

We all spent innumerable hours studying and rehearsing this composition – the Schola Cantorum de Caracas, Osvaldo, and the Orquesta la Pasión, which was decisively influenced by the presence of Mike Ruinquist and Gonzalo Grau. Together, we searched for new sounds, experimented with moods, sketched ideas, and imagined the atmosphere on the stage. Perhaps the most difficult feat lay in understanding and rendering the voice of Latin America in an authentic yet novel manner.

It was also through Osvaldo that I have met many good friends, perhaps too many to name them all, although I would like to single out Peter Sellars and Dawn Upshaw. Actually, it was on my return to Worcester, in the company of Osvaldo and Dawn, from an event in honor of Peter Sellars in New York, when I received the recording of *Ayre*. That same evening, I listened for several times to this radical work so full of deep emotion, passion, pain, love, tenderness, and joy. I liked it very much, and it affected me to a degree that I simply had to comment on it to Osvaldo the next day in very Latin American fashion, "Amigo, this music blows your socks off, it does, you've had a real brainstorm!"

The fantastic interpretation by Dawn Upshaw again shows us the composer interacting with his singer. The colors of her voice are infinite, ranging from the song of a Sephardic nanny and Arabic pop music to Yiddish laments. Her expressiveness

ich die Aufnahme von *Ayre* erhielt. Noch am selben Abend hörte ich mir dieses radikale Werk voll tiefer Emotion, Leidenschaft, Schmerz, Liebe, Zärtlichkeit und Freude mehrmals an. Es gefiel mir sehr gut und beeindruckte mich so tief, dass ich Osvaldo als erstes am nächsten Tag in typisch lateinamerikanischer Art sagte: „Amigo, diese Musik ist einfach irre, da ist dir ein wirklicher Geniestreich gelungen!"

Die meisterhafte Leistung von Dawn Upshaw ist ein weiteres Beispiel für die enge Zusammenarbeit zwischen Komponist und Interpretin. Die Schattierungen ihrer Stimme sind unglaublich vielseitig und reichen vom Gesang eines sephardischen Kindermädchens über arabischen Pop bis zu jiddischen Klageliedern. Ihr Ausdruck und ihre Durchdringung jedes einzelnen Elements des Werks beweisen die intensive Arbeit des Komponisten mit seiner Muse, ähnlich der eines Choreografen mit seinem Tänzer oder eines Malers mit seiner Leinwand. Dawn ist eine Sängerin von großer Sensibilität und Fantasie, aber vor allem eine großartige Künstlerin.
Auch mit diesem Werk hat Osvaldo gemeinsam mit einer Gruppe hervorragender und innovativer MusikerInnen – unter ihnen David Krakauer, Gustavo Santaolalla und die Andalusian Dogs – einen neuen Meilenstein im musikalischen Schaffen gesetzt.

Ein weiteres Ausdrucksmittel, das Osvaldo am Herzen liegt, ist das Streichquartett, und so zählte schon bei seinen ersten Arbeiten das Kronos Quartet zu seinen wichtigsten Verbündeten. Für diesen Klangkörper schrieb er sein erstes Werk, *Yiddishbbuk*, und daraus entwickelte sich eine ständige Zusammenarbeit, in der neue Klangfarben und Klangeffekte entstehen, mit Lauten experimentiert und gemeinsam nach einer eigenen Sprache gesucht wird, in der verschiedenste Stile – vom Lamento Gitano bis zur äußersten Virtuosität – zusammenfließen.

All das ist Osvaldo Golijov, und es gibt noch viel mehr an ihm zu entdecken. Er habe viele Vorbilder und Quellen der Inspiration, sagt er immer wieder, die von Monteverdi und Bach bis George Crumb, Kurtág, Strawinsky, Berio und Piazzolla reichen. Aber keiner dieser Einflüsse ist so stark wie die direkte Begegnung mit seinem Leben und seinen InterpretInnen in jedem einzelnen seiner Werke, und eben dies macht seine Musik zu einer eigenen, sich ständig erneuernden Schöpfung voller Ideen und Herausforderungen, aber auch voller Ängste und Träume.

Wie schön, mein Freund, dass wir einander in Raum und Zeit begegnet sind!

and penetration into each detail of the piece are again proof positive of intense cooperation between composer and muse, similar to that of a choreographer working with a dancer, or a painter working with a canvas. Dawn is a singer of great sensitivity and imagination, and above all a great artist.
Again, Osvaldo and a group of outstanding and innovative musicians including David Krakauer, Gustavo Santaolalla and the Andalusian Dogs, have made this work a new milestone of musical creation.

The string quartet is another means of expression very dear to Osvaldo, and thus the Kronos Quartet has been one of his prime allies right from the beginning. In fact, he wrote his first composition *Yiddishbbuk*, for them; this has resulted in an ongoing cooperation that has produced new colors and effects, sound experiments and a common search for a unique language that blends a variety of styles ranging from gypsy lament to extreme virtuosity.

All this is Osvaldo Golijov, and there is much more to discover. His models and inspirations are manifold, as he himself has stated on several occasions, and extend from Monteverdi and Bach to George Crumb, Kurtág, Stravinsky, Berio, and Piazzolla. Yet none of these influences is as profound as the experience of his life and his interpreters in each and every one of his works, and it is this which makes his music a unique, continuously self-renewing creation, full of ideas and challenges as well as of anxieties and dreams.

How wonderful, my friend, that we have been able to meet in time and space!

Ara Guzelimian
Ayre: Ein Kontrapunkt der Kulturen
Ayre: A Counterpoint of Cultures

Die meisten Menschen sind sich grundsätzlich einer Kultur, eines Hintergrundes, eines Heimatlandes bewusst; ExilantInnen kennen mindestens zwei, und diese Pluralität des Blickes erzeugt ein Bewusstsein gleichzeitiger Dimensionen, ein Bewusstsein, das – um einen Begriff aus der Musik zu entlehnen – kontrapunktisch ist.

Edward Said, aus *Betrachtungen über das Exil* (2000)

Most people are principally aware of one culture, one setting, one home; exiles are aware of at least two and this plurality of vision gives rise to an awareness of simultaneous dimensions, an awareness that – to borrow a phrase from music – is contrapuntal.

Edward Said, from *Reflections on Exile* (2000)

Osvaldo Golijovs Leben und Musik spiegeln eine enorm komplexe persönliche Geografie wider. In eine osteuropäisch-jüdische, nach Argentinien emigrierte Familie hineingeboren, wurde er zutiefst geprägt durch seine Jahre in Jerusalem, diesem einzigartigen Kreuzungspunkt einander überschneidender, ineinander verstrickter und miteinander im Widerstreit liegender Kulturen. Seine Arbeit erwächst diesen Erfahrungen ganz natürlich, entsprechend der Fähigkeit der Musik, tief an einem bestimmten Ort verwurzelt zu sein und paradoxerweise gleichzeitig physische und kulturelle Grenzen zu überschreiten. Im Heimatland seiner Kindheit, in Argentinien, hörte Golijov europäische Kammermusik, jüdische Volkslieder und Klezmermelodien wie auch den neuen Tango, dessen wichtigster Vertreter Astor Piazzolla war. Einen wesentlichen Wendepunkt in seiner kompositorischen Karriere stellte im Jahr 2000 die Beauftragung durch den Dirigenten Helmuth Rilling dar, zur Feier des 250. Todestags von Johann Sebastian Bach ein umfangreiches Musikwerk in Form einer Passion zu verfassen. *La Pasión según San Marcos* verbindet die Lebendigkeit lateinamerikanischer Musiktraditionen und jüdischer Liturgien und bleibt dabei doch dem Geist der Bach-Passionen treu.

Die Sopranistin Dawn Upshaw war für Osvaldo Golijov stets eine wichtige Muse und Mitarbeiterin. Seine erste Arbeit für sie, das bezaubernde Lied *Lúa descolorida* (1999), wurde später in *La Pasión* eingefügt und bildet in anderer Orchestrierung den Mittelpunkt seiner *Drei Lieder für Sopran und Orchester* (2002). Sie sang die Titelrolle bei der Premiere von Golijovs erster Oper *Ainadamar* (2003), die er zusammen mit dem Dramatiker David Henry Hwang basierend auf dem Leben des Dichters Federico García Lorca geschaffen hatte. Im selben Jahr lud die Carnegie Hall Dawn Upshaw ein, eine Programmreihe über zwei Jahre für den legendären Konzertsaal zu kuratieren und bei der Eröffnung der neuen Zankel Hall mitzuwirken, eines innovativen unterirdischen Veranstaltungssaals, der für eine breite Vielfalt musikalischer Traditionen gedacht ist. Es war vielleicht unvermeidlich, dass sich die Sopranistin wie die Carnegie Hall mit der Bitte an Osvaldo Golijov wandten, eine Komposition zu verfassen, die die Künstlerin und den neuen Saal ins rechte Licht setzen sollte.

Die ursprüngliche Inspiration für Golijov's *Ayre* entstammt dem Wunsch, ein Gegenstück zu Luciano Berios *Folk Songs* (1964) zu schaffen, einem zukunftsweisenden Werk, das auf traditionelle Melodien aus Amerika, Armenien, Sizilien, Genua, Sardinien, der Auvergne und aus Aserbaidschan Bezug nimmt.

Golijovs *Ayre* (2004) – was im mittelalterlichen Spanisch „Lied" oder „Melodie" bedeutet – konzentriert sich vor allem auf Südspanien mit seiner Verquickung von drei Kulturen (der christlichen, der arabischen und der jüdischen) in einer Zeit vor der Vertreibung der Juden im späten 15. Jahrhundert. Die unterschiedliche Intensität von Koexistenz und Konflikt zwischen diesen Kulturen klingt bis in unsere Zeit nach. „Mit einer kleinen Beugung wandelt sich eine Melodie vom Jüdischen zum Arabischen und dann zum Christlichen", meint Golijov. „Wie eng diese Kulturen miteinander verbunden sind, und wie schrecklich es ist, wenn sie einander nicht verstehen. Das Leid in der moder-

Osvaldo Golijov's life and music reflect an enormously complex personal geography. Born into an Eastern European Jewish family transplanted to Argentina, he was profoundly influenced by his years in Jerusalem, that unique crossroads of overlapping, intertwined, and conflicting cultures. His work grows naturally out of these experiences, true to music's ability to be deeply rooted in a specific place and, paradoxically, at the same time to transcend borders and cultural boundaries. At his childhood home in Argentina, Golijov heard European chamber music, Jewish traditional chants and klezmer melodies, as well as encountering the new tango pioneered by Astor Piazzolla. A crucial turning point in his career as composer came in the form of a commission from conductor Helmuth Rilling to write a large-scale musical telling of the Passion story in commemoration of the 250th anniversary of Bach's death in 2000. *La Pasión según San Marcos* combines the vibrancy of Latin American musical traditions and Jewish liturgical chant while remaining true to the spirit of the Bach Passions.

Soprano Dawn Upshaw has been an important muse and collaborator for Osvaldo Golijov. His first work for her, the beguiling song *Lúa descolorida* (1999), was subsequently incorporated into *La Pasión* and, in another orchestration, forms the centerpiece of his *Three Songs for Soprano and Orchestra* (2002). She created the title role in *Ainadamar* (2003), Golijov's first opera, written with the playwright David Henry Hwang and based upon the life of Federico García Lorca. That same year, Carnegie Hall invited Dawn Upshaw to curate a two-year series of programs for the legendary auditorium as well as to help inaugurate the new Zankel Hall, an innovative underground performing space designed to embrace a wide range of musical traditions. It was perhaps inevitable that both the soprano and the hall would turn to Osvaldo Golijov to create a work that celebrated the artist and the new venue.

The initial inspiration for Golijov's *Ayre* came from the desire to create a companion work for Luciano Berio's *Folk Songs* (1964), a pioneering work that draws upon traditional melodies from America, Armenia, Sicily, Genoa, Sardinia, the Auvergne and Azerbaijan.

Golijov's *Ayre* (2004) – meaning "air" or "melody" in medieval Spanish – largely centers on southern Spain with its intermingling of three cultures (Christian, Arab and Jewish) in an era before the expulsion of the Jews in the late 15th-century. The varying degrees of coexistence and conflict among these cultures have continued to reverberate into our own time. " With a little bend, a melody goes from Jewish to Arab to Christian," Golijov says. "How connected these cultures are and how terrible it is when they don't understand each other. The grief that we are living in the world today has already happened for centuries but somehow harmony was possible between these civilizations." Like Berio, Golijov draws upon a highly eclectic and personal selection of sources. The texts are in Ladino (the lost language of the Spanish Jews, the Sephardim), Arabic, Hebrew, Sardinian and Spanish. These words encompass a wide

nen Welt war schon in der Vergangenheit über Jahrhunderte hin präsent, aber irgendwie war auch Harmonie zwischen diesen Zivilisationen möglich." Wie Berio greift Golijov auf eine höchst eklektische und persönliche Auswahl von Quellen zurück. Die Sprachen der Liedertexte sind Ladino (die verlorene Sprache der Sephardim, der spanischen Juden), Arabisch, Hebräisch, Sardisch und Spanisch. Diese Texte umfassen ein breites Spektrum menschlicher Erfahrung, das von Liebe und Eifersucht über rauen Zorn bis zu religiöser Sehnsucht und Gebet reicht. Golijov erklärt, dass „die Idee darin bestand, einen ‚Wald' zu erzeugen, in dem Dawn herumwandern sollte. Es gibt keinen echten ‚Formsinn' – im Sinne beethovenscher Entwicklung –, sondern vielmehr zahlreiche Umwege und Entdeckungen."

Golijov instrumentierte die Komposition für ein vielfältig besetztes Kammerensemble. Die Musik ergibt sich sowohl aus Fundstücken – einem sephardischen Schlaflied oder einer christlich-arabischen Osterhymne – und Originalmelodien. „Die meisten sind bekannte Melodien, die ich arrangiert habe", meint der Komponist, „aber manche habe ich auch selbst erdacht. Für das erste Lied habe ich zum Beispiel eine sephardische Romanze verwendet. Ich weiß nicht, ob es dazu jemals eine Melodie gab,

range of human experience, from love and jealousy, to raucous rage and to religious yearning and prayer. Golijov explains that "the idea is to create a 'forest' and for Dawn to walk in it. There is no real sense of 'form' – in the sense of Beethovenian development – but rather lots of detours and discoveries."

Golijov has scored the work for a richly colored chamber ensemble. The music originates both as found objects – a Sephardic lullaby or a Christian Arab Easter hymn – and from original melodies. "Most are well-known melodies that I arranged," the composer has said, "but some I made up. For example, for the first song I took a Sephardic romance. I don't know if it ever had music but I wrote a tune for it." The tale told in the song takes a most unexpected turn, beginning with the epic and quickly turning sardonically personal. "I love how the song zooms and telescopes from a huge battle to an unrequited love story." The purity of Dawn Upshaw's soaring voice is put to use in the high-lying cantilena of yearning in that first song, echoing the klezmer-tinged clarinet solos inspired equally by David Krakauer, one of the world's most celebrated klezmer innovators. But a very different and wholly unexpected side of the soprano's musical character is evident in the

aber jedenfalls habe ich eine geschrieben." Die in dem Lied erzählte Geschichte nimmt eine unerwartete Wendung, da sie episch beginnt und bald in einen sardonisch-persönlichen Ton übergeht. „Mir gefällt, wie das Lied sich von einer großen Schlacht ausgehend auf eine Geschichte unerwiderter Liebe konzentriert und zusammenzieht." Die Reinheit von Dawn Upshaws überragender Stimme wird in diesem ersten Lied in der hoch intonierten Kantilene der Sehnsucht sehr gut eingesetzt, wobei die klezmerartigen Klarinettensoli ebenso durch David Krakauer, einen der gefeierten Innovatoren der Klezmermusik weltweit, inspiriert wurden. Eine ganz andere, unerwartete Seite des musikalischen Wesens Upshaws zeigt sich in der fast hysterischen Tirade des dritten Liedes *Tancas Serradas a Muru*, welches auf einem sardischen Lied des 18. Jahrhunderts beruht. „Ich sagte ihr, schau, das ist eine Bühnensituation", meint Golijov. „Stell dir vor, dass du einen Mob anführst, der die Macht übernehmen will." Die rohe, fauchende Energie der Stimmführung ist ideal geeignet für den darauf folgenden, irrwitzigen Furientanz.

Ein Großteil von *Ayre* erfordert einen einfachen, direkten Stil, der für den Volksliedgesang typisch ist. Dawn Upshaw wuchs in den Sechziger- und Siebzigerjahren in einer politisch aktiven Familie auf, in der sie mit ihren Eltern und ihrer älteren Schwester Teil einer zwanglosen Gesangsgruppe war. Diese frühe Erfahrung kommt ihr bei einigen der anrührendsten und intimsten Momente von *Ayre* sehr zugute, insbesondere in dem wunderbaren neunten Lied *Sueltate las Cintas*, das ebenso wie ein anderes Lied von Golijovs engem Freund und regelmäßigen Mitarbeiter, dem Komponisten und Produzenten Gustavo Santaollala, verfasst wurde.

Den weitgehend historischen Texten fügt der Komponist einen ergreifenden Kommentar des zeitgenössischen palästinensischen Dichters Mahmoud Darwish hinzu, einer eloquenten Stimme des Exils, dessen Appell erstaunlich zeitgemäß wie auch zeitlos ist: „Sei eine Saite, Wasser für meine Gitarre, / Eroberer kommen, Eroberer gehen … / Mir fällt es schwer, sich an mein Gesicht im Spiegel zu erinnern. / Sei du meine Erinnerung, / Damit ich sehen kann, was ich verloren habe. / Wer bin ich nach diesen Pfaden des Exodus?" Bei ihrem ersten Auftreten in der Komposition stehen diese Worte in scharfem Gegensatz zum Rest des Werks – dies ist der einzige Teil, der gesprochen wird und in englischer Sprache abgefasst ist. Darwishs Gedicht wird im zehnten Lied nochmals aufgenommen, aber nunmehr fragmentiert und abwechselnd mit dem hypnotisierenden Klang eines sephardischen Gebetsrufes aus dem 12. Jahrhundert von Yehudah Halevy. Dieses Lied ist für vier Stimmen arrangiert, die alle jene Dawn Upshaws sind – eine spricht Darwishs Gedicht, die anderen drei sind elektronisch übereinander geschichtet und singen den sephardischen Gebetsruf. Die beiden ersten Male wird das Gebet von zwei Stimmen gesungen, die Golijov in seiner Partitur mit den Worten „Schroff/Schmerz" charakterisiert. Diesen schließt sich dann eine dritte Stimme an, die als „Ehrfurchtsvoll" bezeichnet wird. Wenn die Stimme aufsteigt, kommt sie näher; die schmerzvollen Stimmen treten in den Hintergrund. In Halevys Worten: „O Gott, wo soll ich Dich finden? / Dein Aufenthaltsort ist hoch und verborgen. / Und wo werde ich Dich nicht finden? / Dein Ruhm erfüllt die Welt", in dieser Verquickung einer weit entfernten Vergangenheit mit der Gegenwart, in diesem ständigen Kontrapunkt der Kulturen findet *Ayre* gesegnete Gnade.

wildeyed ranting of the third song *Tancas Serradas a Muru*, based on an 18th-century Sardinian song. "I told her, look, this is a theatrical situation", says Golijov. "Imagine that you are at the front of a mob basically come to overthrow the power." The raw, snarling energy of the vocal setting perfectly suits the crazed dance of fury that ensues.

Much of *Ayre* calls for the simplicity and directness of utterance natural to a singer of folk songs. Dawn Upshaw grew up in the 1960s and 70s in a politically active household in which she joined her parents and older sister in an informal singing group. That early experience serves her well in some of *Ayre's* most touching and intimate moments, notably the lovely ninth song, *Sueltate las Cintas*, one of two written by Golijov's close friend and frequent collaborator, composer-producer Gustavo Santaollala.

To the largely historic texts, the composer adds a poignant commentary from the contemporary Palestinian poet Mahmoud Darwish, an eloquent poet of exile, whose plea is astonishingly timely and timeless: "Be a string, water to my guitar, / Conquerors come, conquerors go … / It's getting hard to remember my face in the mirrors. / Be memory for me / So I can see what I've lost. / Who am I after these paths of exodus?" The first appearance of these words stands in stark contrast to the rest of the work – this is the only portion of the work that is spoken and in English. The Darwish poem returns again in the tenth song, now fragmented and alternating with a haunting setting of a 12th-century Sephardic call to prayer by Yehudah Halevy. This is for four voices only, all of them belonging to Dawn Upshaw – one speaking the words of Darwish, the other three, electronically layered, singing the Sephardic call to prayer. The first appearances of the prayer are for two voices characterized by Golijov in the score as "Harsh/Pain". These are joined eventually by a third sung voice labeled "In Wonder". As this voice begins to soar, it grows nearer; the pained voices begin to recede. In the words of Halevy: "Oh God, where shall I find You? / Your place is high and hidden. / And where shall I not find You? / Your glory fills the World." In this mingling of long-distant past and the present day, in this perpetual counterpoint of cultures, *Ayre* finds blessed grace.

Marion Lignana Rosenberg
Alexandra du Bois – Night Songs (Nachtliederen), Streichquartett Nr. 3
Alexandra du Bois – Night Songs (Nachtliederen), String Quartet No. 3

Wenn ich nachts auf meiner Pritsche lag, mitten zwischen leise schnarchenden, laut träumenden, still vor sich hin weinenden und sich wälzenden Frauen und Mädchen, die tagsüber oft sagten: „Wir wollen nicht denken, wir wollen nichts fühlen, sonst werden wir verrückt", dann war ich oft unendlich bewegt, ich lag wach und ließ die Ereignisse, die viel zu vielen Eindrücke eines viel zu langen Tages im Geist an mir vorbeiziehen und dachte: Lass mich das denkende Herz dieser Baracke sein.

Etty Hillesum, Oktober 1942

At night, as I lay in the camp on my plank bed, surrounded by women and girls gently snoring, dreaming aloud, quietly sobbing and tossing and turning, women and girls who often told me during the day, "We don't want to think, we don't want to feel, otherwise we are sure to go out of our minds", I was sometimes filled with an infinite tenderness, and lay awake for hours letting all the many, too many impressions of a much-too long day wash over me, and I prayed, Let me be the thinking heart of these barracks.

Etty Hillesum, October 1942

Im Vorwort zu ihrem Buch *An Interrupted Life and Letters from Westerbork* schreibt Eva Hoffman über Esther „Etty" Hillesum: „Ihre nachgelassenen Schriften wurden alle im Schatten des Holocaust verfasst, aber sie wollen nicht vornehmlich in seinem dunklen Licht gelesen werden."

Etty Hillesum (1914–1943) war eine junge Jüdin, die während der Besetzung durch die Nazis in Amsterdam lebte. Sie war die Tochter eines klassischen Philologen und studierte Recht und Slawistik an der Universität Amsterdam. Sie hoffte auf eine Karriere als Schriftstellerin und führte auf Vorschlag von Julius Spier, einem Psychotherapeuten und Anhänger C. G. Jungs, ein Tagebuch.

In ihrem Tagebuch und ihren Briefen erkämpfte sich Etty Hillesum durch intensive Reflexion ihrer eigenen Denkprozesse eine erstaunlich humane, großzügige und hoffnungsvolle Haltung der Lebensannahme inmitten des unaussprechlich Bösen. Etty, eine sinnliche, lebenslustige junge Frau, die Sex, das Rauchen, starken Kaffee und den Duft von Jasmin liebte, erklärte sich bereit, im Konzentrationslager Westerbork in Nordholland, wo Juden vor der Abfahrt in die polnischen Vernichtungslager interniert wurden, freiwilligen Sozialdienst zu leisten.

In dieser Atmosphäre des Hasses und Leidens blieb Etty Hillesum klarsichtig, verweigerte sich jedoch der Erniedrigung. „Die Abwesenheit des Hasses bedeutet keineswegs eine Abwesenheit moralischer Entrüstung", schrieb sie. „Und wenn nur noch *ein* anständiger Deutscher existieren würde, da wäre dieser es wert, gegen die ganze barbarische Bande in Schutz genommen zu werden, und diesem einzigen anständigen Deutschen zuliebe sollte man es dann unterlassen, seinen Hass über ein ganzes Volk auszugießen."

Als die nationalsozialistische Verfolgung zunahm, hätte Etty Hillesum in den Untergrund gehen können, zog es aber vor, bei ihrer Familie und der jüdischen Gemeinde zu bleiben. Schließlich wurde sie in Westerbork interniert und dann nach Auschwitz gebracht, wo sie am 30. November 1943 ermordet wurde. Bei der Abfahrt ihres Zuges nach Polen warf sie eine Postkarte aus dem Fenster, die von einem Passanten aufgehoben wurde und auf der unter anderem stand: „Wir haben das Lager singend verlassen."

Ihre Schriften wurden erstmals Anfang der Achtzigerjahre veröffentlicht. Ein Leser bemerkte zu ihrem dichten und leidenschaftlichen Stil, der oft mit jenem Rainer Maria Rilkes verglichen wird: „Das Lesen ihrer Texte ist manchmal wie Wasser aus einem Schlauch zu trinken." Obwohl Etty Hillesums Arbeit lange im Schatten des Tagebuchs der Anne Frank, eines anderen jüdischen Mädchens aus Amsterdam, stand, fand es im Laufe der Zeit eine wachsende Leserschaft und inspiriert Menschen aller Religionen – ebenso wie AtheistInnen.

David Harrington, Gründer und künstlerischer Leiter des Kronos Quartet, erinnert sich an das erste Mal, als er von Etty Hillesum hörte. „Das war 1985 oder 1986. Meine Frau fand ihr Buch in einem Gemischtwarenladen in der Nähe unseres Hauses. So bald ich zu lesen angefangen hatte, konnte ich nicht mehr aufhören. Schließlich nahm ich es viele Jahre lang auf unsere Tourneen mit. Und wenn ich ihre Worte las, hörte ich gleichzeitig das Kronos Quartet spielen."

Eva Hoffman writes of Esther "Etty" Hillesum in the foreword to *An Interrupted Life and Letters from Westerbork*: "All the writings she left behind were composed in the shadow of the Holocaust, but they resist being read primarily in its dark light."

Hillesum (1914–1943) was a young Jewish woman who lived in Amsterdam during the Nazi occupation. The daughter of a classical scholar, she took a degree in law from the University of Amsterdam and also studied Slavic languages. She hoped to become a writer and began keeping a diary at the suggestion of Julius Spier, a psychotherapist and follower of Carl Jung.

In her diary and letters, through the process of reflecting on her own thoughts, Hillesum came to an astonishingly humane, giving, and hopeful acceptance of life in the midst of unspeakable evil. A sensual, vibrantly alive young woman who loved sex, a good smoke, strong coffee, and the smell of jasmine, Hillesum volunteered to serve as a social worker at Westerbork, a detention camp in northern Holland where Jews were held before being sent for extermination to Poland.

Surrounded by hatred and suffering, Hillesum remained clear-sighted but refused to give in to degradation. "The absence of hatred in no way implies the absence of moral indignation," she wrote. "If there were only one decent German, then he should be cherished despite that whole barbaric gang, and because of that one decent German it is wrong to pour hatred over an entire people."

As Nazi persecution intensified, Hillesum had the opportunity to go into hiding but chose to stay with her family and fellow Jews. Eventually she was imprisoned at Westerbork and sent to Auschwitz, where she was killed on November 30, 1943.

As the train in which she was held set out for Poland, she threw a postcard out of the window that a bystander picked up and mailed. It read, in part: "We left the camp singing."

Hillesum's writings were first published in the early 1980s. One reader remarked of her dense, passionate prose, often likened to that of Rainer Maria Rilke, "Reading her can be like drinking water from a hose." Though long overshadowed by the diary of Anne Frank, another young Jewish woman from Amsterdam, Hillesum's work has attracted a growing readership, inspiring people of all faiths – and of none.

David Harrington, Kronos Quartet's founder and artistic director, recalls his first encounter with Etty Hillesum. "It was 1985 or 1986. There was a drugstore near our house where my wife found this book. Basically, I could not put it down when I started reading it. I ended up carrying it around with me for many years on many tours. And I kept hearing the sound of Kronos in my mind when I read her words."

Several years later, Kronos was in Amsterdam giving the premiere of *Different Trains* by Steve Reich. "I had this sense that Etty Hillesum was right there," Harrington says. "It was an amazing moment. I went back to the hotel, got a map of Amsterdam, and found out that she had lived about 100 yards from the Concertgebouw, where we had just played. Over the

Einige Jahre später fand in Amsterdam die Uraufführung von Steve Reichs *Different Trains* durch das Quartett statt. „Ich hatte das Gefühl, dass Etty Hillesum anwesend war", meint Harrington. „Es war ein seltsamer Augenblick. Ich ging ins Hotel zurück und besorgte mir eine Karte von Amsterdam. Da stellte ich fest, dass sie nicht einmal 100 Meter vom Concertgebouw gewohnt hatte, wo wir eben aufgetreten waren. Diese Beziehung besteht also schon seit Jahren, und ich wollte, dass ihre Worte und ihr Leben Teil unserer Musik sein sollten."

Harrington machte Alexandra du Bois mit Etty Hillesum bekannt. Sie ist die erste Musikerin, die im Rahmen des „Kronos: Under 30"-Projekts – des Kronos-Programms für KomponistInnen unter 30 Jahren – einen Auftrag erhielt. Die heute 24-jährige du Bois genießt den Ruf einer fähigen jungen Komponistin, die bereits Auftragswerke für das Kronos Quartet, das Beaux Arts Trio, Bang on a Can und andere Ensembles erhalten hat. In der „Innerlichkeit" und „Strahlkraft" ihrer Arbeit vernahm Harrington einen Gleichklang zu Etty Hillesums Gedanken und Worten. Ebenso wie Etty mit den Schrecken ihrer Zeit kämpfte, beweist auch du Bois in ihrem ersten Werk für das Kronos Quartet, *Streichquartett: Oculus pro oculo totum orbem terrae caecat*, das während der Vorbereitungen zum Krieg im Irak entstand, eine große moralische Sensibilität. Auch erinnerte die Jugend von Alexandra du Bois an Etty Hillesum, die zum Zeitpunkt ihrer Ermordung noch nicht einmal 30 Jahre alt war.

Die Komponistin tauchte tief in Ettys Welt ein, las dreimal alle ihre Texte und besuchte Amsterdam, Westerbork und Auschwitz, um sich in die Bilder und Klänge von Ettys Leben zu versenken. Sie erklärt den Titel *Night Songs* (*Nachtliederen*, 2005) folgendermaßen: „Die Nacht kann für die Dunkelheit jener Zeit, für die Verfinsterung der Menschheit stehen, aber sie repräsentiert auch das Unbewusste. Etty Hillesum war stets positiv gestimmt – fast immer sang sie ein Lied. Ein unglaubliches inneres Licht leuchtete in ihr."

Über das Zitat zu Beginn dieses Textes, das ihr besonders am Herzen liegt, meint Alexandra du Bois: „Der Ton dieses Satzes, seine Zärtlichkeit und sein Gefühl können nur durch Klänge ausgedrückt werden."

Für Alexandra du Bois sollten die ZuhörerInnen im Idealfall etwas über Etty Hillesum und ihre Schriften wissen, aber sie betont, dass ihr Werk auch für sich alleine stehen kann. „Es ist keine erzählende Komposition, sondern eher eine Antwort auf Etty Hillesums Worte. Alle Musik wird durch irgendetwas inspiriert. Ich bin immer überrascht, wenn das geschieht. Manche Dinge bringen so tiefe Gefühle hervor, dass die Musik ein eigenes Programm entwickelt, das die ZuhörerInnen sonst nicht genauso hören würden. Während die Welt um Etty Hillesum immer kleiner wurde, wuchs und blühte ihre innere Welt. Das war der Ausgangspunkt für meine Musik."

Viele empfinden, dass ihre Liebe zur Menschheit in Westerbork verkümmert, weil sie nicht genährt wird – ich meine damit, dass die Menschen hier einem nicht viel Gelegenheit geben, sie zu lieben. „Die Masse ist ein schreckliches Ungeheuer; der Einzelne ist armselig", meinte jemand. Aber mir wird immer stärker klar, dass kein kausaler Zusammenhang zwischen dem Verhalten der Menschen und der Liebe besteht, die man für sie empfindet. Die Liebe zu seinem Mitmenschen ist wie ein nährendes elementares Leuchten. Der Mitmensch selbst hat kaum etwas damit zu tun.
Etty Hillesum, August 1943

Briefe der Etty Hillesum erschienen in: *Das denkende Herz. Die Tagebücher von Etty Hillesum 1941–1943*; herausgegeben von J.G. Gaarlandt; Rowohlt Taschenbuch Verlag, Reinbek bei Hamburg, 1985.
Night Songs (*Nachtliederen*), String Quartet No. 3, wurde im Angedenken an Etty Hillesum komponiert und ist dem Kronos Quartet gewidmet.
Night Songs (*Nachtliederen*), String Quartet No. 3, von Alexandra du Bois wurde von Deborah und Creig Hoyt im Angedenken an Dr. Wayne Caygill für das Kronos Quartet in Auftrag gegeben.

years, there has been this connection, and I have wanted her words and her life to be a part of our music."

Harrington brought Hillesum's writings to the attention of Alexandra du Bois, who was the first musician to receive a commission through the Kronos: Under 30 Project, the Quartet's commissioning and residency program for composers under 30 years of age. Now age 24, du Bois has proven herself to be an accomplished young composer, receiving commissions from Kronos, the Beaux Arts Trio, Bang on a Can, and others. In the "inwardness" and "iridescence" of du Bois' work, Harrington heard a parallel to Hillesum's thoughts and words. Just as Hillesum grappled with the horrors of her own time, du Bois showed a moral sensibility in her first work for Kronos, *String Quartet: Oculus pro oculo totum orbem terrae caecat*, written during the buildup to the Iraq war. Du Bois' relative youth, too, gave echoes of Hillesum, who was not yet 30 when she was killed.

The composer dove into Hillesum's world, reading her unabridged works three times and traveling to Amsterdam, Westerbork, and Auschwitz to immerse herself in the sights and sounds of Hillesum's life. Du Bois explains the title *Night Songs* (*Nachtliederen*, 2005): "Night can represent the darkness of that time, of humanity, but it also represents the unconscious. Etty Hillesum was always uplifting – she was almost always singing a song. She had an incredible sense of inner light."

Du Bois says of the quotation that introduces this note, a particular favorite of hers: "It has a sound to it, a tenderness, an emotion, that really can only be expressed in sound."

For du Bois, ideal listeners will have a sense of Etty Hillesum and her writings, but she insists that her work stands on its own. "This is not a narrative work but is rather a response to Hillesum's words. All music has a certain inspiration. For me, it's a surprise each time it happens. Certain things strike such a deep chord that the music takes on an internal program – a program that maybe the audience wouldn't hear in the same way. As the world around Etty Hillesum was shrinking, her inner world was growing and blossoming. That was a jumping-off point for my music."

Many feel that their love of mankind languishes at Westerbork because it receives no nourishment – meaning that people here don't give you much occasion to love them. "The mass is a hideous monster; individuals are pitiful," someone said. But I keep discovering that there is no causal connection between people's behavior and the love you feel for them. Love for one's fellow man is like an elemental glow that sustains you. The fellow man himself has hardly anything to do with it.
Etty Hillesum, August 1943

Quotes by Etty Hillesum excerpted from *Etty Hillesum, An Uninterrupted Life and Letters from Westerbork* by Eva Hoffman (New York: Henry Holt and Company, 1996).
Night Songs (*Nachtliederen*), String Quartet No. 3, was written in memory of Etty Hillesum and is dedicated to the Kronos Quartet.
Alexandra du Bois' *Night Songs* (*Nachtliederen*), String Quartet No. 3, was commissioned for the Kronos Quartet by Deborah and Creig Hoyt in memory of Dr. Wayne Caygill.

Franghiz Ali-Zadeh – Apsheron Quintet für Klavier und Streichquartett
Franghiz Ali-Zadeh – Apsheron Quintet for piano and string quartet

Franghiz Ali-Zadeh wurde in der Sowjetrepublik Aserbaidschan geboren. Bekanntheit als Komponistin und Interpretin erlangte sie bereits als Studentin des gefeierten Komponisten Kara Karajew. Ali-Zadeh wird wegen ihrer Kreativität und ihres individuellen Stils sehr geschätzt. Ihre Arbeiten sind vom Vokabular der europäischen Moderne einschließlich der Zweiten Wiener Schule inspiriert, integrieren aber auch den Klang des für Aserbaidschan typischen Musikstils *Mugam* (vergleichbar dem *Maqam* in der arabischen Musik). Als Pianistin tritt sie bei internationalen Festivals mit Interpretationen von Werken Crumbs, Messiaens und Schönbergs auf, deren Kompositionen sie so zu größerer Bekanntheit im Osten verhilft. Sie gilt als meisterhafte Interpretin von Werken europäischer und amerikanischer KomponistInnen des 20. Jahrhunderts, der sowjetischen Avantgarde sowie traditioneller aserbaidschanischer KomponistInnen.

Ali-Zadeh schreibt über ihr *Apsheron Quintet* (2001):
I. *Tactile Time* (schnell, aber nicht zu schnell)
Energiegeladenes Pulsieren der Zeit, während alle Farben

Franghiz Ali-Zadeh was born in Azerbaijan, a republic of the Soviet States. She first came to prominence as a composer and performer while still a student of the celebrated composer Kara Karayev. Ali-Zadeh is highly regarded for her creativity and distinctive style. Her compositions draw from the vocabulary of modern European classical music, including the Second Viennese School, and incorporate the sounds of mugham (the main modal unit of Arabic music), music traditional to Azerbaijan. As a pianist, she performs at international festivals, playing programs that include the works of Crumb, Messiaen and Schoenberg, composers she has popularized for Eastern audiences. She is recognized as a master interpreter of works by 20th century European and American composers, the Soviet avant garde, and traditional Azerbaijani composers.

About *Apsheron Quintet* (2001), Ali-Zadeh writes:
I. *Tactile Time* (fast, but not too fast)
Energetic pulsing of time during which all colors shine especially brightly: the red sun, the blue Chasar (Caspian Sea

besonders hell leuchten – rote Sonne, blaue Chasar (Kaspisches Meer auf Aserbaidschanisch), gelber Sand. Der Wind trägt den beißenden Geruch einer Welle vom Meer zur Küste, in dem man Öl ebenso wie Salz ausmachen kann. Dunkelviolette Trauben zittern im Wind, mohnrote Granatäpfel versprühen ihren Glanz, die bernsteinfarbene Feige ist voll saftiger Süße.

II. *Reverse Time* (langsam)

Zeit, die rückwärts läuft. Traurige Erde am Abend, Stille über dem Meer, die Chasar verbirgt sich, blitzendes Silber. Das Zirpen einer Grille von fern. Der glühend rote Sonnenuntergang ergießt sich über den dunkelblauen Horizont.

Dies ist alles sehr schwer in Worten auszudrücken. Die musikalischen Intonationen beruhen auf verschiedenen Formen des Mugam."

Franghiz Ali-Zadehs *Apsheron Quintet* wurde für das Kronos Quartet von Alta Tingle und Gregory G. Minshall in Auftrag gegeben.

in Azerbaijani), the yellow sand. The wind carries the acrid smell of a wave from the sea to the shore, in which one can discern oil as well as salt. Dark purple grapes tremble in the wind, ponceau pomegranates scintillate in their glow, the amber-colored fig is filled with juicy sweetness.

II. *Reverse Time* (slowly)

Time that goes backwards. Sad earth in the evening, calm over the sea, the Chasar conceals itself, flashing silver. A cricket's chirping is heard in the distance. The flaming red sunset is spilled upon the dark blue horizon.

All this is very difficult to express in words. The musical intonations are based on various modes of the Mugam.

Franghiz Ali-Zadeh's *Apsheron Quintet* was commissioned for the Kronos Quartet by Alta Tingle and Gregory G. Minshall.

Tanya Tagaq und Kronos Quartet – Nunavut
Tanya Tagaq and Kronos Quartet – Nunavut

Tanya Tagaq wurde in der abgelegenen Inuit-Stadt Cambridge Bay in Nordkanada geboren. Sie begann ihre Karriere als begabte Malerin und zog in den Neunzigerjahren nach Halifax, um am Nova Scotia College of Art and Design Bildende Kunst zu studieren.

Als sie während ihres Aufenthalts im Süden Heimweh nach den Klängen der Arktis empfand, erlernte sie durch Selbststudium den traditionellen Kehlgesang der Inuit. Bald trat sie als Solistin bei Festivals und in Clubs in Kanada und Europa auf. 2001 ging sie mit Björk auf Tournee und wurde dafür mit ausgezeichneten Kritiken bedacht.

Oft bezieht Tanya Tagaq viele nichttraditionelle Musikstile in ihren Gesang ein, wie etwa Elektronik, Dance oder Rave. Die Zusammenarbeit von Tanya Tagaq und DJ Michael Deveau 2002 vermischte traditionelle nordkanadische Musik nahtlos mit Untertönen der Urban Music und schuf damit etwas ganz Neues und Atemberaubendes.

2003 nahm Tanya Tagaq an der Sonic Weave Tour teil und trat in zahlreichen europäischen Städten in Deutschland, Österreich, Italien, Polen und Tschechien auf. Außerdem nahm sie das Sonderprojekt *Erren* mit dem baskischen Txalaparta-Spieler Ugarte Anaiak auf, das Ende 2003 erschien. Ihr Album *Sinaa* aus dem Jahr 2005 fand großen Zuspruch bei der Kritik und gewann mehrere Preise bei den kanadischen Aboriginal Music Awards, wozu auch der Preis für die beste Künstlerin zählte. Sie arbeitet weiters mit dem Kronos Quartet, mit Björk und Laio zusammen.

Die als „Nunavut" bekannte Region (was auf Inuktitut „unser Land" bedeutet), das jüngste und größte kanadische Territorium, ist seit mehr als 4000 Jahren die Heimat der Inuit. Der Kehlgesang der Inuit ist nicht Singen im eigentlichen Sinne, sondern ähnelt eher Stimm- oder Atemspielen. Meist stehen zwei Frauen einander gegenüber – die eine führt, die andere antwortet –, wobei die erste Sängerin ein kurzes rhythmisches Motiv vorgibt, das sie nach einer Pause wiederholt, während die andere Sängerin diese Pausen rhythmisch füllt. Die Sängerinnen setzen jeweils die Mundhöhle der Partnerin als Resonanzraum ein. Die Töne werden durch Einatmen oder Ausatmen entweder stimmhaft oder stimmlos gestaltet. So entwickeln die Sängerinnen eine Atemtechnik, die mit der Zirkularatmung vergleichbar ist. Die Lieder verwenden Wörter und bedeutungslose Silben – die Wörter können einfach Namen von Vorfahren sein, die Silben ahmen oft Naturgeräusche oder Tier- und Vogelrufe nach. Das Spiel besteht darin, dass jede Sängerin versucht, ihre gesanglichen Fähigkeiten im Wettstreit unter Beweis zu stellen, indem die Gesangsmotive untereinander ausgetauscht werden. Die Sängerin, die als erste außer Atem kommt oder das Tempo der anderen nicht

Tanya Tagaq was born in the remote Inuit town of Cambridge Bay in Northern Canada. She began her career as an accomplished painter, moving to Halifax in the 1990s to study visual arts at the Nova Scotia College of Art and Design.

When southern living caused her to be homesick for the sounds of the Arctic, she began to teach herself traditional Inuit throat singing. Soon Tagaq was performing solo at festivals and clubs in Canada and Europe. In 2001, she toured with Björk and won favorable reviews of her own.

Tagaq often incorporates many non-traditional musical styles – including electronica, dance music and rave – into her singing. The collaboration of Tanya Tagaq and DJ Michael Deveau in 2002 takes traditional music from Canada's North and blends it effortlessly with an underpinning of urban music to create something quite new and breathtaking.

In 2003, Tagaq took part in the "Sonic Weave Tour," where she performed in many European cities, including Germany, Austria, Italy, Poland, and the Czech Republic. She also recorded the special project *Erren* with Basque txalapartaris Ugarte Anaiak, which was released at the end of the year. Tagaq's album *Sinaa* was released in 2005 to critical acclaim; the album won several of Canada's Aboriginal Music Awards, including Best Female Artist. She continues to collaborate with artists such as Kronos Quartet, Björk and Laio.

The region known as Nunavut (which means "our land" in Inuktitut) is the newest and largest of the Canadian territories and has been home to the indigenous Inuit population for more than 4,000 years. Inuit throat singing is not singing per se, but more closely associated with vocal games or breathing games. Two women usually face each other – one leads, while the other responds – the leader produces a short rhythmic motif that is repeated with a short silent gap in between, while the other rhythmically fills in the gaps. Each singer uses the other's mouth cavity as a resonator. Sounds are either voiced or unvoiced through inhalation or exhalation. Thus, singers develop a breathing technique, somewhat comparable to circular breathing. Words and meaningless syllables are used in the songs – the words can simply be names of ancestors and the syllables often represent sounds of nature or cries of animals and birds. The game is such that both singers try to show their vocal abilities in competition, by exchanging these vocal motives. The first to run out of breath, or to be unable to

halten kann, beginnt zu lachen oder hört auf und hat damit verloren.

David Harrington, Violinist und künstlerischer Leiter des Kronos Quartet, hörte den Kehlgesang der Inuit zum ersten Mal 1981 und war überzeugt, dass diese Kunstform ausgezeichnet für eine Zusammenarbeit mit dem Kronos Quartet geeignet sei. Er meint: „Der Kehlgesang der Inuit ähnelt stärker dem Klang von Saiteninstrumenten als fast alles, was die menschliche Stimme produzieren kann." Allerdings entdeckte er erst 2002 eine Aufnahme von Tanya Tagaq und begriff sofort, dass er hier eine Mitstreiterin gewonnen hatte. „Neben ihr klang jede andere Inuit-Sängerin wie Mozart", erklärt Harrington. „Mir war klar, dass Tanya der Jimi Hendrix des Inuit-Kehlgesangs ist. Ihre Stimme klang wie vier Stimmen, als ob ein Quartett in ihrer Stimme versammelt wäre!"

Für die Komposition von *Nunavut* (2006) nahm das Kronos Quartet eine große Auswahl von Tanya Tagaqs Stimmtönen auf, um ihr stilistisches Vokabular abzustecken. Dann schuf das Quartett eine der Komposition zugrunde liegende Struktur aus Tanya Tagaqs „Klangalphabet" – einen Bausatz, der sowohl dem Quartett als auch der Sängerin Improvisationen erlaubt. Die InterpretInnen führen eine Klangstruktur von Ruf und Gegenruf aus, wobei die Instrumente des Quartetts im Wechselspiel des Kehlgesangs die zweite Stimme übernehmen.

Nunavut von Tanya Tagaq und dem Kronos Quartet wurde vom PuSh International Performing Arts Festival, dem Chan Centre for the Performing Arts at UBC, CBC Television, dem Canada Council und dem National Endowment for the Arts in Auftrag gegeben.

maintain the pace of the other singer, will start to laugh or simply stop and lose the game.

Kronos' violinist and artistic director, David Harrington, first heard Inuit throat singing in 1981, and became convinced that the art form held great potential for a collaboration with Kronos; Harrington says, "Inuit throat singing is one of the most string-like sounds that I've ever heard come from the human voice." However, it was not until 2002 that he discovered a recording of Tanya Tagaq and realized immediately that he had found his collaborator. "She made every other Inuit throat singer sound like Mozart," Harrington explains. "It was clear that Tanya was the Jimi Hendrix of Inuit throat singing. Her voice sounded like four voices – it was as if she were carrying around a quartet in her voice!"

To compose *Nunavut* (2006), Kronos recorded a broad range of Tagaq's sounds in order to map out her stylistic vocabulary. From there, Kronos created an underlying compositional structure out of Tagaq's "alphabet of sounds," a set of building blocks that allows for improvisation on the part of both quartet and singer. The performers engage in a call-and-response exchange, with the instruments of the quartet acting as the second voice in the throat song game.

Nunavut by Tanya Tagaq and the Kronos Quartet was commissioned by the PuSh International Performing Arts Festival, The Chan Centre for the Performing Arts at UBC, CBC Television, the Canada Council, and the National Endowment for the Arts.

Wladimir Martynow – Der Abschied
Vladimir Martynov – The Farewell

Der Moskowiter Wladimir Martynow studierte an der Musikakademie Moskau, wobei sein hauptsächliches Interesse dem Minimalismus galt. Er war Organisator von und Teilnehmer an Avantgardemusik-Festivals und arbeitete am Elektronikstudio des Skrjabin-Museums. Mitte der Siebzigerjahre verschob Martynow seine künstlerische Ausrichtung radikal von der strukturierten Raffinesse der seriellen Musik zu dem, was er als „neue Unschuld" bezeichnet. Er meint dazu: „Pärt, Silwestrow und ich entdeckten den Schlüssel gleichzeitig, unabhängig voneinander."

Martynow bereiste Nord- und Zentralrussland, den nördlichen Kaukasus, das Pamir-Massiv und Tadschikistan auf der Suche nach der „Musik meiner Leute". Was er fand, löste in ihm ein völlig neues Musikverständnis aus. Er begann, in Bibliotheken nach Manuskripten zu suchen, um die Tradition des alten russischen Chorgesangs wiederzubeleben. Er veröffentlichte mehrere Bücher über dieses Thema und unterrichtete am berühmten Dreifaltigkeitskloster von Sergiew Posad.

Die Arbeit Martynows, der als einer der führenden KomponistInnen der späten russischen Avantgarde gilt, ist von einer Ganzheitlichkeit geprägt, in der die Traditionen von Ost und West, das Spirituelle und das Alltägliche, Volksmusik und Avantgarde in einer neuartigen Synthese verschmelzen.

Martynow schreibt über *Der Abschied* (2006): Mein Vater starb im 98. Lebensjahr. Und er starb an keiner Krankheit, sondern einfach aufgrund seines hohen Alters. In seinen letzten Tagen war das einzige Lebenszeichen sein Atem, und mir blieb nicht anderes zu tun, als an seinem Bett zu sitzen, ihn anzusehen und seinem Atem zu lauschen.

Plötzlich begann ich, in seinem Atem seltsame Akkorde zu hören. Die Abfolge dieser Akkorde schien mir in eine Kluft zwischen Leben und Tod zu stürzen, dann wieder in ungeahnte Höhen aufzusteigen und sich in dem engen Raum zu drehen. Allmählich

A native of Moscow, Vladimir Martynov graduated from the Moscow Music Academy with a dedication to composing minimalistic music. He organized and participated in avant garde music festivals and worked at the electronic studio of the Skryabin Museum. In the mid-1970s, Martynov made a radical move from the structural refinement of serial music to what he described as a "new innocence." He said, "Pärt, Silvestrov, and I discovered the key at the same time, independently from each other."

Martynov traveled northern and central Russia, northern Caucasus, Pamir, and Tadzhikistan searching for the "music of my people." What he found triggered a completely new understanding of music for him. He began to look for manuscripts in libraries, with the intent to restore the tradition of the ancient Russian choir chant. He published several books on that subject and taught in the famous Orthodox monastery of Troitse-Serguiev.

Known as one of the leading composers of the latest Russian avant garde, Martynov's musical works present a wholeness in which the traditions of East and West, the spiritual and the mundane, folk music and avant garde melt into a new synthesis.

About *Der Abschied* (2006), Martynov writes:

My father died in the 98th year of his life. And, he did not die of any illness, but of old age. During his last days, the only sign of his life was his breath, and to me there remained nothing to do besides sitting at his bed, looking at him and listening to his breath.

Suddenly in the breath I began to hear certain strange chords. The sequence of these chords seemed to fall into a chasm of death and rise to unknown heights, turning in the enclosed space. Gradually through these chords other sounds and other spaces began to appear.

manifestierten sich durch diese Akkorde andere Geräusche und Räume.

Ich erinnerte mich an die heißen Sommertage meiner Kindheit in einer Datscha in Swenigorod. Zusammen mit meinem Vater spielte ich die vierhändige Version des *Liedes von der Erde*, wobei wir den letzten Teil, *Der Abschied*, endlos wiederholten. Die Klänge dieses Teils verliehen, wenn ich sie über die Abfolge dieser seltsamen Akkorde überlagerte, dem Atem des Todes eine zerbrechliche Hoffnung und erzeugten ein absolut unbeschreibliches Gefühl trauervoller Freude.

Zwei Monate nach seinem Tod erinnerte ich mich an dieses Gefühl und auch an ein Zusammentreffen mit David Harrington, bei dem wir viel über Mahler gesprochen hatten. David träumte davon, dass das Kronos Quartet vielleicht etwas von Mahler spielen könnte.

Durch diese Erinnerungen wurde mir plötzlich klar, dass eine bestimmte Klangstruktur einfach entstehen musste. Ich brauchte sie nur aufzuschreiben. Und so entstand eine Komposition mit dem Titel *Der Abschied*.

Der Abschied (*The Farewell*) ist Teil des *Mahler-Projekts*, das für das Kronos Quartet von den Gustav Mahler Musikwochen in Toblach in Auftrag gegeben wurde.

I recalled the hot summer days of my childhood at a summer residence in Zvenigorod. Together with my dad we would play the four-hand piano version of *Das Lied von der Erde*, infinitely repeating the last movement, *Der Abschied*. The sounds of this movement, imposed on the sequence of strange chords, introduced a fragile hope in breath of death and created an absolutely inexpressible sensation of mournful pleasure.

Two months after his death, I recalled this sensation and also have reflected on a meeting I had with David Harrington during which we spoke a lot about Mahler. David dreamed that somehow Kronos Quartet could play something by Mahler.

With those memories, I suddenly felt that a certain sound structure was meant to be. I needed only to put it down. So a composition with the name *Der Abschied* came to be.

Der Abschied (*The Farewell*) is part of *The Mahler Project*, which was commissioned for the Kronos Quartet by the Settimane Musicali Gustav Mahler Festival.

Maria Schneider
Cerulean Skies
Cerulean Skies

MusikMusic **Maria Schneider**

Musikalische LeitungConductor **Maria Schneider** —
MitWith **Maria Schneider Orchestra** —
HolzblasinstrumenteWoodwinds **Steve Wilson** — **Charles Pillow** — **Rich Perry** — **Donny McCaslin** — **Scott Robinson** —
TrompetenTrumpets **Daniel O'Brien** — **Jason Carder** — **Laurie Frink** — **Ingrid Jensen** —
PosaunenTrombones **Keith O'Quinn** — **Rock Ciccarone** — **Larry Farrell** — **George Flynn** —
Rhythm SectionRhythm Section — GitarreGuitar **Ben Monder** — KlavierPiano **Frank Kimbrough** — BassBass **Jay Anderson** —
SchlagzeugDrums **Greg Hutchinson** — AkkordeonAccordion **Gary Versace** — PerkussionPercussion **Jon Wikan** — **Gonzalo Grau** —
StimmeVoice **Sofia Koutsovitis** —

TonSound Design **Ken Jablonski** —

AuftragswerkCommissioned by **New Crowned Hope** —
KoproduktionA co-production of **New Crowned Hope, Wiener Konzerthaus** —
VorstellungPerformance **1.12.2006, 19:30** —
OrtVenue **Wiener Konzerthaus, Großer Saal** —

UraufführungWorld Premiere —

Francis Davis
Musik ist ihr Amanuensis
Music Is Her Amanuensis

Duke Ellingtons wahres Instrument sei sein Orchester, meinte Billy Strayhorn einmal im Einklang mit des Meisters eigener (teils zu Recht, teils als Ausflucht zu verstehender) bescheidener Einschätzung seiner Qualitäten als Pianist. Als Nachfahre von James P. Johnson und anderen Klavierspielern in Harlem, für die das Instrument ein Orchester „an der Hand" war, kann man Ellington in dieser Hinsicht wohl kaum als „Underachiever" bezeichnen. Nicht jeder wichtige Jazzkomponist war auch ein so genialer Improvisator wie Benny Carter, Thelonious Monk, Wayne Shorter, Charles Mingus oder Ornette Coleman. Aber praktisch alle von ihnen spielten ein Instrument, auch wenn einige, die als Komponisten publiziert hatten, ihre Saxofone beiseite legten, und andere sich nur ans Klavier setzten, um dafür zu sorgen, dass ihre Musik oft und in der richtigen Art gespielt wurde.

Maria Schneiders Orchester ist ihr einziges Instrument; das macht sie erstens zu etwas Ungewöhnlichem und außerdem bedeutet es, dass sie notgedrungen mit ihrer Big Band auftreten *muss*. Da sie nicht selbst spielt, kann sie auch keine Ideen bei Gigs mit kleiner Besetzung ausprobieren, und obwohl sie eine Ballade auf *Undermind* von Phish arrangiert hat, interessiert sie sich offensichtlich nicht für die Auftragsarbeiten, die Gil Evans vor seinen Platten mit Miles Davis über Wasser hielten. Wie Evans

Duke Ellington's real instrument was his orchestra, Billy Strayhorn once said, echoing the maestro's own modest assessment of himself as a pianist. This was part truth, part subterfuge. A descendant of James P. Johnson and other Harlem ticklers for whom piano was an orchestra within hands' reach, Ellington was no slouch. Not every important jazz composer has also qualified as a seminal improviser like Benny Carter, Thelonious Monk, Wayne Shorter, Charles Mingus, or Ornette Coleman. But it's tough to name many who didn't play at all, even if some abandoned their horns after finding themselves on paper and a few sat themselves at a piano just to see to it that their music got performed frequently and performed right.

Maria Schneider's orchestra is her only instrument, which in addition to making Schneider something of a curiosity means it's big band or nothing for her. As a non-performer, she can't try out ideas on jobs with small groups, and although she did arrange a ballad on Phish's *Undermind*, she's apparently uninterested in the sort of work-for-hire that sustained Gil Evans prior to his LP collaborations with Miles Davis. Like Evans – her chief mentor, along with Bob Brookmeyer – Schneider is a perfectionist who takes pride in not being prolific: She was just as glad when she lost her regular Monday-night gig at a

– neben Bob Brookmeyer Schneiders Mentor – ist sie eine Perfektio-
nistin, die darauf stolz ist, eben nicht produktiv zu sein: Sie erzählte
mir, dass es ihr nicht unrecht gewesen sei, ihren regelmäßigen
Auftritt jeden Montagabend in einem Club in Manhattan zu verlieren, weil damit der Druck, ständig neues Material vorzustellen,
weg war, und das bedeutete den Luxus, mehr Zeit zu haben.
Glücklicherweise sind ihre Arbeiten meist das Warten wert. Das
gilt ganz besonders für das umwerfende *Concert in the Garden*
(Artists Share, 2004), ihrer ersten Aufnahme in vier bzw. ihrer
fünften in zwölf Jahren, einschließlich einer Live-CD aus dem Jahr
2000, die von einem Winzerunternehmen vertrieben wurde.

Concert in the Garden ist noch immer Schneiders letzte CD
und nur online verfügbar – und außerdem das erste Album, das
einen Grammy gewonnen hat, ohne dass nur ein Exemplar über
einen Ladentisch ging, was eine Vorstellung von der Mundpropa-
ganda vermittelt, mit der das Album von den Fans begrüßt wurde.
Trotz des, einem Gedicht von Octavio Paz entnommenen, Titels
ist es ein Studioalbum. Da Schneider mit Tanzformen wie Choro
und Flamenco experimentiert (und einem „imaginären Foxtrott",
der mehr nach Brasilien klingt als nach Fred Astaire und Ginger
Rogers), läge es nahe, diese CD als ihr lateinamerikanisches Album
zu etikettieren. Aber Schneiders harmonische Strukturen und

downtown club a few years ago, she told me after the fact,
because not feeling pressured to introduce new material gave
her the luxury of taking her time. Fortunately, her pieces are
usually worth the wait – never more so than with the stunning
Concert in the Garden (Artists Share, 2004), her first release in
four years and just her fifth in twelve years, counting a 2000
live CD distributed by a winery.

Still Schneider's latest and available only on line, *Concert
in the Garden* was the first album to win a Grammy without
selling a single unit over the counter, which ought to give you
some idea of the word of mouth that greeted it. Despite its title
(taken from a poem by Octavio Paz), it's a studio album. Given
Schneider's tinkering with such dance forms as choro and
flamenco – along with an "imaginary foxtrot" more evocative
of Brazil than of Fred and Ginger – it's tempting to describe
this as her Latin album. But Schneider's harmonic textures and
rhythmic motifs suggest Evans's *Sketches of Spain*, Mingus's
Tijuana Moods, and portions of his *Black Saint* and *the Sinner
Lady* rather than anything by Eddie Palmieri or Chucho Valdés.
Evans's residual influence is most discernible in the blend of
nostalgia and existential chill on the aforementioned foxtrot,
Dança Illusoria, the final movement of a three-part suite that

rhythmische Motive verweisen auf Evans' *Sketches of Spain*, Mingus' *Tijuana Moods* und Teile von *Black Saint* and *the Sinner Lady* mehr als auf die Arbeiten von Eddie Palmieri oder Chucho Valdés. Evans verbliebener Einfluss zeigt sich am stärksten in der Mischung aus Nostalgie und existenzieller Kälte im genannten Foxtrott *Dança Illusoria*, dem letzten Satz einer dreiteiligen Suite, die auch noch *Choro Dançado* und *Pas de Deux* umfasst, ein improvisiertes, schwebendes Duett zwischen Ingrid Jensens Trompete und Charles Pillows Sopransaxofon. Die Anklänge an Mingus sind wahrscheinlich zufällig, aber man denkt automatisch daran, wie dieser Charlie Mariano ersuchte, in einem Schlüsselmoment von *Black Saint* „Tränen zu spielen", wenn Tenorsaxofonist Donny McCaslin eine ausgedehnte Klage über einen langen Akkord *Buleria*, *Solea y Rumba* anstimmt, wie auch bei Rich Perrys quecksilbrigem Tenorsaxofonsolo in *Choro Dançado* und dem Lauf der Stiere am Ende – ein erregender Augenblick auf einem Album, das von solchen überquillt.

Meine Erwähnung von Mingus und Evans verweist auf die musikalische Klasse, der Schneider nun angehört. Auf dieser CD vermitteln die SolistInnen eine Unmittelbarkeit, die früheren Aufnahmen oft fehlte und einen Fortschritt für Schneider – wie für ihre Band – darstellt: Sie hat gelernt, Improvisatoren zu präsentieren, was vielleicht das beste Zeichen für die Qualität einer Jazzkomponistin oder eines Jazzkomponisten ist. („Die spielen ja, als ob sie bereit wären, für sie zu sterben", meinte ein Kollege einmal. Kein Wunder: Schneider appelliert an das Beste in ihnen.) Ein weiteres Zeichen ihrer künstlerischen Entwicklung ist der inspirierte Einsatz von Luciana Souzas Stimme in drei Nummern als eine Art „Leuchtstift", weil dies dem Ohr ermöglicht, die Melodien aus einem Netz widerstreitender harmonischer Details herauszulösen (und Schneiders unkonventionelle Saxofongruppierungen klingen so melodiös, dass man manchmal glaubt Souza zu hören, obwohl sie gar nicht singt). Die Eröffnungsnummer ist die einzige Aufnahme, der dieser Schwung abgeht, obwohl sie besonders fantasievolle Passagen für Akkordeon und Bläser sowie wohlgeformte, nachdenkliche Soli für Pianist Frank Kimbrough und Gitarrist Ben Monder bereithält.

Nachdem sie in *Concert in the Garden* nur in ihrer Fantasie getanzt hatte, lud Schneider die Flamencotänzerin La Conja ein, im Sommer 2004 bei einem JVC Jazz Festival-Konzert im Kaye Playhouse bei *Buleria, Solea y Rumba* mitzumachen. La Conjas scharfes Klatschen und ihre präzise Körpersprache verliehen Schneiders Rhythmen vermehrte Courage und Lebhaftigkeit, obwohl dieser Austausch die Band kurzfristig zu bloßen ZuschauerInnen machte. In der *New York Times* erging sich der sonst meist vernünftige Ben Ratliff darüber, wie ein neues – durch ein sich überschneidende Kreise darstellendes Bild Kandinskys inspiriertes – Stück vermittle, „was es bedeutet, sich überschneidende Kreise zu *sein*". Klingt wie die *Sesamstraße*. Allerdings glaube ich zu wissen, was Ratliff meint, und stimme ihm zu: Schneiders musikalische Subjektivität, die am klarsten in der autobiografischen Tendenz zutage tritt, die sich durch ihre Kompositionen zieht, von denen viele mit Kindheitserinnerungen zu tun haben. Ich zögere diese Merkmale „weiblich" zu nennen, weil nur wenige JazzkomponistInnen subjektiver waren als Mingus und auch Ellington das Autobiografische nie ausschloss (außer in *Music Is My Mistress*). Andererseits bezweifle ich, dass je ein Bandmitglied Mingus während eines Auftritts um eine Verabredung bat, wie dies Schneider vor Jahren erlebte, oder dass Ellington je auf der Bühne zu weinen begann wie Schneider im Kaye Playhouse, als sie ein Stück ankündigte, das einer kürzlich verstorbenen, ihr nahestehenden Person gewidmet war. Wenn seine Tempovorgabe vom Klavier her nicht ausreichte, um das Orchester in den richtigen Rhythmus zu versetzen, stand Ellington auf und lenkte es mit den Hüften. Wir sind noch nicht so weit fortgeschritten, als dass eine attraktive Frau wie Schneider die ihren schwingen dürfte, ohne der Aufmerksamkeitsheischerei beschuldigt zu werden. Außerdem ist sie eine viel zu schüchterne Dirigentin, um wie Ellington mit Ge-

also includes *Choro Dançado* and *Pas de Deux*, an improvised duet between Ingrid Jensen's trumpet and Charles Pillow's soprano that could be unfolding in midair. The resemblance to Mingus is probably coincidental, but it's impossible not to think of him instructing Charlie Mariano to play tears at a pivotal moment on *Black Saint* as you listen to the tenor saxophonist Donny McCaslin wailing at length over a suspended chord on *Buleria, Solea y Rumba* – like Rich Perry's quicksilver tenor solo on *Choro Dançado* and the running of the bulls at the end, an exciting moment on an album spilling over with them.

That I mention Mingus along with Evans will give you an idea of the company Schneider now belongs in. The soloists here convey an immediacy that was frequently lacking on her earlier recordings, which is to her credit as well as theirs; she's learned how to showcase improvisers, perhaps the truest measure of a jazz composer's skills. ("Those guys sound like they'd take a bullet for her," a colleague once remarked. No wonder – she appeals to the best in them.) Another sign of growth is her inspired use of Luciana Souza's voice as a kind of highlighting pen on three numbers, which allows the ear to isolate the melodies from a network of competing harmonic details (and Schneider's unconventional groupings of horns across sections sing so readily on their own you sometimes imagine you're hearing Souza when you're not). The title opener is the only performance that wants for momentum, although it boasts especially imaginative writing for accordion and low brass, along with shapely, reflective solos by the pianist Frank Kimbrough and the guitarist Ben Monder.

After dancing only in her head on *Concert in the Garden*, Schneider added flamenco dancer La Conja to *Buleria, Solea y Rumba* for a JVC Jazz Festival concert at the Kaye Playhouse in summer 2004. La Conja's crisp handclaps and precise body language emboldened Schneider's rhythms and made them more vivid, though the trade-off was reducing the musicians to onlookers for a short stretch. In the *New York Times*, the normally judicious Ben Ratliff gushed that a new piece inspired by a Kandinsky painting of intersecting circles conveyed "what it feels like to *be* intersecting circles" (italics in original). Sounds like *Sesame Street*. But I agree with what I think Ratliff was getting at – Schneider's musical subjectivity, which reveals itself most clearly in the autobiographical strain running through her pieces, many of which revolve around childhood memories. I hesitate to label these feminine characteristics, because few jazz composers were more subjective than Mingus, and Ellington never shied away from autobiography (except in *Music Is My Mistress*). On the other hand, I doubt a sideman ever asked Mingus for a date during a set, as happened to Schneider years ago, or that Ellington ever broke down and sobbed onstage, as Schneider did at Kaye in announcing a piece dedicated to a recently deceased friend. When prompting from the piano failed to elicit the exact tempo he desired from his band, Ellington would stand up and conduct with his hips. We haven't yet progressed to the point where an attractive woman like Schneider could wiggle hers without being accused of pandering. Besides, she's much too inhibited a conductor to serve as an audience's onstage proxy, as Ellington happily did. And yet she's no less forcefully there in her music than he was, even though not one note issues directly from her.

"I'm trying something I've never done before", Schneider told me this summer, busily working on the piece she'll debut at this year's New Crowned Hope Festival. "The beginning of the piece feels Brazilian to me, and also very Indian. I'm going to have different groups of people in the band sounding different rhythmic patterns, using breath and tonguing and their mouthpieces and the keys of their horns – the flutter of wings, against a slow line from the accordion meant to suggest

nuss als Publikumssurrogat auf der Bühne zu agieren. Und dennoch ist sie in ihrer Musik ebenso stark präsent wie er, auch wenn keine Note von ihr selbst gespielt wird.

Diesen Sommer meinte sie zu mir: „Ich probiere etwas ganz Neues aus", und bezog sich dabei auf ein Stück, das bei New Crowned Hope uraufgeführt werden soll. „Der Anfang des Stücks ist für mich wie brasilianische und gleichzeitig auch indische Musik. Ich möchte, dass verschiedene Gruppen von Bandmitgliedern verschiedene Rhythmusmuster spielen, wobei sie ihren Atem und ihre Zungen, Mundstücke und Tasten ihrer Saxofone einsetzen – wie ein Flügelschlag gegen eine langsame Melodie des Akkordeons, das den Puls der Erde ausdrücken soll. Es ist keine komplizierte Musik, irgendwie ist sie sehr einfach, aber wenn sie sich erhebt und zu Donny McCaslins Tenorsaxofonsolo überleitet, wird man hoffentlich fühlen, was Aldo Leopold, ein Wildbiologe und Ökologe, die ‚Vögelflotten' genannt hat. Millionen von Vögeln in der Luft."

Wie für Ellington ist die Musik für Schneider der Amanuensis. „Wenn ich komponiere, habe ich oft einen musikalischen Einfall, der sich dann an eine Erinnerung oder ein Gefühl anlehnt, um mir zu sagen, worum es in dem Stück eigentlich geht – in diesem Fall um Vögel und wie ich mir den Vogelzug vorstelle. Ich beobachte Vögel schon seit meiner Kindheit im ländlichen Minnesota, aber erst in den letzten Jahren habe ich entdeckt, dass man das auch im Central Park tun kann. Im Frühjahr, wenn die Vögel die Ostküste heraufkommen, sehen sie den Central Park als grüne Oase in diesem Betonmeer und stürzen sich darauf. Der Central Park gilt als zwölftbester Platz für die Vogelbeobachtung in den USA – wirklich spektakulär, das bestgehütete Geheimnis von New York.

Wenn man schon am Morgen da ist, kann man im Laufe eines Tages bis zu siebzig verschiedene Arten sehen. Welche Vögel in der Mehrzahl sind, merkt man an den dominanten Vogelstimmen in ihrem kollektiven Gesang, der sich ja mit dem Verlauf der Migration ändert. Das Lied der Weißkehlammer ist sehr rein, und wenn dann die Goldhähnchensänger erscheinen, sind es so viele, dass sie jeden anderen Klang ausblenden. Es ist fast wie einem Orchester zuzuhören. Man blickt auf die Bratschen und konzentriert sich auf ihren Klang, dann sieht man auf die Perkussionisten und begreift: ‚Ah, jetzt habe ich diesen schönen, kleinen Triangelakzent gehört.'

Die VogelbeobachterInnen im Central Park, mit denen ich mich angefreundet habe, sind meist ältere Herren; einer von ihnen spielte früher Waldhorn beim New York Philharmonic Orchestra. Wir sehen zum Beispiel einen kleinen Magnolienwaldsänger, und ich sage: ‚Ach mein Gott, wie wundervoll!' Und er darauf: ‚Ich weiß', und dann sitzen wir da und schweigen minutenlang und blicken nur auf diesen Vogel, bis ich lachen muss und sage: ‚Also wirklich, sehen Sie sich bloß uns an!' Aber man verliert sich einfach in der Schönheit der Vögel und stellt sich ihre Reise vor.

Es ist so zauberhaft, man fühlt sich zutiefst verwandelt. Und wenn ich den Park dann verlasse und über Central Park West nach Hause gehe, ist das wie ein physischer Angriff. Wirklich, ich lebe sehr gerne in New York, aber dieser Kontrast zeigt mir, wie viel Lärm und Hässlichkeit wir Tag für Tag ausgesetzt sind.

Der Experte für Vogelstimmen war ja Messiaen. Ich mache nichts in dieser Richtung, obwohl ich es kurz überlegt hatte, und vielleicht gibt es am Anfang auch eine kleine Anspielung darauf. Aber in meinem Stück geht es um Zugvögel und die Ehrfurcht, die ich jeden Frühling empfinde, wenn ich auf die Bäume klettere und alle diese Vögel begrüße, die von Peru, Brasilien, Mittelamerika und andernorts hierher geflogen sind. Sie tragen meine Seele mit sich fort, indem sie mir die Macht und Harmonie der Naturkräfte zeigen. Wenn man sich diese wunderbaren Geschöpfe vorstellt, wie sie Kontinente und Länder überfliegen, die vom Krieg geschunden und miteinander uneins sind, ist das schon eine Inspiration. Sie sind die wahren WeltbürgerInnen."

the pulse of the earth. It's not complex music. It's very simple, in a way, but when it *lifts* and moves into Donny McCaslin's tenor solo – hopefully, you'll get the feeling of what [the wildlife ecologist] Aldo Leopold called 'navies of birds.' Millions of birds in the sky."

As it was for Ellington, music is Schneider's amanuensis. "More often than not when I write, something comes to me musically and then attaches itself to a memory or a feeling that tells me what the piece is about – in this case, what I know about birds and the different ways I imagine their migration. Birding is something I've done since I was a child growing up in Minnesota, in the country. But I discovered birding in Central Park only a few years ago. During the spring, as the birds come up the East Coast, they see Central Park amid all the cement, and funnel in. It's considered the twelfth-best birding spot in the United States – it's spectacular, the best-kept secret in New York.

"You go out in the morning and you can see as many as seventy species of birds during the day. And you know what birds are starting to come through by what's in the forefront of the collective song, which changes as the migration progresses. The white-throated sparrow has a very pure song, and then when the yellow rumps come through, there's so many of them they block out everything else. It's almost like listening to an orchestra. You're looking at the violas and concentrating on their sound, then you glance over at the percussion and realize "oh,' you've been hearing this beautiful little triangle accent.

"The birders I've made friends with in Central Park are mostly retired older men, including one who used to play French horn in the New York Philharmonic. We'll spot a little magnolia warbler, and I'll say 'My God,' look how perfect!' He'll say 'I know,' and we'll sit there not saying anything for minutes, just looking at it. Until I just start laughing – 'look at us!' But you get so lost in the beauty of the birds and imagining their journey.

"It's such a magical thing, and you feel completely transformed. Then, when I leave the park and start walking home, across Central Park West, it's like being assaulted. I mean, I love living in New York City, but the contrast shows you how much we're battered with sound and ugliness on a everyday basis.

"Messian was the one who knew all the bird songs. I'm not doing that, although I thought about it and maybe there's something like that in the beginning. But my piece is about bird migration and the awe I feel in the spring, when I climb into the trees and say my yearly hello to these birds who have traveled from Peru, Brazil, Central America, and elsewhere. They carry my spirit with them, by showing me how powerful and harmonious the force of nature is. You imagine these magnificent creatures flying across continents, over countries torn by conflict and at odds with one another, and it's an inspiration. They're the ultimate world citizens."

Inspirationen für den Kompositionsauftrag für New Crowned Hope

Obwohl ich schon seit über 20 Jahren in New York lebe, sind mein Herz und meine Seele in der Kleinstadt im südwestlichen Minnesota zurückgeblieben, wo ich aufgewachsen bin. Auf den ersten Blick mag eine offene Prärie- und Farmlandschaft vielleicht langweilig wirken, aber tatsächlich ist sie recht dramatisch, insbesondere im Hinblick auf das Wetter. Eine dramatische Berglandschaft ist wie Bildende Kunst – sie zeigt ihre Schönheit in der Gestaltung. Aber die Schönheit einer Landschaft, die sich im Laufe der Zeit entfaltet, ist wie Musik, ihre Schönheit steckt in der langsamen Entwicklung einer Geschichte. Das Leben in der Prärie wird durch die Jahreszeiten bestimmt. Auch für das wirtschaftliche Überleben richten sich die ländlichen Gemeinden nach dem Wetterbericht, nicht nach der Wall Street. In meiner Lieblingsjahreszeit wird diese isolierte Landschaft geradezu exotisch, da nomadische Besucher vorbeiziehen, die manchmal monatelang bleiben, wenn sie geeignete Unterkunft und Nahrung finden. Es ist der Frühling, und die Reisenden tragen ein besonders spektakuläres und vielfältiges Gewand: Diese Nomaden sind Zugvögel.

Ein Freund aus meiner Kindheit, der noch immer in dieser Gegend als Farmer ansässig ist, hat viel unternommen, um die natürliche Präriebegrasung und die Augebiete wiederherzustellen, von denen das Überleben so vieler Tierarten abhängt. Als ich heuer im Sommer nach Hause kam, inspirierten mich die Vögel, die in großer Anzahl zu seinen Präriefeldern zurückkehrten. Dieser Freund machte mich mit einer seiner eigenen Inspirationen bekannt, mit Aldo Leopold, einem der großen Naturschützer unseres Jahrhunderts. In seinem Buch *A Sand County Almanac* (*Am Anfang war die Erde*) schrieb er einen den Ideen Henry David Thoreaus nicht unähnlichen Essay mit dem Titel *Zurück aus Argentinien*. In diesem Essay fand ich Leopolds Beschreibung des Prärieläufers besonders berührend.

Wenn der Löwenzahn uns zeigt, dass der Mai auf den Weiden von Wisconsin eingezogen ist, ist auch der Moment gekommen, dem letzten Beweis für den Frühling zu lauschen. Setz dich auf ein Grasbüschel, hebe deinen Kopf zum Himmel, blende den Lärm der Wiesenlerchen und Rotdrosseln aus, und bald kannst du es hören – das Fluglied des Prärieläufers, der gerade aus Argentinien zurückkehrt.

Wenn deine Augen stark sind, kannst du den Himmel absuchen und ihn erkennen, wie er mit bebenden Flügeln zwischen den wollig weichen Wolken seine Kreise zieht. Mit schwachen Augen brauchst du es erst gar nicht zu versuchen; schau einfach auf die Zaunpfähle. Bald wird ein Silberblitz dir zeigen, auf welchem Pfahl ein Prärieläufer gelandet ist und seine langen Flügel gefaltet hat. Wer auch immer das Wort ‚Anmut' erfunden hat – er muss gesehen haben, wie dieser Vogel seine Flügel anlegt.

Da sitzt er; seine ganze Haltung sagt dir, dass du dich jetzt aus seinem Reich zurückziehen solltest. Im Grundbuch steht vielleicht, dass das deine Wiese ist, aber der Prärieläufer schließt solch trivialen Rechtskram einfach aus. Er ist gerade 4000 Meilen geflogen, um den Anspruch zu erneuern, den ihm die Indianer verliehen haben, und solange seine Jungen nicht flugfähig sind, gehört die Weide ihm; niemand darf sie betreten, ohne seinen Protest herauszufordern.

In der Nähe brütet das Weibchen vier große, spitze Eier aus, aus denen bald vier Nestflüchter schlüpfen werden. Sobald ihr Daunenkleid

Though I've lived in New York for over 20 years, my heart and soul still reside in a small town in southwest Minnesota where I grew up. An open prairie and farm landscape might seem boring at first glance, but it provides more than its share of drama, especially in the form of weather. A dramatic mountainous landscape is akin to visual art – it displays its beauty in design. But a landscape that presents its beauty through the passage of time is like music – its beauty is in the slow unfolding of a story. On the prairie, one's life is framed by seasons. Even for economic survival, it's the weather report, not Wall Street that the farm community watches. In my favorite season, this isolated landscape turns exotic as nomadic visitors pass through, sometimes staying for some months if they can find suitable homes and food. It's Spring, and they arrive adorned in especially spectacular and varied attire. These nomads are birds.

A childhood friend who still farms there has done much to restore natural prairie grasses and wetlands that so many creatures depend on. Upon returning home this summer, I was inspired by the birds returning in great numbers to his prairie fields. This friend had turned me on to one of his inspirations, Aldo Leopold, one of the great conservationists of our century. In his book, *A Sand County Almanac*, (akin to Thoreau) he wrote an essay called *Back from the Argentine*. In this essay, Aldo Leopold's description of the plover touched my heart.

When dandelions have set the mark of May on Wisconsin pastures, it is time to listen for the final proof of Spring. Sit down on a tussock, cock your ears at the sky, dial out the bedlam of meadowlarks and redwings, and soon you may hear it; the flight-song of the upland plover, just now back from the Argentine.

If your eyes are strong, you may search the sky and see him, wings aquiver, circling among the woolly clouds. If your eyes are weak, don't try it; just watch the fence posts. Soon a flash of silver will tell you on which post the plover has alighted and folded his long wings. Whoever invented the word 'grace' must have seen the wing-folding of the plover.

There he sits; his whole being says it's your next move to absent

trocken ist, flitzen sie schon durch das Gras wie Mäuse auf Stelzen und sind leicht in der Lage, deinen ungeschickten Fangversuchen auszuweichen. Nach dreißig Tagen sind die Jungen ausgewachsen; kein anderer Vogel entwickelt sich so schnell. Im August sind sie bereits erfahrene Flieger, und an kühlen Augustnächten kann man ihre Pfeifsignale hören, wie sie in die Pampas aufbrechen, um wieder einmal die uralte Einheit Nord- und Südamerikas unter Beweis zu stellen. Solidarität zwischen den Hemisphären ist vielleicht unter den Politikern etwas Neues, nicht aber unter den gefiederten Flotten des Himmels.

Glücklicherweise landete ich mitten in Manhattan, nur einen halben Block vom zwölftbesten Vogelbeobachtungsplatz in den Vereinigten Staaten entfernt. Jahrelang war ich mir dessen nicht bewusst, aber zahlreiche Zugvögel fliegen auf dem Weg zu ihren jährlichen Brutplätzen von Mittel- und Südamerika zu uns herauf. Stellen Sie sich den Kappenwaldsänger vor, der sein Gewicht für eine Reise verdoppeln muss, die ihn oft 3000 Kilometer nonstop über den Atlantik führt, bevor er wieder auf dem Lande ausruht. Die Vögel brechen in Peru auf und nisten im Norden bis nach Alaska. Tausende Vögel überfliegen die dicht besiedelte und übervölkerte Ostküste, sehen den Central Park und stürzen sich darauf, um auszuruhen und zu fressen, bevor sie ihr endgültiges Ziel weiter nördlich in Angriff nehmen. Zum Zeitpunkt ihrer Ankunft sind sie zwar hungrig und müde, aber ihre Körper haben wie durch Zauberhand das Paarungskleid angelegt, und der Park wird zu einer Voliere. Es ist eine Frühlingsmodenschau wie keine andere, wenn man tiefer in den Park eindringt und sich genau konzentriert, um diese Vorstellung zu genießen.

Über eines dieser exotischen Geschöpfe zu meditieren heißt seinen Geist an einen Ort zu senden, den man vielleicht aufsuchen würde, fände man eine mysteriöse Flaschenpost. Ich frage sie oft: Woher kommst du? Sprechen die Leute dort Spanisch? Portugiesisch? Hast du je einen meiner MusikerfreundInnen in Brasilien getroffen? Trägst du ihre Musik in dir, Lieder und Töne, die du vielleicht irgendwo aufgeschnappt hast? Welche Klänge und Gerüche sind dir vertraut, wenn du heimkehrst? Wird dein Lebensraum gut versorgt? Wird er noch da sein, wenn du zurückkehrst? Kannst du das Leid unter dir fühlen? Was denkst du dir bei deinem 3000 Kilometer langen Flug, wenn du unter einem sternenklaren, mondhellen Himmel von einer Windströmung zur anderen wechselst? Bist du erschöpft? Du musst furchtbar hungrig sein! Denkst du dir jemals: „Ach Gott, schon wieder Migrationszeit?!" Wie kannst du das alles schaffen? Kannst du mich das lehren? Machst du dir Sorgen, keinen Partner zu finden? Bist du bloß ein Instinktwesen oder ist da noch viel mehr? Und dann frage ich mich, ob die Welt wohl zusammenarbeiten wird, um für diese zerbrechlichen und wundersamen WeltbürgerInnen zu sorgen, die von atemberaubender Schönheit, die SchöpferInnen von Liedern, Tänzen, Bewegungen und beispielhafte Gemeinschaftswesen sind – die inspirierendste Naturkraft, die ich kenne, eine Kraft, die ich seit meiner Kindheit beobachte und die mir heute so rätselhaft ist wie je.

Meine Komposition wurde durch diese Geschöpfe inspiriert. Sie tragen Süd- und Mittelamerika in sich, einen Kontinent, zu dem sich meine Musik seit vielen Jahren hinneigt. Ich hoffe, ihre Vorfreude, dieses Sehnen nach dem Frühling einfangen zu können. Es beginnt mit einem Gefühl der Erde, etwas, das ich mit Brasilien

yourself from his domain. The county records may allege that you own this pasture, but the plover airily rules out such trivial legalities. He has just flown 4000 miles to reassert the title he got from the Indians, and until the young plovers are a-wing, this pasture is his and none may trespass without his protest.

Somewhere near by, the hen plover is brooding the four large pointed eggs which will shortly hatch four precocial chicks. From the moment their down is dry, they scamper through the grass like mice on stilts, quite able to elude your clumsy efforts to catch them. At thirty days the chicks are full grown; no other fowl develops with equal speed. By August they have graduated from flying school, and on cool August nights you can hear their whistled signals as they set wing for the pampas, to prove again the age-old unity of the Americas. Hemisphere solidarity is new among statesmen, but not among the feathered navies of the sky.

Now, in the middle of Manhattan, I fortuitously landed 1/2 block from what's recognized as the 12th best birding spot in the United States. For years, I didn't even realize it. But, in fact, numerous migratory birds fly up the east coast from Central and South America as they head to their annual nesting grounds. Imagine the blackpoll warbler who has to double its weight for a journey that often takes it 3000 km non-stop, up the Atlantic Ocean before it comes back inland and rests. It started as far down as Peru, and some will head as far as Alaska to nest. Thousands of birds flying up the densely populated and overdeveloped east coast, see Central Park, and funnel in for rest and food before heading to their final homes somewhere north of here. By the time they arrive, they may be hungry and tired, but their bodies have transformed magically into full mating plumage, and the park becomes an aviary. It's a Spring fashion show like no other if you go deep in the park and turn yourself inside-out enough to see the display.

To meditate on one of these exotic creatures is to stretch your mind to a place you might go if you came upon some mysterious message in a bottle. I often ask: Where did you journey from? Do the people speak Spanish? Portuguese? Did you ever cross paths with any of my musician friends in Brazil? Do you carry their music in you, songs and sounds you might have picked up? What sounds and smells will feel like home when you return? Is your habitat being cared for? Will it still be there when you go back? Can you feel the suffering beneath you? What on earth are you thinking about on a 3000 km flight in changing winds in a starlit, moonlit sky? Are you exhausted? God, you must be hungry! Is there ever a year where you feel like, "migration again?!" Can you possibly take this all in stride? Can you teach me that? Are you worried about finding a mate? Are you simply a creature of instinct, or is there much more? And then my mind wanders to wondering if the world will collaborate to take care of them, these fragile and miraculous world citizens, creatures of breathtaking beauty, creators of song, dance, movement, examples of community – the most inspiring force of nature I know – a force I've meditated on since childhood, and that still leaves me as mystified now as then.

My piece is inspired by these creatures. They carry with them South and Central America, a place my music has reached out to for many years. I hope to capture the anticipation, the

assoziiere. Ich stelle mir diese ungeheure kollektive Energie vor, die die Vögel fühlen müssen, wenn sie sich instinktiv in großen Scharen versammeln und daraus ihre Kraft beziehen, um auf diese unermessliche Reise aufbrechen zu können. Später versuche ich, mich in das Bewusstsein eines einzigen Vogels innerhalb einer gigantischen fliegenden Gemeinschaft Tausender anderer zu versetzen, die sich stetig durch den stillen Nachthimmel bewegt, nur begleitet vom ewig gleichen Rhythmus des Flügelschlags in der Luft. Schließlich möchte ich den ZuhörerInnen meine Gefühle vermitteln, wenn ich diese bunten Geschöpfe pünktlich im Frühling aus jeder Ecke des Himmels herabsinken sehe, wenn die Kraft der Natur aufbricht, um sie mit reichlicher Nahrung und Schönheit zu begrüßen.

Dem stehen meine Ängste und Sorgen über ihre und unsere Zukunft gegenüber. Aber die Vögel zeigen mir, dass das Undenkbare möglich und die Kraft der Natur stark ist. Dies verleiht mir Hoffnung und Inspiration. Hoffentlich wird der kollektive Instinkt der Selbsterhaltung auch uns irgendwann dazu veranlassen, uns in großen Zahlen zu versammeln, um darin Kraft zu finden, ihre und unsere Zukunft zu schützen und zu sichern. Das ist mein großer Traum, und manchmal ist es schwer, an ihm festzuhalten. Alle diese Gedanken schießen mir durch den Kopf, wenn ich ein paar Minuten lang die Schönheit eines einzelnen Vogels in mich aufnehme. Ich hoffe, dass dies alles in diesem einfachen Musikstück genauso gut zum Ausdruck kommt wie in einem einzelnen, einfachen Vogel. Antoni Gaudí hat gesagt: „Alles kommt aus dem großen Buch der Natur. Menschliche Leistungen sind ein Buch, das schon gedruckt wurde." Ich hoffe, dass meine Komposition jenem Buch der Natur entstammt, das ich mehr liebe und achte als alle anderen.

Maria Schneider

reaching for Spring. It starts with a feeling of earth – something I associate with Brazil. I'm imagining the intense collective energy the birds must feel as they instinctually gather en masse, gaining strength in numbers, preparing to depart on this unfathomable journey. I later try to put myself in the consciousness of one single bird within a huge fluttering community of thousands, moving steadily through the silent night sky, accompanied only by the constant rhythm of wings pushing against air. Finally, I want the listener to feel as I do in Spring when I see these colorful creatures fall, quite on schedule, from every corner of the sky – the force of nature bursting open to welcome them with plentiful resources and beauty.

On the other side of all of this are my fears and concerns about their future and ours. But birds show me that the unthinkable is possible and that the force of nature is a strong one. That gives me hope and inspiration. Hopefully our collective and self-protective instinct will at some point bring us to gather en masse to create strength in numbers, to protect and insure their future and ours. It's a big dream and a difficult one to maintain at times. All these thoughts pass through me when I take some minutes to absorb the beauty of one bird. I hope it will all come through this simple piece of music as it does with one simple bird. As Antoni Gaudí said, "Everything comes from the great book of nature. Human attainments are an already printed book." Hopefully my piece will come from the book of nature that I love and respect more than any other.

Maria Schneider

Rokia Traoré
Wati
Wati

MusikMusic **Rokia Traoré** —

MitWith **Rokia Traoré** undand Band —
Stimme, GitarreVocals, Guitar **Rokia Traoré** — ViolineViolin **Annette Bik*** — N'goniN'goni **Mamah Diabate** —
BegleitstimmeBack Vocals **Charlotte Dipanda** — ViolaViola **Andrew Jezek*** — GitarreGuitar **Adama Koné** —
VioloncelloCello **Andreas Lindenbaum*** — BassBass **Christophe Minck** — SchlagzeugDrums **Michael Notebaert** —
ViolineViolin **Sophie Schafleitner*** — KoraKora **Ballaké Sissoko** — PerkussionPercussion **Oumar Tounkara** —
KlarinetteClarinet **Bernhard Zachhuber*** —
*Klangforum Wien —

Bildbearbeitung und ProjektionPhoto Editing and Screening **Erwan Balanant/Ixtlan** — TonSound Design **Terence Briand** —
LichtLight Design **Vincent Idez** — FotosPhotos **Benoît Peverelli** — ProduktionProduction **Thomas Weill** —

AuftragswerkCommissioned by **New Crowned Hope** —
KoproduktionA co-production of **New Crowned Hope, Wiener Konzerthaus** —

PremierePremiere **3.12.2006, 19:30** —
AufführungenPerformances **4., 5.12.2006, 19:30** —
OrtVenue **Wiener Konzerthaus, Mozart-Saal** —

UraufführungWorld Premiere —

Robin Denselow
Rokia Traoré – Wati
Rokia Traoré – Wati

Es war eine außerordentliche Herausforderung, und mir fällt kaum jemand ein, der in so faszinierender, geistvoller und nachdenklicher Art darauf hätte reagieren können. Wie sollte uns schließlich eine afrikanische Künstlerin neue Einsichten zu Mozart und seiner Arbeitsweise eröffnen, falls er heute leben würde? Rokia Traoré hat das Konzept auf den Kopf gestellt, indem sie Mozart aus Wien herauslöste und ihn in eine noch ältere, aber ebenso kreative und lebendige westafrikanische Kultur verpflanzte, von der die meisten LiebhaberInnen und KennerInnen klassischer europäischer Musik, wie ich vermute, kaum etwas wissen.

Was, wenn Mozart als Griot geboren worden wäre, als Vertreter einer erblichen Linie von Musikern, deren Kunst über Generationen vom Vater auf den Sohn weitergegeben wurde und deren Lieder und Texte das kulturelle Schatzhaus der großen afrikanischen Königreiche waren, die keine Schrifttradition hatten? Und was, wenn Mozart der Griot des großen Soundiata Keita gewesen wäre, der im 13. Jahrhundert das im heutigen Mali gelegene Mandé-Reich begründete? Das mag ein wenig verrückt erscheinen, aber – wie Rokia Traoré erklärt – gibt es einige faszinierende Anknüpfungspunkte: „Mozart erhielt Kompositionsaufträge, und als Kind war er Hofmusiker wie sein Vater – genauso wie die Griots. Natürlich besteht ein Unterschied darin, dass die

It was an extraordinary challenge, and it's difficult to think of anyone else who could have responded in quite such an intriguing, witty and thoughtful way. How, after all, should an African artist bring new insight into Mozart, and the way he might have worked today? Rokia Traoré has dared to turn the entire concept upside down, by removing Mozart from Vienna and placing him in an even more ancient, but equally creative and vibrant West African culture, and one that I suspect most enthusiasts and students of Western classical music know very little about.

What if Mozart had been born as a griot, from a line of the hereditary musicians whose skills have for generations been handed on from father to son, and whose songs and whose writings acted as the cultural store-house of the great African kingdoms who had no written tradition? And what if Mozart had been the griot for the great Soundiata Keita, who founded the Mandé empire, centred in what is now the African state of Mali, back in the thirteenth century? That may seem a wild idea, but as Rokia Traoré explains, there are some fascinating comparisons to be made. "Mozart was commissioned to write pieces, and when he was a child he worked as a musician in the courts like his father – just like the griots would do. There was a difference of course, in that the griots don't write music down.

Griots ihre Musik nicht aufschreiben. Sie hören sie bloß und spielen sie nach. Aber eines von Mozarts Talenten bestand darin, dass er das auch konnte!"

Mozart nach Mali zu verpflanzen ist nur eine der überraschenden Ideen in Rokias neuer Arbeit. Sie möchte, dass die ZuhörerInnen die Geschichte selbst entdecken, also sollte ich bloß sagen, dass eine unterhaltsame, wenn auch unwahrscheinliche Erzählung auf sie wartet, die sowohl mit dem alten Mali als auch dem modernen Wien zu tun hat, und dass sich andere historische Persönlichkeiten Mozart anschließen werden, wie etwa die legendäre Sängerin Fanta Demba aus Mali oder Billie Holiday. Dazu stellt sich Rokia auch Fragen über Wesen und Bedeutung von Zeit und Wirklichkeit und die Einstellung, die ein heute lebender Mozart zur afrikanischen Musik gehabt hätte.

„Ich weiß nicht, ob sie ihm gefallen hätte oder nicht", meint sie, „aber ich bin sicher, dass er versucht hätte, mehr darüber herauszufinden. Er komponierte komplizierte Musik, die wegen ihrer Themen und der darin aufgegriffenen Probleme unter großen Teilen der Gesellschaft populär war. Er war ein Erneuerer, und Menschen, die meinten, dass die klassische Musik nur dem Adel und den oberen Schichten vorbehalten sein sollte, haben Mozart nicht verstanden!" Dabei fordert sie das Publikum auf, zeitgenös-

They just hear it and play it. But one of Mozart's qualities is that he could do that, too!"

Placing Mozart in Mali is just one of the startling ideas in Rokia's new work. She wants audiences to discover the story for themselves, so I should simply say that they should expect a delightful if unlikely narrative that involves both ancient Mali and present day Vienna, and that Mozart is joined by other historical figures that range from the legendary Malian singer Fanta Demba to Billie Holiday. In the course of all this she raises questions about the nature and importance of time and reality, and the way in which Mozart, if alive today, might have considered African music.

"I don't know if he would like it or not", she said "but I'm certain that he would have tried to find out about it. He was someone who composed elaborate music that was popular for its themes and the issues it raised amongst a wide spectrum of society. He was an innovator, and people who thought that classical music should be reserved just for nobles and high class society didn't understand Mozart!" In the process, she is surely course asking her audience to consider African music, both modern and ancient, against the great European classical tradition. "I don't want to make a comparison between the two cultures" she said.

sische wie alte afrikanische Musik der großen klassischen Tradition Europas gegenüberzustellen. „Ich möchte keinen Vergleich zwischen den beiden Kulturen anstellen", sagt sie. „Ich achte Mozarts Musik ebenso wie jene Malis. Für mich ist keine besser als die andere. Sie sind gleich gut – aber viele Menschen, die die westliche Kultur kennen, glauben nicht, dass die Musik Afrikas dasselbe Niveau hat."

Rokia hat den Mut, dieses Thema aufzugreifen, weil sie mit beiden Musikarten – und noch vielen anderen – aufgewachsen ist. Ihr Vater war ein Diplomat aus Mali (und Hobbysaxofonist), der seine Familie mitnahm, wenn er in die USA, den Nahen Osten

"I respect Mozart's music just as I respect Malian music. For me, one is not better than the other. They are equally good – but many people who know about Western culture don't think of African music as being on the same level".

Rokia has the bravery to tackle a subject like this because she grew up listening to both types of music – and a lot more besides. Her father was a Malian diplomat (and sometime saxophone player) who took his family with him on his postings to the USA, the Middle East, and Europe, where Rokia later became a student, studying social sciences in Brussels. She listened to

oder nach Europa entsandt wurde, wo Rokia später Sozialwissenschaften studierte (nämlich in Brüssel). Sie hörte afrikanische Musik, Rap (sie war eine Zeit lang Mitglied einer Rap-Band) und eben Mozart. „Als ich in Europa aufwuchs, lernte ich Mozart kennen", meint sie, „und ich war von diesem Komponisten beeindruckt und versuchte mir vorzustellen, was für ein Mensch er wohl gewesen sei. Jemand mit soviel musikalischer Intelligenz war für mich wie ein Traum, und Mozart war Teil meiner Träume." Nur durch die Flucht in diese Träume und die „fantastische, persönliche Welt in meinem Kopf" konnte sie Mozart nach Afrika transponieren und eine Situation schaffen, in der ihre musikalischen Helden und Heldinnen aus verschiedenen Jahrhunderten und Kontinenten aufeinander treffen.

Ihre eigene musikalische Karriere führte ebenfalls zu einer unerwarteten Vermischung von Kulturen und Stilrichtungen. Sie entstammt zwar keiner Griot-Familie, träumte aber schon während ihrer Zeit in Europa davon, „Musikerin zu werden. Nicht Jazz, nicht Pop, nicht klassisch, sondern etwas Modernes, aber unter Einsatz traditioneller afrikanischer Instrumente." Das konnte sie natürlich nicht in Belgien tun, also kehrte sie nach Mali zurück, um ihren eigenen Stil zu finden. Das war nicht leicht. Die lokalen Musiker misstrauten ihren Plänen. Schließlich hatte sie keine vertiefte musikalische Ausbildung genossen, wollte aber die traditionelle Laute Malis, die kleine und schroff klingende N'goni, mit dem Balafon, dem westafrikanischen Xylofon, mischen – eine sehr unübliche Kombination. Ihren ersten Erfolg feierte sie dann auch nicht in Mali, sondern in Frankreich. Sie wurde zum Festival von Angoulême eingeladen, wo man sie als „afrikanische Entdeckung des Jahres 1997" feierte. Innerhalb eines Jahres nahm sie ihr erstes Album auf, ging auf Konzertreise und erwarb sich Bekanntheit in Europa und Nordamerika, obwohl sie in ihrer Muttersprache Bamana sang und ihre Texte sich mit oft so kontroversen Themen Afrikas befassen wie Kindheit, Schicksal und die Grenzen des Respekts gegenüber Traditionen.

Sie lebt in zwei Welten und bleibt in vieler Hinsicht eine Außenseiterin – ganz einfach deshalb, weil sie es gewagt hat, so originell zu sein. In Mali wird sie hoch geachtet, hat aber keine so große Anhängerschaft wie in Frankreich, „weil mein Publikum aus

African styles, rap (she was at one time a member of a rap band), and to Mozart. "I knew about Mozart, when I was growing up in Europe", she said "and I was amazed by this composer and tried to imagine what he was like as a human being. Someone so musically clever was like a dream to me, and Mozart was part of my dreams". It was only by escaping into those dreams and the "fantastic, personal world in my mind" that she was able to move Mozart to Africa and create a situation where her musical heroes from across the centuries and continents could actually come together.

Her own musical career has also involved an unexpected mixing of cultures and styles. She is not from a griot family, but while she was in Europe she had "this dream of being a musician. Not jazz, not pop and not classical but something contemporary, but making use of traditional African instruments". She obviously couldn't do that in Belgium, so she went back to Mali to invent her own style It wasn't easy. Local musicians were suspicious of her plans. After all, she had little musical training, yet was determined to mix the traditional Malian lute, the small and harsh-edged n'goni, with the balafon, the West African xylophone – not a normal combination. When she did become a success, it was not in Mali but in France. She was invited to play at the Angouleme Festival and was hailed as "the African discovery of '97." Within a year she had recorded her first album, and begun to give concert tours and establish her reputation across Europe and North America, though she was singing in her native Bamana language and her lyrics dealt with such often-controversial African topics as childhood, fate, and the limits of respect for tradition.

She lives in two worlds and in many ways she remains an outsider, simply because she has dared to be so original. Back in Mali she is highly respected yet she doesn't have the same following that she enjoys in France "because my audience is people who have been to Europe or listen to jazz or foreign world music. People who stay in Mali can't understand what I'm trying to do. Not because it's on too high a level, but I need a chance to explain it to my audience. But it's hard to get access to TV" In Mali, as elsewhere in Africa, local TV stations have little resources,

Menschen besteht, die in Europa waren oder Jazz oder fremdländische World Music hören. Menschen, die immer in Mali gelebt haben, verstehen nicht, was ich zu tun versuche. Nicht weil das Niveau zu hoch wäre, aber ich müsste es meinem Publikum erklären können. Doch es ist schwierig, ins Fernsehen zu kommen ..." In Mali wie andernorts in Afrika haben lokale TV-Stationen nur geringe Finanzmittel, müssen aber mit den internationalen Kanälen konkurrieren, die die ZuhörerInnen im Land über Satelliten mit westlichen Popvideos überfluten.

Mit ihrem letzten Album ist es ihr wieder gelungen, ihr Publikum anspruchsvoll zu überraschen. Das vor drei Jahren erschienene Album *Bowmboï* enthält einige ihrer besten Gesangsnummern sowie mehrere ihrer experimentellsten Arbeiten: Zwei Songs werden von den beiden Violinen, der Viola und dem Violoncello des risikofreudigen Kronos Quartets aus Amerika begleitet. Und falls dies Verwunderung bei ihren afrikanischen AnhängerInnen wie auch ihren Fans unter den musikalisch manchmal recht konservativen World-Music-FreundInnen auslöste – nun, dann wird dieses neue Projekt *Wati* (*Zeit*) für New Crowned Hope wahrscheinlich noch mehr Kontroversen und Interesse hervorrufen.

Natürlich besteht ihre Begleitband aus AfrikanerInnen, die ihre geliebte N'goni und „vielleicht" das Balafon spielen, „weil es anders gestimmt ist als die europäischen Instrumente, also hätte ich gern, dass es zum Gedenken an Mozart erklingt". Zu ihnen gesellt sich das berühmteste Instrument Malis überhaupt, die harfenartige Kora, die traditionell von den Griots verwendet und hier von einem ihrer führenden Interpreten gespielt wird, dem Mali-Griot Ballaké Sissoko. Zusätzlich wird es noch europäische Instrumente geben – Violine, Viola und Klarinette. Worin besteht also der Reiz in der Zusammenstellung eines so unwahrscheinlichen, kleinen Orchesters? Wiederum spiegelt sich hier Rokias Herkunft, ihr Leben und Arbeiten in zwei Welten, „denn wenn ich in einem Song einer Violine zuhöre und in einem anderen einer N'goni, heißt das bloß, dass ich die beiden Klänge zusammenbringen will. Ich möchte herausfinden, was dann geschieht."

Verschiedene Kombinationen dieser Instrumente untermalen Rokias Stimme in einer gleichermaßen unerwarteten wie mutigen Reihe von Songs. Es gibt klassische Griot-Lieder, die in die Zeit Soundiata Keitas zurückreichen, und Lieder aus ihrer eigenen ethnischen Gruppierung aus dem Königreich Bamana sowie Lieder aus den Repertoires von Fanta Demba wie der großen Jazz- und Bluessängerin Billie Holiday. Außerdem gibt es Originalkompositionen von Rokia, wobei Material aus ihren früheren Alben mit neuen Songs gemischt wird, die – wie sie verspricht – akustisch, aber „mehr funky sein werden als in der Vergangenheit".

Es verspricht eine faszinierende Arbeit zu werden, sowohl aufgrund der ganz unterschiedlichen Musikarten als auch der originellen Geschichte. Ein Teil des Auftrags an Rokia bestand darin, dass sie eine moderne Neuinterpretation der Themen liefern sollte, die Mozart im letzten Jahr seines kurzen Lebens beschäftigten – Magie und Transformation (*Die Zauberflöte*) sowie Wahrheit und Versöhnung (*La clemenza di Tito*). Dabei blickt Rokia erneut auf afrikanische Glaubensvorstellungen und Traditionen zurück und erinnert ihr Publikum daran, dass die Welt der Magie und der Geister in vielen Teilen Afrikas eine weit größere Rolle im Alltagsleben spielt als im Westen. Dabei erzählt sie auch alte Geschichten aus Mali über den großen Soundiata Keita, eine historische Persönlichkeit, die eines der größten Königreiche in Afrikas Geschichte begründete. Nach den Legenden der Mandé erst, nachdem Soundiata Keitas verkrüppelter Körper mit Hilfe eines eisernen Zauberstabs verwandelt worden war. „Es ist Tatsache, dass das Mandé-Reich bestand", meint Rokia, „aber natürlich weiß niemand, ob diese alte Geschichte wahr ist."

Das hätte Mozart sicher interessiert und erfreut.

but have to compete with the international satellite stations constantly pumping pop videos from the West into the country.

She challenged and surprised her audience once again with her last album. *Bowmboï*, released three years ago. It included some of her finest singing to date, and also some of her most experimental work, for she was joined on two songs by the violins, viola and cello of that highly adventurous American string ensemble, the Kronos Quartet. And if that raised eyebrows both among her African followers and her devotees among that sometimes musically conservative group, World Music fans, then she promises to cause even more controversy and interest with this project for New Crowned Hope.

She will of course make be backed by an African band, featuring her beloved n'goni and "maybe" the balafon "because it's not in the same tuning as European instruments, so I'd like it played for a commemoration of Mozart". They will be joined by the most famous Malian instrument of them all, the harp-like kora, which is traditionally used by the griots and will be played here by one of its finest exponents, the Malian griot Ballaké Sissoko. Then there will be the European instruments – the violin, viola and the clarinet. So what is the attraction of bringing such an unlikely little orchestra together? Once again, it's a reflection of Rokia's background, living and working in two worlds "because when I'm listening to a violin in one song and then an n'goni in another, I just want to put the two sounds together. I'm interested in finding out what happens"

Different combinations of these instruments will back Rokia for an equally unexpected and daring selection of songs. There will be the classic griot songs that date back to the Soundiata Keita era, of course, along with songs from her own ethnic group, from the Bamanan kingdom, and others from the repertoires of Fanta Demba, and from the great jazz and blues star Billie Holiday. Then there will be songs composed by Rokia herself, with material from some of her earlier albums matched against new songs which, she promises, will be acoustic but "funkier than in the past".

It promises to be a fascinating work, both in terms of the wildly varied music and the equally unexpected story line. Part of Rokia's brief was that she should provide a contemporary re-interpretation of the themes that intrigued Mozart in the final year of his short life – magic and transformation (*The Magic Flute*) and truth and reconciliation (*La clemenza di Tito*). In doing so, she looks back, once again to African beliefs and traditions, reminding her audience that in much of Africa, the world of magic and the spirits is far more a part of everyday life than it is in the West. In the process, she re-tells the old Malian stories that surround the great Soundiata Keita, a historical figure who built one of the greatest kingdoms in African history, but did so – according to Malian legend – after his crippled body was transformed with the help of a magic iron bar. "It's true that the Mandé empire existed", said Rokia, "but of course no-one knows if there's any truth to the old story."

Mozart would surely have been intrigued and delighted.

Bowmboï

Einen Reichen und Ehrenwerten hättest Du Dir wählen können,
Bevorzugt hast Du mich, den Armen.
Du bist das Schönste, was ich habe,
Mein Liebstes auf der Welt.

Kékéré-ké

Der Vogel singt vom Unheil,
Aber ich glaube an die Zukunft,
Eine weit entfernte Zukunft, in der wir den Frieden kennen werden.
Doch einstweilen
Schütze Gott das Kind des Armen.

Déli

Niemand kann die menschlichen Gefühle beherrschen.

Jemand schlägt Freundschaft vor,
Mich beunruhigt ihre Kurzlebigkeit.
Die Verbindungen, die wir schaffen, ändern sich mit den Umständen.
Also wird die Freundschaft nur edel durch Fortbestand und
Ausschließlichkeit.

Versuch es mit der Brüderlichkeit, flüstert man mir zu,
Sie fordert viele Opfer.
Würde sich jeder ihren Regeln unterwerfen, die ebenso edel wie schwierig
und anspruchsvoll sind?

Wenn wir nicht eine Lebensweise finden, die über allem steht,
Unerreichbar, ausreichend, allmächtig,
Um auf dieses einzigartige Abenteuer zu verzichten,
Das da lautet: ein Mensch unter Menschen sein,

Gibt es hier auf der Welt einen Zufluchtsort?

Manian

Diese Kinder mit reichen Eltern,
Was haben sie denn gestiftet?

Man hat ihre Hände mit sauberem Wasser gewaschen
Und die meinen mit Öl.
Deren Hände zuerst an der Sonne trockneten,
Die wurden am besten bedient.

Ich irre durch die Straßen,
In der Hoffnung, dass meine Hände eines Tages trocknen mögen.

Wati

Die Zeit vergeht,
Sandburg,
In Bamako, Staubburg,
Eine Welle, ein Windstoß
Und mein Königreich fliegt davon.

Jeder Sonne ihre Farbe.
Manchmal bin ich stark,
Manchmal bin ich elend.

Bloß eine Welle
Und unsere Träume fliegen davon.

Die Zeit vergeht,
Majestätisch,
Gnadenlos,
Gleichgültig,
Die Gegenwart ist eine Gewissheit.
Das Gestern ist Teil der Vergangenheit,
Das Morgen ist nur Träume, Hirngespinste, Ungewissheiten.

Rokia Traoré

Bowmboï

You could have chosen a rich and honorable man,
You preferred me, who am poor.
You are the most beautiful thing I have,
The dearest thing I have in the world.

Kékéré-ké

The bird sings of misfortune,
But I believe in the future,
A faraway future when we will know tranquility.
But in the meantime
God protect the poor man's child.

Déli

No one can master human emotions.

Someone suggests friendship,
What troubles me is its brevity.
The connections we make change with the circumstances.
So friendship only becomes noble through continuation and
exclusiveness.

Try it with brotherly love, they whisper to me,
It demands many sacrifices.
Would everyone subject to its rules which are as noble as they are
complex and exacting?

Short of finding a way of being that is above all,
Inaccessible, sufficient, all-powerful
To forgot this unique adventure
That is to be a human among humans,

Is there a refuge down here?

Manian

These kids who have rich parents,
What have they given in donation?

Their hands were rinsed with clear water
And mine with oil.
Those whose hands first dried in the sun
Were served best of all.

I wander through the streets
Hoping that one day my hands may dry.

Wati

Time passes,
Sand castle,
In Bamako, dust castle,
A wave, a gust of wind,
And my kingdom is blown away.

To each sun its color.
Sometimes I am powerful,
Sometimes I am miserable.

Just a wave
And our dreams are blown away.

Times passes,
Majestic,
Pitiless,
Indifferent,
The present is a certainty.
Yesterday is part of the past,
Tomorrow is just dreams, fantasies, uncertainties.

Rokia Traoré

Meskerem Assegued

Green Flame
Green Flame

AusstellungExhibition —

KuratorinCurator **Meskerem Assegued** —

Künstlerhaus —
Untitled #2 —
Bildende KünstlerinVisual Artist **Julie Mehretu** — TonkünstlerSound Artist **Stephen Vitiello** —
Mud & Straw —
Bildender KünstlerVisual Artist **Elias Sime** —

KUNSTHALLE wien project space —
Offerings —
Bildende KünstlerVisual Artists **Ernesto Novelo** — **Sergio Pech** — **Reinaldo Pech** —
MusikerMusicians — VibrafonVibraphone **Mulatu Astatke** — MbiraMbira **Albert Chimedza** —
Tute Chigamba — **Tinashe Mukumbi** — **Richard Gadzikwa** —

ProjektleitungProject Manager **Ina Ivanceanu** — ProduktionProduction **New Crowned Hope** —

In Kooperation mitIn cooperation with **KUNSTHALLE wien** —

EröffnungOpening Event **16.11.2006** —
Ausstellung geöffnetExhibition open **17.11.–13.12.2006** —
OrtVenue **Künstlerhaus** undand **KUNSTHALLE wien project space** —
Eintritt freiFree —

ÖffnungszeitenOpening Hours **Künstlerhaus** —
TäglichDaily **12:00–20:00** — DonnerstagThursday **12:00–21:00** — Täglich VeranstaltungenDaily Events **18:00–19:00** —
während dieser Zeit bleibt die Ausstellung geschlossenthe exhibition closes for the daily events of the festival center —

ÖffnungszeitenOpening Hours **KUNSTHALLE wien project space** —
Dienstag–SamstagTuesday–Saturday **16:00–24:00** — Sonntag, MontagSunday, Monday **13:00–19:00** —

Maurice Taonezvi Vambe, Abebe Zegeye

Green Flame: Wiedergewonnene Erinnerungen
Green Flame: Recovering Memories

Ab welchem Moment wird das Wiedergewinnen von Erinnerungen in unserem Leben wichtig? Von welchem Ort aus werden Erinnerungen wiedergewonnen und durch wen?

When does the issue of recovering memories become important in our lives? From where are memories recovered? By whom?

Green Flame ist eine internationale Ausstellung über das Wiedergewinnen menschlicher Stimmen durch verschiedene Kunstformen. Die AusstellungsmacherInnen wollen sicherstellen, dass das, was wir unsere Erinnerungen nennen, wirklich und wahrhaftig die unsrigen sind. In einer Zeit, in der die Hochtechnologie die Macht der menschlichen Fantasie zu ersticken droht, wird es immer wichtiger, der menschlichen Stimme in uns zu lauschen. Um diese hochgesteckte Idee umzusetzen, haben sich die OrganisatorInnen von Green Flame bemüht zu erforschen, wie menschliche Erinnerungen eingesetzt werden können, um einer Welt Hoffnung zu vermitteln, die von Katastrophen wie Dürre, Krieg und Hunger verstört ist. Es ist die Botschaft von Green Flame, dass das Leben mehr in sich birgt als Krieg oder das, was uns sonst geboten wird. Aus diesem Grund wird die Kunst der alltäglichen Botschaften des Friedens, der Hoffnung und ein Lob der Vielfalt und Kreativität des Lebens präsentieren und anregen. Diese neue Kunst der Hoffnung ist nicht jene, die wir üblicherweise mit moderner Literatur, dem Hollywoodkino und

Green Flame is an international exhibition for the recovery of human voices through various forms of art. The organizers want to make sure that what we are calling our memories are really and authentically ours. In an age in which very high technology threatens to smother the power of human imagination, the need to listen to the human voice inside us becomes more important. In order to achieve this noble idea, the organizers of Green Flame have devoted their energies to exploring how human memories can be used to infuse a sense of hope in a world otherwise bewildered by calamities such as drought, war and hunger. The message from Green Flame is that there is more to life than war, or than has been acknowledged. For this reason, the art of the ordinary is going to showcase and promote messages of peace, hope and the celebration of life's diversity and creativity. This new art of hope is not the usual one that we have come to identify with high modernity fiction, Hollywood cinema and the cyberspace. This new art exists at alternative spaces. These spaces appear in the form of mud huts,

dem Cyberspace identifizieren – sie existiert in alternativen Räumen. Diese Räume erscheinen in Form von Lehmhütten, dem Klang der Mbira, menschlichen Träumen, Trommeln, Liedern, Musik, der Verehrung der Vorfahren, Geistermedien, Kleidung, Graffiti, Grabstellen, Legenden und Ursprungsmythen.

Eine der wichtigen Innovationen von *Green Flame* liegt in der bewussten Entscheidung, Volkskunst mit technologisch hoch entwickelten Kunstformen zu verbinden, bei denen Insektenstimmen aufgenommen und anlässlich der Wiener Ausstellung präsentiert werden – dies, weil die afrikanische- und Maya-Kunst im Westen nicht so bekannt ist, oder wenn ja, nicht verstanden wird. Sie darf nicht mit ihrer eigenen Stimme über ihre eigenen Erfahrungen sprechen. *Green Flame* will dafür sorgen, dass die KünstlerInnen selbst in die Ausstellung einbezogen werden und dabei von der Kunst anderer Kulturen lernen können, damit Kunst letztlich international wird.

Die Kuratorin Meskerem Assegued ist sich bewusst, dass lokale Wissenssysteme in den jeweiligen Ländern prächtig gedeihen. Sie ermöglichen es Menschen, sich weit über ihre geistigen Grenzen hinweg zu träumen. Sie schaffen ideale, aber

the mbira sounds, human dreams, drumming, song, music, ancestor veneration, spirit mediums, dress, graffiti, gravesites, legends, and myths of origins.

One of the major innovations of *Green Flame* is its conscious decision to include indigenous art with technologically advanced forms of art where the sound of insects are recorded and presented at the exhibitions to take place in Vienna, Austria. This gesture is well meant because African and Mayan art is not known in the West. If it is known it is however not well understood. It is not allowed to speak of its experiences in its own voices. *Green Flame* wants to make sure that those artists will be involved in the exhibition themselves. As they do so, they will also learn from the art of other cultures, so that eventually art becomes international.

The curator, Meskerem Assegued is aware that indigenous knowledge systems thrive in their respective lands. They enable the people to dream far beyond their spiritual borders. They create ideal forms of life that are attainable. For that matter, the art is the forbearer of new vision, and possibly a continuation as well as a new beginning in the process of rethinking what it

erreichbare Lebensformen. Die Kunst ist dabei Bote einer neuen Vision und vielleicht eine Fortsetzung wie auch ein neuer Anfang im Versuch zu überdenken, was es bedeutet, ein Mensch zu sein und auf ein besseres Morgen zu hoffen. Die Höchstleistungen der Volkskunst vermitteln der Welt eine Vielfalt verschiedener Gefühle und Erinnerungen, die auch in mündlicher Form, etwa als Volkssagen, ihren Ausdruck finden.

is to be human, to be hopeful for better tomorrows. The highlights on indigenous art make the world aware of a wealth of different emotions and memories that present themselves in oral forms such as folktales.

Working towards establishing a theoretical perspective on curated indigenous art in a European capital would be the richer

Die Erarbeitung einer theoretischen Perspektive für kuratierte Volkskunst in einer europäischen Hauptstadt ist wohl umso erfolgreicher, je mehr sie sich auf die Bedingungen und sozialen Beziehungen konzentriert, unter denen diese Kunst außerhalb ihrer eigentlichen Heimat geschaffen, verbreitet und konsumiert wird. Sie sollte jungen Menschen, insbesondere Schulkindern, nahe gebracht werden, damit diese nicht nur an der Sinnstiftung in der kuratierten Kunst teilhaben, sondern auch lernen, dass die Welt durch ein einziges Wort – nämlich Kunst – zu einem guten Zweck vereint werden kann. Auch kann nicht von *Green Flame* und der Förderung von Kunst als Welterbe gesprochen werden, ohne die Rolle von Intellektuellen in den jeweiligen Ursprungsländern der Kunstwerke aufzuwerten.

Die BesucherInnen der Ausstellung werden gewiss aufregende Überraschungen erleben; sie erfahren etwas über die Komplikationen in den Ideologien der menschlichen Erinnerung als authentische lokale Wissenssysteme, da sich diese aus den Herausforderungen an die Vermittlung von Erinnerung durch mündliche Tradition ergeben. Außerdem werden die BesucherInnen mit realen und potenziellen Möglichkeiten der Kontamination und Hybridisierung von lokalen Wissenssystemen konfrontiert, wenn sich diese mit Kunst aus technologisch fortgeschrittenen Kulturen verquicken. Bildende KünstlerInnen, KlangkünstlerInnen, MusikerInnen und darstellende KünstlerInnen sind in einen Austausch ihrer Wissenssysteme eingebunden. In der Ausstellung *Green Flame* werden lokale Wissenssysteme in ihrer Veränderlichkeit präsentiert, indem sie sich als Hoffnungsträger für eine vielfältige Zukunft manifestieren.

Eine Reihe von Kunstschaffenden aus Afrika, Mexiko, den USA und Europa beteiligen sich an *Green Flame*. Einer von ihnen ist Albert Chimedza aus Zimbabwe. Sein Schwerpunkt ist die Mbira. Alberts Arbeiten sind komplex. Man kann sie als „Industriekomplexkunst" bezeichnen, die in Heimarbeit geschaffen und aufgeführt wird. Im August besuchte ich Albert im Highlands-Bezirk von Harare. Die vielfältigen Begabungen Albert Chimedzas sind faszinierend: Er stellt in seiner Werkstatt zu Hause Mbira-Instrumente her, produziert und managt eine Band, die Mbira spielt, ist Dichter und Filmemacher. Heute wird nicht mehr die Frage gestellt, was Europa Afrika gebracht hat. In der durch

if it focuses on the conditions and social relations under which the art is produced, circulated and consumed outside its respective homes. It would introduce the young, mainly school-goers to not only participate in the making of meanings out of curated art, but also to appreciate that the world can be united for good purposes by one word: Art. It would also appear to be inconceivable to speak of *Green Flame* and its promotion of art as a world heritage without re-valuing the role of indigenous intellectuals.

Those of the audience who have the opportunity to visit the exhibition will no doubt be treated to exciting surprises; they are exposed to the complications of the ideologies of human memories as authentic indigenous knowledge systems as these arise out of the challenges of mediation of memory through the oral genres. The visitors also come face to face with the reality and possibilities of contamination and hybridization of indigenous knowledge systems as they are mingled with art from technologically advanced cultures. Visual artists, sound artists, musicians and performers are implicated in sharing their knowledge systems. In *Green Flame*, indigenous knowledge systems are represented in their changeableness as they manifest themselves as beckons of hope for varied futures.

A number of artists from Africa, Mexico, USA and Europe take part in *Green Flame*. There is Albert Chimedza from Zimbabwe. His main highlight is the mbira. Albert's work is complex. One can easily call it an industrial complex art made, and performed as cottage industry. In August I was in Harare, at Albert's place in Highlands. One is struck by the multiple talents that Albert Chimedza possesses. He makes Mbira instruments in the workshop at his own home. He produces and manages a band that plays the mbira. He is a poet and filmmaker. Time is gone when the questioned used to be asked about what Europe brought to Africa. In the art of mbira typified by Albert's initiative and creativity, we are now bound to restate more forcefully that Africa can contribute significantly to world culture. That contribution is material in that Albert employs families that are able to look after their own. But the contribution is also spiritual if we go by the conventional

Alberts Initiative und Kreativität verkörperten Mbira-Kunst müssen wir nun erneut bekräftigen, dass Afrika einen großen Beitrag zur Weltkultur leisten kann. Dieser Beitrag ist einerseits materiell, da Albert Familien beschäftigt, die damit in die Lage versetzt werden, selbst für sich zu sorgen. Aber dieser Beitrag ist auch spiritueller Art, wenn wir – wie dies gängig ist – annehmen, dass der Wohlstand einer Nation nach der Lebendigkeit und Vitalität ihrer Künste beurteilt werden muss.

Elias Sime aus Äthiopien bringt eine ganz andere Dimension in die Kunst ein – er bestätigt die Binsenweisheit, dass Äthiopien der Kornspeicher lebendiger Erinnerungen ist. Als wir im März 2006 Äthiopien besuchten, waren wir von etwas sehr fasziniert, was man als Lehmkuppeln bzw. Lehmhäuser bezeichnen könnte. Durch eine genaue Betrachtung dieser Lehmhäuser wurde unsere Fantasie angeregt, so dass wir in geistige Bereiche vordrangen, wo Elias' Kunst uns zwang, uns der Schönheit der Träume zu stellen. Wir erinnern uns an mehrere dieser hoch aufragenden Lehmkuppeln, die von Elias' Werkstatt aus unübersehbar waren. Uns beeindruckte die einfache und doch komplexe Weise, in der die Lehmkuppeln die äthiopische Realität einfingen. Diese Kunst sagt, dass Afrika nie ein Armutskontinent war. Symbole der Fruchtbarkeit, Üppigkeit, Fortpflanzung und Schöpfung waren in einer Art mit-

wisdom that a nation's well-being is judged by the vibrancy and vitality of its arts.

Elias Sime from Ethiopia brings a very different dimension to art and his is one that affirms the truism that Ethiopia is the granary of vibrant memories. When we visited Ethiopia in March 2006, we were astounded by what came across to us as the mud domes or houses. From a close analysis of the mud house one was transported by the imagination to areas which Elias's art forces us to confront the beauty of dreaming. We remember several of those mud domes towering, insisting to be seen from where Elias' workshop is located. What struck one was the simplicity and yet complex ways in which the mud domes engaged the reality of Ethiopia. Here was art saying that Africa was never a continent of poverty. Symbolism of fertility, fecundity, reproduction and production were yoked together in ways that made one to ask why Africa has not decided to dig deeper into cultural memory bank in order to suggest alternative ways of doing things in the present.

Another important artist whose work is going to be shown in Vienna is Mulatu Astatke. The uniqueness of his own art is the capacity to appropriate the cultural resources of American

einander verbunden, die uns fragen ließ, warum Afrika nicht tiefer auf seinen kulturellen Erinnerungsfundus zurückgreift, um viele Dinge auf andere Art und Weise zu tun, als sie heute getan werden.

Ein weiterer Künstler, dessen Arbeit in Wien gezeigt wird, ist Mulatu Astatke. Die Einzigartigkeit seiner Kunst liegt in der Fähigkeit, sich die kulturellen Ressourcen des amerikanischen Jazz anzueignen und sie mit jenen seines Heimatlandes Äthiopien zu verschmelzen. Das Ergebnis ist eine dynamische Synthese, deren Authentizität durch Kontamination entsteht. Als kulturelles Phänomen ist die kulturelle „Unreinheit" eine Conditio sine qua non der modernen Kunst geworden. Diese progressive Botschaft kommt auch in den Arbeiten von Julie Mehretu und Stephen Vitiello zum Ausdruck. Ich hatte noch nie von jemandem gehört, der Klänge auf einer Wand „zeichnen" konnte. Aber Mehretu und Vitiello bestehen darauf, dass der „nicht bedeutungstragende" Aspekt des Klangs tatsächlich auf der Wand darstellbar ist. Ihre Versuche erzeugen etwas, das nicht als abstrakte Kunst klassifizierbar ist, da abstrakte Kunst heutzutage für eine dekadente Kunstbewegung steht, die von Europa ausging. Stattdessen deuten Mehretus und Vitiellos Beiträge zur Kunst eine Möglichkeit an, dass man das Leben auf andere Art darstellen könnte. Diese neue Art erlaubt es uns nicht, in bequemen Zonen zu verharren. Es geht vielmehr um eine suchende Kunst voller vielfältiger Wege zum Sinn.

jazz and fuse it with that of his home country, Ethiopia. The result is a dynamic synthesis whose main signature of authenticity is contamination. As a cultural phenomenon, cultural "impurity" has become the condition of existence of modern art. This progressive message is further captured in the work of Julie Mehretu and Stephen Vitiello. In my life I had not heard of any one who could "draw" sound on the wall. But here is Mehretu and Vitiello insisting that the "non-signifying" aspect of sound can actually be captured on the wall. What emerges with that endeavour is not describable in terms of abstract art. For abstract art has become in our age, the name of that movement of decadent art which originated in Europe. Instead Mehretu's and Vitiello's contributions alert us to the idea that there are alternative ways of representing life. These new ways do not allow us to live in our comfort zones. It is a searching art, replete with multiple ways to meaning.

Ernesto Novelo, Sergio Pech and Reinaldo Pech bring the spirit of Mexico and in particular the spirit of their ancestors to Vienna. The rich and sophisticated Mayan culture and tradition is little known to the rest of the world. By creating images that are spontaneous based on their personal experiences, these artists from Yucatan, Mexico are introducing something natural and new to the modern art world. This exciting practice of art is what makes *Green Flame* unique.

Ernesto Novelo, Sergio und Reinaldo Pech bringen den Geist Mexikos und insbesondere den Geist ihrer Ahnen nach Wien. Die reiche und hoch entwickelte Kultur und Tradition der Maya ist im Rest der Welt wenig bekannt. Indem sie auf ihren eigenen Erfahrungen beruhende, spontane Bilderwelten erschaffen, führen diese Künstler aus dem mexikanischen Yucatan etwas Natürliches und Neues in die moderne Kunstwelt ein. Eben diese aufregende Kunstpraxis macht *Green Flame* einzigartig.

Green Flame ist für das Bemühen sehr zu loben, verschiedene künstlerische Stimmen aus einer interkontinentalen Perspektive zusammen zu bringen. Peter Sellars' Wahl, Meskerem Assegued als Kuratorin der Kunstausstellung für das Wiener Festival New Crowned Hope einzuladen, kommt zu einem guten Zeitpunkt, da sich die Welt neuer Formen der Lebensorganisation bewusst werden muss. Die Tätigkeit eines Kurators, einer Kuratorin ist schon wesensmäßig ein künstlerischer und damit kreativer Impuls.

Die Menschheit lebt durch Symbole. Diese Symbole sind in den Selbsterinnerungen der Menschen enthalten und treten in einen Austausch mit der Natur wie auch mit sich selbst. In diesem Kontext wird in Wien unserer Ansicht nach der Zusammenfluss schöpferischer Stimmen des Jahres 2006 sein. Jede dieser Stimmen darf von sich behaupten, eine ganz besondere Form der Realität einzufangen. Das kollektive Einfühlungsvermögen, das durch diese Collage von Stimmen in der Ausstellung vertreten ist, wird Wien zu einem Bienenstock künstlerischen Schaffens machen.

Universität von Südafrika, September 2006

Green Flame must be commended for bringing together diverse artistic voices from an inter-continental perspective. The choice of Meskerem Assegued by Peter Sellars as the curator for the visual art exhibition for the New Crowned Hope festival in Vienna has come at an appropriate time when the world should be awakened to new ways of organizing life. Curatorship is by its very nature an artistic and therefore creative impulse.

Human beings live in symbols. These symbols are contained in people's memories of themselves as they interact with nature as well as with each other. It is in this context that we believe that Vienna is going to be the artistic confluence of creative voices in 2006. Each of these voices lay claim to capturing a particular form of reality. It is the aggregate sensibilities represented in the collage of voices of the exhibitors' art that will make Vienna a beehive of artistic creation.

University of South Africa, September 2006

Meskerem Assegued
Green Flame
Green Flame

Wir leben in einer magischen Welt, in der alles mit allem verbunden ist. Wenn der Süden sich erkältet, niest der Norden, und wenn der Osten trommelt, tanzt der Westen. So war es schon immer.

Green Flame ist eine Ausstellung Bildender Kunst, die auf alte Weisheiten zurückgreift, um Anleitungen für die Zukunft zu finden. Sie dringt tief in das Unterbewusstsein der Menschheit vor, die sich nach Liebe und Versöhnung mit Vergangenheit, Gegenwart und Zukunft sehnt.

In *Green Flame* werden berühmte mit unbekannten Kunstschaffenden zusammenarbeiten, indem sie ihre Fantasie in die Zukunft schweifen lassen. Dies ist eine Ausstellung, in der sowohl die KünstlerInnen als auch ihre Kunst ständig in Bewegung sind. Die BesucherInnen können mit all ihren Sinnen aktiv an dieser Kunst teilnehmen.

Ausstellungen und Kunstschaffende
Green Flame besteht aus drei Teilen: *Untitled #2 (Ohne Titel Nr. 2)*, *Mud & Straw (Lehm & Stroh)* und *Offerings (Opfergaben)*. Jeder Teil soll einen Dialog zwischen Kunst und Publikum anregen.

Untitled #2 von Julie Mehretu und Stephen Vitiello
Das Publikum befindet sich hier inmitten einer sehr energiegeladenen und sanft abstrakten Installation. Die Wände sind mit unterschwellig wahrgenommenen Bildern angedeuteter Skizzen überzogen: von Architektur, städtischen und ländlichen Landschaften und Karten. Mehrere Lautsprecher hängen von der Decke und erzeugen Niederfrequenztöne, die zwar empfunden werden, aber unhörbar sind. Umweltgeräusche wie Insekten,

We live in a magical world where everything is connected to everything. When the south catches cold the north sneezes and when the east drums the west dances. This is how it has always been.

Green Flame is a visual art exhibition that evokes the ancient wisdom in search of guidance to the future. It penetrates deep into the subconscious of humanity that yearns for love and reconciliation with the past the present and the future.

In *Green Flame*, the most celebrated and the most unknown artists work together as they let their imaginations wonder into the future. It is an exhibition where both the artists and their arts are in constant motion. The viewers find themselves actively participating in the arts using all of their senses.

Exhibitions and Artists
Green Flame has three parts: *Untitled #2*, *Mud & Straw* and *Offerings*. Each part is designed to instigate dialogue between the arts and the viewers.

Untitled #2 by Julie Mehretu and Stephen Vitiello
The viewers find themselves in the midst of a highly energetic and a gentle abstract installation. The walls are covered with subliminal pictures in softly sketched drawings of architecture, cityscapes, landscapes and maps. Several speakers are suspended from the ceiling. These speakers produce low frequency sounds that can be felt but not heard. Environmental sounds such as insects, birds and the noise of the city come from six wall mounted speakers. Those sounds, sometimes easily recognizable and other times heavily processed via analog synthesis were

Vögel und Stadtlärm kommen aus sechs an der Wand installierten Lautsprechern. Diese manchmal leicht erkennbaren und manchmal durch analoge Synthese stark veränderten Geräusche wurden im Bundesstaat Virginia aufgenommen. Diese vertrauten und wieder nicht vertrauten Zeichnungen und Töne verschmelzen poetisch miteinander und erzeugen so eine einzigartige Komposition.

Mud & Straw von Elias Sime

Die Wände sind mit Lehm bemalt. Der Geruch von Lehm und Stroh erfüllt den Raum. Die Ausstellung beginnt mit dem Künstler selbst, der in Anzug und Krawatte methodisch aus einer Mischung von Lehm und Stroh erkennbare und fremde Formen knetet. Die BesucherInnen erleben einen Prozess ungeplanter Schöpfung, während der Künstler seinem Unterbewusstsein gestattet hervorzutreten. Mutig stellt er sich allen Reaktionen des Publikums, während er Formen gestaltet, die auch für ihn selbst neu sind. Diese Ausstellung ist ein Stück visueller Performancekunst, die es Künstler, Kunst und Publikum ermöglicht, in eine unvorhersehbare Konversation einzusteigen.

Während der einmonatigen Laufzeit der Ausstellung erleben die BesucherInnen etwas Neues, in Evolution Befindliches, da der Künstler sein Material ständig weiter bearbeitet und formt. Am Ende werden die Skulpturen abgebaut, wobei eine neuartige Kunstform demonstriert wird, bei der der Schaffensprozess ebenso wichtig ist wie das Endprodukt.

Außerdem werden Leinwände mit konstruktiver Kunst von Elias Sime auf den mit Lehm überzogenen Wänden aufgehängt. In einem Vorraum zu diesem Saal werden informative Skizzen über Lehm und Stroh auf die Wände projiziert.

Offerings

Der Boden der Galerie ist mit Gras bedeckt. Eine Esche steht ein bisschen außerhalb der Raummitte. Zwölf große Töpfe mit Wasser sind ringsum angeordnet. Die BesucherInnen erleben, wie drei junge Künstler Bilder des Augenblicks und darüber hinaus erschaffen. Der Schöpfungsprozess wird auf Video aufgenommen und auf einen kreisförmigen Behälter mit sich bewegendem Wasser projiziert.

Die BesucherInnen treten mit bloßen Füßen in den Raum ein, der vom Geruch von frischem Gras und Weihrauch erfüllt ist. Sie fühlen das nasse Gras unter ihren Fußsohlen. In der Mitte der Ausstellung werden Mbira-Spieler an fünf aufeinander folgenden Tagen im Kreis sitzen und Melodien spielen, die an Regentropfen erinnern. Abends verschmilzt der Mbira-Klang mit dem des Vibrafons im Nebenraum. Die BesucherInnen finden sich in einem warmen und angenehmen Konzert improvisierter Live-Musik wieder.

recorded in the state of Virginia. These familiar and unfamiliar drawings and sounds poetically suffuse into one another creating a unique composition.

Mud & Straw by Elias Sime

The walls are painted with mud. The room is filled with the odor of mud and straw. The exhibition opens with the artist dressed in a suit and tie methodically molding the mixture of mud and straw into recognizable and unrecognizable forms. The viewers experience the process of creating unpremeditated composition while the artist allows his subconscious to come forth. He bravely faces any reaction that the viewers may have, as he composes forms that are new, even to him. This exhibition is one of visual performance art. It allows the artist, the art and the viewer to engage in an unpredictable conversation.

Throughout the month in which this exhibition takes place, the viewers experience something new and evolving as the artist continuously shapes and reshapes the material. In the end, the sculptures are dismantled, demonstrating another form of art, in which the process of creating is as important as the final product.

In addition, canvases of construction art by the artist are mounted on the mud-covered walls. In a room leading to the mud hall, informative vignettes about mud and straw are projected on the wall.

Offerings

The floor of the gallery is covered with grass. An Ash Tree stands slightly off center in the room. Twelve large pots of water are positioned around the tree. The viewers experience three young artists creating images of the moment and beyond. As the artists create, a video camera captures the process, which is projected onto a circular container of moving water.

Visitors enter the room barefoot. The room is filled with the aroma of fresh grass and incense. They feel the wet grass with the soles of their feet. In the midst of the exhibition, for five consecutive days, mbira musicians sit in a circle, playing melodies with notes that sound like raindrops. In the evening, the mbira is fused with vibraphone in the room next to the exhibition hall. The viewers find themselves in a warm and cozy concert of unrehearsed live music.

Julie Mehretu

Julie ist eine der erfolgreichsten jungen Künstlerinnen unserer Zeit. Komposition und Größe ihrer bei der Ausstellung gezeigten Zeichnung belegen ihre Großzügigkeit und Ausdrucksfreiheit. Ihre Arbeit ist physisch erschöpfend, und ihre Gefühle sind sichtbar in ihr Werk eingeflossen. Die Zeichnung bleibt nur einen Monat an der Wand und wird am Ende mit weißer Farbe übermalt, als hätte es sie nie gegeben.

Schon als junges Mädchen schuf Julie Kunst. Ihre Eltern unterstützten ihre künstlerische Entwicklung und standen stets hinter ihr, egal ob sie bildhauerte, zeichnete oder malte. Später studierte sie Kunst an Akademien und stellte fest, dass ihre stärkste Begabung in der Malerei lag. Julie meint, dass jeder kreative Gestus Kunst ist. Kunst ist eine Möglichkeit, die Welt zu erklären und gleichzeitig daran kreativ teilzuhaben. Es ist eine aufgeschlossene Kunst, die sich durch organische Prozesse entwickelt.

In Julies Worten: „Bei *Green Flame* geht es um Zusammenarbeit und den Verlust von Kontrolle. Die Kreativität des Einzelnen wird gestärkt. Unmögliches soll zustande gebracht werden. Klang, Zeichnungen und Skulpturen an einem Ort zusammenzubringen ist eine Herausforderung, aber auch aufregend. Die Idee, mit Kunstschaffenden aus verschiedenen Weltgegenden zu arbeiten, stellt einen kreativen Lernprozess dar."

Julie Mehretu

Julie is one of the most celebrated contemporary young artists of our time. Her composition and the size of the temporary drawing shown in this exhibition are evidence of her generosity and freedom of expression. Her work is physically exhausting and her emotions are visibly outpoured on the composition. The drawing will stay on the wall only for one month and in the end it will be washed out with white paint as if it was never there.

As a young girl, Julie always made art. Her parents encouraged her artistic development. Whether she was sculpting, drawing or painting, they were behind her. She later studied art in higher institutions and found painting to be her natural gift. According to Julie, art is anything and any type of creative gesture. It is a way of making sense of the world while creatively participating in it. She makes responsive art that evolves through organic process.

Julie says, "*Green Flame* is about collaboration and losing control. It reinforces individual creativity. It tries to bring something impossible. Bringing sound, drawing and the sculpture together in one place is challenging but also exciting. The idea of working together with artists from different parts of the world is a creative learning process."

Stephen Vitiello

Geräusche zu verwenden, die wir normalerweise ausblenden, und sie als Kunstform anzubieten, ist in der zeitgenössischen Kunstwelt nicht nur einzigartig, sondern revolutionär. Als Musiker und Klangkünstler kam Stephen über die Musik zur Bildenden Kunst. Er setzt einen physischen Raum ein, um Geräusche aus der eindringenden Umgebung zu erschaffen. Durch die Vielfalt der Geräusche, die er aus der Umgebung aufnimmt, bringt er originelle Ideen und neue Denkweisen ein. Werden diese Geräusche in die Bildende Kunst integriert, wird dem Publikum eine neue Art der Kunstbetrachtung und Kommunikation mit Kunst gegeben.

„Kunst", meint Stephen, „ist eine Form der persönlichen Kommunikation. Die von mir verwendeten Klänge sind wie ein poetischer Ausdruck der Welt und meiner eigenen Erfahrungen."

Außerdem meint er: „*Green Flame* ist eine Ausstellung mit offenem Ende, die ohne Einschränkung Raum für Experimente und Untersuchungen bietet, was aufregend ist."

Stephen Vitiello

Using sound that we normally tune out and presenting it as a form of art is not merely unique but in fact revolutionary to the contemporary art world. A musician and a sound artist, Stephen got into the visual arts through music. He uses a physical space for creating sound from the environment that comes into it. He brings original ideas and new ways of thinking through the variety of sounds he records from the environment. When this sound integrates into the visual art, it gives the audience a new way of observing and communicating with the arts.

"Art" says Stephen, "is a form of personal communication. The sound I use is like a poetic expression of the world and my own personal experience."

"*Green Flame*" he adds, "is an open-ended exhibition. Without restriction, it gives room for experimentation and investigation all of which is exciting."

Elias Sime

Alte Plastiksäcke, verrostete Flaschenverschlüsse, Stofffetzen und verbrannte und verblichene Knöpfe sind einige der Lieblingsmedien der konstruktiven Kunst von Elias Sime. Er wählt diese Medien, weil sie bei der Berührung mit seiner Hand zum Leben erwachen und ihn an ihrer Geschichte teilhaben lassen. In der Mittelschule überzeugte ihn seine Biologielehrerin von seiner künstlerischen Begabung. Regelmäßig bat sie ihn, Organe und Teile der menschlichen Anatomie auf die Tafel zu zeichnen. Sein Vater, der das künstlerische Talent von Elias bald erkannte, unterstützte stets dessen Laufbahn.

Elias definiert Kunst als kreative Bewegung, die sich ähnlich seinen eigenen physischen und emotionalen Veränderungen gleichfalls ständig wandelt. Er meint: „Ich bin nicht sehr gesprächig, also drücke ich meine Gefühle durch meine Kunst aus. Ich mache mir nicht viele Sorgen um die Zukunft, deshalb erschaffe ich laufend Neues und lasse zu, dass mich meine Arbeit dorthin führt, wo sie will."

Weiters fügt er hinzu: „*Green Flame ist* etwas, was mir immer im Kopf herumging. Ich hatte das Gefühl, ich sei aus einem Traum erwacht und in etwas Neues eingetreten."

Elias Sime

Old plastic bags, rusted bottle tops, tattered fabric and scorched and faded buttons are some the favorite media that Elias applies on his construction art. He chooses these media because when he touches them with his fingers they become alive emotionally connecting him to the stories of the pieces. In middle school, it was his biology teacher who convinced him that he was artistically talented. She regularly asked him to draw human organs and anatomy on the blackboard. Elias' father, who saw his son's artistic talent early, supported him to excel as an artist throughout his life.

Elias defines art as a creative movement that is always changing similar to his own physical and emotional changes. He says, "I don't talk much so I express my immediate feelings through my art. I don't worry much about the future so I create continuously and let it take me wherever it wants to take me."

"*Green Flame*" he continues, "is something that I could not get out of my mind. I felt like I woke up from a dream and jumped into something new."

Ernesto Novelo

Ernesto ist ein dynamischer junger Künstler, Kunstsammler, Kurator und Promoter. Kurz nach seinem Universitätsabschluss als Rechtsanwalt gab Ernesto diesen Beruf auf und tauchte in die Welt der Kunst ein. Seine Zeichnungen sind tief in der Tradition mexikanischer Kunst verwurzelt. Er experimentiert ständig mit neuen Ideen und Medien, um seine Sorgen und Hoffnungen über die Situation unserer Umwelt zum Ausdruck zu bringen.

Er meint: „Kunst ist eine so lebensnotwendige Sache wie Atmen oder Essen. Mein Leben hängt davon ab. Ich werde reifer und meine Kunst reift mit mir. Wenn mein kurzes Leben auf dieser Welt vorbei ist, möchte ich, dass meine Kunst weiterlebt."

„Green Flame", fügt er hinzu, „ist nicht bloß ‚Green Flame', sondern eine Botschaft der Hoffnung, nach der sich Hunderte und Millionen Menschen sehnen. Dies ist weit von den kalten und trockenen Konzepten der Kunst entfernt und stellt die Frage nach dem Anfang: Woher kommen wir? Wohin gehen wir? Wer sind wir? Und wo gehören wir hin? Vielleicht gibt es keine Antworten, aber die Fragen werden gestellt."

Sergio Pech

Sergio arbeitete zuerst als Bauarbeiter, bevor er beschloss, eine Schule zu besuchen. In der dritten Klasse erkannte eine

Ernesto Novelo

Ernesto is a dynamic young artist, art collector, curator and promoter. A trained lawyer, Ernesto abandoned his law profession soon after his graduation and immersed himself into the arts. His drawings are deeply rooted in the tradition of Mexican arts. He is always experimenting with new ideas and media to express his concerns and his hopes about the state of our environment.

"Art" he says, "is as basic as breathing or eating. My life depends on it. As I continue to mature, so does my art. When I finish my short life in this world, I want my art to continue to live."

"Green Flame" he adds, "is not just 'Green Flame', it is a message of hope that hundreds and millions of people are yearning for. It is far from the cold and dry concepts of art. It questions the beginning? Where we came from? Where we are going? Who we are? And where we belong? Maybe there is no answer but it poses questions."

Sergio Pech

Sergio was a construction worker when he decided to go to a formal school. In third grade, his teacher saw his artistic talent from the drawings he made in his textbook. She encouraged

Lehrerin sein künstlerisches Talent an den Zeichnungen in seinem Lehrbuch. Sie ermutigte ihn und half ihm, in eine Kunstschule aufgenommen zu werden, wo er eine fünfjährige Ausbildung absolvierte.

Sergios Kunst ist tief mit seinem Maya-Erbe verwoben und beschäftigt sich mit den Vorfahren und der Lage seines Volks in einer globalisierten Welt. Sergio meint, dass „Kunst Bilder aus dem Unterbewusstsein erschafft, die Glück, Trauer oder jedes andere menschliche Gefühl hervorrufen können. Meine Kunst spiegelt meine tiefe Verwurzelung mit meinen Vorfahren wider, was meinen eigenen subtilen Ehrgeiz beflügelt, diese Wurzeln darzustellen und mit meinen Händen diese Geschichten zu erzählen."

Er fügt hinzu: „*Green Flame* ist wie Medizin. Manche wollen sie nehmen, manche nicht."

Reinaldo Pech

Reinaldo ist Sergios jüngerer Bruder. Die beiden leben und arbeiten gemeinsam. Seine Kunsttechnik hat er von Sergio gelernt. Seine Malerei ist experimentell und ständig in Veränderung begriffen. Ein Merkmal ist der intensive Einsatz von Symbolen. In seinen Worten: „Kunst ist eine Sprache, in der man seine Geschichten erzählen und zeigen kann, wer man ist. Ich möchte genau das sagen können, was ich sagen will, und zwar so, dass

and helped him to enroll in the art school. There, he studied art for five years.

Deeply rooted in his Mayan heritage, Sergio's art relates to his ancestors and the immediate state of his people in the globalized world. "Art" says Sergio, "is creating images from the subconscious, which evoke happiness, sadness or any other human emotion. My art reflects my deep-rooted ancestral emotion that provokes my subtle aspiration to bring it out in the open and tell the stories with my hands."

"*Green Flame*" he adds, "is like medicine. Some will take it and others will not."

Reinaldo Pech

Reinaldo is Sergio's younger brother. They live and work together. He learned the techniques of making art from Sergio. His paintings are experimental and always changing. One characteristic of his art is its strong use of symbolism. "Art" he says, "is a language where you tell your stories and show who you are. My wish is to be able to say exactly what I want to say in a way that can be easily understood by the viewer."

"*Green Flame*" he explains, "is an interpretation and a representation of life where Green and Flame complement each other."

es vom Betrachter, von der Betrachterin leicht verstanden wird."

Er erklärt: „*Green Flame* ist eine Interpretation und Darstellung des Lebens, wobei ‚grün' und ‚Flamme' einander ergänzen."

Mulatu Astatke

Mulatu ist Musiker, Komponist, Arrangeur sowie der Begründer des Ethio-Jazz. Indem er Soul und Jazz mit traditioneller äthiopischer Musik verquickt, hat Mulatu der Musikgeschichte ein neues Kapitel hinzugefügt. Schon als Kind erzeugte er stets Klänge mit Stöcken und Dosen und hörte gerne jede Art von Musik. Sein musikalisches Talent entdeckte er als Gymnasiast in England. Er meint: „Musik ist ein Instrument, das mir hilft, meine tiefsten Gefühle über mich selbst auszudrücken. Ich würde mir wünschen, dass die traditionellen afrikanischen Instrumente aufgewertet und auf der ganzen Welt verwendet werden, ohne ihre Wurzeln und Form zu verlieren."

„Ich sehe *Green Flame* als Bühne, auf der wir zusammenkommen, um Tiefe und Reichtum der traditionellen Musik und Kunst unserer Länder zu demonstrieren, die ja auf der Welt kaum bekannt sind."

Albert Chimedza

Albert ist Filmemacher, Musiker und Dichter. Außerdem baut und fördert er die Mbira, das traditionelle Lamellofon aus Zimbabwe, und ist Begründer der Mbira-Band Bonamombe.com. Seine enge Beziehung zur Mbira begann, als das Instrument für die Musik zu einem seiner Filme verwendet wurde. Nachdem er die Mbira einige Jahre studiert und gespielt hatte, beschloss er, ihr Design und damit ihren Klang zu verbessern. Für ihn sind

Mulatu Astatke

Mulatu is a musician, composer and arranger. He is the founder of what is known as Ethio Jazz. Blending soul and jazz into traditional Ethiopian music, Mulatu has added a new chapter to the history of music. As a child, he always enjoyed making sounds with sticks and cans. He loved listening to all kinds of music. He found that he was musically talented when he was a high school student in England. "Music" he says, "is a tool that helps me express my deep feelings about myself. My wish is for traditional African instruments to be upgraded and used worldwide while maintaining their roots and their shapes."

"I see *Green Flame* as a stage where we come together to show the depth and wealth of indigenous music and art, which is barely known to the larger world."

Albert Chimedza

Albert is a filmmaker, musician poet and a maker and promoter of the mbira, a traditional thumb piano from Zimbabwe and is also the founder of Bonamombe.com, a mbira band. He found himself immersed in the life of the mbira when the instrument was used for the soundtrack of one of his films. After a few years of studying and playing the mbira, he decided to upgrade the design to produce a better sound. He believes that theatre, film, sculpture and music are one thing, only expressed in different ways by which the idea dictates the medium. "Art" he says," is human expression in its highest form. It externalizes what a society is feeling at any given time. In an ideal situation, art should be a communion between the artist and the person experiencing the art."

Theater, Film, Bildhauerei und Musik eine Einheit, die lediglich durch die Art und Weise, wie eine Idee das Medium steuert, unterschiedlich ausgedrückt wird. Er meint: „Kunst ist menschlicher Ausdruck in seiner höchsten Form. Sie projiziert nach außen, was eine Gesellschaft in einem bestimmten Augenblick empfindet. Idealerweise sollte Kunst eine Zwiesprache zwischen KünstlerIn und RezipientIn sein."

Er ergänzt: „*Green Flame* ehrt Mozart, indem die Universalität der künstlerischen Ausdrucksfähigkeit des Menschen in den Mittelpunkt gestellt wird. Die Integration verschiedener Kunstformen an ein und demselben Ort ist schon immer Teil meiner Arbeit gewesen."

Albert wird bei *Green Flame* mit drei Mbira-Spielern auftreten: Tute Chigamba, Tinashe Mukumbi (der auch Bankmanager ist) und Richard Gadzikwa. In Zimbabwe ist Tute eine lebende Legenden der Mbira und ebenfalls berühmt als Mbira-Hersteller.

"*Green Flame*" he adds, "is where Mozart is celebrated by demonstrating the universality of human artistic expression. Integrating different types of art in one space goes with what I have been doing all along."

Albert will perform in *Green Flame* with three mbira players, Tute Chigamba, Tinashe Mukumbi, also a banker, and Richard Gadzikwa. Tute is one of Zimbabwe's leading mbira legends. He is also famous for his mbira making skills.

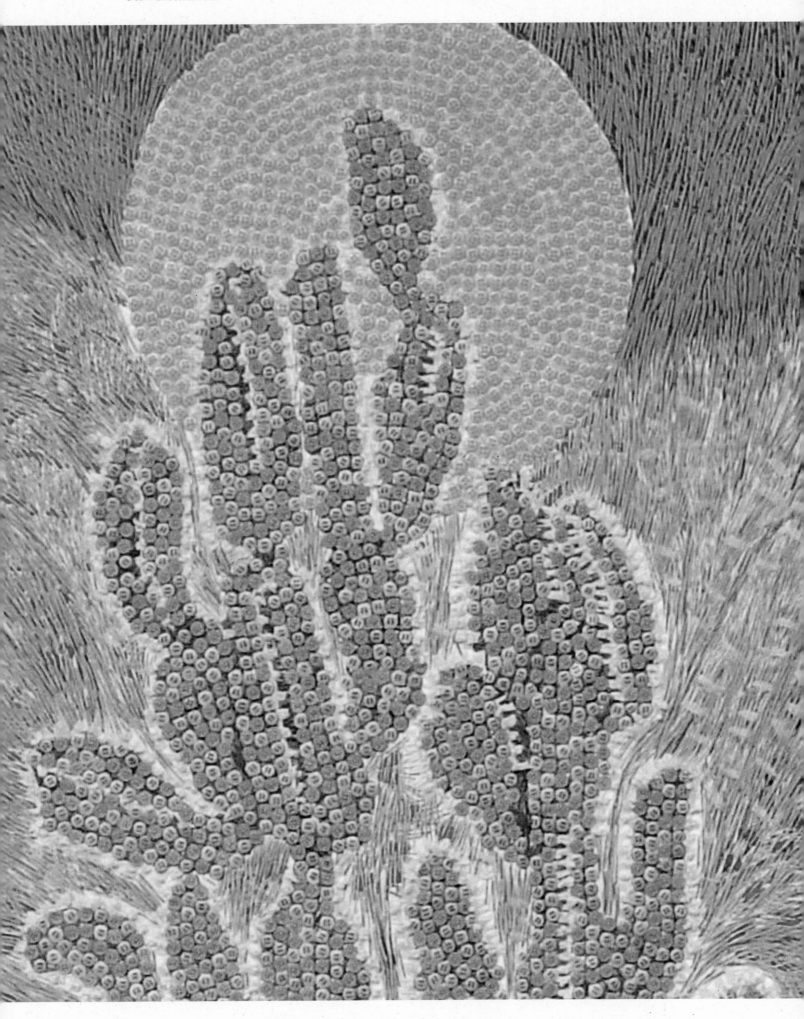

Lynette Wallworth
Evolution of Fearlessness
Evolution of Fearlessness

AusstellungExhibition —

Konzept und RegieCreated and directed by **Lynette Wallworth** —

Evolution of Fearlessness —
Interaktives VideoSingle channel interactive video —
Hold: Vessel 1, 2001 —
3-Kanal-DVD, Mehrkanalton — 3 Channel DVD, Multi Channel Sound —
Invisible by Night —
Interaktives VideoSingle channel interactive video —
Damavand Mountain —
Standbilder DVDDigital stills, DVD —
Still: Waiting 2 —
HD-Video mit MehrkanaltonSingle channel HDV cam, 5.1 sound —

ProjektleitungProject Manager **Ina Ivanceanu** —

EröffnungOpening Event **16.11.2006** —
Ausstellung geöffnetExhibition open **17.11.–13.12.2006** —
OrtVenue **Künstlerhaus** —
Eintritt frei Free —

ÖffnungszeitenOpening Hours —
TäglichDaily **12:00–20:00** — DonnerstagThursday **12:00–21:00** — Täglich VeranstaltungenDaily Events **18:00–19:00** —
während dieser Zeit bleibt die Ausstellung geschlossenthe exhibition closes for the daily events of the festival center —

Evolution of Fearlessness —
Interaktives VideoSingle channel interactive video —
VonBy **Lynette Wallworth** —
ProduktionsmanagementProduction Management **Zoe Turner** —
Technische LeitungTechnical Director **Kamal Ackarie** — TonSound Design **Greg White** —
Cinematografie und LichtCinematography and Lighting Design **Michael Williams** —
Kamera- und LichtassistenzCamera and Lighting Assistant **Rocco Fasano** —
Interaktives SystemdesignInteractive System Designers **Mat Gardiner** — **Pete Brundle** —
SchnittEditor **Rhys Graham** — Set und Stand von PropsSet Construction and Stand by Props **Kate Russell** —
AssistenzAssistant **Ivanka Sokol** —
AuftragswerkCommissioned by **New Crowned Hope** —
KoproduktionCo-production of **New Crowned Hope, forma** —

Die FrauenThe Women —
Ayen, geboren in Sudanborn in Sudan — **Edith,** geboren in Deutschlandborn in Germany — **Fatima,** geboren im Irakborn in Iraq —
Jenny, geboren in Australienborn in Australia — **Ihsan,** geboren in Eritreaborn in Eritrea — **Violetta,** geboren in Chileborn in Chile —
Kaliope, geboren in Griechenlandborn in Greece — **Eva,** geboren in Österreichborn in Austria —
Tomasa, geboren in El Salvadorborn in El Salvador — **Rita,** geboren in Australienborn in Australia —
Shafiqa, geboren in Afghanistanborn in Afghanistan —

Evolution of Fearlessness

Lynette Wallworth

Evolution of Fearlessness

Hold: Vessel 1, 2001 —
3-Kanal-DVD, Mehrkanalton — 3 Channel DVD, Multi Channel Sound —
VonBy **Lynette Wallworth** —
SchnittEditor **Tinzar Lwyn** — SchnittberatungConsultant Editor **Reva Childs** — GlaskünstlerinGlass Artist **Emma Varga** —
TonSound Designer **Greg White** —
BilderImagery von **David Hannan** — **Greg Rouse** — **David Malin** — **The Anglo Australian Observatory** — **George Evatt** —
Mandy Hannack — **Dr. Anya Salih** — **The Australian Key Centre for Microscopy & Microanalysis** — **The University of**
Sydney — **Tony Clark ACS courtesy Epsilon** — **Rolf de Heer** — **Oxford Scientific** — **NASA Gallery** —
Harbor Branch Oceanographic Institute —
OriginalformateOriginal formats **35mm** — **Super 8** — **SP Beta** — **b&w glass plates** — **scanning laser microscopy** —
digital capture —
Auftragswerk und mit freundlicher Genehmigung vonCommissioned by and Courtesy of **Australian Centre for the Moving**
Image, Melbourne, Bilder vonImagery by **AU** —
Produktion TourProduction Touring **Forma** — Mit Unterstützung vonSupported by **the New Media Arts Board,**
Australian Council for the Arts —

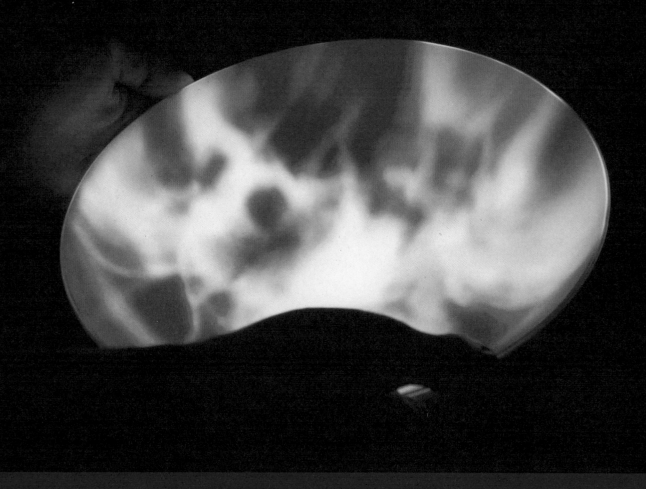

Victoria Lynn
Lynette Wallworth – Übertragung des Lichts
Lynette Wallworth – Transference of Light

Das Abhaya-Mudra
Im Sanskrit bedeutet „Abhaya" Furchtlosigkeit. Dieses Mudra steht für Schutzverheißung, Frieden und die Vertreibung der Furcht. Dabei wird die rechte Hand auf Schulterhöhe erhoben, der Arm gebeugt, die Handfläche zeigt nach außen und die Finger werden geschlossen ausgestreckt. Die linke Hand hängt seitlich am Körper herab.

Es ist vielleicht der am stärksten alchemistische Aspekt des sich bewegenden Bildes, dass es tief greifende emotionale Wandlungen evozieren und inspirieren kann. Film und Video können den Betrachter, die Betrachterin ebenso wie Musik und Text durch Erzählungen und die Zeit tragen. Diese Zeitreisen sind so abstrakt oder real, wie es sich der oder die Reisende wünscht oder vorstellt. Eine der berühmtesten geisterhaften Reisen im Kino findet sich in Jean Cocteaus *Orphée* (1950). Dieser Film behandelt die mythologische Reise des Orpheus auf der Suche nach seiner toten Geliebten Eurydike. Im zeitgenössischen Paris wird Orpheus von Heurtebise aufgefordert, durch einen Spiegel in die Unterwelt einzutreten. Diese Schwelle aus

Abhaya Mudra
"Abhaya" in Sanskrit means fearlessness. Thus this mudra symbolizes protection, peace, and the dispelling of fear. It is made with the right hand raised to shoulder height, the arm crooked, the palm of the hand facing outward, and the fingers upright and joined. The left hand hangs down at the side of the body.

Perhaps the most alchemic aspect of the moving image is that it can evoke and inspire profound emotional transitions. Film and video, like music and words, can carry the viewer through narrative and across time. Such temporal journeys can be as abstract or real as their maker decides or imagines. One of the most famous spectral journeys in cinema is in Jean Cocteau's *Orphée*. Made in 1950, it traces the mythological journey of Orpheus in search of his beloved, but deceased, Eurydice. Set in contemporary Paris, Orpheus is encouraged by Heurtebise to pass through a mirrored threshold into the underworld. The mercurial barrier dissolves with his touch as he stretches his hand and then his whole being into a secret and tragic zone.

Quecksilber (das wandelbare Element „mercurium"!) löst sich durch seine Berührung auf, als er sich zuerst mit seiner Hand und dann mit seinem ganzen Sein in ein geheimes und tragisches Reich vorwagt.

Lynette Wallworth, eine australische Künstlerin, deren Werk eng mit der Landschaft ihrer Heimat verwoben ist, erschafft faszinierende Videokunst, die tief empfundene emotionale Ebenen auslöst, reflektiert und freilegt. Alle in Wien präsentierten Arbeiten befassen sich mit dem Übergang von einem Zustand in einen anderen. Oft geschieht dies durch eine wechselseitige gemeinschaftliche Geste zwischen BetrachterIn und Kunstwerk. Diese Werke halten uns im wörtlichen Sinne fest durch ihre magische Fähigkeit, sehr einfache und doch profunde Erkenntnisse über die menschliche Natur offen zu legen.

Das früheste, anlässlich dieser Ausstellung gezeigte Werk ist *Hold* (2001). Hier wird das Publikum aufgefordert, Glasschalen in einen dunklen Raum zu tragen. Von oben werden Unterwasserbilder projiziert – kleine Fische, ein Seepferdchen, Korallen, ein Flirren von Licht und Bildern, die suggestiv auf einen Nachthimmel verweisen, der die leeren Schalen bis an den Rand füllt. Die BesucherInnen werden gebeten, diese Schalen unter das Licht „zu halten" und die fallenden Bilder „einzufangen". Man fühlt sich dabei, als ob man Leben in der Hand hielte – einfach wunderbar. Dieses Werk feiert die ganz kleinen Dinge – mikroskopische Lebensformen, nicht das große Spektakel. *Hold* ist eine erhebende Arbeit, die ein Gemeinschaftsgefühl erzeugt, wenn die BesucherInnen die Glasschale einander weiterreichen und dabei darauf achten, die kleinen Welten nicht „fallen zu lassen". *Hold* verkörpert starke Hoffnung.

Invisible by Night ist viel schmerzlicher. Von Experimenta für das Melbourne Festival 2004 als Open-Air-Werk in Auftrag gegeben, wird hier eine trauernde Frau hinter Glas gezeigt, das durch Kondensation durchscheinend wird. Kondenswasser läuft am Glas herunter und macht die Scheibe zu einem „weinenden Fenster". Wird das Glas berührt, reagiert die Frau, indem sie allmählich die kondensierte Flüssigkeit vor ihren Augen abwischt, sodass der Betrachter, die Betrachterin sie besser erkennen kann. Dieses fast unheimlich realistische Werk geht also von einem Zustand der Trauer in einen Zustand der Kommunikation zwischen BetrachterIn und Bild über.

„Gefühle verbinden uns als Einzelwesen mit unserer Umwelt", schreibt Kay Milton. Sie meint, dass Gefühle nicht einfach ein soziales, sondern auch ein ökologisches Phänomen sind: „Das sind Mechanismen, durch die ein einzelner Mensch mit seiner Umwelt verbunden ist und aus ihr lernt." Wallworths Installationen verweisen auf eine ähnliche Auffassung. Indem sie auf Freundinnen und Bekannte zurückgreift, „besetzt" die Künstlerin in ihren Videos tatsächlich reale Frauen in ihrer realen Lebenssituation als Figuren im Video. Sie zeigt ihre Charakterstärke und ihre Lebenslagen, die klar im Gesichtsausdruck dieser Frauen und in der Art und Weise zum Ausdruck kommen, wie sie sich bewegen und ihre Körper „bewohnen". Für die Künstlerin sind diese Arbeiten Lebens-Räume, und wir sind aufgefordert, den gemeinsamen Raum des Werks aktiv zu erforschen und durch ein Gefühl der Erwartung oder aber – noch intensiver – durch tiefes Mitgefühl emotionalen Kontakt aufzunehmen.

Das Bildmaterial zu dem von New Crowned Hope (2006) in Auftrag gegebene Werk *Damavand Mountain* entstand 2004 während eines Studienaufenthalts im Iran. Die Komplexität und Notwendigkeit der Beschäftigung im heutigen globalen Kontext mit eben diesem islamischen Land stellt für westliche Kunstschaffende eine große Herausforderung dar, aber Wallworth stellt

Lynette Wallworth, an Australian artist whose work is deeply linked to the Australian landscape, creates intriguing video art works that trigger, reflect upon and release profoundly felt emotional registers. In each of the works presented in Vienna, there is a transition from one state to another. Often, this is enacted in a mutual collaborative gesture between visitor and art work. These works literally hold us with their magical ability to touch on very simple and yet profound revelations about human nature.

The earliest work presented in this exhibition is *Hold*, 2001. The audience is invited to carry glass bowls into a darkened space. Images of underwater life are projected from above. Small fish, a seahorse, coral, flurries of light and images that suggest the night sky fill the empty bowls to their rim. Visitors are encouraged to "hold" these bowls under the light and "catch" the falling images. The sensation is akin to holding life in your hands – it is simply wondrous. This is a work that celebrates minutiae – the microscopic forms of life, rather than grand spectacle. It is an uplifting work that creates a sense of communal participation in the space as visitors pass the bowl to each other, being careful not to "drop" the small worlds. There is intense hope in *Hold*.

Invisible by Night is far more sorrowful. Commissioned by Experimenta for the Melbourne Festival in 2004 in an outdoor setting, the image portrays a grieving woman behind glass that is made translucent by condensation. The steam runs down the glass, transforming it into a weeping window. As the visitor touches the glass, the woman responds by gradually wiping away the filmic condensation before her eyes, and the visitor is able to see her more clearly. Uncannily real, the work dissolves from a state of grief into a state of communion between viewer and image.

"Emotions are what link us, as individuals, to our surroundings", Kay Milton writes. She argues that emotions are not simply a social phenomena, they are also ecological: "they are mechanisms through which an individual human being is connected to and learns from their environment." Wallworth's installations posit a similar understanding. Using friends and acquaintances, the artist literally "casts" the real life situations of women into her videos. She draws on their strength of attitude and the circumstances of their lives, evident in the women's facial expressions and the way they hold and "inhabit" their bodies. The artist thinks of these works as live spaces. We are encouraged to actively explore the shared space of the work, and thereby engage with it emotionally through either a sense of anticipation, or more forcefully, through deep empathy.

Damavand Mountain, commissioned by New Crowned Hope 2006, was shot while the artist did a residency in Iran in 2004. The complexity and necessity of engaging with this particular Islamic country in today's global context is a major challenge for a "Western" artist, but Wallworth does so with a refreshing absence of rhetoric. Her approach is poetic and unobtrusive. Rather than depict religious or political turmoil, Wallworth tracks the cycle of the short-lived poppy flower, a woman wearing a chador in the wind, and a mountain – the most famous in Iran. The piece is presented as a sequence of still images. Gradually, the visual correspondences between the chador, the flower, the clouds and the mountain peak merge and emerge. The cloth is carved by the wind. The clouds caress the mountain peak. The poppies' fragile skin, exploding with color, is transformed by the light. As the wind caresses each of these "bodies", another interpretive layer is revealed – the underlying global and governmental forces that leave their

sich ihr mit einem erfrischenden Mangel an Rhetorik. Ihr Ansatz ist poetisch und unaufdringlich. Anstatt religiösen oder politischen Aufruhr darzustellen, geht Wallworth dem kurzen Lebenszyklus der Mohnblume nach, zeigt eine Frau, deren Tschador im Wind weht, und einen Berg, den berühmtesten Gipfel des Iran. Die Arbeit wird als eine Sequenz von Standbildern gezeigt. Allmählich verschmelzen die visuellen Übereinstimmungen von Tschador, Blumen, Wolken und Berggipfel und treten dann wieder hervor. Der Stoff wird vom Wind geformt. Die Wolken liebkosen den Berggipfel. Die zerbrechliche Haut der farbintensiven Mohnblumen wird vom Licht verwandelt. Während der Wind jeden dieser „Körper" streichelt, wird eine weitere Interpretationsebene sichtbar – die tieferen weltweiten und politischen Kräfte, die dem Alltag ihren Stempel aufdrücken. Unter dem Video-Monitor befindet sich ein Gefäß, gefüllt mit einer schwarzen Flüssigkeit, in der sich das Videobild spiegelt. Die Künstlerin meint: „Das ist die Spur von etwas, das man im Bild nicht erkennen kann, das aber in ihm enthalten ist und es widerspiegelt. In dieser schwarzen Flüssigkeit erfühlen wir das wesentliche ökonomische Element, das unserer Beziehung und unserem Verständnis des modernen Iran innewohnt." Das letzte Bild des Videos zeigt uns die sitzende Frau, stark wie ein Berg und so dauerhaft wie die Lebenszyklen der Natur.

imprint on everyday life. Beneath the video monitor lies a vessel containing black liquid which holds a mirror reflection of the image above it. The artist comments that "this is the trace of something unseen in the image but which both underlies and reflects it. In this black liquid we sense the substantial economic element that is implied in our relationship with and understandings of contemporary Iran." The final image in this video is of the woman seated, facing us, strong as a mountain and as enduring as the cycles of nature.

Lynette Wallworth alternates between an interest in nature and human presence. Just as she acknowledges the astonishing feats of the human spirit, she finds the extraordinary within nature. Perhaps because of the grief or loss that may lie at the heart of some of her works, the artist is always searching for a connection to powerful life-forces.

Still Waiting was commissioned by the Arnolfini Gallery in 2006. For this installation, flocks of native Corella birds were filmed under a breathtaking dawn light in Quorn, South Australia. Corellas are mostly white, with a fleshy blue eye-ring and a pale rose-pink patch between the eye and bill. In

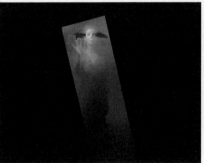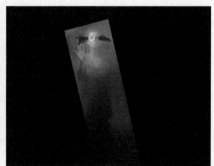

Lynette Wallworths Interesse gilt abwechselnd der Natur und der menschlichen Gegenwart. So wie sie die erstaunlichen Leistungen des menschlichen Geistes anerkennt, findet sie auch Außergewöhnliches in der Natur. Die Künstlerin ist stets auf der Suche nach Verbindungen zu mächtigen Lebenskräften – vielleicht wegen des Schmerzes oder Verlustes, der einigen ihrer Werke innezuwohnen scheint.

Still Waiting wurde von der Arnolfini Gallery 2006 in Auftrag gegeben. Für diese Installation wurden Scharen von Corellas (Papageienvögel) im atemberaubenden Morgenlicht des südaustralischen Quorn gefilmt. Corellas sind größtenteils weiß, haben aber einen fleischigen blauen Augenring und einen blassrosa Fleck zwischen Augen und Schnabel. Im Flug erkennt man eine helle, schwefelgelbe Färbung unter Flügeln und Schwanz. Diese Vögel haben sich an die durch die Besiedlung ausgelösten regionalen Umweltschäden angepasst und ihre Ernährung auf Feldfrüchte umgestellt. Am frühen Morgen und beim letzten Tageslicht versammeln sie sich; sie sitzen auf den Ästen so dicht gedrängt, dass die Bäume zu blühen scheinen. Sie fliegen stets in großen Gruppen und stoßen dabei hohe, laute Schreie aus. Zwar sind Corellas in den australischen Outbacks weit verbreitet, aber StadtbewohnerInnen und EuropäerInnen wird *Still Waiting* unglaublich und fast surreal erscheinen.

Bei den Filmaufnahmen für diese Arbeit musste sich die Künstlerin in pechschwarzer Nacht im Unterholz verbergen, um von den Vögeln nicht wahrgenommen zu werden. Ähnlich werden auch die BesucherInnen in eine Art „Versteck" geführt – einen Raum, in dem sie die Vögel ungestört beobachten können. In den Worten Lynette Wallworths ist dies ein Raum der Sehnsucht, „der Raum, den wir AustralierInnen wieder finden wollen, der

flight, a bright sulphur-yellow wash can be seen on the underwing and under-tail. They adapted to the biological ravages caused by colonization in regional areas, and modified their eating habits to feed on plantation crops. The birds meet at first and last light of the day. The flocks occupy trees with such density that the tree itself seems to be in full bloom. When they fly, it is in mass and with a high pitch scream. While Corellas are common in the outback regions of Australia, for city dwellers and European audiences, *Still Waiting* will seem incredible, almost surreal.

When filming this work, the artist had to hide in the undergrowth in the pitch black of night, so as not to be detected by the birds. In a similar way, the audience is introduced to a kind of "hiding" – a space where they might view the birds uninterrupted. It is, says the artist, a space of longing, "the space that as Australians we long to retrieve and which cannot be retrieved." Once the audience moves past the threshold, the birds flee, reminding us of the most basic indigenous wisdom: the simple act of entering a space has consequences. The audience can make a choice to act in unison, proceed slowly, and then be still, waiting, so that as a community they can remain "present" with the birds in their habitat.

The disappearance of the birds in this work, and the slow sense of emergence in other installations, render the installations as part of a continuum of appearance and invisibility. At the very core of the medium of film and video is the question of disappearance and reappearance. Film and video are made visible through light alone. It is only with the activity of the projector, that the image is brought to life on a surface.

aber nicht wieder auffindbar ist". Wenn die BesucherInnen die Schwelle übertreten, fliehen die Vögel und erinnern uns dabei an eine uralte Grundweisheit: Der bloße Akt des Betretens jeglichen Raums hat Folgen. Die BesucherInnen haben die Möglichkeit, gemeinsam zu handeln, langsam weiter vorzudringen und dann ruhig zu verharren, damit sie als Gemeinschaft zusammen mit den Vögeln in deren Lebensraum „präsent" sein können.

Das Verschwinden der Vögel in dieser Arbeit und die langsam entstehende Wahrnehmung eines Hervortretens in anderen Installationen machen diese Werke zu einem Teil eines Kontinuums des Erscheinens und der Unsichtbarkeit. Im Medium Film bzw. Video geht es letztlich um die Frage des Verschwindens und Wiedererscheinens. Film und Video werden nur durch Licht sichtbar. Nur durch das Funktionieren des Projektors wird das Bild auf einer Oberfläche zum Leben erweckt.

Lynette Wallworths Interessen haben noch einen weiteren Kontext. Das Leid der Verschwundenen (jedes Jahr wird in Lateinamerika am 30. August der „Desaparecidos" gedacht) durchzieht unsere täglichen Nachrichtensendungen wie ein roter Faden. Die jüngste Arbeit dieser Ausstellung (ebenfalls von New Crowned Hope in Auftrag gegeben) ist *Evolution of Fearlessness* (2006). Sie zeigt eine Abfolge von bis zu zehn Frauen hinter einer Filterglasscheibe, wobei jede der Frauen nacheinander reagiert, wenn die Scheibe berührt wird. Über FreundInnen ist Lynette Wallworth mit in Australien lebenden Frauen in Kontakt getreten, die Kriege, Konzentrationslager oder Akte äußerster Grausamkeit durchlitten haben. Ihre Geschichten sind entsetzlich. Einige dieser Frauen sind über 80, ja 90 Jahre alt: Wie ist es um ihre Seele bestellt, ihre Menschlichkeit, die es ihnen ermöglicht hat, zu überleben? Sie erzählen ihre Geschichten nicht in Worten, die Arbeit kommt ohne Ton aus. Vielmehr werden die Zustände der Sehnsucht und ihre Liebe zum Leben durch die Falten in ihren Gesichtern und den Blick ihrer Augen vermittelt.

Die Frauen werden herbeigerufen, indem man eine Hand auf das Glas legt. Im Gegensatz zur trauernden Frau in *Invisible by Night* sind die „furchtlosen" Frauen für uns nicht immer präsent. Sie kommen von weit her, erscheinen langsam durch ein dunkles Licht und werden allmählich deutlicher sichtbar; schließlich heben sie die Hand und grüßen uns mit einer Geste, die an das buddhistische Abhaya-Mudra erinnert. Ihre Handflächen zeigen uns eine Spur ihrer persönlichen Reise. Die Künstlerin meint: „Für einen Augenblick eröffnet sich uns das Ungesagte und Unsagbare durch eine Berührung, während wir in ihren Augen die ewige Kraft des Überlebenswillens sehen. Es ist, als ob wir hofften, dass uns etwas mitgeteilt werden kann – eben die Evolution der Furchtlosigkeit, die Übertragung des Lichts."

Lynette Wallworth legt subtile Alltagsgesten mit poetischer Sensibilität frei. In ihren Arbeiten stehen die Narben von Gewalt und Kampf neben dem längerfristigen, unsichtbaren Prozess der Heilung und Kontinuität. Ihre Figuren und Vögel bewegen sich auf das Licht zu, hin zu einer Schwelle, die ein Gefühl der Hoffnung vermittelt, und mit der stillschweigenden Unterstützung des Betrachters, der Betrachterin auf der anderen Seite.

1 www.religionfacts.com/buddhism/symbols/mudra_abhaya.htm (englische Website, Zugriff im August 2006)
2 Kay Milton, "Meanings, Feeling and Human Ecology", Mixed Emotions, Anthropological Studies of Feeling, Kay Milton und Maruska Svasek (Hg.) (Berg: Oxford, New York 2005) S. 25
3 Milton, S. 31
4 Alle Zitate der Künstlerin sind ihrem e-Mail an die Verfasserin dieses Artikels vom 31. August 2006 entnommen.

There is also a larger context for Wallworth's interests. The plight of the Disappeared (remembered every year in Latin America on August 30) haunts our daily news items. The most recent work in this exhibition, commissioned by New Crowned Hope, is *Evolution of Fearlessness*, 2006. It includes a procession of up to ten women behind a filtered pane of glass, each, in turn, responding to the viewer's touch. Through friends, Lynette Wallworth has located women residing in Australia who have lived through wars, survived concentration camps, or extreme acts of violence. The stories are horrific. Some of these women live to their 80s and 90s: what is it about their spirit and their humanity that enables them to survive? They do not tell their stories through words, nor is there any sound with this piece. Rather, the emotional states of longing and a passion for life, are communicated through the lines on a face and the look in the eyes.

These women are beckoned by the visitor through the placing of a hand on the glass. Unlike the grieving woman in *Invisible by Night*, the "fearless women" are not always present to us. They come from a long way away, they appear slowly through a dark light and become clearer to us, finally raising their hand to meet ours in the gesture that resembles the Buddhist mudra of abhaya. Their palm reveals a trace of their individual journey. As the artist says, "for a moment the unspoken and unspeakable opens to us with a touch, while in her eyes we see the enduring power of resilience. It is as though we hope something can be imparted: the evolution of fearlessness, the Transference of Light."

Wallworth uncovers subtle habitual gestures with a poetic sensibility. In her work we find the scars of violence and struggle along with longer-term invisible processes of healing and continuity. Her figures and birds move into the light – to a threshold tinged with a sense of hope, and with the quiet support of the viewer, beyond.

1 www.religionfacts.com/buddhism/symbols/mudra_abhaya.htm (accessed August 2006)
2 Kay Milton, "Meanings, Feeling and Human Ecology", Mixed Emotions, Anthropological Studies of Feeling, Kay Milton and Maruska Svasek (eds) (Berg: Oxford, New York 2005) p.25
3 Milton, p.31
4 All quotes from the artist are from her email to the author, 31 August 2006

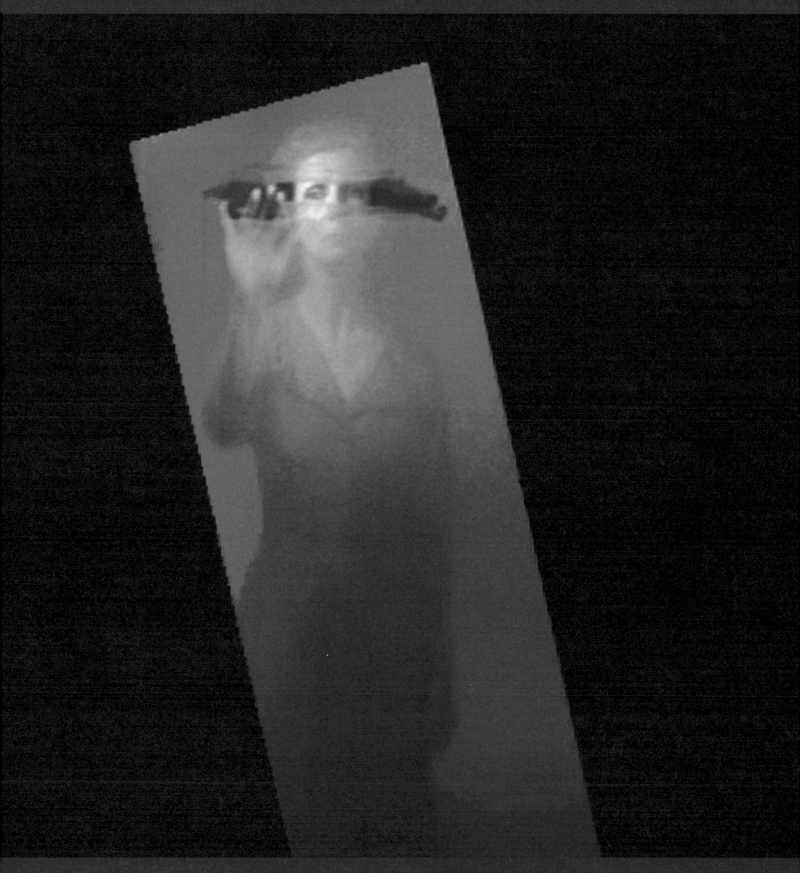

Invisible by Night —
Interaktives VideoSingle channel interactive video —
VonBy **Lynette Wallworth** —
Kamera und SchnittCamera and Editor **Roberto Salvatore** — DarstellerinPerformer **Ivanka Sokol** — LichtLighting **Marden Dean** —
SystemdesignSystem Design **Mat Gardiner** — **Pete Brundle** —
Original InterfaceOriginal Interface **Daniel Horwood** —
AuftragswerkCommissioned by **Experimenta.org** —
Produktion TourProduction Touring **Forma** —

Damavand Mountain —
Standbilder DVDDigital stills, DVD —
VonBy **Lynette Wallworth** —
BilderImagery **Lynette Wallworth** —
SchnittEditor **Rhys Graham** — Technische LeitungTechnical Director **Kamal Ackarie** —
AuftragswerkCommissioned by **New Crowned Hope** —
ProduktionProduction **Forma** —
Mit Unterstützung vonSupported by **Australia Council Fellowship New Media Arts Board and Visual Arts Board** —

Still: Waiting 2 —
HD-Video mit MehrkanaltonSingle channel HDV cam, 5.1 sound —
VonBy **Lynette Wallworth** —
KameraCamera **Lynette Wallworth** —
Ton und Zweite KameraLocation Recording and Additional Camera **Roberto Salvatore** — TonSound Design **Greg White** —
TonschnittSound Editor **Roberto Salvatore** — SystemdesignSystem Design **Mat Gardiner** — **Pete Brundle** —
SesseldesignSeating Design **Chainsaw Kev** —
SchnittüberarbeitungRe Edit **Rhys Graham** — SchnittOriginal Editor **Greg Ferris** —
Original SystemdesignOriginal System Design **Mark Fell** —
Produktionsleitung und StandfotosProduction Management and Location Shoot **Martin Thiele** —
Technische LeitungTechnical Director **Kamal Ackarie** —
AuftragswerkCommissioned by **New Crowned Hope, Arnolfini,Bristol, UK** —
ProduktionProduction **Forma** — Mit Unterstützung vonSupported by **Arts Council England and the City of Melbourne Arts**

Bill Viola
Bodies of Light
Bodies of Light

Video-InstallationVideo installation —

Konzept und RegieCreated and Directed by **Bill Viola** —
Ausführende ProduzentinExecutive Producer **Kira Perov** —

Schwarz-Weiß-Videodiptychon auf Plasmamonitoren,WandbefestigungBlack-and-white video diptych on plasma displays mounted
on wall — GesamtabmessungenOverall dimensions 102cm x 122cm — 21:27 min — 2006 —
DarstellerInPerformers **Jeff Mills** — **Lisa Rhoden** —

EröffnungOpening Event **16.11.2006** —
Ausstellung geöffnetExhibition open **17.11.–13.12.2006** —
OrtVenue **Künstlerhaus** —
Eintritt frei Free —

ÖffnungszeitenOpening Hours —
TäglichDaily **12:00–20:00** — DonnerstagThursday **12:00–21:00** — Täglich VeranstaltungenDaily Events **18:00–19:00** —
während dieser Zeit bleibt die Ausstellung geschlossenthe exhibition closes for the daily events of the festival center —

Bill Viola
Bodies of Light
Bodies of Light

Bodies of Light ist ein flaches Monitordiptychon, das je eine männliche und weibliche Gestalt zeigt, die in einem nur schwach beleuchteten Raum knietief im Wasser stehen. Durch tantrisch-buddhistische Beschreibungen der Auflösung des Körpers während des Prozesses des Todes und der Wiedergeburt inspiriert, ist *Bodies of Light* ein sich bewegendes Bilddiagramm eines männlichen und eines weiblichen Körpers, während ein helles Licht regelmäßig entlang der senkrechten Mittelachse ihrer Körper wandert, jeweils von oben nach unten und wieder zurück. Das Durchwandern des Lichts initiiert eine Reihe von Auflösungen ihrer körperlichen Stofflichkeit, die im dunklen Nachhall des durchlaufenden Lichts sichtbar werden. Die Schichten des Körperaufbaus scheinen allmählich zu verschwinden, zuerst Haut, dann Muskeln, Organe, Herz-Kreislauf-System und zuletzt der Skelettaufbau. Schließlich bleibt nur der schwarze Umriss des Körpers, bis auch er sich auflöst, der Monitor vollkommen schwarz wird und lediglich die Grundhelligkeit der Lichtkugel bleibt, um das Dunkel zu erleuchten. Die Bilder wurden mit einer speziellen Kamera mit minimalem Lichtbedarf aufgenommen und sind schwarz-weiß. Die Arbeit ist ohne Ton.

Bodies of Light is a flat panel diptych showing a male and female figure standing knee deep in water in a dimly lit room. Inspired by Tantric Buddhist descriptions of the dissolution of the body during the process of dying and rebirth, *Bodies of Light* is a moving image diagram of a male and female body as a bright light periodically travels along the central vertical axes of their figures, moving from top to bottom and back again. The passage of the light initiates a series of dissolutions of the body's material form that are visible in the dark wake of the light's passing. Layers of physiology are seen to disappear in successive stages, as first the skin, then the muscles, organs, cardio-vascular system and skeletal structures are dissolved. Finally, the body's black silhouette is all that remains until it too dissipates and the screen is engulfed in black, leaving only the essential luminosity of the orb of light to shine in the darkness. The images were recorded with a special low light camera and are in black and white. The work is silent.

Hans Belting
Bill Viola: Bodies of Light – Schwarz-Weiß-Videodiptychon auf Plasmamonitoren
Bill Viola: Bodies of Light – Black-and-white video diptych on plasma displays

Bodies of Light (2006) ist als Titel ein Paradox, denn Licht und Körper sind Gegenspieler im Schauspiel der Welt ebenso wie Licht und Schatten. Man könnte von Körpern im Licht sprechen, aber würde damit den Sinn des Diptychons verfehlen. Es geht in diesem Werk nicht um die gewöhnliche Erfahrung, dass Körper vom Licht beleuchtet werden und im Licht ihre Gestalt offenbaren. Ganz im Gegenteil scheint das Licht hier in die Körper einzudringen und die Barriere zu überwinden, die ein Körper dem Licht entgegensetzt. In dem 21-minütigen Video scheinen verschiedene Phasen aufeinander zu folgen, in welchen die beiden Körper schichtenweise transparent werden und ihren Aufbau enthüllen, der von der Anatomie zurückweicht und die Innenwelt des Körperträgers metaphorisch erreicht. Während wir Licht, nach dem üblichen Verständnis, allein mit den Augen wahrnehmen, scheinen die Körper hier das Licht mit allen Sinnen aufzusaugen: Das Licht als eine Instanz, die letztlich auf eine transkörperliche Erfahrung verweist, die wir metaphysisch nennen. Aber Bill Viola macht nicht den Dualismus von Körper und Welt und schon gar nicht den Dualismus von Körper und Licht zu seinem Thema. Vielmehr will er den Augenblick erfassen, in welchem ein Körper sich ganz mit einer Welterfahrung füllt, die über die Grenzen des Körpers hinausweist.

Natürlich kann Viola hier nichts abbilden, was sich Jedermanns Blicken darbietet. Vielmehr inszeniert er Bilder, die sich ganz mit einem metaphorischen Sinn füllen. Anders gesagt, bildet er Dinge ab, die man nicht sehen kann. Das Video unterstützt ihn in diesem Projekt, denn es erlaubt uns, Bilder prozesshaft zu erleben und nachzuvollziehen. Sie werden dabei zu Bildern des Werdens und des Vergehens, aber in dem ganz wörtlichen Sinne, dass die Bilder selbst in unser Blickfeld treten und aus dem Blickfeld wieder zurückweichen. Dadurch verlieren sie jede Eindeutigkeit in materiellem Sinne und lösen sich selbst in Metaphern auf. Der Künstler bleibt auch in diesem Werk beharrlich auf dem Wege, Bilder als eine Erscheinung in der Zeit zu inszenieren und sie damit an ein Phänomen zu binden, das wir im religiösen Bereich gerne als Epiphanie bezeichnen. Dabei erleben wir, wie sich die

Bodies of Light (2006) is a paradoxical title because light and bodies are antagonists in the drama of the world, just as light and shadow are. One could speak of bodies in the light, but that would miss the intention behind the diptych. This work is not concerned with the everyday experience that shows us bodies illuminated by light and revealing their shape through light. On the contrary, light seems to penetrate the bodies and to overcome the barriers they offer to it. The 21-minute video seems to present a sequence of different phases in which the two bodies are rendered transparent, layer after layer, thus revealing their structure, which recedes from anatomy and metaphorically reaches into the interior of the body's carrier. While in everyday thinking we perceive light with our eyes only, the bodies here seem to soak it up with all senses: light as an instance that ultimately refers to a trans-body experience we call metaphysical. But Bill Viola is not concerned with the dualism of body and world, or with the dualism of body and light. Rather, he wants to catch the moment in which a body is wholly filled with a world experience that points beyond the body's boundaries.

Of course, Viola cannot visualize anything here that offers itself to a universal gaze. Rather, he stages images that are wholly filled with metaphorical sense. In other words, he visualizes things that cannot be seen. The video supports him in this project, as it permits us to experience and comprehend images in a process-like manner. In this they become images of becoming and passing away, but in the very literal sense that these images enter into our field of vision and again recede from it. In this way, they lose all material definiteness and are themselves dissolved into metaphors. In this work, too, the artist remains true to his choice of staging images as an event in time and hence tying them to a phenomenon that in the religious context is often referred to as epiphany. In this, we experience how the rigidity of the simple being-there and being-thus of bodies and things is liquefied, as it were. This also happens in the literal sense when he shows us the bodies

Bodies of Light

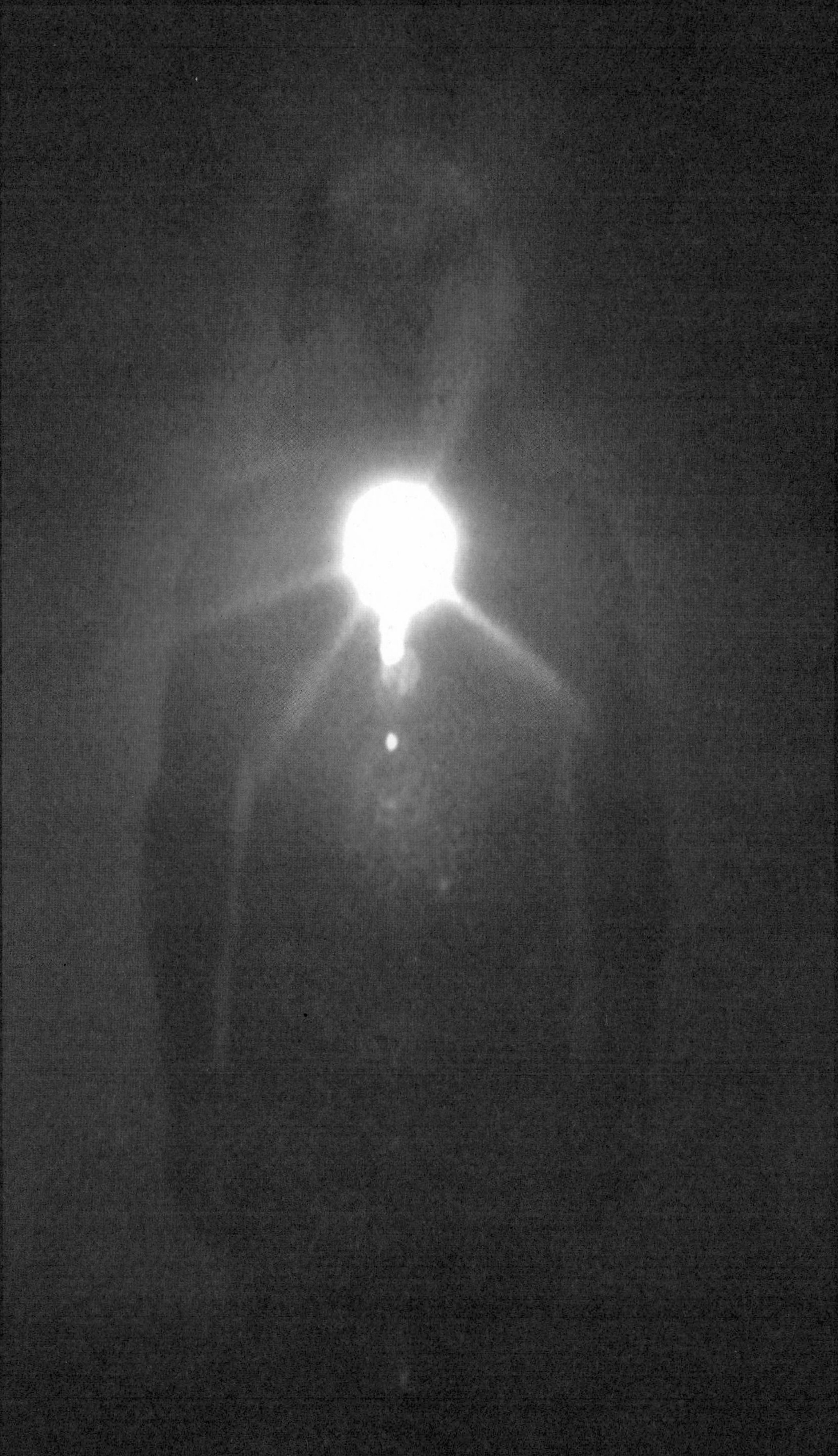

Starre des bloßen Da-Seins und So-Seins der Körper und Dinge gleichsam verflüssigt. Auch dies geschieht wiederum in einem ganz wörtlichen Sinne, nämlich überall dort, wo er uns Körper unter Wasser zeigt. Hier umgeben sie sich mit einer Aura der Schwerelosigkeit, in der sie, im Fallen und Aufsteigen, zu schweben scheinen, und trennen sich von unserem alltäglichen Blick wie hinter einer unsichtbaren Scheibe. Die Körper, die wir hier sehen, sind immer woanders, wo sie in ihrer Eigenerfahrung eingeschlossen sind. Hier, wo wir als ZuschauerInnen stehen, werden wir von dem Ort der Körper ausgeschlossen, die wir zu sehen bekommen. Das Metaphorische geht über das Abbilden hinaus. Das ist für Viola ein kritisches Moment, an dem sich die Geister des Kunstpublikums scheiden.

underwater. In water, they surround themselves with an aura of weightlessness; they seem to float, descending and ascending, detaching themselves from our everyday gaze as if behind an invisible glass pane. The bodies we see here are always elsewhere, enclosed in their own experience. From our vantage point, that of the spectator, we are excluded from the space occupied by the bodies shown to us. The metaphorical goes beyond visualization. For Viola, this is the critical moment when opinions among art audiences begin to differ radically.

The diptych *Bodies of Light*, Bill Viola's most recent work, has been elaborately crafted, layered, and refined in an extensive

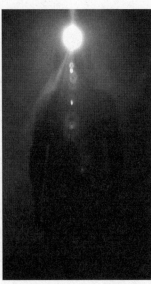

Das Diptychon der *Bodies of Light*, Bill Violas jüngste Arbeit, wurde sorgfältig ausgearbeitet, geschichtet und in einem aufwendigen Nachbearbeitungsprozess verfeinert. Das verwendete Material entstand ursprünglich für das *Tristan Project*, das Bill Viola für Peter Sellars' Aufführung von Wagners *Tristan und Isolde* an der Nationaloper von Paris entwickelt hat, dort aber nicht einsetzte. Hier entstand eine Synergie aus Musik und Regieführung, die nur die unmittelbaren TeilnehmerInnen des Opernabends erfahren konnten. Aber Viola entschloss sich anschließend zu dem ungewöhnlichen Schritt, sein für die Bühne bestimmtes Werk für eine Ausstellung zu verwandeln, in der es aus dem Zeitfluss der Oper herausgenommen ist. Zu diesem Zweck zerlegt er es in einzelne, deutlich getrennte Werkgruppen, die eine eigene Handlungsfolge besitzen. So nehmen die Teile des Werks gegenüber dem Stoff der Oper eine unabhängige und allgemein gültige Bedeutung an.

In *Purification* durchlebt ein Paar, Mann und Frau, eine Initiation, die in den Tod führt. Sie endet jenseits des Todes in einer Verwandlung, die das Paar wieder vereint. Das Thema steht in einer alten Tradition, welches die Erlösung aus dem körperlichen Ich-Sein in Ritualen inszenierte und damit symbolisierte. In der religiösen Fantasie öffnet sich hinter Ende und Trennung die Verwandlung als ein Weg, der offen lässt, was in der Verwandlung entsteht.

Wie in vielen seiner Werke, ist es ein Diptychon, in dem wir den Anfang der Initiation erleben. Es verändert sich in den 52 Minuten seiner Bildfolge (in der Länge eines kurzen Spielfilms) am stärksten, wenn sich das Paar entkleidet, Stück für Stück die Überreste der Welt und ihrer bisherigen Leben abstreift, und in Wasser eintaucht. In dem nächsten „Akt" finden wir das Paar als „Bodies of Light" wieder, wie es bei New Crowned Hope zu sehen sein wird. Das Wasser bedeutet den symbolischen Untergang wie

post-production process using materials initially developed for, but not used in the *Tristan Project* developed by Bill Viola for Peter Sellars' production of Wagner's *Tristan und Isolde* at the Paris National Opera. That work produced a synergy with music and direction that was only accessible to the opera audience. But Viola has subsequently opted for the unusual step of transforming his originally stage-bound work for an exhibition that detaches it from the operatic time-flow. For this purpose, he decided to split it up into individual, clearly separated groups of works that have their own sequence of action. In this way, the individual parts of the work assume an independent and universal significance that is distinct from the opera plot.

In *Purification* a couple, a man and a woman, experience an initiation leading to death. Beyond death, this initiation ends in a metamorphosis that again unites the couple. The theme is rooted in an old tradition that stages, and hence symbolizes, the release from physical identity through rituals. In religious imagery, metamorphosis awaits after an ending, after separation, opening onto a path created by the process of this metamorphosis.

As in many of his works, it is a diptych that shows us the beginning of the initiation. In the 52 minutes of its image sequence (the length of a short feature film), it changes most markedly when the couple undress, stripping away piece by piece the vestiges of the world and their previous lives, and plunge into the water. (In the next "act", we rediscover the couple as the "Bodies of Light" seen in New Crowned Hope.) In this, water stands for a symbolic submerging, such as the one in Christian baptism, when the "old self" is submerged. After water, light becomes a symbolic door to another existence

jenen, in dem in der christlichen Taufe der „Alte Mensch" untergeht. Nach dem Wasser ist das Licht eine symbolische Öffnung in eine andere Existenz, die eine ebensolche kosmische Dimension besitzt wie die schattenhaften Körper im Widerschein des Lichts. Schatten (Körper) und Licht sind aneinander gebunden. Aber sie verlieren hier ihre Gegensätzlichkeit in einer Synthese, die nicht mehr definierbar ist.

In der Werkfolge von *Love / Death: The Tristan Project* schließt sich der *Fall into Paradise* an, ein kürzeres Video, in dem das Licht mit der kleinsten Schnittmenge eines einzelnen Pixels auf schwarzem Fond einsetzt und schließlich die Umarmung des vorher getrennten Paars offenbart. *Becoming Light* beschreibt

that holds the same cosmic dimension as the shadowy bodies in the reflected light. Shadows (bodies) and light are interdependent. Here, however, they lose their antagonism in a synthesis that defies definition.

In the *Love / Death: The Tristan Project* work series, the next step is *Fall into Paradise*, a shorter video in which light becomes visible with the smallest intersection set of one single pixel against a black background and finally reveals the embrace of the formerly separated couple. *Becoming Light* describes the couple's death in erotic images, but death is the transition to a journey in which the past, as a physical memory, intermingles in changing images with a new trans-presence. As in other

den Tod des Paars in erotischen Bildern, aber der Tod ist Übergang auf einer Reise, auf welcher sich die Vergangenheit, als körperliche Erinnerung, in wechselnden Bildern mit einer neuen Trans-Präsenz mischt. Wie in anderen Werken, hat Viola auch in diesem Werk in der gegenwärtigen Welt, die man fotografieren kann, nach Eindrücken gesucht, die über die Realität hinaus weisen. Deshalb bekommen wir das Abendlicht hinter einer alten Eiche zu sehen, wobei sich das Licht eines ganzen Tages allmählich verabschiedet.

Der Künstler betreibt ein kühnes Projekt, das im Kunstpublikum der späten Moderne manchmal Irritationen auslöst. Sie liegen darin, dass der Künstler in der Kunst einen Raum hinter der Kunst öffnet. Er setzt sich dabei über die Professionalität im Ausstellungsbetrieb hinweg, auch wenn seine Mittel von einer nicht überbietbaren professionellen Perfektion sind. Im *Tristan Project* hat sich Viola von jedem Drehbuch befreit und ein Werk geschaffen, das in der Anspielung auf ein Epos, das jeder kennt, eine zeitgenössische Form für die Begegnung von Bildkunst, Erzählung und Musik gefunden hat.

works, Viola has searched in the present world – a world that can be photographed – for impressions going beyond reality. For this reason, we are shown the evening light behind an old oak, with the light of a whole day gradually fading.

The artist follows a bold project that sometimes causes irritation among late-modernist art audiences. This is due to the fact that the artist, in his art, opens up a space beyond art. In this, he forgoes the professionalism of the exhibition business, even if his means are of superlative professional perfection. In the *Tristan Project*, Viola has freed himself from all scripts and created a work that, in referencing a universally known epic, has given a contemporary form to the encounter of visual arts, narrative and music.

Enlightenment, Theory and Practice
Enlightenment, Theory and Practice

Neue architektonische Annäherungen an die Themen Obdachlosigkeit und Asyl: Eine neue Generation entwirft Wien, Stadt der Kultur und des sozialen EngagementsNew Architectural Approaches to Homeless and Refugee Issues: A new Generation designs Vienna, City of Culture and Social Commitment —

VonBy StudentInnen und AbsolventInnen der Disziplinen Architektur, Landschaftsdesign, Bildende Kunst, Kunstpädagogik und Grafik Design Students and graduates across the disciplines of Architecture, Landscape Design, Fine Arts, Art Education and Graphic Design —

ProjektProject **Gaudenzdorfer Gürtel** —
Nina Baniahmad — **Christian Deschka** — **Sandra Häuplik** — **Verena Holzgethan** — **Julia Lindenthal** — **Jörg Lonkwitz** —
Eva Radlherr — **Marta Rego** — **Tatia Skhirtladze** — **Rüdiger Suppin** — **Elena Valcheva** —
Die StudentInnen dankenThe students want to thank **David Baum** — **Sascha Kraemer** —

ProjektProject **Welcome to Vienna,** Integrationshaus Wien —
Kieran C. Fraser — **Iris Hercher** — **Gregor Holzinger** — **Leo Levine-Moringer** —
Ausstellung des ProjektsExhibition of the project — Ausstellung geöffnetExhibition open **17.11.–13.12.2006** —
OrtVenue **Künstlerhaus** —
Eintritt frei Free —

Künstlerische InterventionenArtistic Interventions —
Christian Deschka — **Doris Kepplinger** — **Eva Radlherr** — **Tobias Werkner** —

Weitere ProjekteFurther Projects —
Kinda Alsayed — **Panajota Panotopoulou** — **Luciano Parodi** — **Daniel Podmirseg** — **Natalija Ribovic** — **Klaus Seits** —

StudioleitungDirector of Project Studio **Peter Sellars** — ProjektleitungProject Managers **Bärbel Müller** — **Hannes Stiefel** —
In Kooperation mitIn co-operation with **Studio Prix**, Institut für Architektur, Universität für angewandte Kunst, WienInstitute of Architecture, University of Applied Arts, Vienna —

Bärbel Müller
Keine Inseln aber doch
Islands not yet islands

Peter aus Lagos, Nigeria, sprach mich auf der Taborstraße an. Wir tauschten Telefonnummern aus. Einmal trafen wir uns in einem afrikanischen Restaurant. Er berichtete von einer Wohnung, einem Zimmer, einem Bett in Wien, vom Kochen und Fernsehschauen, von Langeweile. Sein Lagos: der Geruch von gegrilltem Mais auf der Straße, Business mit dem Vater am Markt, verrückter Verkehr. Mir blieb der Eindruck, da habe jemand sein öffentliches Sein eingetauscht gegen einen Innenraum in der Fremde. Inhaltsleer, verbunden nur mit virtuellen Weiten. Ihn – den illegalisierten Einwanderer – vermeintlich schützend vor den Gefahren und Unerschwinglichkeiten der (halb)öffentlichen Stadt.

Eine kontaminierte Insel, ein domestiziertes *terrain vague*, ein weniger kontrollierter Stadtraum zwischen Gürtel und Wiental im Westen Wiens. Wie mit dieser Stadtbrache umgehen?

Sie belassen, oder einen ‚anderen' Raum schaffen.

Konsequent Insel denken, mit autarken Räumen, Programmen, Regeln und scharf definierten Rändern hieße Utopia.

Also sie einweben in ihren Kontext, nuancierte Grenzen und Begrenzungen setzen. Weiche Übergänge von Innenraum zu Zwischenraum zu Außenraum, von grüner Landschaft zu konstruierter zu Asphalt, hinein in die umliegende Stadt. Dabei aber die Glattheit eines Transitraums überwinden. Reibungsflächen und Halt anbieten. Formen finden, die Örtlichkeit schaffen, die Lust darauf machen zu bleiben. Anziehend schön. Und damit nie fertig. Ein reaktionsfähiges Angebot an Raum und Zeit. Insbesondere für Menschen mit viel Zeit und wenig Raum. Dabei immer in Balance „Pleasure and Commitment" (Peter Sellars). Überschwänglich eigensinnige Attraktoren neben Basisversorgung. Beides inklusiv nicht exklusiv, für alle. Physisch und programmatisch auf eine Weise organisiert, dass Konnektivität passiert, permanent oder temporär, aber nie erzwungen. Auch impliziert der Anspruch an ‚einen Raum für alle' dessen weitgehende Entkommerzialisierung. Die ästhetische und kulturelle Dimension schließt eine politische ein.

Die Inselsituation eines Daches. Das Dach eines besonderen Hauses, das ein besonderes Plus erhält. Dieses ist weniger Objekt, als die Verräumlichung von Schnittpunkten verschiedener Bewegungen, die sich treffen. Es verweigert eine eindeutige Definition. Es betont und negiert seine Singularität gleichermaßen. Es enthüllt eine Vielzahl an Perspektiven und feiert jede. Damit scheint es physisch zur Blüte zu bringen, was die Institution Integrationshaus schon in sich birgt. Es ist sein materialisiertes Echo. Und es ist ein Versprechen, da es Wien mit anderen Geschichten überschneidet.

Mikroskopische Inseln, verteilt über die Stadt, gedacht für den Wiener Winter. Feuerinseln und Blumeninseln: Essenzen für kraftlose, potenzierte Schönheit für eine oft nicht so schöne Welt.

Das Studio als „protected space". An den großen offensichtlichen Themen und den verborgenen, persönlichen arbeiten, geistig gefüttert von New Crowned Hope. Eine direkte Auseinandersetzung mit den wunden Punkten und marginalisierten BewohnerInnen der Stadt. Sich diesen Realitäten stellen, dann zurückkommen und um eigene künstlerische, architektonische und urbanistische Reaktionen ringen. Miteinander und nebeneinander ausbrüten. An der Vielstimmigkeit der Gruppe wachsen und zeitweise daran vergehen. Und hoffentlich nie aufhören, sich wesentlichen Herausforderungen zu öffnen. "What do you want to have changed in this world until the end of your life?" (Peter Sellars)

Peter from Lagos, Nigeria struck up a conversation with me in Taborstrasse, and we exchanged phone numbers. Once we met in an African restaurant. He spoke about a flat, a room, a bed in Vienna, about cooking, watching TV, boredom. His Lagos: the smell of grilled corn on the streets, doing business with his father in the market, crazy traffic. I got the impression of somebody exchanging his public being against an internal space for strange country. Empty of content, linked to virtual values only, meant to protect him – the illegal immigrant – against the dangers and unaffordability of a (semi-)public city.

A contaminated island, a domesticated *terrain vague*, a less-controlled urban space between Gürtel and Wien River Valley to the west of the city. How to deal with this urban fallow?

Let it be, or create a "different" space.

A systematic island concept, with independent spaces, programs, rules and precisely defined contours, would equal utopia.

Hence it must be interwoven into the urban context by establishing nuanced contours and boundaries. Gentle transitions from inside to intermediate space to outside, from green landscape to constructed cityscape to asphalt, spreading into the surrounding city. Yet overcoming the slickness of a transit space. Offering areas of tension and support. Finding forms, creating public spaces that inspire people to rest and linger. Attractively beautiful, and hence never complete. A space-and-time package that provokes responses, in particular designed for people with lots of time and little space of their own. Always balancing "pleasure and commitment" (Peter Sellars). Overwhelmingly willful attractors, side by side with basic conveniences. Both inclusive, not exclusive, for everybody. Physically and programmatically organized to ensure that connectivity will happen, permanently or temporarily, but will never be enforced. Moreover, the intention of creating a "space for all" implies a substantial de-commercialization of this space. The aesthetic and cultural dimension involves a political dimension.

The island feeling of a roof. The roof of a special building that offers a special asset. It is less an object than the spatialization of interfaces of various intersecting movements. It rejects unambiguous definitions, both emphasizing and negating its singularity. It reveals a wealth of perspectives and celebrates each and every one of them. In this way, it seems to cause a physical flowering of what the Integrationshaus as an institution harbors through its very existence. It is its materialized echo. And it is a promise because it overlaps Vienna with other stories.

Microscopic islands distributed across the city, conceived for the Viennese winter. Islands of fire and of flowers: essences for the exhausted, a beauty boost for an often less-than-beautiful world.

The studio as "protected space". Working on the big, obvious issues, and on the hidden, personal ones, nurtured by New Crowned Hope. A direct confrontation with the sore spots and marginalized inhabitants of the city. Facing these realities, then returning and fighting for one's own artistic, architectural and urban responses. Breeding together, side by side. Growing from the multi-voiced texture of the group and, at moments, blending into it. And, hopefully, always remaining open to important challenges. "What do you want to have changed in this world by the end of your life?" (Peter Sellars)

Hannes Stiefel
Über Stoff und Form und Transformation
About substance and form and transformation

Die einen, die finden keinen Raum in dieser Stadt – und für andre wird die halbe Stadt geräumt.[1]

Diese Diskrepanz beschreibt exemplarisch Hintergrund und Antrieb des Studios *Enlightenment, Theory and Practice*.

Man könnte die These von Peter Hacks zur klassischen Literatur in ein Statement zu einer Progressiven Architektur umschreiben:

Progressive Architektur spiegelt die tatsächliche Barbarei der Welt im Stoff wider und ihre mögliche Schönheit in der Form.

Den Stoff, was die Projekte zum Integrationshaus und zum Gaudenzdorfer Gürtel betrifft, bringen die künftigen BenutzerInnen ein: Durch ihre oft traumatischen Erfahrungen und durch ihre gegenwärtige prekäre Position in unserer Gesellschaft. Stoff, der sich in den im Studio entwickelten Programmen niederschlägt.

Die Verarbeitung von Realität und ihre Transformation in eine Form, die den Genuss zur räumlichen Erfahrung macht, ist essenzielle Aufgabe der Architektur.

Oft wird bezweifelt, ob die formale Gestaltung ein adäquates Mittel sei zur Bewältigung solcher Aufgaben. Doch wir glauben an das transformative und anregende Potenzial einer gründlichen Form in Verbindung mit neuen Programmen.

Und: Thesen brauchen nicht zu stimmen, um Entwicklungen in Gang zu setzen.

1 Am 21. Juni 2006, dem Tag der Niederschrift dieser Zeilen, wurden im Rahmen des Besuches des amerikanischen Präsidenten große Teile der Wiener Innenstadt sowie der Weg vom Flughafen ins Zentrum Wiens großräumig abgesperrt.

Some people find no space in this city, while half of Vienna is emptied for others.[1]

This discrepancy describes the background and impetus behind Studio *Enlightenment, Theory and Practice* in exemplary fashion.

Peter Hacks' thesis regarding classical literature could be rephrased into a statement on progressive architecture:

Progressive architecture reflects the actual barbarity of the world in substance, and its potential beauty in form.

With respect to the projects for the Integrationshaus and Gaudenzdorfer Gürtel, the substance will be provided by the future users, with their often traumatic experiences and current, precarious position in our society; substance that is reflected in the programs developed by the Studio.

The essential task of architecture is the processing of reality and its transformation into a form that renders the spatial experience pleasurable.

The question of whether formal design is an adequate means to cope with such tasks is frequently called into doubt. But we believe in the transformative and stimulating potential of solid form combined with new programs.

And: theses do not have to be true to trigger developments.

1 On 21 June, 2006, the day of writing these lines, large parts of Vienna's city center as well as the road from Vienna Airport to the heart of the Austrian capital were completely closed to traffic because of the visit of the U.S. President.

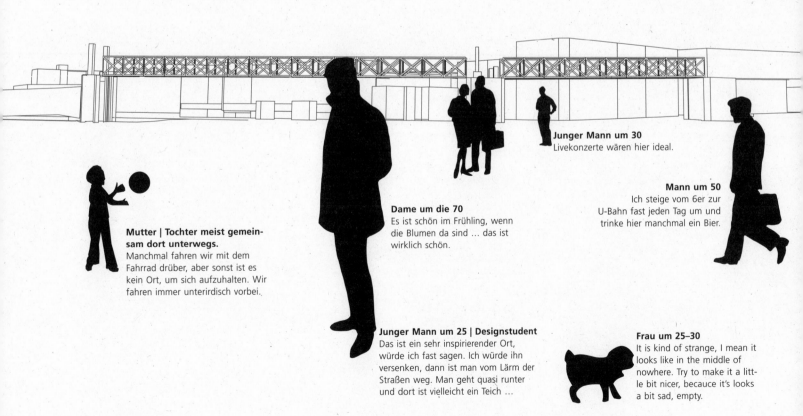

Mutter | Tochter meist gemeinsam dort unterwegs.
Manchmal fahren wir mit dem Fahrrad drüber, aber sonst ist es kein Ort, um sich aufzuhalten. Wir fahren immer unterirdisch vorbei.

Dame um die 70
Es ist schön im Frühling, wenn die Blumen da sind … das ist wirklich schön.

Junger Mann um 25 | Designstudent
Das ist ein sehr inspirierender Ort, würde ich fast sagen. Ich würde ihn versenken, dann ist man vom Lärm der Straßen weg. Man geht quasi runter und dort ist vielleicht ein Teich …

Junger Mann um 30
Livekonzerte wären hier ideal.

Mann um 50
Ich steige vom 6er zur U-Bahn fast jeden Tag um und trinke hier manchmal ein Bier.

Frau um 25–30
It is kind of strange, I mean it looks like in the middle of nowhere. Try to make it a little bit nicer, becauce it's looks a bit sad, empty.

Gaudenzdorfer Gürtel

Vision
Vision

New Space with Alternative Economies –
Gaudenzdorfer Gürtel

Für das inselartige, vom Verkehr umschlossene Grundstück am Gaudenzdorfer Gürtel wird ein langfristig wirksamer Master-plan erarbeitet. Dieser umfasst eine dem emissionsbelasteten Ort und dem kontaminierten Boden adäquate Landschaftsgestaltung sowie eine Nutzungsdurchmischung, die für die bedeutendsten Leistungen dieser Stadt sprechen: Für das kulturelle Wien und für die Stadt des sozialen Engagements.

Als Manifest dieser visionären Entwicklung wird die Realisierung eines neuen Typus nutzungsdurchmischter Architektur angestrebt, die kulturelle und soziale Programme vereinigt. Das Projekt soll als wirksames Zeichen für ein Wien der Kultur(en) und der sozialen Wärme stehen. Gleichzeitig soll es die, dem Projekt zugrunde liegenden, in der Architektur und Stadtplanung oft vernachlässigten, gesellschaftspolitisch relevanten Themen langfristig etablieren.

New Space with Alternative Economies –
Gaudenzdorfer Gürtel

A long-term "master-plan" is to be developed for this insular site on Gaudenzdorfer Gürtel surrounded by intense traffic. The project is to comprise a landscape design concept to meet the needs of this high-emission location as well as a functional mix that will embody some of Vienna's key achievements: Vienna as a cultural city and as a city of social commitment.

As embodiment of this visionary concept, a plan is being developed to create a novel type of multi-use architecture which unites cultural and social programs.

The project should embody a clear, widely seen signal of Vienna as a city of culture(s) and social inclusion. At the same time, it is to establish the underlying themes of the festival – themes often neglected by architects and urban planners but of high socio-political relevance – in a permanent and sustainable manner.

Programm
Program

Restaurant
Selfprepare | Take-Away |
biologisch | Internationale Speisen |
Kochkurs | Shop | DJ Line |
Chill-Out | Verwaltung |

Playground
Sport | Skaten | Spazieren |
Eislaufen | Street Art |
Speakers Corner | Open Air |
Film | Konzert | Trinkwasser |
Duschen |

Bazaar
Tauschbörse | Flohmarkt |
Fahrradwerkstatt | Internet |
Workshops |

Ambulanz
Erste Hilfe | Med. Beratung |
24h Apotheke | Dusche |
Waschsalon |

Privater Verkehr
Kfz | Radweg

Öffentlicher Verkehr
Straßenbahn 6, 18
U-Bahn U4, U6

Kontext
Context

Aids Hilfe HausAids Hilfe Haus

HauptfeuerwacheHauptfeuerwache

LeutnerhofLeutnerhof
BerufsschuleBerufsschule
Gewerbehof MargaretenGewerbehof Margareten

BürgerkingBürgerking
SichtachsenverdichtungSichtachsenverdichtung

TankstelleTankstelle

SportanlagenSportanlagen

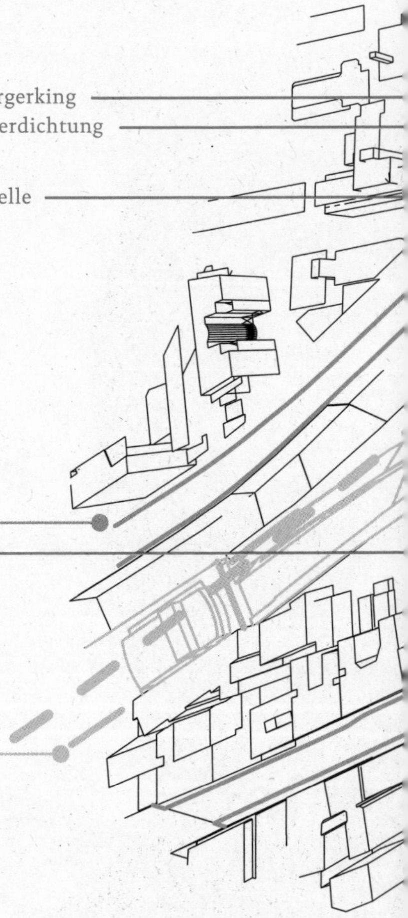

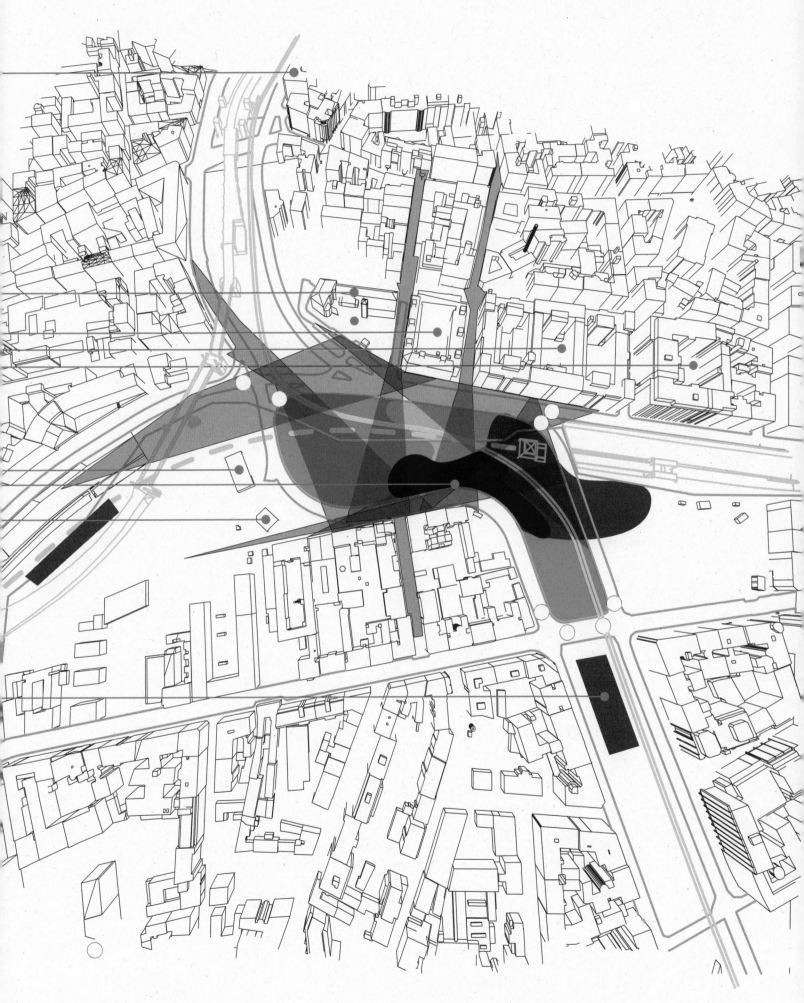

Simsalabim … und ich bin in Wien
Simsalabim … and Vienna is in

Vision

Seit März 2005 arbeitet die interdisziplinäre Gruppe von ArchitektInnen, LandschaftsdesignerInnen, KunstpädagogInnen, KünstlerInnen und GrafikerInnen an einem Architekturprojekt.

Was sind die Inhalte, die die Architektur des 21. Jahrhunderts versinnbildlichen sollten?

Was gibt es nicht, was dringend gebraucht wird? Durch welche Prozesse können Notwendigkeiten erkannt und räumlich umgesetzt werden?

Dieser Ehrgeiz ist die Summe der Begeisterung, der Arbeit, der Erfahrungen und intensiven Auseinandersetzung miteinander, die alle im Projekt Beteiligten aufbringen, mit dem Ziel ein Architekturprojekt in Wien zu realisieren, das ein zukunfts-weisendes Vorbild sein kann.

Wir wollen unsere Vision einer nachhaltigen und zukunfts-fähigen Gesellschaft realisieren.

Gleichzeitig sollen die dem Projekt zugrunde liegenden, in der Architektur und Stadtplanung oft vernachlässigten gesellschafts-politisch relevanten Themen, langfristig etabliert werden und als prototypischer Baustein einer städtebaulichen Gesamtvision dienen.

Als exemplarisches Manifest dieser visionären Entwicklung wird eine Realisierung einer nutzungsdurchmischten Architektur *Shared Space*, einer programmierten *Brücke* und *Poles* mit *Landschaft* vorgeschlagen.

Der Mensch in seinen sozialen und räumlichen Beziehungen fungiert dabei als Maßstab. Ein Prozess soll in Gang gesetzt werden, der nachhaltig den sozialen Raum transformiert und den Ort belebt.

Ausgangspunkt dafür ist ein, in Zusammenarbeit mit sozialen Institutionen der Stadt Wien ausgearbeitetes Programm.

Ziel ist es, einen Raum zu schaffen, der Aktivitäten und Menschen, welche im Alltag kaum in Berührung kommen, zusammen führt.

Stadtbrache
Margaretengürtel, 5. / 6. / 12. / 15. Gemeindebezirk, Wien

Die Freifläche vor der U4-Station Margaretengürtel ist ein pulsierender Verkehrsknoten, wo Wienzeile und Gürtel aufeinander treffen. Zwei Straßenbahnlinien durchqueren das Gelände, visuelle Grenze in westlicher Richtung stellt die U6 / Otto-Wagner-Brücke dar. Das Potenzial der kulturellen Durchmischung im urbanen Transitraum findet auf den 22.000 m² Brache Entwicklungsraum. Ziel ist es, diese vorgefundenen Qualitäten zu verstärken und Defizite auszugleichen. Die Kontaminierung des Bodens, die durch ein 1905 abgerissenes Gaswerk entstanden ist, erklärt die additive Vorgangsweise des Projekts.

Poles

Poles, zeichenhafte Plastiken als Ausgangspunkte des Projekts, markieren spezifische Orte auf dem Grundstück. Sie entwickeln sich aus den direkten und indirekten Blickbeziehungen des Ortes und den „Blickbeziehungen" unserer Vorstellungskraft. Sie dienen als Kraftzentren und poetische Möglichkeiten der infrastrukturellen Grundversorgung für das Gesamtprojekt, dienen der Beleuchtung bestimmter Zonen und sind bewegliche, interaktive Rastplätze.

Landschaft

Die Hügellandschaft schließt und öffnet die Räume durch wechselnde Dichten und Schichtungen. Sie strukturiert und multipliziert das Grundstück, ohne seine Einheit zu zerstören. Das Erklimmen der Hügel als temporärer Ausstieg aus der gewohnten

Vision

Since March 2005, an interdisciplinary group of architects, landscape designers, art educators, visual and graphic artists have been preparing an architectural project.

What contents should be symbolized by 21st-century architecture?

What does not exist yet but is urgently needed? What processes permit recognizing and spatially implementing such needs?

This ambition is the result of the enthusiasm, work, experience and intensive cooperation of all project participants in order to implement a Viennese architectural project that could become a pioneering model.

We want to give shape to our vision of a sustainable and future-oriented society.

At the same time, issues of socio-political relevance which underpin the project are often neglected by architecture and urban design. These are to be permanently established and serve as a prototypical element of an overarching urbanistic vision.

As an exemplary manifesto of this visionary development, we propose the implementation of a mixed-use architecture – *Shared Space*, a programmed *Bridge* and *Poles* with a *Landscape*.

The scale is provided by human beings with their social and spatial relationships. A process is to be launched that sustainably transforms social space and revives the location.

All this stems from a program developed in cooperation with a variety of social facilities of the City of Vienna.

The objective lies in creating a space that unites activities and people who normally do not mix in everyday life.

Fallow urban space Margaretengürtel, 5th / 6th / 12th / 15th municipal districts of Vienna.

The open space in front of the U4 station Margaretengürtel is a pulsating traffic hub where Wienzeile and Gürtel intersect. Two tram lines cross the site; to the west, a visual boundary is provided by Otto Wagner's elevated tram bridge for the U6 line. The potential of creating a cultural mix in this urban transit space can be created on this 22,000 sq m of fallow, unused land. The objective lies in reinforcing existing qualities and balancing deficits. The additive approach of the project is explained by soil contamination caused by a gasworks torn down in 1905.

Poles

Poles, symbolic sculptures as starting-points of the project, mark specific sites on the lot. They evolve from direct and indirect visual relationships within the site and the "visual relationships" of our imagination. They serve as power centers and poetic possibilities for providing a basic "infrastructure" for the overall project illuminating specific zones as moving, interactive places of rest.

Landscape

The hilly Landscape closes and opens up the space because of the changing degrees of density and layering. It structures and multiplies the lot without destroying its unity. Climbing the hills as a temporary escape from the customary environment engenders a reflective distance from mundane everyday life. The hills are partly greened mounds, partly specifically constructed landscape elements. Greened hill sections alternate with concrete or wood surfaces that function as seating, skating surfaces or loggias.

Umgebung ermöglicht eine reflexive Distanz zum Alltag. Die Hügel sind teils bewachsene Aufschüttungen, teils konstruierte Landschaftselemente. Bewachsene Hügelteile wechseln sich ab mit Oberflächen aus Beton oder Holz, die sich zu Sitzgelegenheiten, Skateflächen und Logen verformen.

Brücke

Die *Brücke* positioniert sich als stadträumliche Verstärkung der Wiental-Achse sowie als sozialräumliche Schnittstelle mit der Umgebung.

Und reagiert so auf die Bedürfnisse des Ortes.

Als FußgängerInnen- und Fahrradbrücke über den Margaretengürtel schließt sie den Bruno-Kreisky-Park mit dem Projektgrundstück zu einem Grünraum zusammen.

Flohmarkt und Tauschbörse, eine Fahrradwerkstatt, und temporär besetzbare Freiräume finden auf der Brücke Platz und stellen erste Nutzungen dar, die sich im Laufe der Zeit dynamisch verändern können.

Shared space

Der *Shared Space* ist Schnittpunkt zwischen Landschaft, *Pol* und *Brücke*. Er bildet das Kernstück auf dem Gelände. Eine mobile Küche, Projekträume und das skulpturelle Element *Pol* verbindend, dient er der räumlichen und programmatischen Ausdehnung des öffentlichen Raumes und wird zur Kommunikationsplattform für kulturelle und soziale Aktivitäten des Wiener Stadtlebens.

Programm

Das Programm reagiert auf essenzielle Bedürfnisse, wie Ernährung und medizinische Grundversorgung, Bildung und Kommunikation, Kultur und Freizeitaktivität.

Ziel ist es eine mehrfach programmierte Plattform zu schaffen, die unterschiedlichste BenutzerInnen, AnrainerInnen genauso wie sozial marginalisierte Gruppen anzieht.

Gemeinsam mit unterschiedlichen Wiener Institutionen wie FEM — neunerHAUS — caritas-LouiseBus — space!lab — Augustin — Geomantie Wien — wurde eine mögliche Bespielung erarbeitet.

Bridge

The *Bridge* positions itself as an urban reinforcement of the Wien River Valley axis and as a social-spatial interface with the surroundings, and thus reacts to the requirements of the site.

As a pedestrian and bike bridge across Margaretengürtel, it fuses Bruno-Kreisky-Park and the project site into one green space.

A flea market and barter exchange, a bike shop and temporarily useable open spaces are situated on the bridge and are its first facilities, which, however, may change dynamically over time.

Shared Space

The *Shared Space* is the interface between Landscape, *Poles* and *Bridge* and also the core of the site. By linking a mobile kitchen, project rooms and the sculptural element *Pole*, it furthers the spatial and programmatic extension of public space and becomes a communication platform for cultural and social activities of Vienna's urban life.

Program

The Program reacts to essential needs, such as food and basic medical care, education and communication, culture and leisure activities.

The objective lies in creating a complexly programmed platform able to attract a wide variety of users – local inhabitants as well as socially marginalized groups.

Possibilities of use were developed in cooperation with different Viennese institutions including FEM — neunerHAUS — caritas-LouiseBus — space!lab — Augustin — Geomantie Wien —

New Crowned Hope: spannende Architektur und soziales Engagement in einem Projekt vereint. Dieser innovative Ansatz wertet den durch den Verkehr abgeschirmten Platz beim Gaudenzdorfer Knoten massiv auf. Die angrenzenden Bezirke sollen mit Brücken verbunden und ein lebendiger städtischer Raum geschaffen werden. New Crowned Hope wird somit ein Treffpunkt für Menschen aller sozialen Schichten sein.

DI Rudolf Schicker, Stadtrat für Stadtentwicklung und Verkehr

New Crowned Hope: **exciting architecture and social commitment combined in one project.** *This innovative approach gives a new lease on life to the square near the Gaudenzdorfer Gürtel traffic intersection, which so far had been cut off by traffic. The adjoining districts are to be connected to the square by bridges, resulting in a vibrant urban space. New Crowned Hope will thus become a meeting-point for persons from all social strata.*

DI Rudolf Schicker, Executive City Councilor for Urban Development, Traffic and Transport

Enlightenment, Theory and Practice

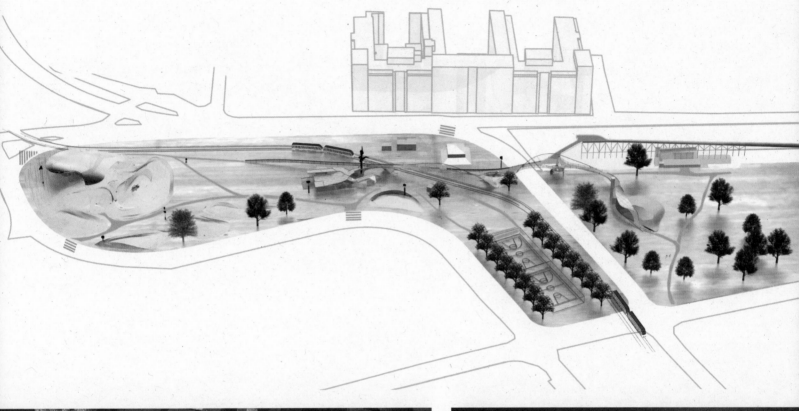

Barbara Zuschnig

Der Verein neunerHAUS
The association neunerHAUS

Für die meisten Menschen ist es selbstverständlich, einen Schlüssel zur eigenen Wohnung zu haben. In Wien haben aber mehr als 5.000 Menschen kein eigenes Dach über dem Kopf. Sie müssen mit 5 Euro pro Tag auskommen. Der Verein neunerHAUS hilft diesen Menschen und gibt ihnen Obdach. In zwei Wohnhäusern mit 100 Plätzen. Wir stellen in unserer Arbeit die Bedürfnisse des Einzelnen und den Wunsch, nach eigenen Vorstellungen zu leben, in den Mittelpunkt. Wir unterstützen Menschen dabei, wieder auf eigenen Beinen zu stehen. Um zu entscheiden, wie sie ihr Leben führen. Um zu bestimmen, wie sie ihre Probleme bewältigen. Um zu lernen, was sie für ihre Gesundheit tun können.

Das neuerHAUS und das Projekt Gaudenzdorfer Gürtel

Die Einladung an einer Zusammenarbeit im Projekt *Gaudenzdorfer Gürtel* im Rahmen des Festivals New Crowned Hope hat uns von Beginn an interessiert. In der Arbeit für und mit obdachlosen Menschen geht es auch immer wieder darum, Platz im öffentlichen Raum und somit in der öffentlichen Wahrnehmung zu schaffen und bewusst zu gestalten. Menschen und Situationen, die als unangenehm empfunden werden, sollen unsichtbar bleiben. Dem will die Idee und das Konzept des *Gaudenzdorfer Gürtels* ein sichtbares Zeichen entgegenhalten. Wir arbeiten mit, weil Interdisziplinarität und die Arbeit in unbekannten Zusammenhängen immer neue Ideen für eigene Aufgaben entstehen lässt. Wir hoffen gemeinsam mit dem Projektteam, dass das Angebot am Gaudenzdorfer Gürtel eine permanente Einrichtung wird.

For most people, having a key to their own apartment is a matter of fact. Yet more than 5,000 people in Vienna do not have a roof over their heads. They must get by on just 5 Euros per day. The association neunerHAUS helps these people and offers them shelter in two hostels with 100 places. In our work, we focus on the needs of individuals and their wish to live in their own, personal way. We support them in getting back on their feet, deciding how they want to live, choosing a way to cope with their problems, and learning what they can do for their health.

neuerHAUS and the project Gaudenzdorfer Gürtel

The invitation to cooperate on the *Gaudenzdorfer Gürtel* project in the framework of the New Crowned Hope Festival was very interesting for us right from the beginning. Working for and with homeless people also means creating, and deliberately shaping, room for them within public space and hence within public perception. People in unpleasant situations are often supposed to remain "invisible." The idea and concept behind the project *Gaudenzdorfer Gürtel* are to generate a visible sign to combat this attitude. We have decided to join in because interdisciplinary approaches and working in hitherto unknown contexts always produces novel ideas for our own tasks. Together with the project team, we hope that the facilities introduced on Gaudenzdorfer Gürtel will become a permanent fixture.

Margarete Havel

space!lab 2006: Die Zielsetzungen ihrer Arbeit
space!lab 2006: The Objectives of their Work

Space!lab ist ein arbeitsmarktpolitisches Projekt, gefördert im Rahmen der Equal Gemeinschaftsinitiative von ESF und BMWA. Arbeitssuchende benachteiligte Jugendliche und junge Erwachsene im Alter zwischen 15 und 24 Jahren werden über einen Zeitraum von höchstens neun Monaten qualifiziert und beschäftigt, mit dem Ziel, ihre Kompetenzen zu erweitern und die Chancen am Arbeitsmarkt zu erhöhen. Das interdisziplinäre ExpertInnen-Team von space!lab geht davon aus, dass die Jugendlichen sehr wohl Stärken und Potenziale besitzen und dass es andererseits vielfältige Tätigkeitsfelder im städtischen Raum gibt, die genau mit diesen Stärken und Potenzialen im Sinne von „Freiraum-Management" zu beleben sind.

Die Beschäftigungsmöglichkeiten knüpfen am Lebensraum junger Menschen – öffentlichen Plätzen, Parks, Spiel- und Sportplätzen – an. In Kooperation mit Stadtgartenamt, Jugendeinrichtungen, Eventagenturen, Sportvereinen und Gebietsbetreuungen arbeiten die Jugendlichen an der Realisierung von Pilotprojekten mit. Die in einer Studie der außerschulischen Jugendarbeit entwickelten Qualitätskriterien bestimmen Auswahl und Inhalt dieser Projekte. Die Tätigkeitsfelder umfassen Planung, Errichtung, Erhalt und Wartung von privaten und öffentlichen Freiflächen, Errichtung, Betrieb, Pflege und Bespielung von Sportanlagen, Öffentlichkeitsarbeit und Durchführung von Veranstaltungen sowie Dienstleistungen im Bereich Information und Kommunikation im Freiraum. Die Erfahrungen aus der praktischen Arbeit, die Ergebnisse nationaler und internationaler Recherchen sowie die Anforderungen aus Sicht der Jugendarbeit fließen in die Entwicklung arbeitsmarktpolitischer nachhaltiger Modelle ein. Nach Beendigung von space!lab werden geförderte Beschäftigungsprojekte für die Zielgruppe zur Verfügung stehen, um benachteiligte junge Menschen beim Übergang von der Schule in den Arbeitsmarkt zu unterstützen.

2010: Ihre Vision, verortet in dem Projekt am Gaudenzdorfer Gürtel

— Jugendliche der arbeitsmarktpolitischen Zielgruppe von space!lab haben an der Errichtung der baulichen Strukturen im Rahmen der Umgestaltung am Gaudenzdorfer Gürtel mitgearbeitet und identifizieren sich dadurch in hohem Maß mit den neuen Einrichtungen.

— Im Rahmen ihrer Beschäftigung haben sie sowohl praktische wie auch soziale Fähigkeiten (Zusammenarbeit, Rücksichtnahme auf andere Menschen, Umgangsformen mit unterschiedlichen Nutzergruppen etc.) und fachliche Kompetenzen (z.B. handwerkliche Techniken, Verständnis für technische Zusammenhänge, Wissen um Bauorganisation, rechtliche Grundlagen etc.) erworben, die berufliche Perspektiven eröffnen und den Zugang zum Arbeitsmarkt erleichtern.

— Zahlreiche Jugendliche mit unterschiedlichem sozialen Hintergrund nutzen den neu geschaffenen Raum auf vielfältige Weise und profitieren von den Möglichkeiten, die ihnen die neuen Gestaltungen bieten.

— Jugendliche arbeiten im Rahmen von Beschäftigungsprojekten an der Bespielung sowie Planung, Organisation und Durchführung von Veranstaltungen am Gaudenzdorfer Gürtel mit. Die dort vorhandene Infrastruktur bietet eine Vielzahl von Anknüpfungsmöglichkeiten.

— Die Mehrheit der jungen TeilnehmerInnen von space!lab hat dauerhaft Arbeit in verschiedensten Bereichen gefunden, u.a. in einer der im Rahmen des Projekts *Gaudenzdorfer Gürtel* neu geschaffenen Einrichtungen im *Shared Space* oder in der Bespielung der Freiflächen.

Space!lab is a labor market policy project that is subsidized under the "Equal" Community initiative of the European Social Fund (ESF) and the Federal Ministry for Economics and Labour (BMWA). Disadvantaged young people and young adults (aged 15 to 24) on the lookout for a job are employed and receive training for a maximum period of nine months to improve their skills and find opportunities in the labor market. The interdisciplinary expert team of space!lab assumes that these young people have many strengths and much potential and that, in the spirit of "open space management" many activity areas in the urban terrain could be enlivened through precisely these strengths.

The possible activities tie in with the places these young people spend a lot of their time in – public squares, parks, playgrounds, sports grounds, etc. In cooperation with the Municipal Department for Parks and Gardens, youth facilities, event organizers, sports clubs and Area Management Offices, the youngsters participate in the implementation of pilot projects. Key criteria discovered through a study of extramural youth work will determine the choice and thematic orientation of these projects. Fields of activity will comprise of the planning, construction, maintenance and repair of private and public open spaces; the construction, maintenance, repair and use of sports grounds; PR work and the organization of events as well as services relating to information and communication in open spaces. The experience gained from practical work, the results of national and international research, and the requirements of youth work are all reflected in the development of sustainable labor market policy models. After the conclusion of space!lab, subsidized, targeted employment projects will be available to support disadvantaged young people in their transition from school to labor market.

2010: Their vision finds expression in the Gaudenzdorfer Gürtel project

— Young people belonging to the specific target group of space!lab participated in the architectural construction and redesign project for the Gaudenzdorfer Gürtel and thus identify strongly with the new facilities.

— In the context of their work, they have acquired both practical and social competencies (cooperation, respect for others, dealing with different user groups etc.) and technical skills (e.g. work techniques, understanding of technical processes, know-how regarding the organization of a construction project, legal provisions etc.) that open up job perspectives and facilitate access to the labor market.

— Numerous young people with different social backgrounds make manifold use of the newly created space and benefit from the possibilities the new design offers them.

— Within the scope of employment projects, young people participate in the use, planning, organization and implementation of events on the Gaudenzdorfer Gürtel. The local infrastructure offers a wealth of concrete starting-points.

— The majority of the young space!lab participants have found steady jobs in a wide range of areas, e.g. in one of the facilities newly set up within the *Gaudenzdorfer Gürtel / Shared space* project or in the field of open space use.

Joachim Beck
Geomantie – Wien
Geomancy – Vienna

Unsere Zielsetzung 2006 war einerseits die geomantische Erforschung des Areals und die vergleichende Betrachtung des Befundes mit den architektonischen Planungen bzw. die Verfolgung des Planungsprozesses: Wir fragten uns, inwieweit geomantische und stadtplanerisch-architektonische Sicht übereinstimmen würden.

Neben der lokalen Betrachtung bezog sich die geomantische Analyse weiters auf die Einbettung und Lage des Areals Gaudenz-dorfer Wiese in die Stadtlandschaft Wien und Umgebung.

Bei einer geomantischen Untersuchung bzw. Standortfindung werden oft Empfehlungen ausgesprochen, die sich auf die zu planenden Objekte auswirken. So kann z.B. auf Ausrichtung, Lage, Form, Größenverhältnis und Anordnung von Objekten zueinander Einfluss genommen werden. Ja sogar eine qualitative Aussage, inwieweit eine geplante Nutzungsweise der Qualität eines Ortes entspricht, ist denkbar.

Wir sprechen in diesem Zusammenhang vom Begriff des „Holon", der aus dem Griechischen stammt und soviel bedeutet wie „ein Ganzes, das Teil eines anderen Ganzen ist". Der Fokus der Betrachtung ändert sich also je nach gerade betrachteter Einheit.

Im konkreten Fall gab es eine schöne Übereinstimmung der gefundenen „überregionalen Herzthematik" mit dem Logo des Festivals und der Intention der geplanten sozialen Einrichtungen einiger *Poles* („Volksküche", „Volksambulanz").

Daher würden wir zumindest eine Teilrealisierung als eine für den Ort passende Gestaltung begrüßen. Einen Einblick in diese 2010 vielleicht bereits konkreter wahrnehmbare Qualität sollen

Our objective for 2006 lay on the one hand in the geomantic investigation of the area, in an analytic comparison of our findings with the architectural plans and in a follow-up on the planning process: we asked ourselves to what degree geomantic and urban-architectural views would coincide.

In addition to the local investigation, our geomantic analysis also took account of the way in which the Gaudenzdorf Meadow zone is embedded and situated in the urban landscape of Vienna and its environs.

A geomantic investigation or locating process often entails recommendations that have an effect on the planned objects. The mutual orientation, position, shape, scale and arrangement of objects can thus be influenced. Even a qualitative statement on the degree to which a planned use corresponds to the quality of a location is possible. In this context, the term that most concerns us is "holon", which is derived from Greek and signifies "a whole that is part of another whole." The focus of analysis thus changes depending on the respective analyzed unit. Concretely, the situation presented excellent compatibility of the identified "supra-regional heart theme" with the Festival logo and the social facilities planned for some *Poles* ("people's kitchen", "people's outpatient ward").

For this reason, we would recommend the implementation of at least part of the projects as very suitable for this specific location. The following conclusions aim to offer some insights into this quality, which may have become perhaps more

folgende abschließenden Zeilen geben: Bei all den Ebenen, die wir an dem Ort wahrgenommen haben, ist die Herzebene wohl die mit der am weitesten reichenden Bedeutung.

Die Herzqualität ist und war für die Entwicklung der menschlichen Gemeinschaften immens wichtig.

Die von uns bei der Wiese Gaudenzdorf wahrgenommene neue Qualität ist im Sinne einer Weiterentwicklung des Prinzips der christlichen Nächstenliebe zu verstehen.

Die Ebene kommt uns vor wie die „Ernte des Zeitalters der christlichen Kultur". Wo diese Herzliebe selbstverständlich geworden sein, und überall in weltlichen Institutionen sichtbar werden bzw. bleiben sollte. In Erweiterung zu dem bei der Nächstenliebe bestehenden Bezug auf Einzelpersonen wird in dieser neuen Qualität auch eine kollektive Verantwortung wichtig, die nicht nur auf einer zwischenmenschlichen oder persönlichen Ebene besteht, sondern den gesamten Lebensraum Erde als auch die belebte und unbelebte Natur mit einschließt.

Dazu passen auch die von einem Teilnehmer im Traum wahrgenommenen Figuren aus der Apokalypse, die ja eine Prophezeiung über den möglichen „outcome" der Christenlehre ist.

Ob und wie weit unsere Gesellschaft schon an diesem Punkt des Bewusstseins angelangt ist, bleibt hier offen.

Die Qualitäten werden jedoch bereits von vielen Menschen und manchen PolitikerInnen als wichtig erachtet.

concretely palpable by 2010: With respect to all levels perceived by us on-site, the heart level is certainly that with the widest and most profound significance.

Heart quality is and always has been of immense import for the development of human communities.

The new quality perceived by us at the Gaudenzdorf Meadow site should be understood as a further evolution of the Christian principle of charity.

In our opinion, this level could be referred to as the "harvest of the era of Christian culture", where charity should be self-evident and become and remain visible in all secular institutions. Beside the reference to individuals that is bound up with the concept of charity, this new quality also expresses a collective responsibility that is not limited to an interpersonal or personal level but involves the entire habitat of the Earth, and all animate and inanimate Nature.

This ties in with the figures from the Apocalypse (which after all is a prophecy on the possible outcome of Christian doctrine) perceived by one participant in a dream.

The question of whether and how far our society has reached this point of consciousness shall remain open.

However, these qualities are considered important already today by many persons including a number of politicians.

Marta Rego
Public / private spaces
Public / private spaces

High society featuring criminal family.

A'melange'
Kitchenpalace. Temporarely terrace
Creating sweet architectour.
'transit-melange''melange in transit' we trace
what there is, our common need `vision` wish possibility
`no dream`1 reality `.
a
Common stage, actual state … from yesterday, people move
faster than laws, rules or strategies.

Let it flow.

Margarete

Poisoned ground. Zyanid ,phenol.(c6h50h),ammonium(nh4), teer.
No body knows the real poison amount.
no body knows the real truth
people move faster than truth.

To do it. To do nothing. to listen.to watch.to stay, to pray.
To be black white, white black.
Or simply 'mélange'
Wiener mélange
Café tee mischung.
Family. silent people, blind people, police, lonely old people, your wife, mothers without children, lonely married people, children
without parents.
Nomads are we all.
Somebody is working very hard in while others are waiting verziissimo hard
Alegro
Waiting for the papers, waiting to get in, waiting for the dog, waiting in the rain,
missing sommer, missing somebody very near by.

For us for them
A platform.a stage .with curtains to close and open depending on one's self necessity.
The thinnestext tower, to try out
Only to go up and down
To watch from far away, to see the ground
Where do we step, to see where we sleep, how big is the town, or how small …
To see where we go tomorrow
To feel the clouds underneath, passing through from Africa to Russland, from India to Island.
An empty tapestry space, to walk in silence, to lay down, to listen to the breath, to hug somebody else, to talk with god, to talk with the ground.

To find my self….
…) missing text(
we listen something from mediabreathspace and watch whitepink clouds on tv world channel. We play pingpong on a cage in a zoo.

We gave new names to old things
Temporarily together
We started all over again

Thanks Famara Momoh,Baba,Simon, Saia Moumori
Wien..Jun,2005

Christian Deschka, Tobias Werkner
Die beheizte Parkbank
The heated park bench

Die Parkbank ist einer der letzten nichtkommerziellen Orte im öffentlichen Raum Wiens. Die Zeit, die man auf ihr verbringt, oder die Gelegenheiten, zu denen man zu ihr zurückkehrt, sind nicht begrenzt, man muss nichts konsumieren, und sie wird auch nicht als Werbefläche missbraucht; sie ist für alle völlig frei benutzbar, und Parkbänke befinden sich an den schönsten Stellen der Stadt, z.B. in Parks und historischen Örtlichkeiten.

Man sieht alte Leute und Kinder, Geschäftsleute, die von der Arbeit ausspannen, und Unterstandslose, und alle von ihnen nützen Parkbänke aus verschiedenen Gründen.

Sie sind ein Ort, an dem man alleine sitzen oder auch andere Menschen treffen kann.

The park bench is one of the last non-commercial places in public space in Vienna. There is no limit on how long you are allowed to sit there or how often, there is no need to consume anything, and it has not been misused by advertising; it is completely free to use by everybody, and park benches are situated in the best spots of this city, like parks and historic places.

You can see old people and children, business people relaxing from work and homeless people, all of them using park benches for different reasons.

They are places to sit alone and to meet.

For us, New Crowned Hope is the time to bring about

Für uns bietet New Crowned Hope eine Möglichkeit, kleine, fast unsichtbare Zeichen in der Stadt Wien zu setzen, und die modifizierte Parkbank kann ein ebensolches Zeichen sein.

Wir wollen eine ganz normale Parkbank in einen warmen Ort verwandeln, den man benutzen kann, wenn die winterliche Kälte den öffentlichen Raum der Menschen entkleidet. Es ist ein Angebot, eine Einladung von uns und den Elektrizitätssponsoren – ein stiller, fast geheimer Platz, der nur von jenen gefunden werden kann, die offen gegenüber den kleinen Dingen des Lebens sind.

small, almost invisible changes in the city of Vienna, and this modified park bench can be one of those changes.

We want to transform a standard park bench into a warm place, a place to use when the cold of winter leaves public space empty of people. It is an invitation, an offer from us and from those who sponsor the electricity to the people of this city. It is a silent place, almost secret, and you can only find it if you are open to the small things in life.

Doris Kepplinger
Inner Garden
Inner Garden

INNER GARDEN

Gregor Holzinger, Kieran C. Fraser, Iris Hercher, Leo Levine-Moringer

Welcome to Vienna, das Dachgarten-Projekt am Integrationshaus Wien
Welcome to Vienna, the roof garden project of Integrationshaus Wien

Nutzungsprofil

In enger Zusammenarbeit mit BewohnerInnen und Betreuer-Innen des Integrationshaus im Rahmen von Workshops und Gesprächsrunden wurde nach eingehender Bedarfsanalyse ein Nutzungskonzept entwickelt, das zwei wesentliche Ziele verfolgt:

— Durch die Erschließung des Flachdachs entsteht einerseits ein Raum, der den BewohnerInnen des Integrationshaus neue Möglichkeiten bietet und auf ihre Bedürfnisse als Grünraum, Gemeinschaftsraum, Spielraum, Rückzugsraum etc. eingeht.

— Zusätzlich wird den BewohnerInnen eine Plattform geboten, sich in Form von Ausstellungen, Aufführungen, Festen und Veranstaltungen zu präsentieren.

Die Typologie des Daches im Allgemeinen als auch das Dach des Integrationshaus mit seiner speziellen Lage im Besonderen, seinem großartigen Ausblick über Wien und seiner Sichtbarkeit von vielen Punkten der Stadt aus, wird so zu einem idealen Ort für einen Raum der Einladung und der Zeichensetzung nach außen gleichermaßen.

Raumangebot

Der sowohl privaten als auch öffentlichen Funktion des Gartens entsprechend sollen zwei grundlegend verschiedene Raumeindrücke, auf zwei verschiedenen Ebenen entstehen:

Gründeck (gesamt 370 m² NGF)

Das Gründeck dient dem Rückzug und der Ruhe. Es bietet nischenhafte Räume und wandelgangartige Wegeführungen (270 m² begehbare Flächen, ca. 200 m² Pflanzflächen in Form einer gespannten Hängekonstruktion), die eine Zonierung in Orte unterschiedlicher Privatheit und Umschlossenheit erzeugen.

Weiters beinhaltet es einen Gemeinschaftsraum mit kleiner Bibliothek (30 m²), Spielräume für Kinder (in Landschaft einge-bettet) und einen Nutzgarten (70 m²), in dem sich der integrative Charakter des Gartens an sich in der Möglichkeit zur gemein-samen Gartenarbeit manifestiert.

Utilization profile

In close cooperation, evolved through workshops and discussion rounds with the inhabitants and staff of the Integrationshaus, an in-depth requirement analysis was followed by the development of a utilization concept geared to meet two key goals:

— By rendering the flat roof accessible, a space is created that offers the inhabitants of the Integrationshaus new possibilities and meets their need for green and common spaces, spaces for play and retreat, etc.

— In addition, the inhabitants are given a platform to present themselves through exhibitions, shows, celebrations and events.

The typology of the roof in general – and the roof of the Integrationshaus with its special position, splendid view of Vienna, and visibility from many points of the city in particular – thus becomes an ideal location that is both inviting and projects a signal to the larger world.

Spaces created by the project

In keeping with the both private and public function of the garden, two fundamentally diverse spatial impressions are to be created at two different levels:

Green deck (370 sq m of net floorspace, total)

The green deck is conceived for the purpose of retreat and tranquility. It offers niche-type spaces and a promenade-style path layout (270 sq m of walk-on surface + approx. 200 sq m of greened surface designed as a suspended structure), which zone the space into varying degrees of privacy and enclosure.

Moreover, there are a common room with a small library (30 sq m), play spaces for children (integrated into the land-scape) and a vegetable / kitchen garden (70 sq m), where the integrative character of the garden becomes evident through the possibility this offers for joint gardening.

Oberdeck (230 m² BGF)

Auf dem Oberdeck wird die großartige Aussicht über die Stadt Wien inszeniert. Das Oberdeck besteht aus verschiedenen halböffentlichen Aufenthaltsbereichen, die auch als Bühne und Tribüne genutzt werden können (gesamt 230 m², Sitzbereiche für max. 40–50 Personen). Aufführungen, Ausstellungen, Feste, Treffen oder auch Alltagsnutzungen sind hier möglich. Der öffentliche Zugang zu diesen Bereichen ist für die Hausleitung kontrollierbar konzipiert.

Material- und Bepflanzungskonzept

In Bezug auf die verwendeten Materialien wird auf Natürlichkeit, Einfachheit, Minimierung grauer Energie, angenehme Haptik und Kindersicherheit gesetzt. In der Auswahl der Materialien und insbesondere der Pflanzen setzt sich das integrative Gartenkonzept fort, indem Bezug auf die Pflanzenwelt der Herkunftsländer der HausbewohnerInnen und ihre jeweiligen Vorstellungen eines Gartens genommen wird. Parallel dazu sind vielfältige Gelegenheiten zur Mitgestaltung des Gartens durch die HausbewohnerInnen vorgesehen. Die Entwicklung eines endgültigen Erscheinungsbildes des Gartens ist so auf längere Zeit angelegt.

Upper deck (230 sq m of total floorspace)

The splendid view of Vienna is spotlighted on the upper deck. The upper deck is composed of several semi-public lounge areas that can also be used as a stage and grandstand (230 sq m total, seating capacity: 40-50 persons max.) and are suited for performances, exhibitions, parties, meetings or everyday activities. Public access to these areas can be monitored by the Integrationshaus staff.

Material use and greening concept

With respect to the materials employed, attention was paid to naturalness, simplicity, minimization of gray energy, pleasant haptics and safe use by children. The integrative garden concept continues in the choice of materials and, in particular, of plants by referencing the flora in the native countries of the inhabitants and their different notions of what a garden should be like. At the same time, the inhabitants will be given many opportunities to share in the design of the garden. Thus the development of the final look of the garden will be a long-term process.

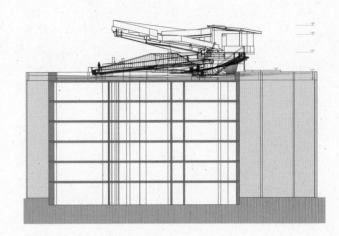

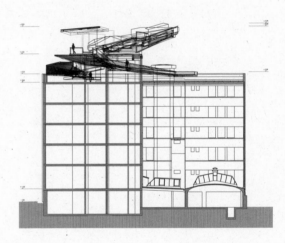

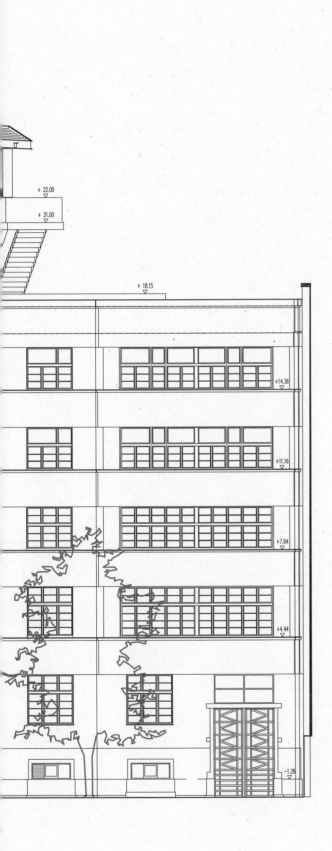

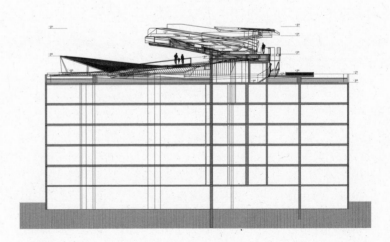

Gregor Holzinger
Seltene Orte, oder Für eine kleine Architektur
Rare places, or For a small-scale architecture

Mittwoch, 16. November 2005, 1. Nachhilfestunde, Mathematik, im Integrationshaus

„Irgendwann fangen sie dann an, auf meine Seitenfragen immer mehr zu erzählen und wir verplaudern uns ganz gewaltig über die Weltgeschichte, aus der Sicht Afghanistans in der Mitte.

Die Weise, in der sie all diese absurden Geschichtswandlungen und widersinnigen Zusammenhänge beschreiben, ist, trotz der oft schlimmen Sachen, die sie erzählen, unheimlich – wirklich unheimlich im Sinne des Wortes – humorvoll. [...] Sie erzählen Geschichten von Familienausrottungen, Leichenwegschaufelungen mittels Baggern, und kleinen Buben, die für ein Taschengeld Handgranaten unter vorbeifahrende Autos werfen, in einer Art, die daran denken lässt, wie arabische Händler sich – dem Klischee nach – im Bazar darüber erzählen, dass sie wieder einen Touristen ein wenig hereingelegt haben. Mit derselben Ironie, begeistert von der Absurdität des Krieges. Der Humor derer, die sich diesen zurechtlegen, um zu überleben. Und eine wahnsinnige Kenntnis der Weltgeschichte, in Nebenbemerkungen, in läppischen Nebensätzen. Also ein Drittel Mathematik und zwei Drittel Nachhilfe in afghanischer Geschichte für mich, nachdem sie zu reden nicht mehr aufhören.

[...]

Dann mein Vorschlag, noch ein Beispiel zu rechnen, der aber ganz eindeutig verworfen wird, indem man ihm zustimmt, aber dann hinzufügt, dass man das eben gerne machen könne, aber nächste Woche. Stattdessen solle ich noch mitkommen und mich auf einen Tee einladen lassen.

[...]

Auf dem Weg zeigt mir ein junger Mensch im Internet noch Fotos von Kabul vor sechzig Jahren, als er noch über vierzig Jahre lang nicht auf der Welt und alles noch nicht zerstört war. Er hört zu schwärmen nicht auf, zeigt mir Fotos von, wie ich meine, Landhäusern und Vorortvillen, bis ich verstehe, dass das die Innenstadtgebäude, Rathäuser und öffentlichen Einrichtungen sind, zwischen weiten Grünflächen, gegen jede Raumausnutzung, was ein befreiendes Gefühl gibt.

[...]

Zum zweiten Mal auf dem Weg sehe ich noch den Bügelladen herumstehen, an seinem Ort, an den er, auf erstaunliche Weise offensichtlich, gehört, ein hervorragender Fall dieses Am-Ort-Seins, und für mich ein Bild, das mir irgendwie das Gefühl gibt, dass es darum geht, sich eine eigene kleine Heimat, mitnehmbar wenn möglich, und nicht die alte Heimat im Kleinformat, sondern eine neue Form einer Heimat in Beziehung zur neuen Umgebung, zu verschaffen, wo man sich besser darüber freuen kann, sich zu freuen. Eine Nische also, als Rückzugsort, nicht ohne dass man sich deswegen gleich darin verkröche, dagegen spricht ja eindeutig die Begeisterung vom Leben und, wie soll man sagen, eigentliche Weltgewandtheit der Jugendlichen, die dort wohnen."

Von allen Seiten hieß es, was dieses Projekt alles nicht sein soll, mehr als was es sein sollte. Es war bald schwer, etwas zu finden, was es sein sollte, bis wir die Menschen im Integrationshaus kennengelernt haben.

Seltene Orte

Es geht um die Schaffung von solchen Orten, die dieses Am-Platz-Sein ermöglichen, diese eigenen kleinen Heimaten, und es geht um die Mehrzahlen, in allen Hinsichten (schon wieder).

Das Dach des Integrationshaus ist schon ein solch nischenhafter Ort, ein seltener Ort gewissermaßen, wie es sie in einer Stadt, sei es als Verkehrsinseln – mitten im Verkehr, doch von niemandem betreten –, als sonstige unverwendete Zwickelflächen zwischen Verkehrswegen, deren Größe sich einzig durch Kurvenradien bestimmt – übersehener öffentlicher Raum – oder auch als die Grundflächen von Lichthöfen, selbst in den dichtbebautesten Bereichen gibt. Ein kleines Niemandsland in guter Lage, ein kleines Abseits im Jedermannsland, so es das als Gegenteil zum Niemandsland gibt, wenn ein paar Meter daneben auch der Betrieb nach dem Kalender einer Menschheit vorbeiläuft. Ein Raum neben der Wahrnehmung. Man sieht ganz Wien von dort – und jeder mit Blick über Wien sieht es, nur merken, dass man es sieht, tut man nicht.

Wednesday, 16 November 2005, 1st mathematics lesson at the Integrationshaus

"At one point, they start to tell me more in response to my indirect questioning, and we go on chatting away about everything and anything, with Afghanistan squarely at the center.

Despite the often harrowing things they narrate, the way in which they describe all these absurd somersaults of history, these upside down interconnections, is terribly – truly, literally, terribly – funny. [...] They tell stories about exterminated families, about digging mass graves with excavators, about little boys who, for a few pennies, throw handgrenades at passing cars, in a way that we imagine Arab merchants talking in a bazaar about fleecing some tourist, with the same irony, entranced by the absurdity of war. It's the humor of those who need to muster it in order to survive. And it reveals a crazy understanding of world history in side remarks, inconsequential subordinate clauses. So it's one third of a mathematics class and two thirds of an extra lesson in Afghan history for me, since they won't stop talking.

[...]

Then I propose to tackle another mathematical problem, which is clearly dismissed by agreeing but adding that we can do that, sure, but next week. Instead, I should come along and have tea with them.

[...]

While walking, one young person shows me Internet photographs of Kabul sixty years ago, when he was not yet born for another forty-odd years, before wholesale destruction. He cannot stop talking excitedly, showing me photographs of what I think are manor-houses and suburban villas, until I realize that these were inner-city buildings, municipalities and public institutions, situated amidst spacious green zones, the contrary of planned, economical land use, which produces a feeling of freedom.

[...]

Walking the same road another time, I see the ironing-board put up in a place where it surprisingly and evidently belongs, an outstanding case of something being "in its place" and a picture that suggests, to me at least, that this is about creating one's own small homeland, if possible a portable one (not the old homeland in miniature but rather a new form of homeland in relationship with the new environment), where it is easier to enjoy the pleasant sides of life. A kind of niche, a place of retreat but not necessarily a place to hide in, as this would certainly contradict the obvious joy in life and what might be called the essential sophistication of the young people who live here."

Lots of opinions were put forward about what this project should not be, rather than about what it should in fact be. Soon it seemed difficult to find something that would fit, until we met the people at the Integrationshaus.

Rare places

It is about the creation of spaces that allow for this "being in one's place", these own little homelands, and it is (again) about all sorts of multiplicities.

The roof of the Integrationshaus is such a nice place, a rare place in a way, one of those places that exist in even the most condensed urban areas, sometimes as traffic islands – at the heart of traffic but invaded by nobody, unused gaps between road surfaces, whose size is solely determined by curve radii – overlooked public spaces –, or as air shaft plots. Small no man's lands in key positions, tiny off-limits zones in everyman's land, assuming this opposite of no man's land exists at all when, just a few meters away, humanity is moving by on schedule – a space beside perception. You can see all of Vienna from there – and everyone with a view of Vienna can see it without quite noticing that they do.

A little peripatetic (visual) romp

A starting-point of the project was the assumption that this space, and hence this roofscape far away from the bustle, with its odd geographic prominence, could also be an interesting object of nonlinear and unscientific research, and as such a

Kleine Peripatetik mit den Augen

Dass diese Gelände, und damit auch dieses Dachgelände weg vom Geschehen, mit seiner seltsamen geografischen Prominenz, auch interessanter Gegenstand einer nonlinearen und unwissenschaftlichen Forschung sein kann – als solche ein gutes Beispiel für eine Enzyklopädie aller nicht einer enzyklopädischen Aufarbeitung würdigen Dinge – war einer der Ausgangspunkte. Nischen rufen nischenartige Fortbewegungsarten hervor. *Serendipity* bezeichnet das Finden von etwas unerwartet Nützlichem, ohne es gesucht zu haben, das Finden von etwas, auf der Suche nach etwas anderem, benannt durch Horace Walpole, „psychogeographic effects can be artificially created, not as a linear process, but as an emergent, that is serendipitous, unfolding of events", so dass der Betrachter, die Betrachterin, scheinbar per Zufall, neue Sensibilitäten als ein Nebenprodukt seiner Weitschweifigkeit entwickelt. Weitschweifigkeit nicht nur des Gehens, sondern auch des Sehens. Wandelgangartige Wegeführungen, Zonierung in Plätze unterschiedlicher Privatheit und Umschlossenheit, *zones of debauchery* auf kleinem Raum und auf dem Dach, Umwegsamkeit (*détournement*) weniger der physischen Wege, als vielmehr der visuellen Promenaden.

good example of an encyclopedia of all things unworthy of encyclopedic coverage. Niches provoke niche-type forms of movement. The word *serendipity* was coined by Horace Walpole and means finding something useful without searching for it, finding something while looking for something else; "psychogeographic effects can be artificially created, not as a linear process, but as an emergent, that is serendipitous, unfolding of events", so that the observer, seemingly by chance, develops a new sensitivity as a side product of his / her physical and visual roaming. A promenade-style path layout, zoning the space into varying degrees of privacy and enclosure, *zones of debauchery* in compressed form and, on the roof, a change of direction (*détournement*), less in the physical sense than understood as visual promenades.

A roof garden, no garden on the roof

In keeping with the (self-) definition of the Integrationshaus as an institution that opens up new perspectives to asylumseekers, the design principle of the roof garden essentially refers to the view from the roof across the city, embracing the faraway landscape and the modulation of the panorama thus revealed.

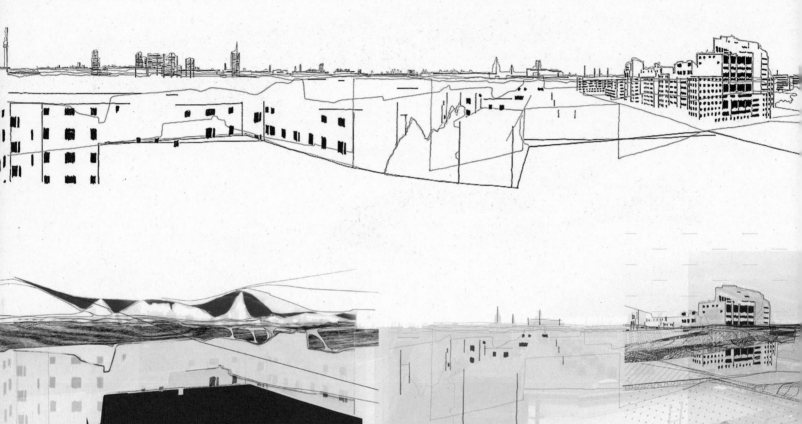

Ein Dachgarten, kein Garten auf dem Dach

Gemäß dem (Selbst-)Verständnis des Integrationshaus als einer Institution, die AsylwerberInnen neue Perspektiven eröffnet, bezieht sich das Entwurfsprinzip des Dachgartens wesentlich auf den Ausblick vom Dach über die Stadt bis zu den Landschaftszügen in der Ferne, beziehungsweise die Modulation des sich bietenden Panoramas.

Entsprechend dem *shakkei*-Prinzip wird die nahe und ferne Umgebung, obwohl physisch nicht zum Garten gehörig, als Staffelung von Mittel- und Hintergründen gesehen, in die Gestaltung des Gartens miteinbezogen. In einem Prozess auch visueller wechselseitiger Integration zwischen dem Haus und der Stadt erstreckt sich der Dachgarten auf diese Weise über seine Grenzen hinaus und ermöglicht so den BesucherInnen, verschiedene Erlebnisszenarien, die ihn in subtiler Weise in Bezug zur Umgebung setzen.

According to the *shakkei* principle, the nearer and farther surroundings – although not physically part of the garden – are viewed as staggered layers of closer or more distanced backgrounds and hence incorporated into the design of the garden. In a process of mutual visual integration between house and city, the roof garden thus exceeds its physical boundaries, and hence enables visitors to tap various scenarios of experience that subtly place him / her in a relationship with the environment.

Starting with the field of vision as a kind of two-dimensional notation of the space it represents, as well as from the question of what might happen if this notation were fed back to space, architecture becomes a mise-en-scène within the visitor's field of view, field-of-vision analyses as an interface between 2D and 3D; scenarios that, through the field of vision, speak of the subtle prominences of this space: their spatial

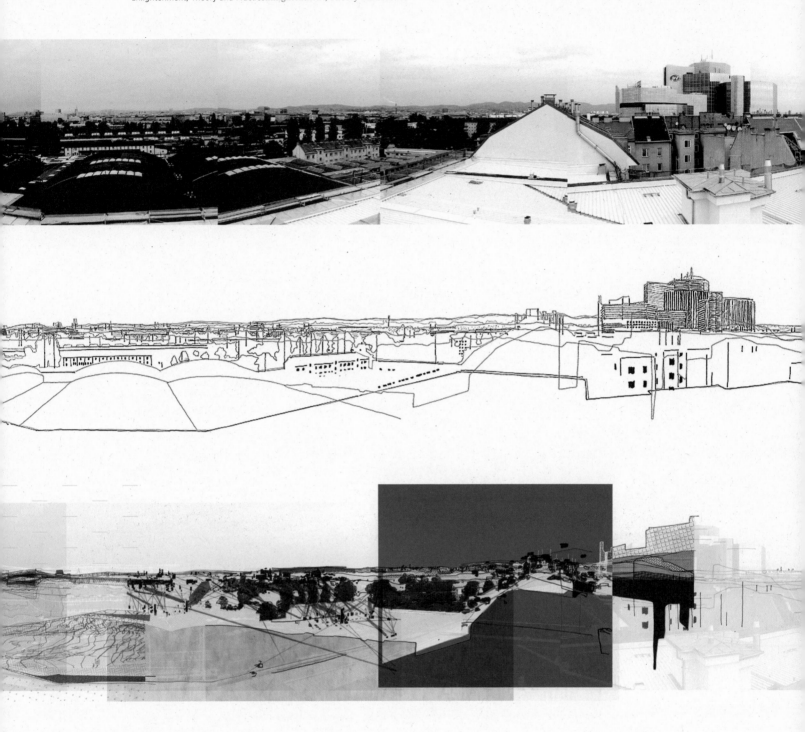

Ausgehend vom Sichtfeld als zweidimensionaler Notation des Raumes, den es darstellt, und der Frage, was passiert, wenn man diese Notation wieder in den Raum rückkoppelt, ist Architektur Regie am Blickfeld des Betrachters, der Betrachterin – Sichtfeldanalysen als Schnittstelle zwischen 2D und 3D; Szenarien, die anhand des Sichtfeldes von den subtilen Prominenzen des Ortes erzählen, deren räumliche Überlagerung als Formfindungsprinzip, das Modell als abstrakte Versuchsanordnung.

Jede Betrachtung hat ihren Maßstab. Verwechslungspotenziale zwischen Betrachtungsmaßstäben, mehrwertige Raumnotationen, das visuelle Spazieren nach dem Prinzip des *dérive* gelten gewissermaßen dem Auffinden von unerhörten Wendungen im gesehenen Bildmaterial, sollen eben den Drang des Auges irreführen, gerade die gekannten Details, so unbedeutsam sie flächenmäßig im Sichtfeld sein mögen, in ihrer Wesentlichkeit

superimposition, a form-finding principle; their model, an abstract test assembly.

Each observation has its own scale. The potential for confusion between different observation scales, polyvalent spatial notations, visual walks according to the principle of *dérive* are a way to identify unheard-of turnabouts in the perceived pictorial material, are to fool the eye's tendency to blow up well-known details (although perhaps of inconsequential size in the field of vision), endow them with exaggerated importance, search for attributable meaning – instead of simply looking. The closer we look, the less we see what exactly we are seeing – we see what we basically do not see.

The greening concept takes up this principle, creating a spatial garden landscape where framing makes decontextualized

289

aufzublasen und nach zuordenbaren Bedeutungen zu sortieren, als einfach nur zu schauen. Je genauer man hinschaut, umso weniger sieht man, was man da genau sieht – man sieht, was man eigentlich alles nicht sieht.

Das Bepflanzungskonzept nimmt dieses Prinzip wieder auf, es entsteht eine räumliche Gartenlandschaft, in der durch Rahmungen dekontextualisierte Pflanzenteile auf einmal wie Landschaften in der Ferne wirken, zum Beispiel, oder Landschaftsteile in der Ferne wie Einzelpflanzen.

Es sollte kein herkömmlicher Garten auf das Dach gesetzt, sondern eine der Typologie des Daches entsprechende Form eines Gartens entwickelt werden.

Die Bühne auf dem Dach

Das Dach im Allgemeinen als auch das Dach des Integrationshaus mit seinem großartigen Ausblick im Besonderen wird zu einem idealen Ort für einen Raum der Einladung und der Öffnung des Hauses zur Stadt hin, als auch des Rückzuges und der Ablenkung vom Alltag gleichermaßen.

Die Bühne ist ein Ort, an dem man nicht übersehen wird, an dem man im Mittelpunkt steht, der es möglich macht, sich nach außen zu präsentieren.

Die Aufenthaltsbereiche des Gartens können in diesem Sinne auch als Bühne und Tribüne genutzt werden. In der Dachlandschaft verstreute Plätze als verschiedene Logen mit verschiedenen Sichtverhältnissen und Blickbeziehungen zur Bühne. Die Stadt

plant elements suddenly appear like faraway landscapes, or where faraway landscape elements may look like single plants.

No conventional garden was to be put up on the roof: the objective was a garden corresponding to the roof typology.

The stage on the roof

Roofs in general, and the roof of the Integrationshaus with its splendid view in particular, thus become ideal inviting spaces, spaces that both open up the building towards the city and act as points of retreat and distraction from everyday life.

The stage is a place where we cannot be overlooked, where we are at the center, which enables us to present ourselves to the world at large.

The lounge areas of the garden can thus also be used as a stage and grandstand. Across the roofscape, scattered spots function as boxes with different visual axes and relationships with the stage. The city is viewed as the third component in addition to the audience space and stage. The result are multiple positions for spectators: the spectator who watches the events on the stage, and the spectator in the box who watches the other spectator watching are simultaneously spectators in a subtle but silent theater that functions as such even when no "performance" is taking place, and where the city becomes a stage; its environs, the set; the panorama, the background of the play. A theater of polyvalent perception of space depending on the individual viewing-point, with spectators seen as movable co-performers, or simply a theater of "haha", not

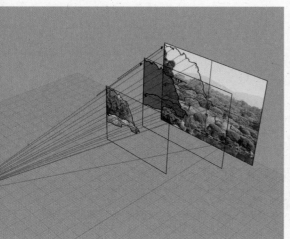   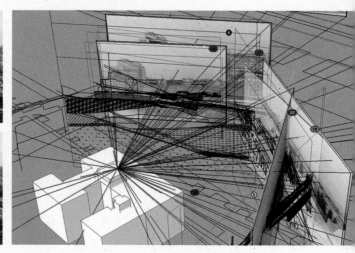

gesehen als dritte Komponente neben dem Publikumsraum und der Bühne. Es ergibt sich eine mehrfache ZuschauerInnen-Position: Der / Die ZuschauerIn, der / die das Geschehen auf der Bühne beobachtet, und der / die ZuschauerIn in der Loge, der / die dem / der ZuschauerIn beim Schauen zuschaut, sind gleichzeitig ZuschauerInnen in einem subtilen, einem stillen Theater, das auch unbespielt als solches funktioniert, und in dem die Stadt zur Bühne, die Umgebung zur Kulisse und das Panorama zur Spielgrundlage wird. Ein Theater der mehrdeutigen, vom BetrachterInnenstandpunkt abhängigen Wahrnehmbarkeit von Räumen, die ZuschauerInnen als bewegliche MitspielerInnen gedacht, oder ein Theater einfach nur des „Haha", nicht nur nach dem gleichnamigen Effekt in der englischen Gartengestaltung, sondern als ein Wort, das alle in irgendeinem Sinn verstehen, das es wahrscheinlich in jeder Sprache irgendwie gibt, und das daher vielleicht mehr einschließt als der tollste Titel.

So wie es stets mehrere Wahrnehmungen, auch der Wahrnehmung, gibt, hat in diesem Theater ein Sichtfeld mehrere (Zentral-)Perspektiven, Fluchtpunkte und Horizonte.

New Crowded Hope

Architektur soll im Kleinen nicht bei einer glatten weißen

only inspired by the eponymous boundary barriers employed in English garden design but as a word somehow understood by all, a word that probably exists in all languages, and that perhaps encompasses more than even the most fitting title.

In the same way as there are always several perceptions and ways of perceiving, one field of vision in this theater has several (central) perspectives, vanishing-points and horizons.

New Crowded Hope

Small-scale architecture should not stop with a smooth white wall but present a locally intensified degree of detail that in a way meets the observer and his/her perception and responds to the observer's scale. Moreover, architecture is about the creation of a space open to inscriptions of local history (histories), a space where small-scale world history takes place, dealing with a multiplicity of truths.

Gardens are integrative at a variety of levels. Within the possibilities offered by an architectural project, the idea was to convey to the often traumatized inhabitants, who still must learn their way around our city and its culture, that Vienna welcomes them – while taking account, on the one hand, of

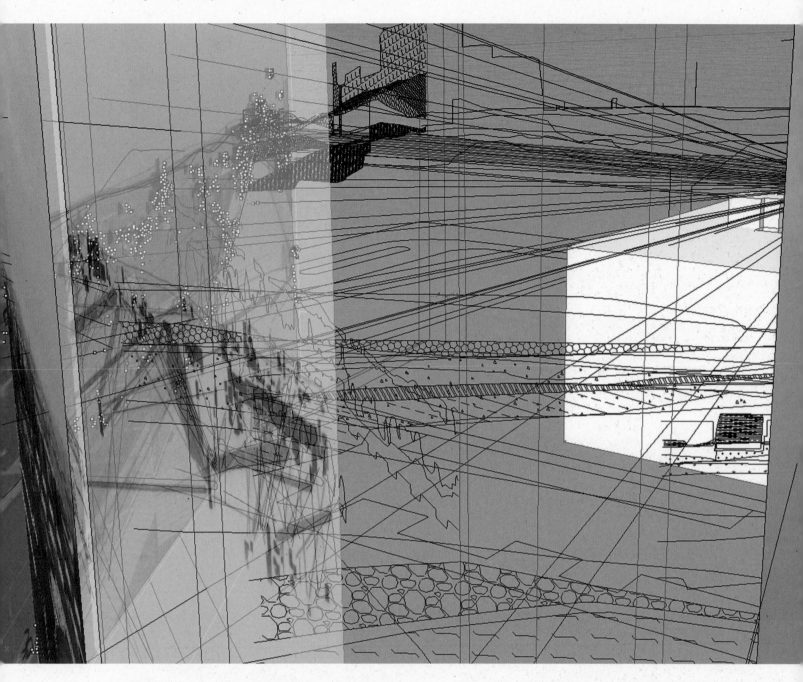

Wand aufhören, sondern einen örtlich erhöhten Detailgrad auf-
weisen, der dem Betrachter, der Betrachterin und seiner / ihrer
Wahrnehmung gewissermaßen entgegenkommt, auf dessen
Maßstab Bezug nimmt. Darüberhinaus geht es um die Schaffung
eines Raumes, der offen ist für Einschreibungen von Orts-
geschichte(n), eines Ortes, in dem auch eine Weltgeschichte, die
des kleinen Maßstabes, stattfindet – im Umgang mit einer Mehrzahl der Wahrheit.

Gärten haben auf verschiedensten Ebenen integrativen
Charakter. Den oft traumatisierten BewohnerInnen, die sich in
unserer Stadt und dieser Kultur erst zurechtfinden müssen, soll
mit den Möglichkeiten, die ein Architekturprojekt bietet, vermittelt
werden, dass Wien sie willkommen heißt. Mit Rücksicht einerseits
auf den eingeschränkten Handlungsradius der BewohnerInnen
durch ihren speziellen Status als AsylwerberInnen, anderseits auf
ihre unterschiedlich kulturell geprägten Wahrnehmungs-
gewohnheiten von Raum und Vorstellungen von Architektur.
Beziehungsweise darauf, gerade andere Sorgen zu haben.

their restricted radius of movement linked to their special status
as asylum seekers and, on the other hand, of their different
habits of perceiving space and viewing architecture, habits
formed by different cultural imprints; and never forgetting
that these people have other problems to think about.

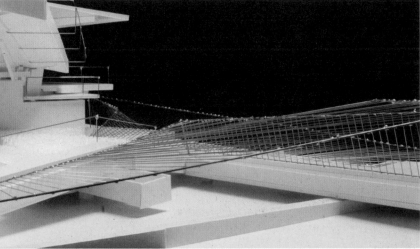

Enlightenment, Theory and Practice

The Next Vienna
The Next Vienna

Projekte an der Schnittstelle von Kunst und sozialem HandelnProjects at the interface of art and social action

KuratorCurator **Wolfgang Schlag** — ProjektleitungProject Manager **Marie-Therese Rudolph** — ProduktionProduction **Petra Herglotz** —

The Next ViennaThe Next Vienna **17.11.–13.12.2006** —
OrtVenue **Festival Zentrum Künstlerhaus** — **Eintritt frei**Free —

The Flowering Tearoom —
Tee wird serviert täglich vonTea is served daily from **17.11.–13.12.2006, 15:00–20:00** — DonnerstagThursday **15:00–21:00** —
OrtVenue **Festival Zentrum Künstlerhaus** — **Eintritt frei**Free —

Ein sozialökonomisches Projekt zum Thema „Frauen und Obdachlosigkeit"A socio-economic project on "Women and Homelessness" —
Der Erlös aus dem Teeverkauf kommt obdachlosen Frauen in Wien zu Gute.
The revenue from the tea sale will go to homeless women in Vienna. —

TeezubereitungTea Preparation **Brigitte Lanecek** — **Blanka Menryna** — **Gabi Mohr** — **Cynthia Oyaimo** — **Lea Phillipich** —
Monika Platt — **Carmen Ploch** — **Brigitte Riedl** — **Gabriele Schermann** — **Melitta Stadlhofer** — **Claudia Szabo** — **Melitta Tuna** —
Tanja Vollnhofer — **Elfriede Weber** — **Elfi Wichmann** — Sozialarbeiterische BegleitungFacilitator **Elisabeth Corazza** —
Petra Michl — **Birgit Mühlegger** — **Silvia Wagner** —
Sozialarbeiterische KoordinationSocial work Coordinator **Elisabeth Corazza** —
Leitung der Tee-WorkshopsTea-Workshop Coordinator **Elisabeth Al-Labadi-Uhlirs** —
ServiceService **Tip Top Table** — KekseCookies **A.U.S.** —
In Zusammenarbeit mitIn cooperation with **FrauenWohnZentrum** —

Music Immigration Office —
Konzerte täglich vonConcerts daily from **28.11.–3.12.2006, 18:00** —
OrtVenue **Festival Zentrum Künstlerhaus** — **Eintritt frei**Free —
Finden Sie sich um Punkt 18 Uhr ein. Dies ist unsere letzte Aufforderung.Your appointment is at six pm sharp.This is your final notice. —
Eine Konzertreihe mit AsylwerberInnen in WienA concert series performed by asylum-seekers in Vienna —
Wir haben asylwerbende MusikerInnen gesucht. 45 davon hören sie an sechs Abenden im Festival Zentrum Künstlerhaus. Doch das Projekt geht weiter. Wir vernetzen sie mit MusikerInnen und Institutionen in Wien.We began by searching for asylum seeking musicians. 45 of them will be presented in 6 evenings at the Festival Center Künstlerhaus. But the project continues. We hope to facilitate and create new relationships between these musicians and local Viennese musicians and institutions. —
In Zusammenarbeit mitIn cooperation with **Fonds Soziales Wien** —

MitWith TrommelDrum **Abas Khalid Mustafa** (Irak) und Freundenand friends —
MitWith **Great Vision** (Nigeria) — GospelchorGospel choir **Isioma Itzenthaler** — **Nwaonwu Okafor** — **Bose Owas Baver** —
Itohan Agho —
MitWith VioloncelloCello **Marina Novikova** (Russland) — KlavierPiano NN —
MitWith **Ghettoman & the Believers** — GesangVoice **Kosmos Madu** (Nigeria) — E-GitarreE-guitar **Alexander Vildanov** (Russland) —
BassBass **Manuka Kasprzyka** (Frankreich) — SchlagzeugDrumset **Manuel Alejandruo Magana Mendozo** (Mexiko) —
GesangVoice **Princemckelvin Cyril-Owzinezi** (Nigeria) — KeyboardKeyboard **Arthur Milan** (Österreich) —
MitWith KeyboardKeyboard **Salman Taptygow** (Aserbaidschan) —
MitWith **Kahn Tulis** (Mongolei) — PferdekopfgeigeMorin khuur **Khuyagaa Lkhaijaa** — **Togtogkh Luvsangombo** —
AkkordeonAccordion **Nyamaa Myagmar** — TrommelDrum **Tsogtgerel Myagmar** —
MitWith PerkussionPercussion **Habib Samandi** (Tunesien) — KeyboardKeyboard **Anis Kasbaoui** (Tunesien) —
KlarinetteClarinet **Erhan Mamudowsky** (Mazedonien) — BassBass **Mehmet Ozun** —
MitWith **Pars Music** — KeyboardKeyboard **Armin Tahriri** (Iran) — GesangVoice **Reza Dastrang** (Iran) —
MitWith **African Beat** — Perkussion und GesangPercussion and Voice **Osaretin Idahosa** (Nigeria) — Tanz und PerkussionDance and Percussion **Ugo Boniface** (Nigeria) — **Israel Baramula** (Nigeria) — TrommelDrum **Moses Olumese** (Nigeria) —
Trommel und GesangDrum and Voice **Alex Nwoagu** (Nigeria) — **Segun Alonge** (Nigeria) — TrommelDrum **James Johnson** (Liberia) —
MitWith **Hazarah Band** — TunbureTunbure **Nasrollah Azizi** (Afghanistan) — GesangVoice **Isaq Mohammadi** —
MitWith **Captain Nemo Music Band** — Recycelte InstrumenteRecycled Instruments — TrommelDrum **Mike Okeke** (Nigeria) —
Tony Eneh (Nigeria) — **Christopher Omoese** (Nigeria) — **Monday Efeisomom** (Nigeria) — **Dimitry Belov** (Russland) — **Dirceo Waagner** (Peru) — **João de Bruçó** (Brasilien) —
MitWith DjembeDjembe **Baba Moussa** (Senegal) — GesangVoice **Mohammed Andani Yakubu** (Ghana) —

Sumpfblüten sind durchaus essbare Früchte —
Lesung und KonzertReading and Concert **4.12.2006, 18:00** —
OrtVenue **Festival Zentrum Künstlerhaus** — **Eintritt frei**Free —
Eine Lesung mit Texten obdachloser Menschen aus WienA reading with writings by homeless people from Vienna —
Texte aus der Augustin-SchreibwerkstattTexts from the Augustin writers workshop **Didi Sommer** (LeitungCoordinator) und der
Schreibwerkstatt im FrauenWohnZentrumand the writers workshop at FrauenWohnZentrum
Doris Mitterbacher (LeitungCoordinator) — Mit StudentInnen desWith students of **Max Reinhardt Seminar** —
MusikMusic — GesangVoice **Hansi Lang** — GitarreGuitar **Klaus Wienerroither** —

**Projekte von StudentInnen der Universität für angewandte Kunst, Wien, Institut für Kunst und Kommunikative Praxis in der
Wohnhausanlage „Am Schöpfwerk"**Projects by students of the University for Applied Arts, Vienna, at the housing estate
"Am Schöpfwerk" —
Im Rahmen der Lehrveranstaltung Kunst im öffentlichen RaumWithin the course Public Art **Karl-Heinz Ströhle** (LeitungDirector) —

Hier wird nur mit Liebe gekocht. Rezepte und Geschichten aus dem Gemeindebau —
Präsentation Kochbuch und Video-ProjektPresentation cookbook and video project **7.12.2006, 18:00** —
OrtVenue **Festival Zentrum Künstlerhaus** — **Eintritt frei**Free —
Im Anschluss Party im Klub OST (4., Schwindgasse 1) mitTo be followed by party at Klub OST with **DJ Sugar B** — **Eintritt frei**Free —
Ein Kochbuch-Projekt vonA cookbook project by **Marlene Hausegger** — **Eva Engelbert** — **Tina Oberleitner** — **Roswitha Weingrill** —
Folio Verlag — Der Erlös aus dem Buchverkauf im Rahmen des Festivals kommt dem Projekt „Schöpfwerk-Soap" zu Gute, einem inte-
grativen Theaterprojekt des Stadtteilzentrums Bassena gemeinsam mit TAG – Theater an der GumpendorferstraßeThe revenue from the
book sale in the context of the festival will go to the project "Schöpfwerk-Soap", an interactive theater project of the Schöpfwerk
Bassena operated together with TAG – Theater an der Gumpendorferstraße —

Shadow Report – It depends where do you stand —
Video-Projektion täglich vonVideo projection daily from **14.11.–26.11.2006, 17:00–20:00** — Am Schöpfwerk/HeizraumBoiler room
(12., U6-Station Am Schöpfwerk) — Ein partizipatives Video-Projekt vonA participative video project by **Feng Lei** — **Sabine Feil** —

Just a Place to Live —
Präsentation, im Anschluss DiskussionPresentation, to be followed by a discussion **11.12.2006, 18:00** —
OrtVenue **Festival Zentrum Künstlerhaus** — **Eintritt frei**Free —
Neue Wohnmodelle für obdachlose FamilienNew housing models für homeless families —
Ein Projekt des Instituts für Raumgestaltung an der Technischen Universität WienA project by the Institute for Spatial Design of
Vienna University of Technology **Françoise Hélène Jourda** (LeitungDirector) —
In Zusammenarbeit mitIn cooperation with **Fonds Soziales Wien** —

The Little Shop of Secrets —
LesungReading **10.12.2006, 18:00** —
OrtVenue **Festival Zentrum Künstlerhaus** — **Eintritt frei**Free —
Literatur u.a. aus Georgien, China und der Türkei, gelesen von Wiener Geschäftsleuten und ihren FamilienLiterature from Georgia,
China, Turkey and other countries, read by Viennese businesspeople and their families —
In Zusammenarbeit mit der InitiativeIn cooperation with the initiative **„Begegnung in Sprache"** —

1000 Ways Through a Garden of Color —
Ausstellung geöffnet täglich vonExhibition open daily from **28.11.–3.12.2006, 11:00–19:00** —
OrtVenue **Galerie Sonnensegel**, 4., Pressgasse EckeCorner Mühlgasse — **Eintritt frei**Free —
EröffnungOpening Event **27.11.2006, 18:00** —
MitWith **Africa Samba Group of Life** — **Santos** — **Sunday** — **John** — **Omosco** — **Musa** — **Perry** —
Public Art Projekte von jugendlichen Flüchtlingen im Rahmen des Equal-Projektes EPIMAPublic Art projects by young refugees
within the Equal Project EPIMA —
KuratorInnenCurators **Heinz Fronek** — **Birgit Lurz** —
GesamtkoordinationCoordinator **Heinz Fronek** — AusstellungsgestaltungExhibition Design **Didi Sommer** —
In Zusammenarbeit mitIn cooperation with **asylkoordination österreich** —

SCHREIBWERKSTATT
Mieze Medusa

Springergasse 5
12. Sept. 2006

T – ja, Zeit ist relativ, Geschehnisse sind relativ, vieles
Menschentum und Handeln auch!

H – a! Ich werd' doch nicht so dumm sein, und
unter diesem Gesichtspunkt einen „Status Quo"
erschaffen!

E – in's muß ich schon sagen: –
ich, also ich, finde das zu vermessen.

N – un gut, was davon bleibt ist ein eigenstän=
diges Handeln.

E – in um's andere Mal immer neu entscheiden.

X – Faktor pur!

T – ja, so sieht meine Meinung aus!

V – ielleicht gibt es Leute, da und dort, die sich
in ähnlicher Tendenz befinden.

I – ch gehe von dieser meiner Einstellung nicht ab.

E – s scheint mir auch nicht notwendig zu sein.

N – och bin ich ja nicht ins Parlament gewählt worden.

N – ein! Und Wunschdenken ohne viel Umsetz-Möglich=
keit bedeutet grübeln und nichts
erreichen.

A – h! Nun habe ich also doch
meine Meinung kundgetan! Na, gut!   Aida

Tiefliegender Nebel schleicht sich über den Boden,
ich gehe vorsichtig – der Weg steil nach oben.
Die Bäume wie Schatten
Unheimlich das Moos – wässrig – wie Matten
ein leises Rascheln am Grund
ganz weiche Blumen – erkennbar bunt
Ich bleibe stehen und verweile
ANDACHT – ich hab keine Eile

Ich denke an Märchen und Zwerge
Inmitten des Nebels am Fuße der Berge.
Ich denke ans Jodeln
im Echo von Wänden.
Ich denke ans Rodeln
mit eiskalten Händen.
Schönheit und Ohnmacht im Becken der Natur
und doch Geborgenheit – Sanftheit pur.

Es küsst mich ein Singen
von Vögeln in den Zweigen
sie wollen mir bringen
einen lustigen Reigen.

Modriger Geruch zeugt von Leben
er stellt bereit – Erde zum Geben.
Ich atme tief ein
den Geruch des Reinen
und finde es fein
hier zu stehen mit feuchten Beinen.

Meine Hände vibrieren
ich fühle mich ganz
ich möchte das Gefühl nicht verlieren
denke an einen Tanz.

Der Tanz der Einheit
der Tanz der Reinheit
die Musik der Natur
wie behalte ich sie nur?!

Johanna Singer

Ground fog creeps along,
I'm walking carefully – right up the steep road.
The trees like shadows,
Eerie the moss – spongy – like mats.
A soft rustling on the ground,
Gentle flowers – motley-colored.
I stop and stay,
SILENCE – I'm not in a hurry.

I think of fairytales and dwarves
Amid the fogs at the foot of mountains.
I think of yodeling
In the echo of walls.
I think of sleighing
With ice-cold hands.
Beauty and impotence in the lap of nature
And yet a sense of security – pure softness.

The singing of birds
In the trees is like a kiss.
They want to bring me
A merry round-dance.

The musty smell is a sign of life
It indicates – earth to give.
I'm breathing deeply
The smell of purity
And enjoy
Standing here with my wet legs.

My hands tremble,
I feel whole,
I don't want to lose that feeling,
I'm thinking of a dance.

The dance of unity,
The dance of purity,
The music of Nature,
How can I make it stay?!

Johanna Singer

Wien ist die Hauptstadt von Österreich, doch wenn man hier lebt, weiß man, dass die Unterschiede zwischen dem 1. bis zum 23. Bezirk sehr groß sind. Ich lebte über 40 Jahre in Döbling, bin jetzt in die Leopoldstadt gezogen. Doch die Unterschiede sind hart: In Döbling gibt es fast keine Obdachlosen, weil sie nicht ins Stadtbild passen. In der Leopoldstadt ist das normal. Genauso mit den Ausländern. Sie kommen nach Wien in der Hoffnung, Arbeit zu finden. Dann haben sie Arbeit und werden dafür von der Gesellschaft beschimpft. Aber dass diese Leute unseren Dreck wegräumen und nicht den von Jugoslawien oder der Türkei, will keiner sehen.

Ein jeder sieht nur das, was er sehen will, nicht mehr und nicht weniger. Das finde ich schade.

Elly Wölfig

Spielen, Lachen, Weinen usw.
Pr**O**bleme lösen ohne Gewalt
Loslassen
M**I**teinander
Denken, dann reden
Hilfe **A**nnehmen
Reden lassen
Für e**I**nander dasein
Teilnehmen
Änderungen akzeptieren
Strei**T** vermeiden

Elly Wölfig

Wohnen in Wien

gemeindewohnung
mit baum vorm fenster
    der bringt no schattn
    da brennt die sonn ned so hin
nur ans: beim klo
wenn i einigeh is so a stufn
da muaß i aufpassn,
dass i mi ned dastess

gemeindewohnung
eingreicht aber abgelehnt
(mit den euro gibt's kan datenschutz mehr)
ka möglichkeit zum waschn
vorn fenster die gassn
auswandern könnt i nach griechenland

Brigitte und Manuela

Vienna is the capital of Austria, but if you live here you'll know that the differences between the individual municipal districts are quite big. I've lived in the 19th municipal district Döbling for over 40 years but now have moved to Leopoldstadt, the 2nd municipal district. The differences are very pronounced: there are practically no homeless people in Döbling, because they don't fit in with the carefully preserved cityscape, while they're quite common in Leopoldstadt. The same goes for foreigners. These people come to Vienna hoping to find work here. Then they find work, and society insults them. But nobody wants to admit that these people do our dirty work for us here, and not in Yugoslavia or Turkey.

Everybody tends to see only what they want to see, no more, no less. I think that's a pity.

Elly Wölfig

Playing, laughing, crying, etc.
Resolving problems without violence
Letting go
Together
Think first, talk later
Accept help
Let others talk
Be there for others
Participate
Accept change
Avoid quarrels

Elly Wölfig

Living in Vienna

a social housing flat
with a tree in front of your window
    making shade
    making the sun less hot
just one thing: the WC
there's a step when you enter
i must take care
so i won't slip

a social housing flat
application rejected
(no data protection anymore after the euro introduction)
can't wash here
the road in front of my window
i'd like to emigrate to greece

Brigitte and Manuela

Dog turds

Hundstrümmerln

Das Herrl

In alter Zeit hat Wien gestunken.
's ist manches im Morast versunken … fast!
Und's war für's Naserl eine Last.
Die Fuhrwerk sind vorbeigezogen,
der Duft hat niemand angelogen!
Der Alltag war – ein bisserl – ehrlich,
und's ganze noch nicht lebensg'fährlich!
Drum halt ich gern mir einen Hund,
und wenn er hinmacht, dann ist's gsund!

Der Passant

Steril muss heute alles sein,
und glatt und kalt, und überrein!
Wenn das ein Hund heut' nicht begreift,
wird halt das Herrl eingeseift!
A Anzeig' folgt, und dann das G'richt!
Ein jedes Trümmerl fällt in's Gwicht!

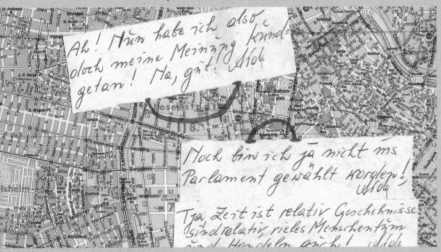

Der Hund

Egal, ob Wiesen oder Straßen:
will respektiert mich niederlassen,
und will, voll Dank, der Welt beweisen,
bei meinem Herrn tu ich gut speisen!
Will auch, weil's Gott mir so geschenkt
mir in das Kopferl 'neingelenkt,
verscharr'n, das, was mir gut gelingt!
– Und ob er mir ein Vogerl singt!
Ich will nicht, dass mein Herr sich bückt,
und's Trümmerl in ein Sackerl zwickt!
Sein' Ehr, die soll er nicht verlier'n!
Sonst muss ich mich für ihn geniern!
Die ganze heutige Chemie!!
So viel des Schlechten mach' ich nie!!
Und: in vergang'nen alten Tagen habn's noch viel mehr –
und gut – vertragen!
Wau!

Aïda

Master

In the days of old, Vienna stank.
There was a morass you could drown in … almost!
And it was a pain on your nose.
Horse-carts went by,
And the smell was inescapable!
Everyday life was honest – a bit at least,
And posed no danger to your life!
That's why I like having a dog,
And if he shits somewhere, well, at least he's healthy!

Passer-by

Today everything's supposed to be sterile,
And smooth and cold and squeaky clean!
A dog that doesn't get that,
Well, his master'll have to pay for it!
He'll be denounced and taken to court!
For each dog turd counts!

Dog

No matter whether meadow or asphalt road:
I want to have peace and respect,
And, gratefully, show the world
That my master feeds me well!
And since God made me thus,
Put that idea in my head,
I want to bury my produce!
– And a bird a singing above!
I don't want master to bend down
And put my turd in his plastic bag!
I don't want him to lose face!
Or else I'd have to be ashamed for him!
All these chemicals today!!
I don't produce all that toxic stuff!!
And in the days of old, They had to put up with much more –
And no problems, either!
Woof!

Aïda
1 May 2007

1. Mai 2007

Michael Häupl steht mit Gabi Burgstaller auf der Tribüne, sie hat nämlich den langweiligen Gruselbauer ersetzt. Eine Tschindarassa Bumdarassa Kapelle spielt pathetische Märsche. Die wenigen treu gebliebenen Genossen marschieren immer noch in ihren Bezirksformationen ein. Plötzlich verdunkelt sich der Himmel. Tausende Ufos landen im Volksgarten auf der Ringstraße auf der Terrasse des Epsteinpalastes. Die ganze Welt wird besetzt.

Die Besetzerinnen, denn es handelt sich um wunderschöne Frauen, die uns um Lichtjahre voraus sind, werden daher freundlich angenommen. Sie fischen aus der Menge von etwa 400 Leuten einen heraus, der als neuer Bürgermeister eingesetzt wird. Unter Jubel stellt Angelo Capraio sein Team, bestehend aus sechs Besatzerinnen und fünf Wienern, zusammen. Kulturstadtrat wird Helmut Hungertuch-Nager. Sofort wird ein Arbeitsteam aufgestellt: aus Rumänien, Bulgarien, Ungarn und Serbien.

Umgehend beginnen die Arbeiten: Die Donau wird von Rumänien, Constanta bis Wien auf Meeresniveau abgetragen, gleichzeitig auch die Drau und die Thaya. Schiffbar. Es kostet weniger Energie auf Meersniveau bis Wien „herauf" zu fahren und per Schleuse auf Normalniveau zu bringen. Die Donau rinnt in Wien nunmehr auf drei Ebenen – 12x12 Meter. Der Schleusenbetrieb treibt auch Turbinen an. Die Donau stellt somit

Mayor Michael Häupl and Gabi Burgstaller (Governor of the Federal Province of Salzburg) are on the grandstand, as she's replaced boring Gusenbauer (called "Gruselbauer" in the German text, a none-too-flattering pun on the SPÖ Chairman's surname that implies he's a creep). A crash-boom band is playing pompous marches. The few remaining steadfast comrades continue to arrive, marching, district after district. Suddenly, the skies darken: thousands of unidentified flying objects are landing in the Volksgarten on Ringstrasse, on the terrace of Palais Epstein. The whole world is occupied.

The occupiers – they are all gorgeous women light-years ahead of us in evolution – are received in a friendly manner. From the crowd of roughly 400 people, they select one and appoint him the new Mayor. Acclaimed by the onlookers, Angelo Capraio presents his team composed of six occupiers and five Viennese. Helmut Hunger-Starve is made City Councilor for Cultural Affairs. At once, a project team composed of Romanians, Bulgarians, Hungarians and Serbs is set up.

Work begins at once: the Danube is lowered to sea-level from Romanian Constanta to Vienna, the same goes for the Drau / Drava and Thaya / Dyje. Now the rivers are navigable at sea level, and it is less energy-consuming for ships to come "upriver" to Vienna at that level and be lifted to the Viennese

 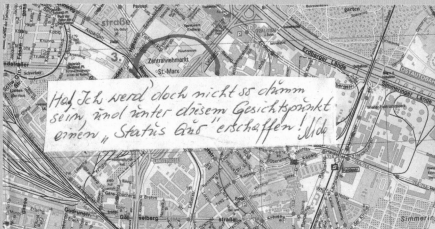

ein Wasserkraftwerk von 2000 Kilometer Länge dar. Nicht nur unter allen Straßen gibt es nun Kanäle, sodass unter Wien eine Wasserstadt entsteht, die Venedig in den Schatten stellt.

Alle Preise werden gesenkt. Nulltarif auf allen Öffis ist normal. Arbeitslosigkeit gibt es keine mehr. Die Neue Wiener Republik ist die Organisation derer, die keine Arbeit haben durch jene, die nicht arbeiten wollen wie es „der Markt befiehlt". Denn wer brauchte schon diesen Markt, der eigentlich nur ein Mafia-Filz war? Niemand!

Angelo Capraio

level by means of locks. Hence the Danube in Vienna flows at three levels – 12x12 meters. The locks also drive turbines. Thus the Danube has become a hydropower station of 2,000 km length. There are canals below all streets, and a water-city develops below Vienna to eclipse Venice.

All prices are lowered. Public transport is free. There is no unemployment. The New Viennese Republic is the organization of those who have no work by those who don't want to work, exactly as "market demands". For who ever needed a market that was nothing but a mafia-controlled graft outfit? No one!

Angelo Capraio

(...)

Auf langer Wanderschaft gelangte er zu einem breiten Fluss, über den statt einer Bogenbrücke eine geradezu banale Betonbrücke führte. Am Geländer dieser Brücke sich festklammernd, starrte er auf das dunkle Wasser, das im Lichte des Mondes blinkende Wellen warf. Er starrte und starrte, und plötzlich war er geradezu hellwach: Das Wasser floss aufwärts, also gegen die Schwerkraft. Ebenso stieg ihm Alkoholgeruch in die Nase, und das musste auch die Ursache diese Fließwunders sein:

(...)

On his long wanderings, he arrived at a wide river with a bridge across – instead of a sweeping arch, it was a banal concrete one. Holding on tight to the rails, he stared at the dark water eddying in glittering waves in the moonlight. He stared and stared, and suddenly he was wide awake: the water was flowing upriver, defying gravity. At the same time, he smelled alcohol, and that had to be the reason for this miraculous change of direction: perhaps a giant barrel had burst in

Sollte in einem der umliegenden Weinorte ein wohlgefülltes Riesenfass geborsten und sein Inhalt über Kanäle in den Fluss gelangt sein, oder eine vom Weinskandal damals unentdeckte Zisterne undicht geworden sein?

Er starrte in beide Richtungen des Flusses und rieb sich die Augen: Die schnurgeraden Ufer der Badeinsel waren von Landschaftsplanern gestaltet worden – es gab Buchten, geschwungene Grenzen von Wasser und Land, mehrere Inseln verschiedener Größe, sogar einen Leuchtturm und Skulpturen konnte er ausmalen.

Aber was war mit dem mit Alkohol befrachteten Wasser und den Donauweibchen? Er wusste nur zu gut, dass in jedem größeren Strom ein Donauweibchen schwamm; er war in Sorge.

Er wandte sich wieder dichterer Bebauung zu, wobei ihn des Öfteren von älteren Bauwerken halbplastische Figuren grüßten, die beidseitig an Toren und Durchfahrten angebracht waren und meistens Balkone oder steinerne Querträger stützten; einige dieser Gestalten waren weiblich und schienen ihn ermunternd anzulächeln.

Er war langsam müde geworden und fand auf einem Kinderspielplatz, der, das fiel sogar ihm auf, in wunderbarer Weise kindgerecht gestaltet war, dann eine Schaukel, auf der er sich niederließ und einnickte. Es kam angerannt eine Kinderschar, richtige Kinder, die laut und lachend ihr Revier in Beschlag nahmen. Dies war insofern neu für ihn, als die meisten Kinder, die er kannte, schon alt auf die Welt kamen, gebeugt von der Last überkommener Traditionen, im Schnürleib von Konventionen und Formalismus. Mit Schmunzeln nahm er zur Kenntnis, dass die Kinder in der separierten Hundezone das

one of the nearby vintners' villages and spilled its contents into the river, or perhaps a cistern that had remained undiscovered since the big wine scandal of the 1980s had begun to leak?

He stared in both directions of the river, rubbing his eyes: the dead-straight banks of the bathing island had been redesigned by landscape planners – there were bays, curving boundaries between water and land, several islands of different dimensions, he even saw a light-tower and sculptures.

But what about the alcohol-laden water and the Danube nymphs? He knew only too well that every big river has its nymphs; he was worried about them.

He turned towards the more densely built-up neighborhoods; semi-sculpted statues saluted him occasionally from their perches right and left on the gates and passageways of older buildings and from the balconies or stone cross-beams they were holding up; some of them were female and seemed to smile at him encouragingly.

He began to feel tired and found a swing on a playground that miraculously had been truly designed for children (even he could see that). He sat down on the swing and fell asleep. A crowd of children arrived, real kids, noisy and laughing, occupying their very own domain. That was a novelty for him because most children he knew had already been born old, worn down by the burden of obsolete traditions, bound in a corset of conventions and formalism. Grinning, he noticed that the kids did in the separate dog zone what dogs, in other parks, do in kids' sandboxes.

A policeman arrived and saluted him in a courteous and

taten, was in anderen Gegenden die Vierbeiner in den Sand-
kisten der Kinder erledigten.

Ein Polizist erschien, grüßte ihn höflich und freundlich.
Nachdem dieser sich seine Geschichte angehört hatte, stellte er
ihm eine so genannte Daseinsbestätigung aus, das wichtigste
Dokument des Landes. So ausgestattet steuerte er das nächste
Amt an, wo sich der Portier nach einer Ehrenbezeugung nicht
nach seinem werten Befinden, sondern sich nach dem Befinden
seiner werten Person erkundigte. Bei weiterem Voranschreiten
fiel ihm in angenehmer Weise das Fehlen einer Einlaufstelle auf:
Wie entwürdigend war doch immer diese Amtshandlung gewesen, obwohl ihm schon klar war, dass sich der Gesetzgeber dabei
etwas gedacht hatte – nämlich Platz zu schaffen für einen neuen
Wust an Formularen verschiedener Größe und Farbe, bedruckt
mit Belehrungen, Vorschriften, Ermahnungen und Hinweisen, die
sich dann überwiegend als für den Hugo heraus stellten; dafür
war dieser Ort auch der richtige. Er betrat nun die verschiedensten
Amtsräume, wurde begrüßt und bewirtet und weiter empfohlen.
Das heißt, es verging auch einige Zeit, bis er sein Anliegen an
der richtigen Stelle vortragen konnte. Im Unterschied zu anderen
Gegenden schickte man ihn hier in einer annähernden Kreisbahn,
nicht, wie er es gewohnt war, bis zur Erschöpfung die Strahlen
eines unregelmäßigen Vielecks ablaufend. Personen des öffentlichen Lebens, vernahm er, hatten das Vorrecht, auf elliptische

friendly way. After listening to his story, he issued a so-called
"certificate of existence", the most important document of the
country. With it, we went to the nearest government office,
where the porter, after showing his respect, kindly inquired
about his health. Proceeding into the office, he noticed the lack
of a drop-in center: how humiliating it had been to be subject
to these official procedures, although he was aware that the
legislator had had an intention in setting up such offices –
namely, to create space for a new welter of differently sized
and colored forms chock-full of instructions, regulations,
admonitions and indications that in the end proved mostly
useless; but this was the right place. He stepped into numerous
offices, was greeted and fêted and recommended to others.
Thus it took some time until he was able to submit his request
to the right department. Contrary to other occasions, he was
this time sent along in something resembling a circular route
without wearing himself out – as accustomed – by being forced
to hurry along the lines of an irregular polygon. He heard that
public personalities were entitled to be sent along elliptical
curves; he also heard that the number of titles had been
reduced: those still awarded were conferred on people who
had made good and developed a talent, of increasing value, to
help their fellow humans.

A fact seemed difficult to understand: there were no

Bahnen geschickt zu werden. Wie er des Weiteren hörte, gab es
nur mehr eine begrenzte Anzahl von Titeln: Die wurden vergeben,
wenn jemand aus sich etwas gemacht und ein Talent entfaltet
hatte, mit steigendem Wert, wie viel er für seine Mitmenschen
getan hatte.

Ein Faktum war für ihn schwierig zu verstehen: Es gab keine
kriminellen Verstöße mehr – die Unterwelt war nahtlos in Ver-
tretern der Selbstständigen, Kaufleute, Industriellen und vor
allem Politikern aufgegangen.

Die Hauptattraktion der Schatzkammer waren Tonnen von
Orden, die mehrmals täglich umgeschaufelt wurden, damit sie
gleichmäßig von allen Seiten oxidieren und vergilben konnten.
Nachdem er seine Barschaft gezählt hatte, war der Wunsch, nach
Hause zu gelangen, übermächtig in ihm geworden. Er suchte

crimes and misdemeanors anymore – the underworld had been
seamlessly absorbed by the representatives of the self-employed,
by merchants, industrialists and, above all, politicians.

The main attraction of the treasury were tons of decorations
that were stirred with shovels several times a day to make sure
they would oxidize and yellow evenly on all sides. After
counting his money, he felt an overpowering urge to go home.
He went to a fiacre station and mounted a coach. After a few
minutes, he noticed that the coachman, in explaining the historic sights, mentioned people who could have never met in
any common present, having lived in different centuries; his
head grew clearer, the surroundings seemed more and more
familiar to him as they went – and yes: this was his city!

The city of strange saints who unravel the Beyond, who

einen Standplatz auf und bestieg einen Fiaker. Nach einigem Getrappel fiel ihm auf, dass der Kutscher bei den Erklärungen zu historischen Bauwerken Personen ins Spiel brachte, die aufgrund ihrer zeitversetzten Biografie niemals eine gemeinsame Gegenwart gehabt haben konnten; er wurde frischer im Kopf, das Ambiente kam ihm im Vorbeifahren immer bekannter vor; genau: Es war seine Stadt!

Die Stadt der komischen Heiligen, die das Jenseits zerpflücken, ihr Herz an allzu irdische Dinge hängen und sich aus Vanille

set their hearts too much on earthly pleasures and build their too-personal beliefs from vanilla-topped bits and pieces. 2,000 years ago, who was it put the idea into that Jesus guy's head that he should visit a nail salon? He could've saved us (the poor victims) and himself a load of trouble!

He was again in the morass of the city, the swaying ground rumbled with his every step, but he felt just great ambling along. And already he was grunting together with the other inhabitants of the city, a herd of swine setting binding

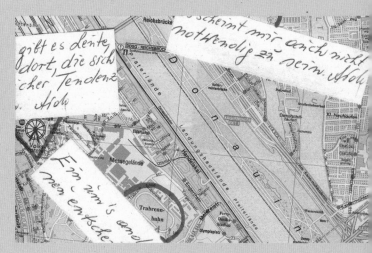

übergossenem Schnitzelwerk ihren allzu persönlichen Glauben basteln. Wer hat vor rund 2000 Jahren diesem Jesulein den Floh ins Ohr gesetzt, er müsste ein Nagelstudio aufsuchen? Er hätte sich, dem davon Betroffenen, und uns viel Ärger erspart!

Er lag wieder in der Sumpflandschaft dieser Stadt, bei jedem Schritt gurgelte der schwankende Untergrund, aber man fühlte sich sauwohl dabei. Und schon grunzte er im Verein mit den anderen Bewohnern der Stadt, die Schweinerotte setzte wiederum verbindliche Standards. Nicht ganz verständlich war ihm, dass die allerorten wachsenden Sumpfblüten durchaus essbare Früchte hervor brachten.

Er glich sich langsam wieder an den Typus des frohsinnigen Misanthropen an, der in dieser Stadt vorherrschend war. Auch ein eindeutiges Ja oder Nein gab es nun für ihn nicht mehr – mit sowohl als auch ist man nach allen Seiten bestens abgesichert, kommt auch mit viel mehr Personen ins Gespräch. Es war auch praktisch, die Vorstellung einer Sache schon für die Sache selbst zu nehmen, Einbildungen zu Pseudo-Realitäten zu komprimieren und aus der Banalität von Ereignissen Volksfeste zu komponieren. Jetzt war er zu hart gewesen zu den Bewohnern dieser Stadt und zu sich selbst. Die Imaginationsgabe zaubert jederzeit eine neue Welt hervor, die Gabe der Selbstironie macht einen humaner und humorvoll. Ja der Humor: Aber tiefschwarz muss er sein, fallweise sogar ernst! Man schaue den älteren Bewohnern dieser Stadt auf den Mund: jahrzehntelang diesen Dialekt sprechen verändert die Mundform – der alte Wiener hat daher eine spezielle Pappen! Wir sind selten wir selbst, weil wir als geborene Schauspieler und Schausteller uns gerne selbst inszenieren. Je unbedeutender ein Ereignis, umso lauter wird es kommentiert,

standards. What astonished him was that the ubiquitous marsh plants produced quite edible fruit.

Slowly, he returned to the state of merry misanthropy predominant in this city. No clearcut "yes" or "no" for him anymore – opting for "both – and" protects you on all sides and moreover gets you into contact with more people. Also, it was nice to take the concept of a thing for the thing itself, to compress imaginary facts into pseudo-realities and compose public festivals from the banality of events. Now he'd been too tough on the denizens of the city and on himself, too. The gift of imagination can create a new world anytime, the gift of self-irony makes people more humane and humorous. Humor, yes! But it must be pitch-black and sometimes even serious! Listen to what the older inhabitants of this city say: speaking this dialect for decades changes the shape of your mouth – the old Viennese therefore have this very peculiar mug! We are rarely ourselves because, as born actors and showpeople, we like to produce ourselves in our own plays. The more trivial the event, the more vociferously it is commented on, while the big things are taken for granted, tacitly, as the inventory of this world. The heurigen as the psychiatrist's couch eliminates the need for a psychologist or shrink, and the same goes for the coffeehouse. Death reaches far into life, we're intimately aware of it, nobody needs to feel lonely. The self-hate of mental structures continues in the rejection of this city you love to leave, to get far, far away from, and which yet draws you in again, after just a short time, by magic threads – a bungee mycelium! The Vienna School of Medicine: many claim to be teachers, junior and senior, but have not yet finished their

die großen Dinge werden als Inventar dieser Welt zur Kenntnis genommen und verschwiegen. Der Heurige als Psycho-Couch erspart den Psychologen und Seelenklempner, desgleichen das Kaffeehaus. Der Tod reicht weit ins Leben hinein, wir sind per Du mit ihm, keiner muss einsam sein. Der Selbsthass einer psychischen Struktur findet seine Fortsetzung in der Ablehnung dieser Stadt, die man so gerne verlässt, möglichst weit weg, und die einen nach kurzer Zeit an magischen Fäden immer stärker wieder an sich zieht – ein Bungee-Myzelium! Die Wiener Schule der Medizin: Viele geben sich als Lehrer und Oberlehrer, haben aber noch nicht ausgelernt und müssen noch zur Schule gehen, was sie meistens der Öffentlichkeit gegenüber verschweigen. Die Obrigkeitshörigkeit dieses Volkes wird nur noch von den Ost- und Südoststaaten übertroffen (de Gasperi). Da die Welt knapp vor dem Untergang steht, müssen wir die geringe verbleibende Zeit, die immer noch erheblich länger dauert als die eigene Lebenszeit, zelebrieren: mit Rebe, Dirne und Gegröhle. Du möchtest auf einfachste Weise einen Titel erwerben: Geh in ein Lokal, wo dich niemand kennt und gib dem Ober dreimal ein sehr gutes Trinkgeld. Das wichtigste Gesetz: Die p.t. Bürger sind dazu angehalten, die Jahreszeiten pünktlichst einzuhalten! (Glühwein nur im Winter, Bikini immer usw.)

Da er nun wieder in seiner Stadt angelangt war und ihm die buntesten Gedanken durch den Kopf schossen, beschloss er, finanziell unabhängig zu werden und endlich diese große Erfindung zum Patent anzumelden, was er schon so lange Zeit vorhatte; jedoch nicht schnöder Mammonismus trieb ihn an, sondern: Mit viel Geld kann man auch sehr viel Gutes tun! Diese Erfindung, die jeder auf dieser Welt brauchen kann, und die viel Zeit und damit Geld erspart, wollte er in allen Ländern anmelden:

Der Wecker schrillt,
du springst aus dem Bett
und bist schon fix und fertig angezogen!

PS: Ob sich manche Caritas-Oberen bei der Berufswahl von einem Ausspruch Cäsars leiten ließen, auch ohne ihn zu kennen: „Lieber in einem Alpendorf der Erste, als in Rom der Zweite!"

Werner Kohlmaier

studies, have to go on attending school, although they mostly don't admit this to the public. The deference to authority of these people is only surpassed by the southern and southeastern countries (de Gasperi). Since the world is close to the brink of an abyss, we must celebrate what little time remains, which is still much longer than our lifetime: celebrate it with booze, tarts and bawling. You want to obtain an academic title in the simplest possible way: go to a diner where they don't know you and tip the waiter lavishly three times. The most important rule: the esteemed citizens are requested to observe the seasons punctually! (drink mulled wine only in the winter, wear bikinis always etc.)

Since he had now returned to his city and the wildest thoughts were careening through his mind, he decided to become financially independent and finally apply for a patent for this wonderful invention, something he had planned for a long time; yet his motivation was not filthy lucre but the fact that a lot of money allows you to do a lot of good! This invention, which everybody in the world needs and which saves a lot of time and, by extension, money, was to be patented in all countries:

The alarm goes off,
you jump out of your bed
and are already fully dressed!

PS: I wonder whether some Caritas honchos, in choosing their job, were inspired by Caesar's dictum without knowing it: "I would rather be first in a village than second in Rome!"

Werner Kohlmaier

The Tables of New Crowned Hope
The Tables of New Crowned Hope

Nahrung für eine nachhaltige ZukunftFeeding a Sustainable Future —

ProjektProject **Schulessen der Zukunft**School Food for the Future —
ProjektProject **Gespräche zwischen ProduzentInnen und KöchInnen**Conversations between Farmers and Chefs —

KuratorinnenCurators **Alice Waters** — **Barbara van Melle** —
Assistentin von Alice WatersAssistant to Alice Waters **Heidi Lee** —

In Zusammenarbeit mit Alice WatersIn collaboration with Alice Waters — **Doug Hamilton** (Freier FilmemacherIndependent film maker) — **Christina Kim** (Designerin für Kleidung und Inneneinrichtung für dosaClothing and Home Furning Designer of dosa) —
Davia Nelson (The Kitchen Sisters, National Public Radio, USA) — **Malgosia Szemberg** (Kreativ-DirektorCreative Director) —

Book a cookBook a cook **Irene Weinfurter** (Bio-KöchinOrganic Chef)

GastköchInnenVisiting Chefs — **David Lindsay** (US Embassy, Bern, Switzerland) — **Russell Moore** (Chez Panisse, Berkeley, USA) —
Jennifer Sherman (Chez Panisse, Berkeley, USA) — **Mona Talbott** (American Academy in Rome) —
David Tanis (Chez Panisse, Berkeley, USA) —

Internationale SprecherInnenInternational Speakers Schulessen der ZukunftSchool Food for the Future —
Patrick Holden (Director of the Soil Association, UK) — **Roberta Sonnino** (Principal Researcher for ALL FOR QUALITY, Rome, Italy and Lecturer in Environmental Policy, Cardiff University) — **Joshua Viertel** (Director of Yale University Sustainable Food Project, USA) —
Alice Waters (Chez Panisse Foundation and The Edible Schoolyard, Berkeley, USA) —

Mit Dank anWith thanks to —
Schloss Niederweiden — **Kurt Farasin** — **Mario Feigl** — Gartenbauschule Kagran — **OSR Johann Dücke** —
Beate Thalberg — **Reinhard Seifert** — **Bernd Schlacher** —
Österreichische ProduzentInnenAustrian Producers —
Arche Noah (Schiltern/NÖ) — **Biohof Aigner** (Göllersdorf/NÖ) — **Peter Brauchl's Alpenlachs** (Gutenstein/NÖ) — **Fleischerei Karlo** (Pamhagen/Bgld) — **Die Hoflieferanten, Leichtfried und Partner KEG** (St.Peter/Au/NÖ) — **Ilse Maier, Bioweingut Geyerhof** (Furth/NÖ) — **Stefan Gruber, kaes.at** (Bregenzerwald/Vorarlberg) — **Mani, Olivenöl und Oliven** (Wien) — **Bio-Hofbäckerei „Mauracher" GmbH** (Sarleinsbach/OÖ) — **Biomarkt Maran** (Wien) — **Meinklang, Weingut Michlits** (Pamhagen/Bgld) — **Hofkäserei Robert Paget** (Diendorf/NÖ) — **Herwig Pecoraro** (Klosterneuburg/NÖ) — **Sonnentor** (Sprögnitz/NÖ) — **Bauern der Arche Noah** (NÖ) — **Michael Bauer** — **Erwin Binder** — **Franz Hobiger** — **Bernd Kajtna** — **Peter Lassnig** — **Sigi Lassnig** — **Wolfgang Palm** — **Siegfried Schreiber** — **Erich Stekovics** — **Wolfgang Zemanek** —

Alice Waters
Die Slow-Food-Nation
Slow Food Nation

Also hatte Jean-Anthèlme Brillat-Savarin doch recht, als er 1825 in seinem Opus Magnum, *Die Physiologie des Geschmacks*, schrieb, dass das „Schicksal einer Nation von ihrer Ernährung abhängt". Wer meint, dieser Aphorismus übertreibe die Bedeutung von Nahrungsmitteln, möge bedenken, dass fast vier Milliarden Menschen auf der Welt von der Landwirtschaft leben. Ernährung ist sehr wohl Schicksal; jede unserer ernährungsbezogenen Entscheidungen hat persönliche wie globale Auswirkungen. Heute wird im Allgemeinen zugegeben, dass das, was wir in Amerika essen, uns krank machen könnte, aber wir gestehen uns noch immer nicht die wahren Konsequenzen – ökologischer, politischer, kultureller, gesellschaftlicher und ethischer Natur – unserer nationalen Ernährungsweise ein.

Zu diesen Konsequenzen zählen Raubbau des Erdbodens, Wasser- und Luftverschmutzung, der Verlust von Familienbetrieben und ländlichen Gemeinschaften und sogar die Erderwärmung. (Leider hat Al Gores sonst äußerst wertvoller Dokumentarfilm *Eine unbequeme Wahrheit* enttäuschend wenig darüber zu sagen, wie die Nahrungsmittelindustrie zum Klimawandel beiträgt.) Wenn wir dem Fast Food unsere Treue erklären, hat dies schlimme Auswirkungen auf die Gesundheit der Zivilgesellschaft und unseren Nationalcharakter. Wenn wir Fast Food eilig in unseren

It turns out that Jean-Anthèlme Brillat-Savarin was right in 1825 when he wrote in his magnum opus, *The Physiology of Taste*, that "the destiny of nations depends on the manner in which they are fed." If you think this aphorism exaggerates the importance of food, consider that today almost four billion people worldwide depend on the agricultural sector for their livelihood. Food is destiny, all right; every decision we make about food has personal and global repercussions. By now it is generally conceded that the food we eat in America could actually be making us sick, but we still haven't acknowledged the full consequences – environmental, political, cultural, social and ethical – of our national diet.

These consequences include soil depletion, water and air pollution, the loss of family farms and rural communities, and even global warming. (Inconveniently, Al Gore's otherwise invaluable documentary *An Inconvenient Truth* has disappointingly little to say about how industrial food contributes to climate change.) When we pledge our dietary allegiance to a fast-food nation, there are also grave consequences to the health of our civil society and our national character. When we eat fast-food meals alone in our cars, we swallow the values and assumptions of the corporations that manufacture them.

wonder

Autos hinunterwürgen, schlucken wir auch die Werte und Thesen der Erzeugerfirmen mit. Nach deren Ansicht ist Essen nicht wichtiger als Volltanken und sollte schnell und anonym erledigt werden. Da Essen stets billig und reichlich vorhanden sein wird, kann man es ruhig verschwenden. Mastrindfleisch, Pommes und Cola sind gut für dich. Es ist egal, woher das Essen kommt und wie frisch es ist, weil standardisierte Uniformität wichtiger ist als vielfältige Qualität. Schließlich gilt harte Arbeit – die Konzentration, Einsatz und Ehrlichkeit erfordert, wie z.B. Kochen für die Familie – als Plackerei ohne kommerziellen Wert, die absolut zu vermeiden ist. Es gibt Wichtigeres zu tun.

Es ist kein Wunder, dass die AmerikanerInnen so konzentrationsschwach sind: Uns wird die Botschaft eingehämmert, dass alles in unserem Leben schnell, billig und einfach sein sollte, besonders das Essen. Wir sind so konditioniert zu glauben, dass Nahrungsmittel fast gratis sein sollten, dass sogar die Reichen, die einen geringeren Teil ihres Einkommens für die Ernährung ausgeben als jemals zuvor in der Geschichte der Menschheit, sich über den Preis von Bio-Pfirsichen mokieren – Pfirsiche, die wegen ihres hervorragenden Geschmacks gezüchtet und vollreif von einem heimischen Bauern geerntet werden, der das Land pflegt und seine MitarbeiterInnen fair bezahlt! Und dennoch kosten

According to these values, eating is no more important than fueling up, and should be done quickly and anonymously. Since food will always be cheap, and resources abundant, it's OK to waste. Feedlot beef, french fries and Coke are actually good for you. It doesn't matter where food comes from, or how fresh it is, because standardized consistency is more important than diversified quality. Finally, hard work – work that requires concentration, application and honesty, such as cooking for your family – is seen as drudgery, of no commercial value and to be avoided at all costs. There are more important things to do.

It's no wonder the American attention span is so short: We get hammered with the message that everything in our lives should be fast, cheap and easy – especially food. So conditioned are we to believe that food should be almost free that even the rich, who pay a tinier fraction of their incomes for food than has ever been paid before in human history, grumble at the price of an organic peach – a peach grown for flavor and picked, perfectly ripe, by a local farmer who is taking care of the land and paying his workers a fair wage! And yet, as the writer and farmer David Mas Masumoto recently pointed out, pound for pound, peaches that good still cost less than Twinkies. When we claim that eating well is an elitist preoccupation, we

solch gute Pfirsche, nach dem Gewicht gerechnet, noch immer weniger als die Kalorienbomben Donuts, wie der Schriftsteller und Landwirt David Mas Masumoto kürzlich nachgewiesen hat. Wenn man behauptet, dass gutes Essen ein Zeitvertreib für Eliten sei, vernebelt man die elementare Rolle, die unsere Entscheidungen für oder gegen Nahrungsmittel in der Gestaltung der Welt spielen. Der Grund, warum gutes Essen in Amerika mehr kostet als schlechtes Essen, liegt darin, dass unsere Agrarpolitik Fast Food subventioniert, was frische, gesunde Nahrungsmittel, die vom Staat nicht gesponsert werden, teuer aussehen lässt. Bio-Produkte scheinen nur deshalb elitär, weil industriell erzeugte Nahrungsmittel künstlich billig gehalten und die wahren Kosten dem Staatshaushalt, der öffentlichen Gesundheit und der Umwelt angelastet werden.

Die Lösungsansätze ergeben sich aus einer in Italien gegründeten Bewegung, die auf „Slow-Food-Werten" basiert, und damit den Prämissen des Fast-Food-Marketing zuwider laufen. Für mich sind dies Werte des gemeinschaftlichen Familienessens, das uns unter anderem lehrt, dass Tafelfreuden ein gesellschaftliches ebenso wie ein privates Gut sind. Bei Tisch lernen wir Mäßigung, Konversation, Toleranz, Großzügigkeit und Fröhlichkeit in der Gruppe – alles Bürgertugenden. Außerdem ergeben sich aus Tafelfreuden auch Pflichten – gegenüber anderen, gegenüber den Tieren, die wir verzehren, gegenüber dem Land und den Menschen, die es bestellen. Daraus folgt, dass uns gesunde Nahrungsmittel in jeder Weise mehr Zeit und Geld kosten werden, als wir derzeit bezahlen. Aber wenn wir die wahren Kosten der Nahrungsmittel begriffen und die wahre Befriedigung des Essens neu erlernt haben, werden wir auch ein Fundament gelegt haben – nicht nur für ein gesünderes Nahrungsmittelsystem, sondern für eine gesündere Demokratie im 21. Jahrhundert.

create a smokescreen that obscures the fundamental role our food decisions have in shaping the world. The reason that eating well in America costs more than eating poorly is that we have a set of agricultural policies that subsidize fast food and make fresh, wholesome foods, which receive no government support, seem expensive. Organic foods seem elitist only because industrial food is artificially cheap, with its real costs being charged to the public purse, the public health and the environment.

The solutions arising out of a movement founded in Italy based on "slow food values," run counter to the assumptions of fast-food marketing. To me, these are the values of the family meal, which teaches us, among other things, that the pleasures of the table are a social as well as a private good. At the table we learn moderation, conversation, tolerance, generosity and conviviality; these are civic virtues. The pleasures of the table also beget responsibilities – to one another, to the animals we eat, to the land and to the people who work it. It follows that food that is healthy in every way will cost us more, in time and money, than we pay now. But when we have learned what the real costs of food are, and relearned the real rewards of eating, we will have laid a foundation for not just a healthier food system but a healthier twenty-first-century democracy.

Orville Schell

Alice Waters: Die Gegenrevolutionärin
Alice Waters: Counter-Revolutionary

Was ist bloß mit Alice Waters los?

Obwohl ihr legendäres Restaurant Chez Panisse in Berkeley (Kalifornien) für viele AmerikanerInnen das Mekka der Biorevolution in der Küche ist und sich einen globalen Wiedererkennungswert erobert hat (d.h. ein Markenzeichen geworden ist), von dem Firmenbosse oft nur träumen können, weigert sich diese starrköpfige Frau, aus ihrem Erfolg finanzielles Kapital zu schlagen.

An ihrem „Firmensitz" gibt es keine ManagerInnen, die Alice-Waters-Steakmesser mit Schriftzug, Barbecuekessel mit Monogramm, Chez-Panisse-Olivenöl oder Kochmützen mit Firmensiegel entwerfen, die dann des Nachts im TV-Shoppingkanal verhökert werden können. Und keine RisikokapitalgeberInnen aus dem Silicon Valley treffen sich mit ihr, um einen Börsengang zu planen.

Was ist mit dieser Frau los, die so selbstzufrieden in ihrem edlen Restaurant im „Land von Obst und Nüssen" am Rande des „wirklichen" Amerika sitzt? Warum erlaubt sie sich nicht den amerikanischen Traum von Chez-Panisse-Klonen auf Autobahnkreuzen? Warum ist sie so aus dem Takt mit der Welt um sich herum?

Aber Alice Waters findet nicht, dass sie aus dem Takt ist. Ganz im Gegenteil, ihrer Meinung nach ist die Welt in Bezug auf einen der grundlegenden Aspekte der menschlichen Existenz aus dem Takt geraten – nämlich Anbau, Pflege, Ernte, Zubereitung und Verzehr von gesundem Essen zu Hause. Sie war eine der ersten VertreterInnen der Branche, die davor warnten, dass die wachsende Anzahl der KundInnen von Fast-Food-Lokalen und KonsumentInnen von Fertigmahlzeiten aus dem Supermarkt eine

What's the matter with Alice Waters?

Despite the fact that her legendary Berkeley, California restaurant, Chez Panisse, has become for many Americans the Vatican of the organic food revolution and has attained the kind of global "name recognition," or "branding," that corporate chieftans kill to attain, this stubborn woman refuses to capitalize on her success in the marketplace.

At her "corporate headquarters," there are no executives planning lines of signaturized Alice Waters steak knives, monogrammed barbecue kettles, Chez Panisse olive oil or branded chef's toques waiting to be hawked on late night TV. And, there are certainly no VCs from Silicon Valley meeting with her in to hatch up an IPO.

What's with this woman, sitting so sanctimoniously in her precious restaurant in the "land of fruits and nuts" on the edge of "real" America. Can't she allow herself to dream the American dream of Chez Panisse clones on freeway cloverleaves? Why's she so out of step?

Actually, Alice Waters doesn't believe she's the one who is out of step. According to her it is the world that is out of step, and with one of the most basic aspect of human existence – the planting, cultivating, harvesting, preparing and eating of wholesome food in the home. She was one of the first people in the food world to warn that, with ever more of the world eating out at fast-food restaurants or buying prepared ready-to-eat commercial meals at supermarkets, people's diets were changing

für die Volksgesundheit äußerst negative Veränderung der Ernährungsgewohnheiten zur Folge hat. Und sie hatte Recht. Aufgrund der fett- und kohlehydratreichen Speisen, die in den billigen Fast-Food-Ketten verkauft werden, sind zwei Drittel der AmerikanerInnen heute übergewichtig und ein Drittel fettleibig; dazu überschwemmt Diabetes das Land wie eine Epidemie.

Während also die meisten anderen wichtigen Persönlichkeiten der Lebensmittelindustrie ihren Erfolg am Profit messen (indem sie immer mehr Menschen immer mehr Essen zu immer niedrigeren Preisen verkaufen), misst Alice Waters ihren Erfolg in einer ganz anderen Währung. Sie interessiert sich für die gesamte „Nahrungsmittelkette", die zur abschließenden Handlung des Essens führt, und weiß ganz genau, dass der Bruch nur eines der Kettenglieder vom Erzeuger / von der Erzeugerin zum Vertrieb, Restaurant, Geschäft und letztlich zum Konsumenten / zur Konsumentin zu einem schlimmeren Verlust führt als bloß dem Nichtstopfen hungriger Mägen.

Man hat sie eine Revolutionärin genannt. Aber weil sie in Wahrheit recht konservativ ist (sie möchte die Menschen wieder

in a way that would have profound health consequences. And, she was right. Because of the high fat, high carbohydrate diets marketed at inexpensive fast-food chains, two thirds of all Americans are now over-weight, one third are obese and diabetes is sweeping the nation on an epidemic-like scale.

And so, while most other movers-and-shakers in the food industry calculate their success in terms of profits – namely, selling more food to more people for less cost – Waters calculates her success in an entirely different currency. She looks at the entire "food chain" that leads to the final act of eating, recognizing that when any of its links – from farm to distributor, restaurant, store, and consumer – are broken, something more than a simple failure to deliver a foodstuff to hungry stomachs is lost.

She has been called a revolutionary. But because she is actually quite conservative – she wants to bring people back to an older way of relating to their food and each other – it might be more accurate to call her a counter-revolutionary. She wants to take us back to the future by restoring a time when families maintained gardens; ate what was seasonally available; "put up"

orderliness

auf einen traditionelleren Weg des Umgangs mit dem Essen und miteinander zurückführen), sollte man sie wohl eher als Gegenrevolutionärin bezeichnen. Sie möchte uns zurück in die Zukunft geleiten, indem sie an eine Zeit anknüpft, in der Familien noch Gärten bestellten, der Jahreszeit angemessene Speisen aßen, Konserven einkochten und überschüssiges Gemüse für den Winter einfroren, lokale Geschäfte und Restaurants in Familienbesitz frequentierten und in der Küche beim Kochen und Essen Familienkontakte pflegten. Das ist eine altmodische Vision, aber dahinter steht eine überzeugende wissenschaftliche, soziale, wirtschaftliche und politische Logik.

Nach Ansicht von Alice Waters und ihrem Team liegt die Aufgabe von Chez Panisse darin, das Restaurant zu einem kompromisslosen öffentlichen Ort der allerhöchsten Standards zu machen, wo nur die besten biologischen Zutaten verwendet und köstliche und gesunde Speisen serviert werden. Jedoch ist ihr auch klar, dass Chez Panisse in einem viel größeren Netzwerk von Wechselbeziehungen gesehen werden muss – zwischen den „FuttersucherInnen" im Restaurant und lokalen Biobauern / Biobäuerinnen, zwischen KöchInnen und KleinproduzentInnen und -vertriebsunternehmen und zwischen ihrem Mitarbeiterstab und der Welt im Allgemeinen.

preserves and froze excess vegetables for winter consumption; frequented local, family-run stores and restaurants; and communed in the kitchen as families preparing and eating meals. Such a vision is, indeed, a retro one, but it has a compelling scientific, social, economic and political logic.

The job of Chez Panisse, as Alice Waters and her staff see it, is to make the restaurant a place of no compromise, a gold-standard public house where nothing but the finest organic ingredients are used and where delicious and healthy food is served. But she also sees the necessity of putting the restaurant in the context of a much larger network of relationships, between the restaurant's "foragers" and local organic farms, the chefs and small-scale producers and distributors and the staff and the world. But for her, perhaps the most important relationship in this new cosmology of food is that between agriculture as a whole and the environment.

For the past ten years the Chez Panisse Foundation has evolved and sustained the Edible Schoolyard Project, which seeks to put a working garden and student-run kitchen in all the Berkeley schools, so that kids – many of whom who have never

Für sie ist die wichtigste Wechselbeziehung in dieser neuen Kosmologie des Essens wohl jene zwischen Landwirtschaft und Umwelt.

Seit einem Jahrzehnt entwickelt und unterstützt die Chez Panisse Foundation das Edible-Schoolyard-Projekt, das versucht, funktionierende Gärten und von den Schulkindern selbst betriebene Küchen in allen Schulen von Berkeley ins Leben zu rufen, damit die Kinder (viele von ihnen haben nie eine Form des Lebensmittelanbaus mit eigenen Augen gesehen) lernen können, wie man Gemüse anbaut, sein eigenes Essen zubereitet und das Erlebnis genießt, diese Speisen seinen KlassenkameradInnen zu servieren und gemeinsam an einem großen Tisch zu verzehren.

In fast jeder Hinsicht folgt Alice Waters einem anderen Rhythmus als die meisten anderen VertreterInnen der „Nahrungsmittelindustrie". Sie ist eine kompromisslose Frau mit einer entschiedenen Vorstellung davon, wie Essen – das grundlegende Element unseres Alltags – alles beeinflusst, was wir tun und was aus uns wird.

Es wäre falsch zu behaupten, dass sie kein „Kapital" aus ihrem Erfolg schlägt – sie tut es, aber auf ihre Art und Weise, nicht nach den Konventionen, die Geschäftsleuten so lieb und teuer sind. Sie setzt den Ruhm ihres Restaurants, ihrer Bücher und ihres Namens ein, um nachhaltige Landwirtschaft zu fördern und das Essverhalten zu resozialisieren. Und deshalb wird es so bald wohl keine Alice-Waters-Steakmesser geben.

seen food of any kind grown – can learn how to raise vegetables, cook their own meals and then enjoy the pleasure of serving and eating them at one big table with their classmates.

In almost every sense, Alice Waters is marching to a different drummer than most others in the "food industry." She is an uncompromising woman with a resolute vision – a vision of how food, the most elemental thing in all of our daily lives, shapes everything we do and become.

It would be wrong to say that she is not "capitalizing" on her success, but she is doing so in her own way, not in the conventional ways dear to the hearts of businessmen. She is using the fame of her restaurant, books and name to promote sustainable agriculture and re-socialize eating. This is why there will not be a line Alice Waters Steak Knives any time soon.

Barbara van Melle
Die Tafeln von New Crowned Hope – Nahrung für eine nachhaltige Zukunft
The Tables of New Crowned Hope – Feeding a Sustainable Future

An einem großen Esstisch hat alles begonnen – mit Bio-Erdäpfeln und Alpenlachs. Da wurde beschlossen, eine Vision umzusetzen und unserem Essen im Rahmen von Peter Sellars' Festival New Crowned Hope einen ganz besonderen Stellenwert zu geben, es aus dem Nischendasein zu holen, das es im Kulturbetrieb üblicherweise hat, als Buffet am Rande von Premierenfeiern.

Mit am Tisch die Star-Köchin Alice Waters, die Vordenkerin der amerikanischen Bio-Szene, die „Grüne Göttin Amerikas" (The Observer) und Vizepräsidentin von Slow Food, jener Bewegung, die von Italien aus vor fast 30 Jahren zum Kampf gegen den Verfall von Esskultur und Vielfalt angetreten ist. Ein Kampf, der mittlerweile weltweit Tausende Mitstreiterinnen und Mitstreiter gefunden hat. Menschen, die dagegen antreten, dass im Namen von Produktivität, Profit und Schnelllebigkeit regionale Speisen, Produkte und Kulturpflanzen geopfert werden und damit für immer verloren gehen. Mit welch atemberaubendem Tempo die Zerstörung voran geht, macht eine Zahl der FAO deutlich. Die Welternährungsorganisation schätzt, dass in den letzten 100 Jahren rund 75% der Sorten dieser Erde unwiederbringlich verschwunden sind. Industrienationen sind stärker betroffen als die Länder der Dritten Welt.

In Österreich sind zum Beispiel um 1900 noch 3.000 bis 5.000 Apfelsorten gewachsen, heute sind es nur noch 400 bis 500. Und davon findet man gerade noch eine Handvoll Sorten in den Regalen der Supermärkte.

Doch der Kampf gegen diese Entwicklung läuft und darf nicht als verloren aufgegeben werden. David trifft auf Goliath – unabhängige, bewusste KonsumentInnen und visionäre ProduzentInnen treten gegen Nahrungsmittel- und Industriekonzerne an, die sich im Zuge der Globalisierung die Erde untertan gemacht haben und die dafür verantwortlich sind, dass mit dem Verlust der Sorten- und Artenvielfalt auch der Geschmack verloren geht. Sie kämpfen gegen die industriellen Monokulturen und für mehr regionale Vielfalt.

Viele von ihnen sind KünstlerInnen. Wie sonst sollte man

It was around a big dining table, feasting on biological potatoes and Alpine salmon, when it was decided to make a vision reality and give food a very special significance within the context of Peter Sellars' New Crowned Hope festival, to salvage it from the niche it usually occupies at cultural events: the buffet on the fringe of first-night parties.

One of the people around the table was star cook Alice Waters, the pioneer of the U.S. organic food scene, "America's Green Goddess" (The Observer) and Vice President of Slow Food, the movement launched in Italy almost 30 years ago to combat the decline of eating culture and food diversity. Today, this fight has found thousands of comrades-in-arms, people who are opposed to the sacrifice – and thus the irretrievable loss – of regional dishes, products and cultivated plants for the sole benefit of productivity, profit and short-lived fads. The breathtaking speed of destruction is well evidenced by FAO figures: the Food and Agriculture Organization estimates that approx. 75% of cultivated plant species have irretrievably disappeared from our planet over the past 100 years. Industrial states are more strongly affected than Third World countries.

For example, while 3,000 to 5,000 varieties of apples grew in Austria around 1900, only 400 to 500 have remained today. And just a handful of these make it to supermarket shelves.

But the fight against this development is on and must not be given up as lost. David faces off Goliath – independent, aware consumers and visionary producers are pitted against giant industrial and food corporations that in our era of globalization have subjugated the Earth and bear the responsibility for the loss of taste along with that of biological diversity. The rebels fight against industrial monocultures and for greater regional variety.

Many of them are artists – after all, by what other name should we call people like Viennese gardener Eveline Bach, who cultivates 100 different varieties of tomato, or cheesemaker Robert Paget from the Lower Austrian Kamp Valley, who is

Menschen, wie die Wiener Gärtnerin Eveline Bach nennen, die 100 verschiedene Paradeissorten pflanzt oder den Käser Robert Paget aus dem Kamptal, der mit Hingabe daran arbeitet, den besten Büffelkäse herzustellen.

New Crowned Hope will Raum zur Begegnung dieser KünstlerInnen schaffen. Menschen, die Teil des weltweiten Widerstands gegen den Untergang der Esskultur und den Verlust der Vielfalt sind. In Workshops sollen nachhaltige Ziele und Visionen formuliert und vor allem Netzwerke geknüpft werden.

Kochen für die Zukunft

Österreich hat eine Vorreiterrolle, wenn es um den Bio-Anteil von Lebensmitteln im Supermarkt geht. Anders in der Gastronomie. In ganz Wien findet man kaum ein Restaurant, in dem ausschließlich mit biologischen Zutaten gekocht wird. Der Anteil biologischer, regionaler Produzenten in der Gastronomie ist verschwindend gering. Genau dort setzt New Crowned Hope an. Mit einem Workshop und Essen in der Wildküche des Schloss Niederweiden. In der 1725 gebauten Küche werden auf holzbeheizten offenen Kochstellen unter der Leitung von Alice Waters von amerikanischen und österreichischen KöchInnen aus den besten österreichischen

dedicated to creating the very best buffalo cheese?

New Crowned Hope wants to provide a space of encounter for these artists, for people who are part of the worldwide opposition to the decline of eating culture and the loss of variety. Workshops will enable them to formulate sustainable objectives and visions, and above all to form networks.

Cooking for the future

While Austria takes a leading role in the share of organic foods sold in supermarkets, the situation is different in the catering sector. Hardly any restaurant in Vienna uses only organic ingredients. The share of organic, regional producers in the restaurant and catering sector is minimal. This is where New Crowned Hope comes in with a workshop and communal dining in the historic kitchen of Schloss Niederweiden. In this kitchen dating from 1725 with its wood-fired, open cooking pits, U.S. and Austrian chefs headed by Alice Waters will use superb Austrian organic ingredients to prepare dishes that are surprisingly pure, genuine and "authentic." The event will not focus on the usual culinary rivalry between haute-cuisine chefs but on the dedication to and passion for regional and seasonal variety. The

Bio-Produkten Gerichte zubereitet, die überraschend pur, echt und authentisch sind. Nicht der übliche kulinarische Wettkampf der Spitzengastronomie soll hier im Mittelpunkt stehen, sondern Hingabe und Leidenschaft für regionale und saisonale Vielfalt. Beim Workshop begegnen einander Bäuerinnen und Bauern, ProduzentInnen, KöchInnen und RestaurantbesitzerInnen. Unter ihnen der mit 600 ha größte Bio-Bauernhof Österreichs – nämlich die Stadt Wien und die Arche Noah, jener Verein aus Schiltern in Niederösterreich, der sich der Rettung alter Kulturpflanzen verschrieben hat. Eines der Ziele ist die Vernetzung von herausragenden Bio-ProduzentInnen und Wiener Restaurants. Damit in Zukunft regionale biologische Vielfalt statt industrielle Einfalt unsere Speisekarten definiert.

Der Geschmack der Zukunft

Kinder brauchen Vielfalt – auch beim Essen. Die Realität an den Schulen und in den Kindergärten sieht allerdings anders aus. Einheitsbrei und industriell gefertigte Menüs lassen den Geschmack verkümmern. In der Gartenbauschule Kagran wird der Geschmack der Zukunft präsentiert. Unsere Kinder müssen die Politik und Ökonomie ihrer täglichen Nahrungsmittelwahl ebenso verstehen lernen wie die Zusammenhänge zwischen Vergnügen und harter Arbeit, dem Anbau und der Zubereitung von Essen und seinem Verzehr mit größerem Bewusstsein, Stolz und Sensibilität. In einem internationalen Meeting werden Schulprojekte vorgestellt, die Vorbildcharakter haben. So hat Alice Waters an der Martin Luther King, Jr. Middle School in Berkeley das Edible-Schoolyard-Projekt initiiert. Das Programm wurde im letzten Jahrzehnt entwickelt, und bald werden 8.000 Bio-Essen jeden Tag gekocht werden; die SchülerInnen werden von der Aussaat über die Ernte bis zum Kochen und Essen in die Küche eingebunden.

Auch in Österreich gibt es viele Initiativen, das Ernährungsangebot an Schulen und Kindergärten zu verbessern. Seit Beginn dieses Schuljahres wird für die rund 18.000 Wiener SchülerInnen an den 90 Ganztagsschulen Mittagessen mit einem 30%igen Bio-Anteil gekocht. Damit ist Wien europaweit Spitzenreiter. Viele der österreichischen Bemühungen werden von Einzelnen getragen – gleich ob Schulgärten, Bio-Essen in Kindergärten oder gesunde Schulbuffets. New Crowned Hope vernetzt die Projekte, bringt internationale Erfahrungen nach Wien und lässt alle Engagierten erleben, dass sie Teil einer großen, weltweiten Idee und Gegenbewegung sind.

Wir müssen dafür sorgen, dass die Vision der Vielfalt die nächste Generation prägt.

workshop will bring together farmers, producers, chefs and restaurant owners, including Austria's biggest organic farm with 600 hectares of cultivated land, the City of Vienna and "Arche Noah", an association based in Schiltern (Lower Austria) dedicated to saving traditional cultivated plants. One objective lies in networking outstanding producers of organic foods and Viennese restaurants, so that regional, organic diversity, instead of industrial monotony, will define the menus of the future.

The taste of the future

Children need variety – and this also goes for food. Unfortunately, the actual situation in schools and kindergartens is quite different. Convenience food and industrially prepackaged menus cause young taste-buds to wither. The Kagran Vocational School for Horticulture and Floristry presents the taste of the future. Our children need to be educated in the politics and economics of their daily food choices, as well as the intersection of pleasure and hard work, growing and preparing food, and then consuming it with heightened awareness and pride and sensitivity. An international meeting showcases pioneering school projects, e.g. Alice Waters' Edible Schoolyard Project at the Martin Luther King, Jr. Middle School in Berkeley. The program has been developed across the last decade, and soon 8,000 organic meals will be cooked system-wide every day, with pupils involved in food production activities from sowing and harvesting to cooking and eating.

Austria, too, boasts numerous initiatives to improve the quality of the food offered by schools and kindergartens. Since the beginning of the current school-year, the lunches of approx. 18,000 Viennese students at 90 whole-day schools contain a 30-percent share of organic foodstuffs. This makes Vienna the European leader in this field. Many of the initiatives undertaken in Austria, including school gardens, organic meals in kindergartens or healthy buffet lunches in schools, were launched by individuals. New Crowned Hope networks their projects, brings international experience to Vienna and communicates to all persons engaged in this struggle that they are part of a big, worldwide idea and counter-movement.

We must make sure that the vision of variety will inform the next generation.

Vandana Shiva
Die Überwindung der Monokulturen
Moving beyond Monocultures

Im Laufe der Evolution hat sich die Menschheit von über 80.000 Pflanzenarten ernährt. Mehr als 3.000 von ihnen fanden ständigen Gebrauch. Aber heute verlassen wir uns auf lediglich acht Getreidearten, um 75% der Nahrungsmenge der Erde zu erzeugen. Durch Gentechnik konzentriert sich die Produktion auf drei Spezies, nämlich Mais, Soja und Canola. Monokulturen zerstören die biologische Vielfalt, unsere Gesundheit sowie die Qualität und Vielfalt der Nahrungsmittel.

1998 wurden die traditionellen indischen Speiseöle verboten, die durch Kaltpressung aus Senf, Kokosnuss, Sesam, Leinsamen und Erdnuss in althergebrachter Weise hergestellt wurden, wobei „Lebensmittelsicherheit" als Vorwand herhalten musste. Die Beschränkungen für die Einfuhr von Sojaöl wurden gleichzeitig aufgehoben. Das Überleben von zehn Millionen Bauern und Bäuerinnen war schlagartig gefährdet; eine Million Ölmühlen in den Dörfern wurden geschlossen, und Millionen Tonnen künstlich billig gehaltenen, genetisch modifizierten Sojaöls werden weiterhin an Indien verhökert. Frauen aus den Slums von Delhi schlossen sich zusammen, um Soja zu boykottieren und das Senföl wieder auf die Märkte zu bringen. „Sarson bachao, soyabean bhagao" (Rettet den Senf, weg mit den Sojabohnen) war ihr Kampfruf auf den Straßen von Delhi. Uns ist es gelungen, den Senf durch unser „Sarson satyagraha" (Nichteinhaltung des Verbots von Senföl) wieder aufleben zu lassen.

Kürzlich befand ich mich in Amazonien, wo dieselben Unternehmen, die Indien ihr Soja aufzwangen – nämlich Cargill und ADM –, das Land zerstören, um Soja anzubauen. Millionen Morgen Land im Amazonas-Regenwald – Lunge, Leber und Herz des weltweiten Klimasystems – werden abgebrannt, um Soja für den Export anzupflanzen. Cargill hat im brasilianischen Santarém einen illegalen Hafen errichtet und treibt die Expansion der Sojapflanzungen im Amazonas-Regenwald voran. Bewaffnete Banden übernehmen die Wälder und setzen SklavInnen im Sojaanbau ein. Wenn Menschen wie Schwester Dorothy Stang gegen die Zerstörung des Regenwaldes und die gewaltsamen Übergriffe protestieren, werden sie ermordet.

Menschen in Brasilien und Indien werden bedroht, um eine Monokultur zu bewerben, die nur für die Agrarindustrie von Vorteil ist. Eine Milliarde Menschen hungern, weil die industriellen Monokulturen sie ihres Auskommens in der Landwirtschaft und ihres Rechts auf Nahrung beraubt haben. Weitere 1,7 Milliarden leiden an Übergewicht und ernährungsbedingten Krankheiten. Monokulturen führen zu Fehlernährung sowohl derjenigen, die zu wenig, als auch derjenigen, die zu viel zu essen haben. Durch die Abhängigkeit von Monokulturen wird das Nahrungssystem immer stärker von fossilen Brennstoffen für Kunstdünger, den Betrieb aufwändiger Maschinen und Ferntransporte abhängig gemacht, was zu weiteren „Nahrungskilometern" führt.

Die Überwindung der Monokulturen ist essenziell für die Gesundung des Nahrungssystems. Kleinbetriebe mit großer biologischer Vielfalt sind produktiver und garantieren den Bauern und Bäuerinnen ein höheres Einkommen. Biologische Vielfalt in der Ernährung ist nahrhafter und schmackhafter. Die Wiederherstellung der biologischen Vielfalt in landwirtschaftlichen Betrieben geht Hand in Hand mit der Rückführung der Kleinbauern zu ihrem Land. Großunternehmen werden durch Monokulturen reich. Die Nahrungsfreiheit der BürgerInnen hängt von der biologischen Vielfalt ab.

Humanity has eaten more than 80,000 plant species through its evolution. More than 3,000 have been used consistently. However, we now rely on just eight crops to provide 75 percent of the world's food. With genetic engineering, production has narrowed to three crops: corn, soya, canola. Monocultures are destroying biodiversity, our health and the quality and diversity of food.

In 1998 India's indigenous edible oils made from mustard, coconut, sesame, linseed and groundnut processed in artisanal cold-press mills were banned, using "food safety" as an excuse. The restrictions on import of soya oil were simultaneously removed. Ten million farmers' livelihoods were threatened. One million oil mills in villages were closed. And millions of tons of artificially cheap GMO soya oil continue to be dumped on India. Women from the slums of Delhi came out in a movement to reject soya and bring back mustard oil. "Sarson bachao, soyabean bhagao" (save the mustard, drive away the soyabean) was the women's call from the streets of Delhi. We did succeed in bringing back mustard through our "sarson satyagraha" (noncooperation with the ban on mustard oil).

I was recently in the Amazon, where the same companies that dumped soya on India – Cargill and ADM – are destroying the Amazon to grow soya. Millions of acres of the Amazon rainforest – the lung, liver and heart of the global climate system – are being burned to grow soya for export. Cargill has built an illegal port at Santarém in Brazil and is driving the expansion of soya in the Amazon rainforest. Armed gangs take over the forest and use slaves to cultivate soya. When people like Sister Dorothy Stang oppose the destruction of the forests and the violence against people, they are assassinated.

People in Brazil and India are being threatened to promote a monoculture that benefits agribusiness. A billion people are without food because industrial monocultures robbed them of their livelihoods in agriculture and their food entitlements. Another 1.7 billion are suffering from obesity and food-related diseases. Monocultures lead to malnutrition – for those who are underfed as well as those who are overfed. In depending on monocultures, the food system is being made increasingly dependent on fossil fuels – for synthetic fertilizers, for running giant machinery and for long-distance transport, which adds "food miles."

Moving beyond monocultures has become an imperative for repairing the food system. Biodiverse small farms have higher productivity and generate higher incomes for farmers. And biodiverse diets provide more nutrition and better taste. Bringing back biodiversity to our farms goes hand in hand with bringing back small farmers on the land. Corporate control thrives on monocultures. Citizens' food freedom depends on biodiversity.

Carlo Petrini
Das Gute, das Saubere und das Gerechte
The Good, the Clean, and the Just

Heutzutage ist es praktisch eine Binsenweisheit, dass Leute, die Nahrungsmittel produzieren, nichts über Gastronomie wissen. In den letzten sechzig Jahren hat sogar der Begriff „Nahrungs-mittel" langsam seine kulturelle Bedeutung und all das Know-how und Wissen, das naturgemäß damit verbunden sein sollte, eingebüßt. Industrie und Produktionsethos haben den Menschen ihr Wissen über Nahrungsmittel geraubt und sie zu einer reinen Ware verkommen lassen, die genau wie jede andere Ware konsumiert wird.

Daher gilt die Gastronomie heute als kaum mehr als ein Stück Folklore – gewiss unterhaltsam (und das stimmt ja auch), aber inhaltsleer und ohne Verbindung zu unserem Alltag. Aber die Gastronomie ist viel komplexer und profunder. Sie ist eine Wissenschaft, die Wissenschaft von „allem, was mit dem Menschen als sich ernährendem Wesen zu tun hat", wie es Jean-Anthèlme Brillat-Savarin in seiner *Physiologie des Geschmacks* (1825) aus-drückte. Es ist eine eigene Form der Wissenschaft und zwar eine interdisziplinäre, die nichts mit der Ghettoisierung von Wissen oder

By now it's practically a given that most people who produce food know nothing about gastronomy. In the past sixty years even the word "food" has been slowly emptied of its cultural meaning – of all the know-how and wisdom that should be naturally bound up with it. Industry and the production ethos have robbed people of the knowledge of food and reduced it to pure merchandise – a good to be consumed like any other.

So now gastronomy is seen as little more than folklore: diverting, yes (and nothing wrong with that), but vacuous, detached from our everyday lives. In fast, gastronomy is much more complex and profound. Gastronomy is a science, the science of "all that relates to man as a feeding animal," as Brillat-Savarin wrote in *The Physiology of Taste* (1825). It is a different kind of science, an interdisciplinary one that wants nothing to do with the ghettoization of knowledge or balkanization by specialty.

mit der Balkanisierung nach Spezialfächern zu tun haben will.

Mit ihren historischen, anthropologischen, landwirtschaftlichen, ökonomischen, sozialen und philosophischen Aspekten fordert uns die Wissenschaft der Gastronomie auf, unseren Geist der Komplexität von Nahrungssystemen zu öffnen, den Zugang zu unserem täglichen Brot zu überdenken. Sie gebietet uns, der Nahrung wieder ihre zentrale Rolle in unserem Leben und auf der politischen Tagesordnung der Regierenden wiederzugeben. Dies bedeutet auch neue Achtung für die Erde, die Quelle aller Nahrung.

Und es bedeutet eine Rückkehr zu einem Gemeinschaftssinn, der fast verloren scheint. Wir gehören stets mindestens drei Gemeinschaften gleichzeitig an – auf lokaler, nationaler und globaler Ebene. Als BürgerInnen der Welt zerstören wir zwar den Planeten, sein Gleichgewicht, seine Ökosysteme und seine biologische Vielfalt. Als BürgerInnen lokaler Gemeinschaften können wir aber unsere eigene Wahl treffen, eine Wahl, die die Zukunft aller beeinflusst. Indem wir Nahrungsmittel von hoher Qualität herstellen, vertreiben, auswählen und essen, können wir die Welt retten.

Die Wissenschaft von der Gastronomie sagt uns, dass sich die Qualität von Nahrungsmitteln aus drei grundlegenden, voneinander untrennbaren Elementen ergibt, die ich „gut", „sauber" und „gerecht" nennen möchte. Dies heißt, dem Geschmack und

With its historical, anthropological, agricultural, economic, social and philosophical aspects, the science of gastronomy asks us to open our minds to the complexity of food systems, to think again about our own approach to our daily bread. It asks us to give food back its central role in our lives and the political agendas of those who govern. This also means returning to a respect for the earth, the source of all sustenance.

And it means a return to a sense of community that seems almost lost. We are always members of at least three communities at once: local, national and global. As global citizens, yes, we are destroying the planet – its equilibrium, its ecosystems and its biodiversity. As local citizens, though, we can make our own choices – choices that influence everyone's future. By producing, distributing, choosing and eating food of real quality we can save the world.

Gastronomic science tells us that the quality of food results from three fundamental and inseparable elements that I call the good, the clean and the just. This means paying attention to the taste and smell of food, because pleasure and happiness in food are a universal right (the good); making it sustainably, so that it does not consume more resources than it produces (the clean); and making it so that it creates no inequities and

Geruch von Nahrungsmitteln Aufmerksamkeit zu schenken, da Vergnügen und Freude am Essen ein universelles Recht sind („gut"), Nahrungsmittel nachhaltig zu erzeugen, so dass nicht mehr Ressourcen verbraucht als produziert werden („sauber"), und Nahrungsmittel so herzustellen, dass Ungerechtigkeiten vermieden und jedem Menschen Respekt erwiesen wird, der in die Herstellung von Nahrungsmitteln einbezogen ist („gerecht"). Indem Nahrungsmittel wieder in den Mittelpunkt unseres Lebens gerückt werden, verpflichten wir uns der Zukunft unseres Planeten wie auch unserer eigenen Zufriedenheit.

respects every person involved in its production (the just). By bringing food back to the center of our lives we commit ourselves to the future of the planet – and to our own happiness.

Winona LaDuke
Wild halten
Keep It Wild

Im White-Earth-Reservat im nördlichen Minnesota ist der Zeitpunkt von Manoominike Giizis gekommen – „der Wildreis machende Mond". Das Geräusch eines Kanus, das durch die Wildreisfelder auf dem Crow Wing oder dem Rice Lake gleitet, den Klang von Gelächter, den Geruch des holzgetrockneten Wildreises und den Rhythmus einer traditionellen Trommel beim Wildreiserntedankfest verbinden die noch im traditionellen Stil lebenden Völker der Anishinaabeg oder Ojibwe mit einer tausend-jährigen Kultur und dem Ökosystem eines Sees in diesem neuen Millennium. Diese kulturelle Beziehung zur Nahrung – Manoomin bedeutet „Wildreis" – steht für einen wesentlichen Teil dessen, was wir tun müssen, um das Ernährungssystem wieder in Ordnung zu bringen: Wir müssen diese Beziehung wieder aufbauen.

Wildreis ist die einzige nordamerikanische Getreidepflanze, und heute kämpfen die Ojibwe eine offene Schlacht gegen gentechnologische Manipulation und Patentierung. Ein ähnlicher Kampf fand in Hawaii zwischen indigenen HawaiianerInnen und der Universität Hawaii statt, die sich kürzlich bereit erklärte, Patente für Taro, eine den indigenen HawaiianerInnen heilige Speise, aufzugeben. Einst ging es in der Landwirtschaft um Ernährungskultur. Ein Verlust dieser Kultur – zugunsten einer amerikanischen kulturellen Monokultur, verbunden mit einer landwirtschaftlichen Monokultur – bringt uns in eine gefahrvolle Lage, bedroht die Nachhaltigkeit und unsere Beziehung zur Natur.

Im Kampf der Ojibwe um den Wildreis haben wir uns in die internationale Slow-Food-Bewegung eingereiht und Kontakte zu AktivistInnen und Gemeinschaften für Nahrungssouveränität aufgebaut, die dasselbe Ziel verfolgen, nämlich den Wiederaufbau oder die Erhaltung von Beziehungen als Grundelement unseres Menschseins und als lebenswichtige Strategie. Im „Wildreis machenden Mond" des Nordlandes werden wir unsere Traditionen fortsetzen und über unsere Seen hinblicken zu den Reisbauern in allen anderen Ländern der Welt, zu den Tarobauern des Pazifiks und zu anderen Gemeinschaften, die ihr Saatgut für zukünftige Generationen schützen wollen, und wir werden wissen, dass wir nur so sicherstellen können, dass jene Generationen das haben werden, was sie zum Menschsein – Anishinaabeg – brauchen.

It's Manoominike Giizis, or the Wild Rice Making Moon, here an the White Earth reservation in northern Minnesota. The sound of a canoe moving through the wild rice beds on the Crow Wing or Rice lakes, the sound of laughter, the smell of wood-parched wild rice and the sound of a traditional drum at the celebration for the wild rice harvest links a traditional Anishinaabeg or Ojibwe people to a thousand years of culture and the ecosystem of a lake in a new millennium. This cultural relationship to food – manoomin, or wild rice – represents an essential part of what we need to do to repair the food system: We need to recover this relationship.

Wild rice is the only North American grain, and today the Ojibwe are in a pitched battle to keep it from getting genetically engineered and patented. A similar battle is under way in Hawaii between Native Hawaiians and the University of Hawaii, which recently agreed to tear up patents on taro, a food sacred to Native Hawaiians. At one point "agriculture" was about the culture of food. Losing that culture – in favor of an American cultural monocrop, joined with an agricultural monocrop – puts us in a perilous state, threatening sustainability and our relationship to the natural world.

In the Ojibwe struggle to "keep it wild," we have found ourselves in an international movement of Slow Food and food sovereignty activists and communities who are seeking the same – the recovery or sustaining of relationship as a basic element of our humanity and as a critical strategy. In the Wild Rice Making Moon of the North Country, we will continue our traditions, and we will look across our lakes to the rice farmers of the rest of the world, to the taro farmers of the Pacific and to other communities working to protect their seeds for future generations, and we will know that this is how we insure that those generations will have what they need to be human, to be Anishinaabeg.

Anhang
Appendix

AutorInnenAuthors

Joan Acocella ist Ballettkritikerin des Magazins The New Yorker. Zu ihren Büchern zählt unter anderen eine kritische Biografie *Mark Morris*. —
Joan Acocella is the dance critic of The New Yorker. She has written *Mark Morris*, a critical biography, and other books. —

Meskerem Assegued ist unabhängige Kuratorin, lebt in Addis Abeba / Äthiopien. —
Meskerem Assegued is an independent curator, based in Addis Abeba / Ethiopia. —

Hans Belting, Professor emeritus für Kunstwissenschaft an der Hochschule für Gestaltung in Karlsruhe, Direktor des IFK in Wien, Mitglied vieler wissenschaftlicher Akademien und des Ordens Pour le Mérite. Frühere Professuren an den Universitäten Heidelberg und München, Gastprofessuren in Harvard und an der Columbia University. —
Hans Belting, professor emeritus of art history and media theory at the Academy for Design in Karlsruhe (Germany), Director of the Vienna IFK, member of many scientific academies and holder of the German decoration Pour le Mérite. Former professor at Heidelberg and Munich Universities, visiting professor at Harvard and Columbia Universities. —

Stefan Bohun dreht seinen Dokumentarfilm *Mata Tigre* über die Musik und das Alltagsleben junger VenezolanerInnen, das von schwierigen Bedingungen geprägt ist. —
Stefan Bohun is the director of the documentary film *Mata Tigre* about music and everyday life under the difficult conditions that characterize the existence of young Venezuelans. —

Sarah Cahill ist Pianistin, Schriftstellerin und Radioproduzentin. Sie ist Autorin zahlreicher Beiträge über John Adams, z.B. im Rahmen eines Adams-Festivals am Lincoln Center, im Auftrag von Nonesuch Records sowie für das heuer bei Amadeus Press erschienene Buch *The John Adams Reader*. —
Sarah Cahill is a pianist, writer, and radio producer. She has written about John Adams' work for a festival of his music at Lincoln Center, for Nonesuch Records, and for *The John Adams Reader*, published earlier this year by Amadeus Press. —

Francis Davis ist Redakteur und Autor für The Atlantic Monthly und Jazzkritiker für The Village Voice. Er ist der Verfasser der Bücher *Like Young, The History of the Blues and Jazz and Its Discontents: A Francis Davis Reader*. —
Francis Davis is a contributing editor of The Atlantic Monthly and the jazz critic for The Village Voice. His books include *Like Young, The History of the Blues, and Jazz and Its Discontents: A Francis Davis Reader*. —

Robin Denselow ist Musikkritiker, Politik-Journalist und Filmemacher. Er arbeitet für die Tageszeitung The Guardian in London und den Fernsehkanal BBC. Er spezialisierte sich auf afrikanische Musik und Politik und führte mehrere Interviews mit Rokia Traoré in Mali und Frankreich. —
Robin Denselow is a music critic, political journalist and film maker who works for The Guardian in London and for BBC television. He specialises in African music and politics

and has interviewed Rokia Traoré several times, both in Mali and France. —

Jean-Michel Frodon ist Direktor der Zeitschrift Les Cahiers du cinéma. —
Jean-Michel Frodon is director of Les Cahiers du cinéma. —

María Guinand ist Chordirigentin, Universitätsprofessorin und Leiterin von mehreren nationalen und internationalen Chorprojekten. Derzeit dirigiert sie drei der angesehensten Chöre Venezuelas: die Cantoría Alberto Grau, den Orfeón Universitario Simón Bolívar und die Schola Cantorum de Venezuela. —
María Guinand is a choral conductor, university professor and leader of many choral projects both nationally and internationally. At present, she conducts three prestigious choirs in Venezuela: the Cantoría Alberto Grau, the Orfeón Universitario Simón Bolívar and the Schola Cantorum de Venezuela. —

Ara Guzelimian ist Seniordirektor und künstlerischer Berater der Carnegie Hall. Ab 2007 ist er Dekan der Juilliard School in New York City. —
Ara Guzelimian is Senior Director and Artistic Advisor at Carnegie Hall. In 2007, he will become the Dean of the Juilliard School in New York City. —

Dominik Kamalzadeh, Studium der Film- und Theaterwissenschaft, Kulturjournalist und Filmkritiker (Der Standard, taz), Redakteur der Zeitschrift kolik.film. Lebt in Wien. —
Dominik Kamalzadeh studied film and theater and is a cultural journalist and film critic (Der Standard, taz) as well as editor of the review kolik.film. He lives in Vienna. —

Winona LaDuke ist Leiterin des White Earth Land Recovery Project und beschäftigt sich mit Problemen der Bio-Piraterie, mit indigenen Rechten und erneuerbaren Energiequellen. Sie ist Verfasserin von fünf Büchern, darunter *Recovering the Sacred* (erschienen bei South End), und wurde zweimal von den US-amerikanischen Grünen bei den Präsidentschaftswahlen als Vizepräsidentin nominiert. Sie lebt im White-Earth-Reservat in Minnesota. Ihre Eltern lernten einander kennen, als ihr Vater Wildreis verkaufte. —
Winona LaDuke directs the White Earth Land Recovery Project and works on issues of bio-piracy, indigenous rights and renewable energy. Her five books include, most recently, *Recovering the Sacred* (South End), and she is a two-time Green Party vice-presidential candidate. She lives on the White Earth Reservation in Minnesota. Her parents met when her father was selling wild rice. —

Jorge La Ferla, einer der Gründer der Video-Kunst-Bewegung in Argentinien, ist Fernseh- und Multimedia-Direktor. Er hat eine permanente Professur am Audiovisuellen Technischen Institut an der Universität von Buenos Aires inne sowie an der Universitätsstiftung für Film. La Ferla ist einer der wichtigsten Repräsentanten Argentiniens in der Forschung über Neue Medien. Er verfasste zahlreiche Artikel und Bücher über audiovisuelle Medien und Kunst und publizierte in verschiedenen Ländern Südamerikas, der USA und Europas. —
Jorge La Ferla, one of the founders of the video art movement in Argentina, is also a TV

and multimedia director. He is permanent professor in the Audiovisual Techniques Department of the University of Buenos Aires, and at the University of Cinema Foundation. La Ferla is one of the country's most important representatives of research into the new media. He has published numerous articles and books on audiovisual media and art all over South America, the USA and Europe. —

Elisabeth Lequeret arbeitet als Journalistin und Filmkritikerin für Radio France Internationale und Les Cahiers du Cinéma. Sie ist Autorin des Buches *Le cinéma africain* (Editions Les Cahiers du Cinéma) und erarbeitet auch das Programm für französische und afrikanische Filme im Rahmen des internationalen Filmfestivals von San Francisco. —
Elisabeth Lequeret works as a journalist and film critic for Radio France Internationale and Les Cahiers du Cinéma. She is the author of the book *Le cinéma africain* (Editions Les Cahiers du Cinéma). She also does the programming of French and African films for the San Francisco International Film Festival. —

Victoria Lynn ist freie Kuratorin und Autorin und lebt in Melbourne (Australien). Derzeit kuratiert sie *Turbulence*, die 3. Triennale von Auckland 2007 in Neuseeland. —
Victoria Lynn is an independent curator and writer based in Melbourne, Australia and is currently Curator of *Turbulence*, 3rd Auckland Triennial, 2007, New Zealand. —

Amin Maalouf wurde 1949 in Beirut (Libanon) geboren. Er arbeitete viele Jahre lang als Journalist und bereiste Indien, Bangladesch, Äthiopien, Somalia, Kenia, den Jemen, Algerien und den Vietnam als Reporter und Kriegsberichterstatter. 1976 emigrierte er mit seiner Frau und den drei Kindern nach Paris, wo die Familie seither lebt. In den letzten 25 Jahren widmete er sich der Literatur und schrieb zahlreiche Novellen und Essays. 1993 wurde Maalouf mit dem Prix Goncourt für seinen Roman *Le rocher de Tanios* (Der Felsen von Tanios) ausgezeichnet. In den letzten Jahren schrieb Maalouf Libretti für Kaija Saariahos Opern *L'amour de loin* (Die Liebe von fern, Salzburg 2000, Paris 2001), *Adriana Mater* (Paris 2006) und *La Passion de Simone*. —
Amin Maalouf was born in Beirut, Lebanon, in 1949. For many years, he worked as a journalist and travelled to India, Bangladesh, Ethiopia, Somalia, Kenya, Yemen, Algeria and Vietnam, covering wars and other conflicts. In 1976 he moved with his wife and three children to Paris, where they have lived ever since. For the last 25 years, he has devoted his time to literature, writing several novels and essays. In 1993, he received the Prix Goncourt for his novel *Le Rocher de Tanios* (The Rock of Tanios). Most recently, Maalouf has written three librettos for Kaija Saariaho's operas *L'amour de loin*, (Salzburg 2000), *Adriana Mater* (Paris, 2006) and *La Passion de Simone*. —

Desiree Markgraaff ist Produzentin von *Sekalli le Meokgo* (*Meokgo and the Stickfighter*), wohnhaft in Südafrika. Sie produzierte unter anderem den beim Sundance Film Festival zweifach ausgezeichneten Dokumentarspielfilm *Amandla – A Revolution in 4 Part Harmony* sowie die bei den Filmfestspielen in Venedig 2004 preisgekrönte Kult-Fernsehserie *Yizo Yizo*. Markgraaff ist Vorsitzende der Organisation für

ProduzentInnen, Südafrika (IPO), und produzierte 70 Installationen für das renommierte Apartheid Museum. —
Desiree Markgraaff, producer of *Sekalli le Meokgo*, is based in South Africa. Her projects include the double Sundance awarded feature documentary *Amandla – A Revolution in 4 Part Harmony*, the cult award winning television drama series *Yizo Yizo* which screened in Venice 2004. She is chairperson of the South African Producers Organisation (IPO) and produced 70 installations for the highly acclaimed Apartheid Museum. —

Siven Maslamoney ist ehemaliger Programmdirektor von SABC1, dem größten Fernsehkanal Südafrikas. Er beauftragte Teboho Mahlatsi mit der Produktion von *Yizo Yizo* und ist derzeit Direktor von Converse Communications. —
Siven Maslamoney is the former director of programming on SABC1, South Africa's largest TV channel. He worked with Teboho Mahlatsi as commissioning editor of *Yizo Yizo*. He is presently the director of Converse Communications. —

Barbara van Melle ist als Journalistin, Moderatorin und begeisterte Bio-Köchin mit Themen wie der Zukunft der Landwirtschaft, der Bedeutung regionaler Produkte, der Herstellungsverfahren von Lebensmitteln und der Entwicklung des Essverhaltens befasst. —
Barbara van Melle is a journalist, moderator and lover of organic cooking whose writings address the future of agriculture, the importance of regional products and food-production processes, and the development of eating behavior. —

Toni Morrison erhielt 1993 den Literaturnobelpreis und war damit die erste afro-amerikanische Schriftstellerin überhaupt sowie die erste weibliche Preisträgerin seit 1938. Im Jahr 2000 wurde sie mit der National Humanities Medal für ihren Beitrag zum amerikanischen Denken und Kulturleben ausgezeichnet; 1988 gewann sie den Pulitzerpreis für *Beloved* (*Menschenkind*) sowie den Nationalen Preis der US-Buchkritik 1997 für *Song of Solomon* (*Salomons Lied*). Toni Morrison ist Robert F. Goheen-Professorin für Geisteswissenschaften an der Universität Princeton, deren Lehrkörper sie seit 1989 angehört. —
Toni Morrison was awarded the Nobel Prize in Literature in 1993. She was the first African-American winner and the first woman to win since 1938. She won the National Humanities Medal in 2000 for her contributions to American cultural life and thought, the Pulitzer Prize in 1988 for *Beloved* and the National Book Critics Award in 1977 for *Song of Solomon*. Ms. Morrison is the Robert F. Goheen Professor in the Humanities at Princeton University and has served on this faculty since 1989. —

Bärbel Müller ist Architektin und befasst sich mit den verschiedenen kulturellen Kontexten von Architektur und Stadtforschung. Sie lehrt an der Universität für angewandte Kunst Wien. —
Bärbel Müller is an architect who works in the field of architecture and urban research in different cultural contexts. She also teaches at the University of Applied Arts Vienna. —

Frank J. Oteri ist Komponist und Musikjournalist in New York und Herausgeber des Web-magazins NewMusicBox des American Music Center (www.newmusicbox.org). —
Frank J. Oteri, a New York-based composer and music journalist, is the editor of the American Music Center's web magazine NewMusicBox (www.newmusicbox.org). —

Luis Parra Perez ist als Aktivist mit der venezolanischen Chorbewegung der Schola Cantorum de Venezuela seit ihrer Gründung 1967 eng verbunden. Als Rechtsanwalt und Sozialarbeiter hat er darüber hinaus die Tätigkeit der gleichnamigen Stiftung, deren Präsident er ist, stark beeinflusst. —
Luis Parra Perez has been closely involved with the Schola Cantorum de Venezuela since its establishment in 1967 and has moreover been an activist of the Venezuelan choral movement. As a lawyer and social worker, he has also strongly influenced the work of the eponymous foundation, as whose president he is currently serving. —

Carlo Petrini ist Begründer der Universität für Gastronomische Wissenschaften im Piemont und in der Emilia-Romagna, Italien. —
Carlo Petrini is the founder of the University of Gastronomic Sciences in Piemont and Emilia Romagna, Italy. —

Tony Rayns ist Filmemacher, Kritiker und Festivalkurator mit dem Spezialgebiet ostasiatisches Kino. Er lebt in London. Seine neueste Arbeit ist der Dokumentarfilm *The Jang Sun-Woo Variations*. Demnächst erscheint sein Buch *Wong Kar-Wai on Wong Kar-Wai*. —
Tony Rayns is a London-based film-maker, critic and festival programmer with a special interest in East Asian cinemas. His latest film is the documentary *The Jang Sun-Woo Variations* and his next book will be *Wong Kar-Wai on Wong Kar-Wai*. —

David Van Reybrouck, flämischer Schriftsteller und Dramatiker, lebt in Brüssel und bereitet derzeit eine Geschichte des Kongo vor. Kürzlich wurde er mit dem Flämischen Pressepreis für Nord-Süd-Berichterstattung ausgezeichnet. —
David Van Reybrouck is a Flemish author and playwright who is based in Brussels and who prepares a history of Congo. He was recently given the Flemish Press Award for North-South Coverage. —

Kong Rithdee ist Filmkritiker der Bangkok Post, der führenden englischsprachigen Zeitung Thailands. —
Kong Rithdee is the film critic at the Bangkok Post, Thailand's leading English-language newspaper. —

Daniel Salas Jiménez ist Pharmazeut, Historiker und Musikwissenschafter. Er war Direktor der Fakultät für Kunst der Zentraluniversität von Venezuela und zehn Jahre lang Musikkritiker bei El Nacional, der größten Tageszeitung des Landes. Heute hält er Vorträge über Musik für verschiedene Kulturzentren und Vereinigungen in Madrid. —
Daniel Salas Jiménez is a pharmacist, historian and musicologist. He has been Director of the School of Arts at the Central University of Venezuela and music critic for ten years at El Nacional, the main newspaper of the country. Today he is a lecturer on music for various cultural centers and associations in Madrid. —

Orville Schell ist Dekan der Graduate School of Journalism der Universität Berkeley (Kalifornien) und Autor von 15 Büchern sowie zahlreichen Artikeln für Zeitschriften. —
Orville Schell is Dean of the Graduate School of Journalism at UC Berkeley and author of fifteen books and numerous magazine articles. —

Toni Shapiro-Phim ist Kulturanthropologin, Tanzethnologin und Verfasserin zahlreicher Texte über den kambodschanischen Tanz. Sie ist Mitherausgeberin eines Buches über die weltweiten Wechselbeziehungen von Tanz und Menschenrechten.—
Toni Shapiro-Phim is a cultural anthropologist and dance ethnologist who has written extensively about Cambodian dance. She is currently co-editing a book on the relationship between dance and human rights throughout the world. —

Peter Sellars, Theater- und Opernregisseur sowie Festivalleiter. Absolvent der Harvard University, studierte in Japan, China, Indien. Mit 26 Jahren Direktor des American National Theater im Kennedy Center in Washington D.C. 1990 und 1993 Direktor des Los Angeles Festival, 2002 Adelaide Festival, 2003 Theaterfestival der Biennale Venedig. Von der Stadt Wien als Künstlerischer Leiter von New Crowned Hope, ein Festival im Rahmen des Wiener Mozartjahres 2006, beauftragt. Resident Curator des Telluride Film Festival. Peter Sellars lehrt an der University of California in Los Angeles (UCLA) und an der University of California / Berkeley.
MacArthur Prize Stipendium, Gish Prize, Sundance Risk Takers Award, Erasmus Prize für Beiträge zur europäischen Kultur. —
Peter Sellars, theater, opera and festival director. Harvard graduate. Studied in Japan, China, India. Appointed Director of American National Theater at Kennedy Center at age 26. Director of 1990 and 1993 Los Angeles Festival, 2002 Adelaide Festival, 2003 Venice Biennale Theater Festival. Engaged by the City of Vienna as Artistic Director of New Crowned Hope, a festival within the Wiener Mozartjahr 2006. Resident Curator of the Telluride Film Festival. Teaches at University of California in Los Angeles (UCLA) and the University of California / Berkeley. Awards: MacArthur Prize, Gish Prize, Sundance Risk Takers Award, Erasmus Prize. —

Vandana Shiva ist Physikerin, Ökologin, Aktivistin, Herausgeberin und Autorin. Sie ist Begründerin der gemeinnützigen Forschungsorganisation Research Foundation for Science, Technology and Ecology. —
Vandana Shiva is a physicist, ecologist, activist, editor and author. She is the founder of the Research Foundation for Science, Technology and Ecology, a public interest research organization. —

Hannes Stiefel ist Architekt und lehrt derzeit an der Universität für angewandte Kunst Wien. Das Studio stiefel kramer vienna/zurich [www.stiefelkramer.com] arbeitet ständig an verschiedenen Manifestationen des „kontinuierlichen Hauses". —
Hannes Stiefel is an architect currently teaching at the University of Applied Arts Vienna. The studio stiefel kramer vienna/zurich [www.stiefelkramer.com] is continuously working on different manifestations of "the continuous house". —

Maurice Vambe ist Wissenschafter, Kritiker, Herausgeber, Autor von *Oral story telling traditions and the Zimbabwean Novel in English* (2004) und betreut die Buchreihe *Memory and African Cultural Productions* (Unisa Press). Die Reihe umfasst Veröffentlichungen aus Südafrika, dem afrikanischen Kontinent und darüber hinaus. Maurice Vambe forscht zudem über Macht und Rolle von Musik und Story Telling im südlichen Afrika. Er ist Mitherausgeber des Buches *Charles Mungoshi: A Critical Reader* (Prestige Books, Harare 2006) zur Arbeit des international bekannten zimbabwischen Autors Charles Mungoshi. Gemeinsam mit Abebe Zegeye entstand das Buch *Close to the Source: Essays on Contemporary Africa*. —

Maurice Vambe is a senior researcher, critic, editor and the author of *African Oral Storytelling Traditions and the Zimbabwean Novel in English* (2004) and runs the book series *Memory and African Cultural Productions* at Unisa Press. This series accepts manuscripts for publication from South Africa, the continent and beyond. He is also involved in research on the power and the role of music, and oral literature in Southern Africa. His most recent co-edited critical work is on the work of the internationally known Zimbabwean author, Charles Mungoshi. The book is entitled *Charles Mungoshi: A Critical Reader* (2006), Prestige Books, Harare. Maurice Vambe and Abebe Zegeye have completed the book *Close to the Source: Essays on Contemporary Africa*. —

Alice Waters ist Gründerin des Restaurants Chez Panisse und Direktorin der Chez Panisse Foundation in Berkeley (Kalifornien). —

Alice Waters is the founder of Chez Panisse Restaurant and director of the Chez Panisse Foundation in Berkeley, California. —

Albert Wendt aus Samoa gilt international als einer der bedeutendsten Romanciers, Dichter und Akademiker der Pazifikregion. Zu seinen Romanen zählen *Leaves of the Banyan Tree, Ola* und *The Mango's Kiss*. Seit vier Jahrzehnten spielt er eine wichtige Rolle in der künstlerischen Entwicklung des Pazifikraums. —

Albert Wendt, Samoan, is acknowledged internationally as one of the Pacific's major novelists, poets, and academics. His novels include *Leaves of the Banyan Tree, Ola*, and *The Mango's Kiss*. Over the last forty years, he has been influential in the development of the arts of the Pacific. —

Margarete Zander, Dr. phil. Studium der Musikwissenschaft, Philosophie, Katholischen Theologie. Arbeitet seit 1980 als Journalistin im Hörfunk und für Printmedien mit Schwerpunkt auf Radio-Features und Portraits. —

Margarete Zander, Dr. phil., studied musicology, philosophy, Catholic theology; journalist for radio and print media since 1980, with a focus on radio features and portraits. —

Abebe Zegeye, geboren in Äthiopien, ist Professor für Soziologie und Vorsitzender des Primedia-Lehrstuhls für Studien zu Holocaust und Genozid an der Universität von Südafrika. Er hat an unterschiedlichen Universitäten in Afrika, den USA und Europa gelehrt und ist Autor zahlreicher Publikationen zu Kunst, Kultur und Medien sowie zu Menschenrechten, Umweltfragen und sozialpolitischen Themen in Afrika. Außerdem arbeitet er über afrikanische und globale Identitätsfragen. —

Abebe Zegeye, originally from Ethiopia, is a professor of sociology and Primedia Chair of Holocaust and Genocide Studies at the University of South Africa. He has taught at universities in Africa, North America and Europe and has written widely on art, culture and media, as well as on human rights, environmental changes and social problems in Africa. He also specializes in identities, both in Africa and elsewhere. —

Originalbeiträge
List of contributors

Joan Acocella —
John Adams —
Aida —
Meskerem Assegued —
Hans Belting —
Stefan Bohun —
Brigitte & Manuela —
Sarah Cahill —
Angelo Capraio —
Francis Davis —
Robin Denselow —
Christian Deschka & Tobias Werkner —
Paz Encina —
Jean-Michel Frodon —
Bahman Ghobadi —
María Guinand —
Mahamat-Saleh Haroun —
Gregor Holzinger —
Alexander Horwath —
Dominik Kamalzadeh —
Werner Kohlmaier —
Jorge La Ferla —
Elisabeth Lequeret —
Victoria Lynn —
Amin Maalouf —
Teboho Mahlatsi —
Desiree Markgraaff —
Siven Maslamoney —
Barbara van Melle —
Tsai Ming-Liang —
Toni Morrison —
Bärbel Müller —
Garin Nugroho —
Frank J. Oteri —
Luis Parra Perez —
Lemi Ponifasio —
Tony Rayns —
Marta Rego —
David Van Reybrouck —
Kong Rithdee —
Kaija Saariaho —
Daniel Salas Jiménez —
Orville Schell —
Maria Schneider —
Toni Shapiro-Phim —
Peter Sellars —
Johanna Singer —
Hannes Stiefel —
Maurice Taonezvi Vambe & Abebe Zegeye —
Albert Wendt —
Elly Wölfig —
Margarete Zander —

Textnachweis Text Credits

Text von Text by **Sophiline Cheam Shapiro** aus *Children of Cambodia's Killing Fields. Memoirs by Survivors.* Compiled by Dith Pran; Edited by Kim DePaul; Introduction by Ben Kiernan. Yale University Press, 2005. —

Text von Text by **Ara Guzelimian** — Mit freundlicher Genehmigung des Autors With the kind permission of the author —

Texte von Texts by **Alice Waters** — **Vandana Shiva** — **Carlo Petrini** — **Winona LaDuke** aus The Nation, September 11, 2006 — Mit freundlicher Genehmigung von With the kind permission of The Nation —

BildnachweisPicture Credits

Cover *Bodies of Light* Bill Viola (2006) video
diptych © Bill Viola & Kira Perov
U2+1 *Niwemang*, Filmstill: Bahman Ghobadi
8 Ausschnitt aus *Palimpsest (old gods)*
Julie Mehretu, Foto: Erma Estwick
10 Ausschnitt aus *Transcending*
Julie Mehretu, Foto: Erma Estwick
12 Ausschnitt aus *Untitled*, 2005, Julie Mehretu,
Foto: Erma Estwick
14 Ausschnitt aus *Stadia II*, 2004, Julie Mehretu,
Foto: Erma Estwick
19 Filmstill: Hannes Kreuzer Filmproduktion
22 Schola Cantorum de Venezuela,
Foto: J. J. Castro
23, 26, 30 Filmstills: Hannes Kreuzer
Filmproduktion
33, 34, 36, 37 *Requiem*, Foto: Lemi Ponifasio /
MAU
40 Foto: NZ Herald / APN
43 Skizze zu *La Passion de Simone*
48 Simone Weil / Renault-Fabrik
Verwaltungsnummer, Foto: Privatsammlung /
Snark archives
51–55 Fotos: Studios Kabako
56 Brief von Antoine Vumilia Muhindo
58 Brief von Richard Kabako
61–64 *Mozart Dances*, Foto: Stephanie Berger
67, 68, 71 *Pamina Devi*, Foto: James Wasserman
72, 73 Segensritual zum Probenbeginn von
Pamina Devi, September 2006,
Foto: John Shapiro
74,77 Skizzen und Notizen zu *Pamina Devi*
79, 80, 82, 83, 85–87 *Opera Jawa*,
Filmstills: *Opera Jawa*
91–96 *Niwemang*, Filmstills: Bahman Ghobadi
101, 102, 107, 108, 110 *Hamaca Paraguaya*,
Filmstills: *Hamaca Paraguaya*
113–118, 120–122, 124 *Sekalli le Meokgo*,
Filmstills: Andrew Dosunmu
127–131, 133 *Daratt*, Filmstills / Foto: Frank Verdier
134–138 *Daratt*, Foto: Dana Farzanehpour
141–143, 145, 146, 148 *Sang sattawat*,
Filmstills: Chayaporn Maneesutham
153, 154 *Hei Yan Quan*, Filmstills: Ta Seaw Jong
155 *Hei Yan Quan*, Filmstill: William Laxton
156, 157, 159 *Hei Yan Quan*, Filmstills: Ta Seaw
Jong
162 *Hei Yan Quan*, Filmstill: William Laxton
165 *Abouna* Mahamat-Saleh Haroun, 2002,
Foto: Österreichisches Filmmuseum
167 links: *Notre musique* Jean-Luc Godard,
2004, Foto: Österreichisches Filmmuseum
rechts: *Abouna* Mahamat-Saleh Haroun,
2002, Foto: Österreichisches Filmmuseum
168 links: *L'Esquive bdellatif Kechiche*, 2003,
Foto: Österreichisches Filmmuseum
rechts: *Dogfar nai mae marn / Mysterious
Object at Noon* Apichatpong Weerasethakul,
2000, Foto: Österreichisches Filmmuseum
169 *Yi Yi / A One and a Two* Edward Yang,
2000, Foto: Österreichisches Filmmuseum
170 *Bamako* Abderrahmane Sissako, 2006,
Foto: Österreichisches Filmmuseum
172 *Land of the Dead* George A. Romero, 2005,
Foto: Österreichisches Filmmuseum
173 links: *Shijie / The World* Jia Zhangke, 2004,
Foto: Österreichisches Filmmuseum
rechts: *La Libertad* Lisandro Alonso, 2001,
Foto: Österreichisches Filmmuseum
174 links: *Gomgashtei dar Aragh / Marooned in
Iraq* Bahman Ghobadi, 2002,
Foto: Österreichisches Filmmuseum
rechts: *Moartea domnului Lazarescu*
Cristi Puiu, 2005, Foto: Österreichisches
Filmmuseum
176 *Talaye sorgh / Crimson Gold* Jafar Panahi,
2003, Foto: Österreichisches Filmmuseum

178 *Dare mo shiranai / Nobody knows* Hirokazu
Kore'eda, 2004, Foto: Österreichisches
Filmmuseum
179 *Moolaadé* Ousmane Sembène, 2004,
Foto: Österreichisches Filmmuseum
181, 183, 185, 188, 193, 194, 198, 201, 203,
206, 207 Foto: Cal Vornberger
209 links: Foto: Cal Vornberger
rechts: Maria Schneider, Foto: Claude Bloch
211, 212 Skulpturen von Ousmane Sow,
Foto: Béatrice Soulé
214 Foto: David Logiudice
217 Kerzen-Installation in Yucatan,
Installation / Foto: Meskerem Assegued
218 links: *Filega 4* Elias Sime, Foto: Meskerem
Assegued
rechts: *Arcade* Julie Mehretu, Foto:
Erma Estwick
219 links: *Gota Tärät-Tärät* Elias Sime,
Foto: Meskerem Assegued
rechts: Ernesto Novelo, Sergio und Reinaldo
Pech, Foto: Meskerem Assegued
222 Ausschnitt aus *Transients*, 2006,
Julie Mehretu, Foto: Erma Estwick
223 links: Julie Mehretu, Foto: Jessica Rankin
rechts: Stephen Vitiello, Foto:
Victoriano Moreno
224, 225 *Untitled* Julie Mehretu, Foto:
Stephen Vitiello
226 Elias Sime, Foto: Meskerem Assegued
227 *Filega* Elias Sime, Foto: Meskerem Assegued
228, 229 Ernesto Novelo, Sergio und Reinaldo
Pech, Foto: Meskerem Assegued
230 links: Albert Chimedza, Foto:
Antonella Bargione
rechts: Mulatu Astatke, Foto: Girmay-Hiwot
231 *Cactus* Elias Sime, Foto: Meskerem Assegued
233–237 *Evolution of Fearlessness*
Lynette Wallworth, 2006, Foto:
Rocco Fasano / Courtesy Lynette Wallworth
239 *Hold: Vessel 1* Lynette Wallworth, 2001,
Foto / Courtesy Australian Centre for the
Moving Image
240 *Hold: Vessel 1* Lynette Wallworth, 2001,
Foto: Lynette Wallworth / Courtesy
Australian Centre for the Moving Image
241 *Hold: Vessel 1* Lynette Wallworth, 2001,
Foto: Diana Panuccio / Courtesy Australian
Centre for the Moving Image
243, 245 *Invisible by Night* Lynette Wallworth,
2004, Foto / Courtesy: Lynette Wallworth
246 *Damavand Mountain* Lynette Wallworth,
Foto / Courtesy: Lynette Wallworth
247 *Still: Waiting 2* Lynette Wallworth,
Foto / Courtesy: Lynette Wallworth
250–253 *Bodies of Light* Bill Viola (2006)
video diptych © Bill Viola & Kira Perov
255 Zeichnung: Marta Rego
257 Zeichnung: Christian Deschka, Rüdiger
Suppin
258 Zeichnung: Verena Holzgethan
259 Bild: Verena Holzgethan
260, 261 Zeichnungen: Verena Holzgethan
262, 263 Zeichnung: Christian Deschka,
Rüdiger Suppin
266 Foto: Marta Rego
267 oben: Zeichnung: Jörg Lonkwitz
unten links: Bild: Marta Rego
unten rechts: Foto: Verena Holzgethan
268 Zeichnungen: Verena Holzgethan
270, 271 Fotomontage: Verena Holzgethan
272, 273, 275 Bild: Jörg Lonkwitz
276, 277 Zeichnung: Christian Deschka,
Tobias Werkner
278, 279 Zeichnung: Tobias Werkner
280, 281 Zeichnung: Doris Kepplinger
283 Zeichnung / Foto: Gregor Holzinger,
Iris Hercher, Kieran Fraser
284, 285 Zeichnungen: Gregor Holzinger

287 Zeichnung: Gregor Holzinger
288, 289 oben: Foto: Iris Hercher
Mitte: Zeichnung: Kieran Fraser, Iris Hercher
Unten: Zeichnung: Kieran Fraser, Iris Hercher,
Gregor Holzinger
290, 291 Zeichnungen: Gregor Holzinger
292, 293 Fotos: Reiner Zettl
294–299 Bilder: Gregor Holzinger
301, 303 Auditions für The Next Vienna,
Fotos: Doris Kittler
304, 307 Text von Aida
308 Audition für The Next Vienna, Fotos:
Doris Kittler
309 Straßenfest, Foto: Doris Kittler
310–313 Text von Aida
315 Audition für The Next Vienna, Foto:
Doris Kittler
317, 319, 320, 322, 325, 326 *The Edible
Schoolyard*, Fotos: The Edible Schoolyard
336, U3 *Niwemang*, Filmstill: Bahman Ghobadi

Danksagungen
Acknowledgements

Kronos Quartet Konzertreihe
Kronos Quartet Concert Series
Kronos extends special thanks to Osvaldo Golijov and Jeremy Flower for their contributions to the creative process that resulted in this new work. Henry Kolenko / Kolenko Productions was the Executive Producer of the world premiere tour of *Nunavut*.

Alexandra du Bois would like to thank the Netherland-America Foundation for their support. She also extends sincerest gratitude to Eric Boekel, Frits Grimmelikhuizen and Manja Pach, Dr. Gerd Korman, and Julika Marijn.

Pamina Devi
Pamina Devi
Supported by Doris Duke Fund for Dance of the National Dance Project, a program administered by the New England Foundation for the Arts with funding from the National Endowment for the Arts, the Doris Duke Charitable Foundation, and the Ford Foundation. A project of Creative Capital.

The Dialogue Series – iii. dinozord
The Dialogue Series – iii. dinozord
Supported by DRAC Ile-de-France / Ministère de la culture et de la communication

Green Flame
Green Flame
Kindly supported by Ethiopian Airlines

Evolution of Fearlessness
Evolution of Fearlessness

ARTS HOUSE

www.forma.org.uk

The Next Vienna
The Next Vienna
Matthias Angerer und Markus Westenberger, Klub Ost
Eva Blimlinger, Universität für angewandte Kunst, Wien
Dorothee Dietrich, Haus Refugio
Michael Felten, pro mente Wien
Frauenarbeitskreis der BAWO (Bundesarbeitsgemeinschaft Wohnungslosenhilfe)
Margit Köffler, Tip Top Table
Martin Lengauer, Tamara Schwarzmayr, die jungs
Elvira Loibl, FrauenWohnZentrum
Brigitte Macho, M+N Copyservice
Ingrid Rachbauer, Caritas
Renate Schnee, Stadtteilzentrum Bassena, Am Schöpfwerk
Martina Vitek, Manuela Meier, Andrea Kucharowitz, Nicola Krall, Fonds Soziales Wien
Gabriele Votava, Bezirksvorstehung Meidling
Hans-Georg Wächter, Haus St. Josef
Doris Wolfger und Magdalena Hovorka, Männerwohnheim Siemensstraße

New Crowned Hope Film
New Crowned Hope Film
With thanks to all the directors and producers who contributed to the making of this remarkable collection of films, as well as Olivier Aknin and all at Backup; Barbara Albert, Austrian Film Commission: Martin Schweighofer, Anne Laurent, Karin Schiefer; Lucius Barre, Uisce Beatha, Cis Bierinckx, Vincenzo Bugno, Lee Chatametikool, Franck Chelle, Cofiloisirs, Tim Curtis, DDA: Chris Paton, Anna Francis; Setareh Farsi, Tiziana Finzi, Fortissimo Films: Wouter Barendrecht, Michael Werner, Marnix van Wijk, Courtney Noble and Raymond Phatanavirangoon; Scott Foundas, Bernard Frigier, Fabian Hannaert, Jenny Hickson, Ajay Hothi, Christoph Huber, International Film Festival Rotterdam: Sandra den Hamer, Ido Abram, Bianca Stichter, Marit van den Elshout, Bert-Jan Zout; Rose Issa, Christian Jeune, Vanessa Jerrom, Abbas Kiarostami, Martial Knaebel, Richard Lormand, Frederic Maire, Match Factory: Michael Weber, Tobias Seiffert; Beatrice Mauduit, Dmitri Mendeleev, Christoph Meyer-Wiel, Olaf Möller, Österreichisches Filmmuseum: Alexander Horwath, Regina Schlagnitweit; Mikel Olaciregui, Brigitta Portier, Piyarat, Pyramide Films: Eric Lagesse, Paul Richer; Tony Rayns, Michel Reilhac, Pierre Rissient, Rosalba Ruggeri, Scalpel films: Pierre Menahem; Reza Safiri, Joana-Maria Schmitzer, Franz Schwartz, Pierre Selinger, SET: Siska and Gita; Marie Sonne Jensen, Ignacio Telesca, Anne Thompson, Bengt Toll, Toronto International Film Festival, Piers Handling, Noah Cowan, Giovanna Fulvi, Cameron Bailey, Diana Sanchez, Dimitri Eipides, Lara Torvi; Venezia 63: Marco Müller, Angela Savoldi, Luciano Barisone; Viennale: Hans Hurch, Eva Rotter; John Wyver, Pimolthip Yeesuntes, Peter Zawrel, Gernot Zimmermann, Meinholf Zuhorst

Mit besonderem Dank an With special thanks to Kevin Higa —

Projekt PartnerInnen in Wien
Project Partners in Vienna

Galerie Sonnensegel —
Birgit Lurz und and Team —

Gartenbaukino —
Ruth Goubran und and Team —

Gartenbauschule Kagran —
Johann Dücke und and Team —

Integrationshaus Wien —
Andrea Eraslan-Weninger und and Team —

Jugendstiltheater —
Alois Hofinger —

Klub Ost —
Matthias Angerer und and Team —

Konzerthaus —
Christoph Lieben-Seutter und and Team —

KUNSTHALLE wien —
Gerald Matt und and Team —

Künstlerhaus —
Peter Bogner und and Team —

ORF-RadioKulturhaus —
Christiane Goller-Fischer und and Team —

Österreichisches Filmmuseum —
Alexander Horwath und and Team —

Schloss Niederweiden (NÖ) **—**
Kurt Farasin und and Team —

Schlosstheater Schönbrunn —
Elisabeth Freismuth und and Team —

Studio Prix, Institut für Architektur, Universität für angewandte Kunst, Wien —

Tanzquartier Wien —
Sigrid Gareis und and Team —

Viennale —
Hans Hurch und and Team —

New Crowned Hope
New Crowned Hope

WienVienna, 14.11.–13.12.2006
www.newcrownedhope.org

Künstlerische LeitungArtistic Director
Peter Sellars —
ProduzentinProducer
Diane J. Malecki —
GesamtkoordinationPrincipal Project Manager
Gerlinde Ehrenreich —
AssistenzAssistant
Angelika Kaspurz —

Ein Festival im Rahmen von
Wiener Mozartjahr 2006 —
A festival within
Wiener Mozartjahr 2006 —
DurchführungExecutive Producer
Wiener Festwochen —

Wiener Festwochen
Wiener Festwochen

GeschäftsführungExecutive Directors
Luc Bondy — **Wolfgang Wais** —

Kaufmännische LeitungGeneral Management
GeschäftsführerExecutive Director
Wolfgang Wais —
Asja Jarzina (AssistenzAssistant) —

VerträgeContracts
Melanie Jamnig (LeitungManagement) —
Johanna Legerer (AssistenzAssistant) —

ProduktionsleitungProduction Management
Martina Forster — **Celestine Kubelka** —
Attila Láng — **Michaela Monaco** —
Claudia Purschke — **Bettina Wais-Einspieler** —
Peter Walz — **Bernhard Werschnak** —

Technische LeitungTechnical Director
Andreas Walter —

ProduktionsassistenzProduction Assistants
Andrea Brglez — **Martin Lorenz** —
Nadja Piplits — **Sarah Preyer** —
Hannah Wagner — **Nora Wolloch** —

Leitung PublikumsdienstFront of House Staff
Manager **Ursula Beer** —

FahrerDriver
Robert Capellare —

Pressebüro / Öffentlichkeitsarbeit
Press office / Public relations
Maria Awecker (LeitungManagement) —
Judith Kaltenböck — **Simon Meusburger** —
Nadia Pfattner — **Sabina Preindl** —
Barbara Schober —

MarketingMarketing
Sonja Vikas-Stückler —
Stefan Wollmann (LeitungManagement) —

Kartenbüro und ServiceTicket Office and Service
Lisa Andergassen — **Helma Bittermann** —
Isabel Covi — **Sara Diefenbacher** —
Veronika Glatzer — **Birgit Gohlke** — **Julian
Grill** — **Nora Haag** — **Niki Hansalik** —
Andrea Heidinger — **Petra Jannaschk**
(LeitungManagement) — **Ulrike Klöckl** —
Andreas Körner — **Clemens Lehenauer** —
Sylvia Lind — **Doris Reinbacher** — **Cornelia
Schweinberger** — **Wolfgang Springer** —
Michael Strasser — **Michaela Zimbelius** —

TelefonzentraleFront Desk
Karin Slamanig — **Maria Huetter** —

VerwaltungAdministration
Andrea Aichhorn — **Romana Baumgartner**
— **Elisabeth Dobisch** — **Thomas Kaiblinger**
(LeitungManagement) — **Edith Kerstof** —
Maria Neufingerl — **Susanne Schmidt** —

SystemadministratorSystem Administration
Herbert Samer —

Halle E+GHalle E+G
Herbert Stangl — **Martina Wimmer** —
Claudia Schachel — **Team Halle E+G** —
Bildende KunstVisual Arts
Technische LeitungTechnical Director
Andrey von Schlippe —
Assistenz technische LeitungAssistant to
Technical Director **Sigi Feldbacher** —
Film Präsentation ProduktionsleitungFilm
Presentation Production Management
After Image Productions — **Ralph Wieser** —
Angela Leucht —
Film KommunikationFilm Communication
Alessandra Thiele —
The Next ViennaThe Next Vienna
Kommunikation CommunitiesCommunication
Communities **Martin Lengauer** —
Tamara Schwarzmayr — **die jungs** —

KontaktContact
Wiener Festwochen
Lehárgasse 11, 1060 Wien,
TelefonTelephone (+43-1) 589 22-0
TelefaxFax (+43-1) 589 22-49
festwochen@festwochen.at
www.festwochen.at

Information und Karten
Information and tickets

**Festwochen Service TelefonFestival Service
Telephone (+43-1) 589 22 22**

**Online-VerkaufOnline order
www.newcrownedhope.org**

Telefonischer Kartenverkauf mit Kreditkarte
For credit card bookings
TelefonTelephone **(+43-1) 589 22 11**

**Vorverkauf an den KassenTicket sale
Tageskasse der Wiener Festwochen
Box-office Wiener Festwochen**
Lehárgasse 3a, 1060 WienVienna
Mo–Mi: 10 bis 13, 14 bis 18 Uhr
Mon-Wed: 10am-1pm, 2pm-6pm
Do, Fr: 10 bis 13, 14 bis 19 Uhr
Thu,Fri: 10am-1pm, 2pm-7pm
Sa: 10 bis 14 Uhr
Sat: 10am-2pm

abfrom **November 13, 2006:**
Sa–Mi: 10 bis 18 Uhr Sat–Wed: 10am–6pm,
Do, Fr: 10 bis 19 Uhr Thu,Fri: 10am–7pm
**Tageskasse im Festival Zentrum
KünstlerhausBox-office Künstlerhaus**
Akademiestraße 13, 1010 WienVienna
(EingangEntrance Künstlerhaus Kino)
Fr–Mi 12 bis 20 UhrFri-Wed: 12am–8pm
Do 12 bis 21 UhrThu: 12am–9pm

Karten für sämtliche Vorstellungen sind auch bei
den Vorverkaufsstellen von TICKETCORNER
erhältlich.In addition tickets are sold at all
TICKETCORNER outlets. —

Festival Zentrum Künstlerhaus
Festival Center Künstlerhaus

17.11.–13.12.2006 —
Karlsplatz 5, 1010 WienVienna —
Freier EintrittFree —
www.newcrownedhope.org

ÖffnungszeitenOpening Hours
TäglichDaily 12:00–20:00 —
DonnerstagThursday 12:00–21:00 —
Täglich VeranstaltungenDaily Events
18:00–19:00 (während dieser Zeit bleibt die
Ausstellung geschlossenthe exhibition closes
for the daily events of the festival center) —

Design Festival ZentrumDesign Festival Center
Christian Sturminger —

Vier Wochen lang wird das Künstlerhaus am
Karlsplatz zum Zentrum für Bildende Kunst aus
drei Kontinenten und zum Anziehungspunkt für
all jene, die in ruhiger Atmosphäre Bücher zu
den Festival-Themen lesen oder eine Tasse mit
ganz besonderem Tee genießen wollen. Rund
um die Ausstellung der Künstlerin Lynette
Wallworth (Australien) und der Kuratorin
Meskerem Assegued (Äthiopien) sowie der
Video-Installation von Bill Viola (USA) finden
Konzerte, Lesungen und Diskussionen statt
sowie die Projekte von The Next Vienna – alles
bei freiem Eintritt. —
For a period of four weeks, the Künstlerhaus at
the Karlsplatz will become a center of visual
arts from three continents and a magnet for
visitors who would like to read books on the
Festival themes or enjoy a cup of very special
tea in a pleasant, tranquil setting. Concerts, rea-
dings and discussions as well as the projects of
The Next Vienna will take place around the
exhibition by artist Lynette Wallworth (Australia)
and curator Meskerem Assegued (Ethiopia) as
well as a video installation by Bill Viola (USA),
with free admission to all events. —

Spielorte und Abendkassen
Venues and evening box-offices

Klub OST —
Schwindgasse 1, 1040 WienVienna
Konzerthaus —
Lothringerstraße 20, 1030 WienVienna
KUNSTHALLE wien project space —
Treitlstraße 2, 1040 WienVienna
Künstlerhaus —
Akademiestraße 13, 1010 WienVienna
Am Schöpfwerk/Heizraum —
U6 Station/Ausgang Schöpfwerk, 1120 WienVienna
Galerie Sonnensegel —
Preßgasse 28, 1040 WienVienna
Gartenbaukino —
Parkring 12, 1010 WienVienna
Halle E+G im MuseumsQuartier —
Museumsplatz 1, 1070 WienVienna
Jugendstiltheater —
Baumgartner Höhe 1, 1140 WienVienna
ORF-RadioKulturhaus —
Argentinierstraße 30a, 1040 WienVienna
Schlosstheater Schönbrunn —
Schönbrunner Schlossstraße 47, 1130 WienVienna
Österreichisches Filmmuseum —
Karten für die Vorstellungen im Filmmuseum
sind ausschließlich erhältlich an der Kasse
FilmmuseumTickets for all performances at Film
Museum are only available at Box-office
Filmmuseum — Augustinerstraße 1,
1010 WienVienna
Telefon (+43-1) 533 70 54
www.filmmuseum.at

Wir danken den hunderten Menschen, Gruppen und Organisationen rund um die Welt und in Wien, die die Realisierung von New Crowned Hope möglich gemacht haben. **We would like to thank** the hundreds of individuals, groups, and organizations around the world and in Vienna who have made the realization of New Crowned Hope possible. —

In WienIn Vienna —
Michael Häupl, Bürgermeister der Stadt WienMayor of the City of Vienna —
Andreas Mailath-Pokorny, Amtsführender Stadtrat für Kultur und Wissenschaft der Stadt WienExecutive City Councilor for Cultural Affairs and Science of the City of Vienna —

Peter Sellars —

New Crowned Hope wird subventioniert aus Mitteln der Kulturabteilung der Stadt Wien. New Crowned Hope is supported by the Cultural Department, City of Vienna. —

Impressum
Imprint

HerausgeberEditor
Wiener Festwochen GesmbH
Lehárgasse 11, 1060 Wien
Telefon (+43-1) 589 22-0
Telefax (+43-1) 589 22-49
festwochen@festwochen.at
www.festwochen.at

VerlegerPublisher
Folio Verlag Wien·Bozen

Für den Inhalt verantwortlichContents
Peter Sellars —

RedaktionEditorial Office
Maria Awecker (LeitungManagement) —
Gerlinde Ehrenreich — **Judith Kaltenböck** —
Angelika Kaspurz —
Marie-Therese Rudolph — **Barbara Schober** —
Avery T. Willis —

Übersetzung Englisch und Französisch
Translation English and French **Sigrid Szabó** —

Lektorat DeutschGerman Proof Reading
Manuela Eder —
Lektorat EnglischEnglish Proof Reading
Avery T. Willis —

Konzept / GestaltungConcept / Design
jung Büro für Gestaltung — **Michael Jung** — in Zusammenarbeit mitin collaboration with **Natalie Dietrich** —

DruckPrinting: Italy

folio

© Für die Buchhandelsausgabe
Folio Verlag Wien·Bozen, 2007
ISBN: 978-3-85256-349-7
www.folioverlag.com